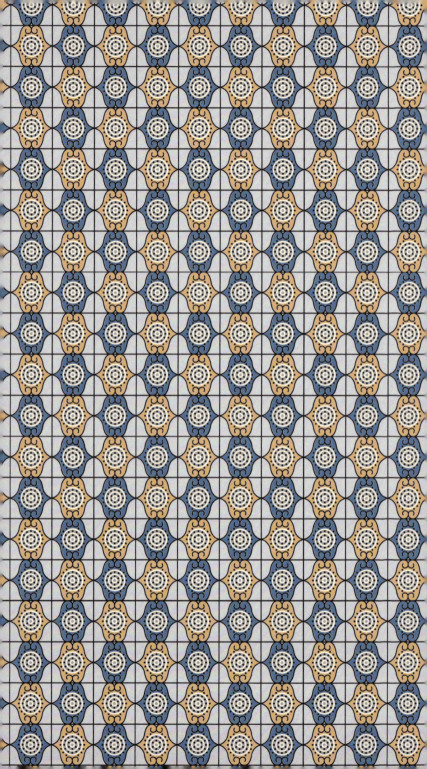

SIGMUND
FREUD

OBRAS COMPLETAS

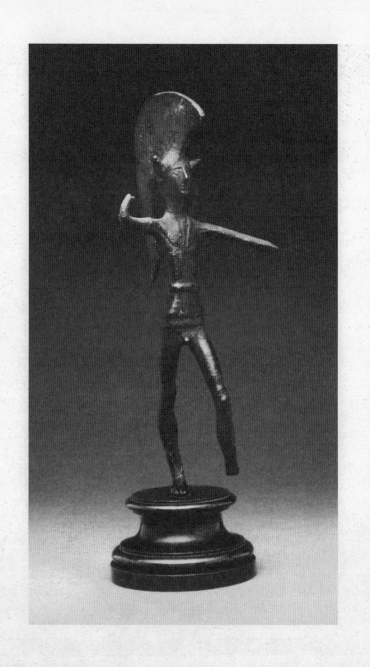

SIGMUND

FREUD

OBRAS COMPLETAS VOLUME 13

CONFERÊNCIAS INTRODUTÓRIAS À PSICANÁLISE

(1916-1917)

TRADUÇÃO SERGIO TELLAROLI
REVISÃO DA TRADUÇÃO PAULO CÉSAR DE SOUZA

11ª reimpressão

COMPANHIA DAS LETRAS

Copyright da tradução © 2014 by Sergio Tellaroli
Copyright da organização © 2014 by Paulo César Lima de Souza

Grafia atualizada segundo o Acordo Ortográfico da Língua
Portuguesa de 1990, que entrou em vigor no Brasil em 2009.

Os textos deste volume foram traduzidos de *Gesammelte Werke*,
volumes XI e XVI (Londres: Imago, 1940 e 1950).
A outra edição alemã referida é *Studienausgabe*, volume I
(Frankfurt: Fischer, 2000).

O tradutor agradece o apoio do Colégio Europeu de Tradutores
de Straelen (EÜK) e do Serviço Alemão de Intercâmbio
Acadêmico (DAAD). A tradução desta obra foi finalizada em Straelen,
na Alemanha, entre os meses de maio e julho de 2013.

Capa e projeto gráfico
warrakloureiro

Imagens das pp. 3 e 4, obras da coleção pessoal de Freud:
Eros, período helenístico, Grécia, terracota, 10 cm
Guerreiro da Úmbria, 500-450 a.C., Itália, bronze, 20,8 cm
Freud Museum, Londres

Preparação
Célia Euvaldo

Índice remissivo
Luciano Marchiori

Revisão
Carmen T. S. Costa
Marise Leal

Dados Internacionais de Catalogação na Publicação (CIP)
(Câmara Brasileira do Livro, SP, Brasil)

Freud, Sigmund, 1856-1939.
    Obras completas, volume 13: conferências introdutórias
à psicanálise (1916-1917) / Sigmund Freud; tradução Sergio Tellaroli;
revisão da tradução Paulo César de Souza. — 1ª ed. — São Paulo:
Companhia das Letras, 2014.

Título original: Gesammelte Werke
ISBN 978-85-359-2419-0

1. Freud, Sigmund, 1856-1939 2. Psicanálise 3. Psicologia
4. Psicoterapia I. Título.

14-02275   CDD-150.1954

Índice para catálogo sistemático:
1. Sigmund Freud: Obras completas: Psicologia analítica   150.1954

Todos os direitos desta edição reservados à
EDITORA SCHWARCZ S.A.
Rua Bandeira Paulista, 702, cj. 32
04532-002 — São Paulo — SP
Telefone: (11) 3707-3500
www.companhiadasletras.com.br
www.blogdacompanhia.com.br
facebook.com/companhiadasletras
instagram.com/companhiadasletras
twitter.com/cialetras

SUMÁRIO

ESTA EDIÇÃO 9

CONFERÊNCIAS INTRODUTÓRIAS À PSICANÁLISE [1916-1917]
PREFÁCIO 14
PREFÁCIO À EDIÇÃO HEBRAICA 16

PRIMEIRA PARTE: OS ATOS FALHOS [1916]
1. INTRODUÇÃO 19
2. OS ATOS FALHOS 31
3. OS ATOS FALHOS (CONTINUAÇÃO) 52
4. OS ATOS FALHOS (CONCLUSÃO) 79

SEGUNDA PARTE: OS SONHOS
5. DIFICULDADES E PRIMEIRAS APROXIMAÇÕES 110
6. PRESSUPOSTOS E TÉCNICA DA INTERPRETAÇÃO 133
7. CONTEÚDO ONÍRICO MANIFESTO
E PENSAMENTOS ONÍRICOS LATENTES 151
8. SONHOS DE CRIANÇAS 167
9. A CENSURA DOS SONHOS 183
10. O SIMBOLISMO DOS SONHOS 200
11. O TRABALHO DO SONHO 229
12. ANÁLISES DE EXEMPLOS DE SONHOS 247
13. TRAÇOS ARCAICOS E INFANTILISMO DOS SONHOS 268
14. A REALIZAÇÃO DE DESEJOS 287
15. INCERTEZAS E CRÍTICAS 308

TERCEIRA PARTE: TEORIA GERAL DAS NEUROSES [1917]
16. PSICANÁLISE E PSIQUIATRIA 325
17. O SENTIDO DOS SINTOMAS 343
18. A FIXAÇÃO NO TRAUMA, O INCONSCIENTE 364
19. RESISTÊNCIA E REPRESSÃO 381
20. A VIDA SEXUAL HUMANA 401
21. O DESENVOLVIMENTO DA LIBIDO
E AS ORGANIZAÇÕES SEXUAIS 424
22. CONSIDERAÇÕES SOBRE DESENVOLVIMENTO
E REGRESSÃO. ETIOLOGIA 450
23. OS CAMINHOS DA FORMAÇÃO DE SINTOMAS 475
24. O ESTADO NEURÓTICO COMUM 500

25. A ANGÚSTIA 519
26. A TEORIA DA LIBIDO E O NARCISISMO 545
27. A TRANSFERÊNCIA 570
28. A TERAPIA ANALÍTICA 593

ÍNDICE REMISSIVO 614

ESTA EDIÇÃO

Esta edição das obras completas de Sigmund Freud pretende ser a primeira, em língua portuguesa, traduzida do original alemão e organizada na sequência cronológica em que apareceram originalmente os textos.

A afirmação de que são obras completas pede um esclarecimento. Não se incluem os textos de neurologia, isto é, não psicanalíticos, anteriores à criação da psicanálise. Isso porque o próprio autor decidiu deixá-los de fora quando se fez a primeira edição completa de suas obras, nas décadas de 1920 e 30. No entanto, vários textos pré-psicanalíticos, já psicológicos, serão incluídos nos dois primeiros volumes. A coleção inteira será composta de vinte volumes, sendo dezenove de textos e um de índices e bibliografia.

A edição alemã que serviu de base para esta foi *Gesammelte Werke* [Obras completas], publicada em Londres entre 1940 e 1952. Agora pertence ao catálogo da editora Fischer, de Frankfurt, que também recolheu num grosso volume, intitulado *Nachtragsband* [Volume suplementar], inúmeros textos menores ou inéditos que haviam sido omitidos na edição londrina. Apenas alguns deles foram traduzidos para a presente edição, pois muitos são de caráter apenas circunstancial.

A ordem cronológica adotada pode sofrer pequenas alterações no interior de um volume. Os textos considerados mais importantes do período coberto pelo volume, cujos títulos aparecem na página de rosto, vêm em primeiro lugar. Em uma ou outra ocasião, são reunidos aqueles que tratam de um só tema, mas não foram publicados sucessivamente; é o caso dos artigos sobre a técnica psicanalítica, por exemplo. Por fim, os textos mais curtos são agrupados no final do volume.

Embora constituam a mais ampla reunião de textos de Freud, os dezessete volumes dos *Gesammelte Werke* foram sofrivelmente editados, talvez devido à penúria dos anos de guerra e de pós-guerra na Europa. Embora ordenados cronologicamente, não indicam sequer o ano da publicação de cada trabalho. O texto em si é geralmente confiável, mas sempre que possível foi cotejado com a *Studienausgabe* [Edição de estudos], publicada pela Fischer em 1969-75, da qual consultamos uma edição revista, lançada posteriormente. Trata-se de onze volumes organizados por temas (como a primeira coleção de obras de Freud), que não incluem vários textos secundários ou de conteúdo repetido, mas incorporam, traduzidas para o alemão, as apresentações e notas que o inglês James Strachey redigiu para a *Standard edition* (Londres, Hogarth Press, 1955-66).

O objetivo da presente edição é oferecer os textos com o máximo de fidelidade ao original, sem interpretações de comentaristas e teóricos posteriores da psicanálise, que devem ser buscadas na imensa bibliografia sobre o tema. Informações sobre a gênese de cada obra também podem ser encontradas na literatura secundária. Para questionamentos de pontos específicos e do próprio conjunto da teoria freudiana, o leitor deve recorrer à literatura crítica de M. Macmillan, Joel Paris, F. Cioffi, J. Van Rillaer, E. Gellner e outros.

Após o título de cada texto há apenas a referência bibliográfica da primeira publicação, não a das edições subsequentes ou em outras línguas, que interessam tão somente a alguns especialistas. Entre parênteses se acha o ano da publicação original; havendo transcorrido mais de um ano entre a redação e a publicação, a data da redação aparece entre colchetes. As indicações bibliográficas do autor foram normalmente conservadas tais como ele as redigiu, isto é, não foram substituídas por edições mais recentes das obras citadas. Mas sempre é fornecido o ano da publicação, que, no caso de remissões do autor a seus próprios textos, permite que o leitor os localize sem maior dificuldade, tanto nesta como em outras edições das obras de Freud.

As notas do tradutor geralmente informam sobre os termos e passagens de versão problemática, para que o leitor tenha uma ideia mais precisa de seu significado e para justificar em alguma medida as soluções aqui adotadas. Nessas notas são reproduzidos os equivalentes achados em algumas versões estrangeiras dos textos, em línguas aparentadas ao português e ao alemão. Não utilizamos as duas versões das obras completas já aparecidas em português, das editoras Delta e Imago, pois não foram traduzidas do alemão, e sim do francês e do espanhol (a primeira) e do inglês (a segunda).

No tocante aos termos considerados técnicos, não existe a pretensão de impor as escolhas aqui feitas, como se fossem absolutas. Elas apenas pareceram as menos insatisfatórias para o tradutor, e os leitores e profissionais que empregam termos diferentes, conforme suas diferentes abordagens e percepções da psicanálise, devem sentir-se à vontade para conservar suas opções; que cada qual seja "feliz à sua maneira", como disse aquele famoso rei da Prússia, citado por Freud.

P.C.S.

CONFERÊNCIAS INTRODUTÓRIAS À PSICANÁLISE (1916-1917)

TÍTULO ORIGINAL: *VORLESUNGEN ZUR EINFÜHRUNG IN DIE PSYCHOANALYSE*. PUBLICADO PRIMEIRAMENTE EM TRÊS VOLUMES: PARTES I E II, LEIPZIG E VIENA: HELLER, 1916; PARTE III, IDEM, 1917. TRADUZIDO DE *GESAMMELTE WERKE* XI, PP. 1-497. TAMBÉM SE ACHA EM *STUDIENAUSGABE* I, PP. 31-445.

PREFÁCIO

O que aqui ofereço ao público, como "introdução à psicanálise", não pretende de modo algum rivalizar com as apresentações gerais já existentes dessa área do conhecimento (Hitschmann, *Freuds Neurosenlehre*, 2ª ed., 1913; Pfister, *Die psychoanalytische Methode*, 1913; Leo Kaplan, *Grundzüge der Psychoanalyse*, 1914; Régis e Hesnard, *La psychoanalyse des névroses et des psychoses*, Paris, 1914; Adolf F. Meijer, *De Behandeling van Zenuwzieken door Psycho-Analyse*, Amsterdam, 1915). Trata-se da reprodução fiel de palestras que proferi em dois semestres, nos invernos de 1915-6 e 1916-7, diante de uma audiência composta de médicos e leigos de ambos os sexos.

Todas as peculiaridades que chamarão a atenção dos leitores deste livro se explicam a partir das condições em que ele surgiu. Não foi possível, nesta exposição, manter a fria serenidade de um tratado científico; o orador precisou, antes, incumbir-se de não deixar esmorecer a atenção dos ouvintes ao longo de palestras de quase duas horas. Essa preocupação com o efeito momentâneo tornou inevitável que um mesmo assunto fosse tratado mais de uma vez — por exemplo, no contexto da interpretação dos sonhos e, depois, no dos problemas da neurose. Ademais, a ordenação do material fez com que muitos temas importantes, como o do inconsciente, não pudessem ser abordados exaustivamente num único ponto; eles foram retomados e abandonados diversas vezes, de acordo com as novas oportunidades surgidas de acrescentar algo a seu conhecimento.

Quem está familiarizado com a literatura psicanalítica pouco encontrará nesta "introdução" que já não conheça de outras exposições, bem mais detalhadas. Contudo, a necessidade de completar e resumir o tema obrigou o autor a recorrer a material não divulgado anteriormente (na etiologia da angústia e nas fantasias histéricas).

Viena, primavera de 1917.
Freud

PREFÁCIO À EDIÇÃO HEBRAICA*

Estas conferências foram proferidas nos anos de 1916 e 1917; elas correspondiam fielmente ao estágio em que se encontrava então a jovem ciência e continham mais do que seu título anunciava — apresentavam não apenas uma introdução, mas boa parte do conteúdo da psicanálise na época. É natural que, hoje, esse já não seja o caso. Nesse meio-tempo, a teoria psicanalítica fez progressos; a ela acrescentaram-se elementos importantes, como a decomposição da personalidade em Eu, Super-eu e Id,** uma profunda modificação da teoria dos instintos e uma melhor compreensão da origem da consciência moral e do sentimento de culpa. Portanto, as conferências tornaram-se incompletas em alto grau, somente agora adquirindo realmente o caráter de mera "introdução". Em outro sentido, porém, mesmo hoje não se tornaram ultrapassadas ou envelhecidas. À exceção de umas poucas alterações, o que elas trazem continua merecendo crédito e é ensinado nos institutos de psicanálise.

Ao público de língua hebraica, em especial à juventude ávida de conhecimento, este livro apresenta a psicanálise na roupagem da língua antiquíssima que a vontade do povo judeu despertou para uma nova vida. O autor tem boa ideia do trabalho que isso demandou do tradutor, e não necessita reprimir a dúvida de que

---

* Traduzido de *Gesammelte Werke*, v. XVI, pp. 274-5.
** No original, *Ich, Über-Ich* e *Es*; cf. nota sobre a versão desses termos no v. 18 destas *Obras completas*, p. 213.

Moisés e os profetas teriam julgado compreensíveis estas conferências em hebraico. Aos descendentes deles, porém — entre os quais ele mesmo se inscreve e para os quais este livro se destina —, ele pede que, aos primeiros impulsos de crítica e desagrado, não se apressem em reagir com repúdio. A psicanálise traz tantas novidades, e entre elas tanta coisa que contradiz opiniões tradicionais e fere sentimentos profundamente arraigados, que há de suscitar oposição a princípio. Mas quem suspender seu juízo e se deixar influenciar pela totalidade dela talvez adquira a convicção de que também essas novidades indesejadas são imprescindíveis e dignas de conhecimento, se quiser entender a psique e a vida humana.

Viena, dezembro de 1930.

PRIMEIRA PARTE: OS ATOS FALHOS (1916)

1. INTRODUÇÃO

Senhoras e senhores: Não sei quanto cada um dos senhores sabe sobre psicanálise, seja por intermédio de leituras ou de ouvir dizer. Todavia, os termos com que anunciei estas conferências — introdução elementar à psicanálise — obrigam-me a tratá-los como se nada soubessem e necessitassem, portanto, de instrução preliminar.

Mas pressuponho ser do conhecimento de todos que a psicanálise é um procedimento por meio do qual se trata clinicamente os doentes dos nervos, e dou-lhes logo um exemplo de como, nessa área, muito se dá diferentemente do que ocorre nos demais domínios da medicina, ou mesmo em franca oposição a estes. Neles, quando submetemos um doente a uma técnica médica que lhe é nova, em geral minimizamos os problemas inerentes a ela e, confiantes, lhe asseguramos que o tratamento em questão terá êxito. Penso que é justificado fazê-lo, uma vez que nosso comportamento aumenta a probabilidade de sucesso. Quando, porém, submetemos um neurótico a tratamento psicanalítico, procedemos de modo diverso. Mostramos a ele as dificuldades de nosso método, o tempo que este vai demandar, os esforços e sacrifícios que vai exigir, e, quanto ao sucesso, dizemos não ser possível prometê-lo com segurança, porque ele dependerá do comportamento, da compreensão, da obediência e da persistência do próprio doente. Temos, é claro, bons motivos para adotar uma conduta aparentemente tão atravessada, que os senhores talvez venham a compreender mais adiante.

I OS ATOS FALHOS

Apenas não se irritem se, de início, eu os tratar como neuróticos. Na verdade, desaconselho os senhores a me ouvir uma segunda vez. É com esse propósito que pretendo expor-lhes as deficiências inerentes ao aprendizado da psicanálise e as dificuldades que se interpõem à formulação de um juízo a seu respeito. Vou mostrar-lhes que tanto a formação prévia dos senhores como seu modo habitual de pensar só poderiam transformá-los, inevitavelmente, em adversários da psicanálise, e quanto lhes custaria superar essa oposição instintiva a ela. Decerto, não posso prever a medida da compreensão para a psicanálise que minhas palestras despertarão nos senhores, mas posso garantir que ouvi-las não os capacitará a realizar nenhuma investigação psicanalítica nem os tornará aptos a conduzir semelhante tratamento. Ainda assim, caso haja entre os senhores alguém que não deseje se dar por satisfeito com um conhecimento passageiro do assunto, mas que, pelo contrário, gostaria de se relacionar com a psicanálise de forma mais duradoura, eu não apenas o desaconselho a assim proceder como o advirto expressamente para que não o faça. Do modo como estão as coisas hoje em dia, escolher tal profissão destruiria toda e qualquer possibilidade de sucesso em alguma universidade, e, quando começasse a praticar a medicina, esse alguém se veria numa sociedade que não compreende seus esforços, que o contempla com desconfiança e hostilidade e que sobre ele atiçará todos os espíritos ruins que nela espreitam. A partir dos fenômenos que acompanham a atual guerra na Europa, os senhores talvez possam ter uma ideia aproximada de quantas seriam as legiões desses espíritos.

1. INTRODUÇÃO

De todo modo, sempre existem em bom número aquelas pessoas para as quais, a despeito de tais desconfortos, tudo quanto pode se transformar em novos conhecimentos retém sua atratividade. Havendo entre os senhores algumas pessoas desse tipo, dispostas a desconsiderar meu conselho em contrário e a aqui reaparecer quando de minha próxima conferência, elas serão bem-vindas. Todos, porém, têm o direito de saber quais as dificuldades da psicanálise às quais aludi.

Em primeiro lugar, há as dificuldades relacionadas à instrução, ao ensino da psicanálise. Nas aulas de medicina, os senhores se acostumaram a *ver*. Veem o preparado anatômico, o precipitado decorrente da reação química e o encolhimento do músculo resultante do sucesso na estimulação de seus nervos. Depois, o doente lhes é apresentado aos sentidos, com os sintomas de seu mal, os produtos do processo de adoecimento e mesmo, em numerosos casos, os causadores da doença em estado isolado. Nas disciplinas cirúrgicas, testemunham as intervenções mediante as quais se presta socorro ao enfermo e podem até se exercitar na execução delas. Mesmo na psiquiatria, a apresentação do doente, com sua mímica facial alterada, seu modo de falar e seu comportamento, abastece os senhores de toda uma variedade de observações que lhes deixa impressão profunda. Assim, o professor de medicina cumpre predominantemente o papel de um guia e intérprete a lhes acompanhar por um museu, enquanto os senhores travam contato direto com os objetos e, mediante sua própria percepção, creem haver se convencido da existência dos novos fatos.

Infelizmente, isso tudo é diferente na psicanálise. No tratamento psicanalítico não ocorrem senão trocas de palavras entre o analisando e o médico. O paciente fala, relata experiências passadas e impressões presentes, se queixa, confessa seus desejos e impulsos emocionais. O médico ouve com atenção, busca dirigir o curso dos pensamentos do paciente, instiga-o, compele sua atenção para determinadas direções, dá-lhe explicações e observa as reações de compreensão ou repúdio que, desse modo, desperta no doente. Parentes desinformados de nossos doentes — aos quais só impressiona o que é visível e palpável, de preferência ações como as que vemos no cinema — jamais perdem uma oportunidade de manifestar suas dúvidas acerca de "como se pode fazer alguma coisa contra a doença apenas com palavras". Trata-se de um modo de pensar pouco sensato e não muito coerente. São, aliás, essas mesmas pessoas que têm certeza de que os doentes "apenas imaginam" seus sintomas. Em sua origem, as palavras eram magia, e ainda hoje a palavra conserva muito de seu velho poder mágico. Com palavras, uma pessoa é capaz de fazer outra feliz ou de levá-la ao desespero; é com palavras que o professor transmite seu conhecimento aos alunos e é também por intermédio das palavras que o orador arrebata a assembleia de ouvintes e influi sobre os juízos e as decisões de cada um deles. Palavras evocam afetos e constituem o meio universal de que se valem as pessoas para influenciar umas às outras. Não vamos, pois, subestimar o emprego das palavras na psicoterapia, e sim nos dar por satisfeitos se pudermos ser ouvintes daquelas palavras que são trocadas entre o analista e seu paciente.

1. INTRODUÇÃO

Mas tampouco isso podemos fazer. A conversa que constitui o tratamento psicanalítico não admite ouvintes, e não se presta a demonstrações. Pode-se, é claro, em uma aula de psiquiatria, apresentar um neurastênico ou um histérico aos estudantes. Ele relatará suas queixas e sintomas, mas nada além disso. As comunicações de que necessita a análise, o paciente só as faz mediante uma particular ligação emocional com o médico; tão logo notasse a presença de uma testemunha que lhe é indiferente, ele se calaria. Sim, porque tais declarações dizem respeito ao que há de mais íntimo em sua vida psíquica, a tudo o que, como pessoa socialmente autônoma, ele precisa ocultar dos outros e, de resto, a tudo o que, como personalidade una, ele não deseja admitir para si mesmo.

Portanto, os senhores não podem assistir a um tratamento psicanalítico. Podem apenas ouvir acerca dele e, assim, tomar conhecimento da psicanálise apenas de ouvir falar, no sentido mais estrito da expressão. Mediante essa instrução de segunda mão, por assim dizer, condições bastante incomuns se apresentam para que os senhores possam formar um juízo. Claro está que tudo depende, em boa parte, da credibilidade que possam conferir à sua fonte de informação.

Imaginem-se, por um momento, não em uma aula de psiquiatria, e sim de história, em que o professor lhes fala sobre a vida e os feitos bélicos de Alexandre, o Grande. Que motivo teriam os senhores para acreditar na veracidade das informações do mestre? A princípio, a situação parece ainda mais desfavorável do que na psicanálise, uma vez que o professor de história, assim como os senhores, não participou das campanhas bélicas de Alexandre; o psicanalista ao menos relata coisas nas quais desempenhou um papel. Mas depois vêm as coisas que confirmam o historiador. Ele pode remeter os senhores a relatos de antigos escritores, contemporâneos dos fatos ou mais próximos dos acontecimentos em questão, isto é, aos livros de Diodoro, Plutarco, Arriano etc.; e pode mostrar-lhes as reproduções conservadas das moedas e estátuas do rei, bem como passar-lhes uma fotografia do mosaico da batalha de Issos, que se acha em Pompeia. A rigor, todos esses documentos comprovam apenas que gerações anteriores já acreditavam na existência de Alexandre e na realidade de seus feitos, o que também poderia suscitar a crítica dos senhores. Essa crítica diria, então, que nem tudo que se relatou sobre Alexandre é digno de crédito ou verificável em seus detalhes, mas não posso supor que os senhores deixariam a sala de aula duvidando da realidade de Alexandre, o Grande. Sua decisão seria determinada principalmente por duas ponderações: a primeira delas é que o professor não possui nenhum motivo concebível para expor aos senhores como real algo que ele não acredita que o seja; a segunda é que todos os livros de história disponíveis relatam esses mesmos acontecimentos de maneira semelhante. Procedendo, em seguida, ao exame das fontes antigas, os senhores levariam em consideração os mesmos fatores, ou seja, as possíveis motivações do informante e a coerência interna dos testemunhos. No caso de Alexandre, o resultado dessa prova com certe-

1. INTRODUÇÃO

za seria tranquilizador; mas é provável que viesse a ser outro em se tratando de personalidades como Moisés ou Nimrod. As dúvidas que os senhores poderiam levantar quanto à credibilidade do informante psicanalítico, os senhores terão oportunidade de identificar com suficiente clareza mais adiante.

Agora têm o direito de perguntar: se não existe certificação objetiva da psicanálise nem qualquer possibilidade de demonstrá-la, como pode alguém aprendê-la, afinal, e se convencer da verdade de suas afirmações? De fato, esse aprendizado não é fácil nem são muitos os que a aprenderam devidamente, mas existe, é claro, um caminho possível para tanto. Psicanálise é algo que aprendemos, em primeiro lugar, em nós mesmos, mediante o estudo de nossa própria personalidade. Não se trata propriamente daquilo a que chamam auto-observação, embora possamos, por necessidade, classificá-lo dessa maneira. Há toda uma série de fenômenos psíquicos muito frequentes e conhecidos de todos que, após alguma instrução sobre a técnica, podemos observar em nós mesmos e tornar objetos de análise. É assim que obtemos a convicção que procuramos acerca da realidade dos processos que a psicanálise descreve e da correção das concepções psicanalíticas. Desse modo, no entanto, certas barreiras se impõem a nosso progresso. Avançaremos muito mais se nos deixarmos analisar por um analista qualificado, experimentando os efeitos da análise em nosso próprio Eu e nos valendo da oportunidade de aprender com o outro a técnica mais refinada do procedimento. Mas, embora excelente, é claro que esse caminho só pode ser percorrido por um indivíduo, jamais por toda uma sala de aula.

Aos senhores, meus ouvintes — e não a ela —, cabe a responsabilidade por uma segunda dificuldade em sua relação com a psicanálise, pelo menos na medida em que estudaram medicina. Sua formação deu ao modo de pensar dos senhores certo direcionamento que o distancia bastante da psicanálise. Os senhores foram ensinados a fundamentar as funções do organismo e seus distúrbios na anatomia, a explicá-los com base na química e na física e a apreendê-los com base na biologia; mas seu interesse não foi dirigido para a vida psíquica, na qual culmina o funcionamento desse organismo de maravilhosa complexidade. Por essa razão, permaneceram alheios ao pensamento psicológico e se acostumaram a contemplá-lo com desconfiança, negando-lhe o caráter científico e relegando-o aos leigos, aos escritores, aos filósofos da natureza e aos místicos. Essa limitação é decerto danosa à prática médica dos senhores, uma vez que, como é regra em todos os relacionamentos humanos, o doente lhes apresentará em primeiro lugar sua fachada psíquica, e receio que, como castigo, os senhores serão obrigados a deixar aos praticantes leigos da medicina, aos curandeiros e aos místicos que tanto desprezam uma parte da influência terapêutica que almejam exercer.

Não ignoro a justificativa que temos de aceitar para esta deficiência em sua formação. Falta a ciência filosófica auxiliar que poderia ser de utilidade para os propósitos médicos dos senhores. Nem a filosofia especulativa nem a psicologia descritiva — ou a chamada psicologia

1. INTRODUÇÃO

experimental, vinculada à fisiologia dos sentidos —, tal como são ensinadas nas escolas, são capazes de lhes dizer algo de útil acerca da relação entre o físico e o psíquico, o que lhes daria a chave para a compreensão de um possível distúrbio das funções psíquicas. É certo que, dentro da medicina, a psiquiatria se ocupa em descrever os distúrbios psíquicos observados e agrupá-los em determinados quadros clínicos, mas há momentos em que os próprios psiquiatras duvidam que suas exposições puramente descritivas sejam merecedoras do nome de ciência. Os sintomas que compõem esses quadros clínicos são desconhecidos em sua origem, em seu mecanismo e em sua inter-relação; não lhes correspondem alterações comprováveis do órgão anatômico da psique, ou as alterações são tais que não contribuem para explicá--los. Tais distúrbios psíquicos só admitem influência terapêutica quando podem ser identificados como efeitos colaterais de alguma afecção orgânica.

Essa é a lacuna que a psicanálise busca preencher. Ela pretende fornecer à psiquiatria o fundamento psicológico faltante; espera descobrir o terreno comum a partir do qual se possa compreender a convergência do distúrbio físico e do psíquico. Para tanto, é necessário que ela se mantenha livre de todo e qualquer pressuposto anatômico, químico ou fisiológico que lhe seja estranho, que trabalhe com conceitos auxiliares puramente psicológicos, e é por essa mesma razão que, receio, ela lhes parecerá estranha inicialmente.

Quanto à próxima dificuldade, não desejo culpar os senhores por ela, nem sua formação prévia ou sua atitude. Em duas de suas formulações a psicanálise ofende o mundo inteiro e atrai sua aversão; uma delas infringe uma preconcepção intelectual; a outra, uma preconcepção de caráter estético-moral. Não subestimemos essas preconcepções; elas são coisas poderosas, expressões de desenvolvimentos úteis, e mesmo necessários, da humanidade. Forças afetivas operam em sua manutenção, e a luta contra elas é dura.

A primeira dessas afirmações desagradáveis diz que os processos psíquicos são, em si, inconscientes, e que os conscientes são meros atos isolados, porções da totalidade da vida psíquica. Lembrem-se de que, ao contrário disso, estamos acostumados a identificar psíquico e consciente. A consciência é tida por nós como nada menos que o caráter definidor do psíquico, e a psicologia, como a doutrina dos conteúdos da consciência. De fato, essa equiparação nos parece tão óbvia que cremos perceber qualquer contradição a ela como um verdadeiro contrassenso; ainda assim, a psicanálise não tem como não contradizê-la, porque não pode aceitar a identificação do consciente com o psíquico. A definição do psíquico, para a psicanálise, é de que ele se compõe de processos tais como sentir, pensar e querer, e ela tem de postular a existência de um pensar inconsciente e de um querer insciente. Com isso, porém, ela perdeu de antemão a simpatia de todos os amigos da cientificidade sóbria, atraindo para si a suspeita de constituir-se de uma fantástica doutrina secreta, desejosa de construir no escuro e de pescar em águas turvas. Naturalmente, os senhores, meus ouvintes, ainda não têm como compreender

1. INTRODUÇÃO

com que direito posso caracterizar como preconcepção uma frase de caráter tão abstrato como: "O psíquico é o consciente"; tampouco lhes é possível intuir que desenvolvimento há de ter levado à negação do inconsciente, caso ele exista, e que vantagem poderia ter advindo dessa negação. Se equiparamos o psíquico ao consciente ou se o estendemos além disso é algo que parece uma discussão vazia, mas posso lhes assegurar que a hipótese de processos psíquicos inconscientes abre o caminho para uma nova e decisiva orientação no mundo e na ciência.

Tampouco podem os senhores adivinhar a íntima relação que essa primeira ousadia da psicanálise guarda com a segunda, ainda não mencionada. Esta segunda tese, que a psicanálise oferece como um de seus resultados, consiste na afirmação de que impulsos instintuais que só podem ser caracterizados como sexuais, seja no sentido mais restrito ou mais amplo do termo, desempenham papel extraordinariamente grande — e até hoje não avaliado a contento — como causadores de doenças dos nervos e da mente. E mais do que isso: que esses mesmos impulsos sexuais contribuíram em não pouca medida para as mais elevadas criações culturais, artísticas e sociais do espírito humano.

Segundo minha experiência, a aversão a esse resultado da pesquisa psicanalítica é a fonte mais significativa da resistência com a qual ela depara. Querem os senhores saber como explicamos isso? Acreditamos que, por pressão das necessidades da vida, a civilização foi criada à custa da satisfação instintual e, em grande parte, é constantemente recriada, quando o indivíduo recém-

I OS ATOS FALHOS

-ingresso na comunidade humana novamente sacrifica a satisfação instintual em prol do todo. Entre as forças instintuais assim empregadas, os impulsos sexuais desempenham papel importante; eles são sublimados, isto é, desviados de suas metas sexuais e direcionados para metas socialmente mais elevadas, não mais sexuais. Essa construção, no entanto, é instável; a domesticação dos instintos sexuais é precária; em cada indivíduo que se junta à obra da cultura persiste o perigo de que seus instintos sexuais se neguem a tal emprego. A sociedade não crê em ameaça maior à sua cultura do que aquela que viria da libertação dos instintos sexuais e do retorno destes a suas metas originais. Ela não gosta, portanto, de ser lembrada dessa parte delicada de seus fundamentos, não tem interesse nenhum em que seja reconhecida a força dos instintos sexuais e seja demonstrada a cada indivíduo a importância da vida sexual; ao contrário, optou, com propósito educativo, por desviar a atenção de toda essa área. É por essa razão que não tolera o já referido resultado da pesquisa psicanalítica, o qual preferiria estigmatizar como esteticamente repugnante, moralmente repreensível ou perigoso. Contudo, semelhantes objeções nada podem contra resultados do trabalho científico que se pretendem objetivos. A divergência precisa ser traduzida em termos intelectuais, se há de ser expressa. É da natureza humana, porém, que as pessoas tendam a considerar incorreto aquilo de que não gostam, e então se torna fácil achar argumentos contrários. A sociedade, portanto, transforma o desagradável em incorreto, contesta as verdades da psicanálise com argumentos lógicos e factuais, mas oriundos de fontes afetivas, e, ante toda e qualquer tentativa de refutação, apega-se a críticas que são preconcepções.

Nós, contudo, senhoras e senhores, podemos afirmar que não seguimos tendência nenhuma ao formular essa criticada tese. Apenas quisemos dar expressão a um fato que acreditamos haver percebido após árduo trabalho. Também reivindicamos o direito de rejeitar incondicionalmente a intromissão de tais considerações práticas no trabalho científico, antes ainda de examinarmos se é justificado ou não o receio que pretende nos impor tais considerações.

Essas são, pois, algumas das dificuldades que os senhores enfrentarão no trato com a psicanálise. Isso é, talvez, mais do que o suficiente para um começo. Se puderem superar a impressão causada por elas, daremos prosseguimento à exposição.

2. OS ATOS FALHOS

Senhoras e senhores: Começamos não com pressupostos, mas com uma investigação. Como seu objeto, escolhemos certos fenômenos muito frequentes, muito conhecidos e muito pouco estudados, os quais nada têm a ver com enfermidades, uma vez que podem ser observados em toda pessoa saudável. Refiro-me aos chamados *atos falhos*, como o *lapso verbal* [*Versprechen*], que ocorre quando alguém, pretendendo dizer uma palavra, diz outra em seu lugar, ou quando isso lhe acontece ao escrever, podendo a pessoa notar ou não o equívoco; ou como o *lapso de leitura* [*Verlesen*], que se dá quando, em um texto impresso ou manuscrito, lemos algo diferente do que está escrito; ou o *lapso de audição* [*Verhören*], em que se ouve algo diferente do que foi dito, sem que, é claro, se possa atribuir o equívoco a um distúrbio orgânico da capacidade auditiva. Outra série de fenômenos semelhantes se baseia em um *lapso de memória*, um esquecimento [*Vergessen*] que não é permanente, mas temporário, como quando alguém não consegue se lembrar de um *nome*, que conhece e geralmente torna a reconhecer, ou quando se esquece de pôr em prática uma *intenção*, dela se lembrando posteriormente, ou seja, depois de a ter esquecido apenas em determinado momento. Em uma terceira série desses fenômenos não se verifica o caráter temporário, como é o caso, por exemplo, do *extravio* [*Verlegen*], que ocorre quando alguém guarda um objeto em determinado lugar e, depois, não logra reencontrá-lo, ou, algo análogo, a *perda* [*Verlieren*] do objeto. Há aí um tipo de esquecimento que é tratado diferentemente dos demais, porque, em vez de ser considerado compreensível, provoca perplexidade ou irritação. A essas ocorrências juntam-se ainda certos *equívocos* [*Irrtümer*], nos quais também está presente o caráter temporário — por algum tempo, acreditamos em algo que, sabíamos antes e sabemos depois, não é o que pensávamos —, além de toda uma gama de fenômenos semelhantes, conhecidos por nomes diversos.

Quase todos esses acontecimentos, cujo íntimo parentesco se expressa [em alemão] na designação com o

2. OS ATOS FALHOS

mesmo prefixo (ver—), são de natureza desimportante, e a maioria possui duração bastante fugaz, sem grande significado na vida das pessoas. Raramente algum deles adquire certa importância prática, como na perda de objetos. Por isso, eles não chamam muita atenção, despertam somente pequenos afetos e assim por diante.

É, pois, para esses fenômenos que chamo agora a sua atenção. Os senhores, porém, objetarão mal-humorados: "Há tantos enigmas formidáveis no universo e no mundo psíquico, tantas coisas assombrosas no terreno dos distúrbios psíquicos, que demandam e merecem esclarecimento, que parece mesmo um capricho desperdiçar trabalho e interesse em semelhantes ninharias. Se o senhor puder nos fazer compreender como é que uma pessoa de olhos e ouvidos saudáveis é capaz de, em plena luz do dia, ver e ouvir coisas que não existem, ou se acreditar de súbito perseguida por aqueles que sempre lhe foram caros, ou ainda se valer de argumentos os mais perspicazes em defesa de invenções delirantes que hão de parecer absurdas a qualquer criança, aí, então, teremos algum respeito pela psicanálise; mas se tudo que ela pode fazer é explicar por que um orador eventualmente troca uma palavra por outra ou por que uma dona de casa não sabe onde guardou as chaves e outras futilidades desse tipo, nesse caso temos melhor emprego para nosso tempo e interesse".

E eu lhes responderia: tenham paciência, senhoras e senhores! Creio que sua crítica não está no caminho certo. É verdade que a psicanálise não pode se gabar de jamais ter se ocupado de ninharias. Ao contrário, geralmente constituem objeto de seu exame aqueles eventos modestos, descartados pelas demais ciências como demasiado insignificantes — o refugo, por assim dizer, do mundo dos fenômenos. Em sua crítica, porém, não confundem os senhores a grandeza dos problemas com a notoriedade dos indícios? Não há coisas muito importantes que, sob certas circunstâncias e em determinados momentos, só são capazes de se revelar mediante indícios muito fracos? Seria fácil para mim mencionar aqui diversas situações desse tipo. A partir de que insignificantes indícios os senhores, ou os jovens dentre os senhores, deduzem ter ganhado a afeição de uma dama? Aguardam para tanto uma expressa declaração de amor, um abraço apaixonado, ou será que não lhes basta um olhar quase imperceptível aos outros, um movimento fugaz, o prolongamento por um segundo de um aperto de mão? E se, como policiais, os senhores participassem da investigação de um homicídio, esperariam de fato descobrir que o assassino deixou uma fotografia com endereço na cena do crime? Não precisariam se dar por satisfeitos com pistas mais fracas e menos óbvias da pessoa que procuram? Não subestimemos, pois, os pequenos indícios; a partir deles, talvez seja possível encontrar a pista de coisa maior. De resto, penso, como os senhores, que o direito primordial a nosso interesse pertence aos grandes problemas do mundo e da ciência. Manifestar, porém, o claro propósito de se dedicar à investigação desse ou daquele grande problema em geral é de pouca utilidade. Nesses casos, com frequência não sabemos nem em que direção dar o primeiro passo. No trabalho científico, é mais promissor atacar o que se tem

2. OS ATOS FALHOS

à mão, aquilo para cuja pesquisa se abre um caminho. Se fizermos isso com todo o rigor, sem pressupostos ou expectativas, e se tivermos sorte, é possível que, em decorrência dos nexos que vinculam todas as coisas, inclusive as pequenas às grandes, uma porta de acesso se abra para o estudo dos problemas maiores, mesmo a partir de um trabalho despretensioso.

É o que eu diria a fim de fixar o interesse dos senhores na abordagem dos atos falhos, aparentemente tão insignificantes, das pessoas saudáveis. Recorramos agora a alguém que desconhece a psicanálise e perguntemos a ele que explicação dá para a ocorrência de tais coisas.

De início, ele certamente dirá: "Ah, são pequenas coincidências que não vale a pena explicar". O que significa isso? Estará ele afirmando a existência de acontecimentos pequenos a ponto de escapar ao encadeamento de tudo que se passa no mundo, acontecimentos que poderiam perfeitamente não ser como são? Mas romper dessa forma o determinismo natural, ainda que em um único ponto, é o mesmo que abrir mão da totalidade da concepção científica do mundo. A esse nosso amigo poderemos, então, apontar quão mais coerente consigo mesma é a concepção religiosa do mundo, quando ela assegura enfaticamente que pardal nenhum cai do telhado a não ser por especial vontade divina. Nosso amigo, creio, não desejará tirar essa conclusão de sua primeira resposta; vai, antes, ceder e dizer que, se os estudasse, decerto encontraria explicações para semelhantes fenômenos. Seriam pequenos deslizes na função, incorreções no desempenho psíquico, causadas por fatores

I OS ATOS FALHOS

explicáveis. Assim, uma pessoa que em geral é capaz de falar corretamente pode incorrer em lapsos verbais: 1) quando ela se sente algo indisposta e cansada; 2) quando está agitada; 3) quando outras coisas demandam fortemente sua atenção. É fácil confirmar essas alegações. De fato, o lapso verbal ocorre com particular frequência quando alguém está cansado, com dor de cabeça ou na iminência de uma enxaqueca. Nessas circunstâncias é fácil esquecermos nomes próprios. Algumas pessoas estão acostumadas a perceber no esquecimento de um nome o sinal da enxaqueca que está vindo. Tomados de agitação, trocamos não apenas palavras, mas objetos também, apanhamos o objeto errado [*Vergreifen*]; e distraídos, ou seja, concentrados em outra coisa, é notório como nos esquecemos da intenção que pretendíamos pôr em prática e cometemos toda sorte de atos involuntários. Um exemplo conhecido de distração oferece-nos o professor da *Fliegende Blätter** que esquece o guarda-chuva e pega o chapéu errado, porque está pensando nos problemas de que vai tratar em seu próximo livro. Cada um de nós conhece, por experiência própria, exemplos de intenções ou promessas esquecidas em razão de haver tido sua atenção fortemente desviada para outra coisa.

Tudo isso soa bastante compreensível e parece imune a toda e qualquer contestação. Talvez não seja muito interessante, ou não tanto quanto esperávamos. Mas examinemos mais de perto essas explicações para os

---

* Nome de um semanário humorístico. [As notas chamadas por asteriscos são sempre do tradutor; as notas do autor são numeradas.]

2. OS ATOS FALHOS

atos falhos. As condições apontadas para a ocorrência de tais fenômenos não são da mesma espécie. Indisposição e distúrbios circulatórios oferecem uma razão fisiológica para a deterioração de nosso funcionamento normal; agitação, cansaço e distração são fatores de outra natureza, que se poderia chamar psicofisiológica. Não é difícil traduzir estes últimos em uma teoria. Tanto o cansaço como a distração, e mesmo, talvez, a agitação de forma geral, provocam uma divisão da atenção que pode resultar na insuficiência da atenção dedicada à tarefa em pauta. Essa tarefa pode, assim, ser facilmente perturbada ou mal executada. Um leve adoecimento, alterações no abastecimento de sangue no órgão nervoso central podem produzir esse mesmo efeito, na medida em que influenciam de forma análoga o fator determinante, isto é, a distribuição da atenção. Em todos os casos, tratar-se-ia então dos efeitos de um distúrbio da atenção, de causas orgânicas ou psíquicas.

Isso não parece prometer muito para nosso interesse psicanalítico, e poderíamos nos sentir tentados a abandonar o tema. Todavia, quando aprofundamos nosso exame, nem tudo nos atos falhos condiz com essa teoria da atenção, ou, pelo menos, nem tudo se deixa explicar com naturalidade a partir dela. A experiência nos diz que esses esquecimentos e ações equivocadas ocorrem também em pessoas que *não* estão cansadas, distraídas ou nervosas, e sim em seu estado inteiramente normal, a menos que se deseje atribuir-lhes uma agitação posterior, causada justamente pelos atos falhos, mas que elas próprias não admitirão. E pode não ocorrer sim-

| OS ATOS FALHOS

plesmente que uma ação seja garantida quando aumenta a atenção que lhe é dada, e comprometida quando esta diminui. Há um grande número de funções que executamos automaticamente, às quais dedicamos pouquíssima atenção e que, no entanto, cumprimos com absoluta segurança. Uma pessoa que sai a passeio e mal sabe para onde está indo não deixa de seguir o caminho correto até seu destino, sem se *perder* [*vergehen*]. Em geral, pelo menos, ela o encontra. O pianista experimentado toca as teclas certas sem pensar. É claro que, uma vez ou outra, ele pode errar, mas, se a execução automática de uma peça aumentasse o perigo do erro, precisamente o virtuose — cuja execução é automatizada mediante muito exercício — é quem estaria mais exposto a esse perigo. O que observamos, ao contrário, é que muitas ações são tanto mais bem-sucedidas quanto menos atenção especial se presta a elas, e que o percalço do ato falho pode ocorrer quando se atribui particular importância ao desempenho correto, ou seja, quando seguramente não há desvio nenhum da atenção necessária. Pode-se dizer, então, que ele seria efeito da "agitação", mas não compreendemos por que a agitação não haveria antes de intensificar a atenção voltada para aquilo que é pretendido com tanto interesse. Quando, em um discurso importante ou negociação oral, alguém comete um lapso e diz o contrário do que tencionava dizer, dificilmente se poderá explicar esse ato falho com base na teoria psicofisiológica ou da atenção.

Além disso, nos atos falhos há muitos pequenos fenômenos secundários incompreensíveis, que as explicações

2. OS ATOS FALHOS

oferecidas até o momento não ajudam a elucidar. Quando, por exemplo, uma pessoa se esquece temporariamente de um nome, ela se irrita, quer lembrá-lo a todo custo e não consegue desistir desse intento. Por que é tão raro que essa pessoa irritada consiga, como tanto deseja, dirigir sua atenção para o nome que, como diz, "está na ponta da língua" e que ela tão prontamente reconhece quando o pronunciam? Há também casos em que os atos falhos se multiplicam, se ligam uns aos outros ou se sucedem. Esquecemo-nos, por exemplo, de um encontro marcado; em seguida, embora decididos a não esquecê-lo uma segunda vez, verificamos que, por equívoco, anotamos a hora errada. Ou, em busca de um atalho para o nome de que nos esquecemos, foge-nos um segundo nome, o qual poderia nos ajudar a encontrar aquele primeiro; então, em busca desse segundo nome, escapa-nos um terceiro, e assim por diante. A mesma coisa, é sabido, pode acontecer também com os erros tipográficos, os quais podem ser entendidos como atos falhos do tipógrafo. Conta-se que um obstinado erro dessa natureza se infiltrou certa vez em um jornal social-democrata. Na reportagem sobre determinada solenidade, lia-se: "Dentre os presentes, encontrava-se também Sua Alteza, o Korn*prinz*". No dia seguinte, intentou-se corrigir o erro. O jornal se desculpou, explicando: "Naturalmente, a palavra correta é Knor*prinz*".* Para esses casos, a lín-

---

* A palavra correta seria *Kronprinz*, "príncipe herdeiro" ou, literalmente, "da Coroa" (*Kron*); *Kornprinz* significa "príncipe do grão" e *Knorprinz*, "príncipe do nó da madeira".

gua alemã reserva expressões como "o diabinho da imprensa", "o duende da tipografia" e outras, as quais, no entanto, ultrapassam o escopo de uma teoria psicofisiológica do erro tipográfico.

Não sei se é do conhecimento dos senhores, mas o lapso verbal também pode ser provocado, induzido, por assim dizer, por sugestão. Uma pequena história dá testemunho disso. Certa vez, confiou-se a um ator novato o importante papel de anunciar ao rei, em *A donzela de Orléans* [de Schiller], que "o condestável devolve sua espada" [*Der Connétable schickt sein Schwert zurück*]. Durante o ensaio, porém, um dos atores principais, a título de brincadeira, fez o tímido iniciante trocar várias vezes essa fala por outra: "O cocheiro devolve seu cavalo" [*Der Komfortabel schickt sein Pferd zurück*]. Com isso, alcançou seu objetivo: na apresentação, o infeliz novato debutou pronunciando de fato o anúncio modificado, embora tivesse sido suficientemente advertido a não fazê-lo, ou talvez por isso mesmo.

A teoria da falta de atenção não dá conta de explicar todas essas pequenas características dos atos falhos. Mas isso não significa que ela esteja errada. Talvez lhe falte algo, algum complemento que venha a torná-la plenamente satisfatória. Mas alguns dos atos falhos também podem ser considerados de outro ponto de vista.

Tomemos aquele que, para nossos propósitos, é o mais apropriado dos atos falhos: o *lapso verbal*. Poderíamos muito bem escolher aqui o lapso da escrita ou o da leitura. O que temos de reconhecer é que, até o momento, só nos perguntamos quando e em que circuns-

2. OS ATOS FALHOS

tâncias cometemos esse lapso, tendo obtido resposta somente para essa pergunta. Podemos, no entanto, voltar nosso interesse para outra questão e nos perguntar por que o lapso ocorre precisamente dessa maneira e não de outra; podemos, pois, levar em consideração o que vai expresso no lapso verbal. Os senhores compreendem que, enquanto não respondermos a essa pergunta, enquanto não esclarecermos o efeito desse lapso, o fenômeno permanece, do ponto de vista psicológico, uma coincidência, ainda que se encontre para ele explicação fisiológica. Ao cometer um lapso verbal, eu obviamente poderia fazê-lo de infinitas maneiras, seja trocando a palavra certa por uma dentre milhares de outras ou escolhendo um dos inúmeros modos de deformá-la. Haverá, pois, algo a me impor uma maneira específica de me equivocar num caso determinado, entre todas as maneiras possíveis, ou será isso obra do acaso, acontecimento arbitrário, não havendo, talvez, resposta sensata para essa pergunta?

Em 1895, dois autores — Meringer e Mayer (um filólogo e um psiquiatra) — tentaram abordar por esse lado o problema do lapso verbal. Eles coletaram exemplos, os quais classificaram de início em categorias meramente descritivas. Embora isso ainda não forneça, é claro, uma explicação, pode nos ajudar a encontrar o caminho que conduz a ela. As deformações que os lapsos verbais provocam no discurso pretendido foram por eles diferenciadas em: permutas, antecipações do som, reverberações, mesclas (contaminações) e substituições. Vou expor aos senhores exemplos desses grupos

I OS ATOS FALHOS

principais estabelecidos por aqueles dois autores. Ocorre um caso de permuta quando alguém diz "a Milo de Vênus" em vez de "a Vênus de Milo" (permuta na ordem das palavras). A antecipação de um som acontece quando, em vez de *Es war mir auf der Brust so schwer*, dizemos *Es war mir auf der* Schwest... *auf der Brust so schwer*.* A reverberação é típica do malogrado brinde em alemão: *Ich fordere Sie* auf, auf*das Wohl unseres Chefs* auf*zustossen*. Essas três formas assumidas pelo lapso verbal não são tão frequentes. Muito mais numerosos julgarão os senhores aqueles casos em que o lapso nasce de uma junção ou mescla, como, por exemplo, quando, na rua, um cavalheiro se dirige a uma dama nos seguintes termos: *Wenn Sie gestatten, mein Fräulein, möchte ich Sie gerne begleit*-digen. Na palavra mesclada figura claramente, além de *begleiten* [acompanhar], o verbo *beleidigen* [ofender]. (Diga-se de passagem, o jovem rapaz não terá obtido grande sucesso com a dama.) Como exemplo de substituição, Meringer e Mayer citam, entre

---

* *Es war mir auf der Brust so schwer* significa, literalmente, "Pesou-me (pesava-me) tanto no peito". Na antecipação apontada por Freud, misturam-se os fonemas do adjetivo *schwer* (pesado) e do substantivo *Brust* (peito). Em seguida, o exemplo parte da frase *Ich fordere Sie auf, auf das Wohl unseres Chefs zu stossen*, que significa: "Convido os senhores a brindar (*stossen*) à saúde de nosso chefe". Contudo, o verbo utilizado, *auf(zu)stossen*, significa "arrotar". No mesmo parágrafo, *Wenn Sie gestatten, mein Fräulein, möchte ich Sie gerne begleiten* significaria: "Se me permite, senhorita, eu gostaria muito de acompanhá-la". Por fim, *Ich gebe die Präparate in den Briefkasten* é "Eu deposito o preparado na caixa do correio" (*Briefkasten*), em vez de "na incubadora" (*Brutkasten*).

2. OS ATOS FALHOS

outras, a formulação: *Ich gebe die Präparate in den* Brief*kasten* em vez de *in den* Brut*kasten*.

A tentativa de explicação em que os dois autores baseiam sua coleção de exemplos é bastante insuficiente. Eles acreditam que os sons e as sílabas de uma palavra possuem valências diferentes e que a inervação do elemento de maior valência pode perturbar o de valência menor. Essa afirmação assenta-se evidentemente nas antecipações e reverberações sonoras, as quais, em si, nem sequer acontecem com tanta frequência; nos demais produtos do lapso verbal, esses sons preferenciais, se é que eles existem, nem sequer vêm ao caso. Afinal, os lapsos mais corriqueiros ocorrem quando, em vez de uma palavra, dizemos outra, muito semelhante, e essa semelhança basta a muitos como explicação para o lapso. Um catedrático, por exemplo, ao assumir sua cátedra, diz: *Ich bin nicht* geneigt (em vez de *geeignet*), *die Verdienste meines sehr geschätzten Vorgängers zu würdigen.** Outro catedrático diz: *Beim weiblichen Genitale hat man trotz vieler* Versuchungen... *Pardon: Versuche...* [No caso da genitália feminina, apesar de muitas *tentações...* perdão: tentativas].

Mas o tipo de lapso mais comum, e aquele que mais chama a atenção, é o que afirma justamente o contrário do pretendido. É natural que aqui já estejamos distan-

---

* *Ich bin nicht geeignet, die Verdienste meines sehr geschätzten Vorgängers zu würdigen* significa: "Não sou a pessoa adequada para louvar os méritos de meu valoroso antecessor". A troca do verbo para *geneigt* muda o sentido para: "Não estou inclinado a louvar...".

tes das relações entre os sons e dos efeitos provocados pela semelhança entre palavras; em substituição a eles, podemos invocar o fato de que opostos guardam forte parentesco conceitual um com o outro e se apresentam bastante próximos do ponto de vista da associação psicológica. Há exemplos históricos desse tipo de ocorrência. Certa feita, um presidente de nossa Câmara dos Deputados abriu uma sessão da seguinte maneira: "Senhores deputados, constato um número suficiente de membros na casa e declaro, portanto, *encerrada* a sessão".

De atuação tão sedutora quanto a da relação por oposição revela-se também a de outras associações comuns, as quais, em certas circunstâncias, podem aflorar de forma bastante inconveniente. Conta-se, por exemplo, que, em cerimônia por ocasião do matrimônio de uma filha de H. Helmholtz com um filho do conhecido inventor e grande industrial W. Siemens, o famoso fisiologista Du Bois-Reymond ficou encarregado do discurso solene. E concluiu seu brinde certamente brilhante com as seguintes palavras: "Viva, pois, a nova empresa, Siemens e — Halske!". Esse, naturalmente, era o nome da velha empresa. A combinação dos dois nomes decerto era tão conhecida dos berlinenses quanto Riedel e Beutel* é dos vienenses.

Temos, pois, de acrescer a influência das associações de palavras àquelas exercidas pelas relações entre os sons e pela semelhança entre vocábulos. Isso, porém, não basta. Em uma série de casos, não se consegue ex-

---

* Riedel e Beutel era uma conhecida loja de roupas de Viena.

2. OS ATOS FALHOS

plicar o lapso observado sem antes levar em consideração o que foi dito na frase anterior ou mesmo aquilo que foi apenas pensado. De novo, portanto, um caso de reverberação, como aquele destacado por Meringer, só que a uma distância maior. Devo confessar que, de modo geral, parece-me que agora estamos mais longe do que nunca da compreensão do lapso verbal!

Todavia, espero não estar enganado ao afirmar que, ao longo dessa investigação recém-iniciada, ganhamos todos uma nova impressão dos exemplos de lapso verbal, impressão esta na qual valeria a pena nos determos. De início, examinamos as condições em que o lapso acontece; depois, as influências que determinam o tipo de deformação operada por ele; mas do produto em si do lapso verbal, independentemente de sua origem, ainda nem sequer tratamos. Se nos decidimos a fazê-lo, precisamos encontrar enfim a coragem para dizer: em alguns desses exemplos, também aquilo que resulta do lapso verbal possui um sentido. O que significa "possui um sentido"? Pois bem, isso quer dizer que o próprio produto do lapso talvez tenha o direito de ser considerado um ato psíquico pleno, munido de objetivo próprio, devendo, assim, ser compreendido como uma manifestação dotada de conteúdo e significado. Até o momento, falamos sempre em atos falhos, mas o que parece agora é que o ato falho pode por vezes constituir um ato absolutamente normal, uma ação que apenas se pôs no lugar de outra, esperada ou pretendida.

Em alguns casos, esse sentido próprio de que se reveste o ato falho parece de fato palpável e inconfundível. Quando, em suas palavras iniciais, o presidente da Câmara dos Deputados encerra a sessão, em vez de abri-la, tendemos a, com base em nosso conhecimento da situação em que o lapso se verificou, considerar significativo seu ato falho. Ele não espera nada de proveitoso da sessão e ficaria feliz se pudesse encerrá-la de imediato. Evidenciar esse sentido, isto é, o significado desse lapso verbal, é coisa que não nos proporciona nenhuma dificuldade. Ou, quando uma dama, em aparente sinal de aprovação, pergunta a outra: *Diesen reizenden neuen Hut haben Sie sich wohl selbst* aufgepatzt? — aí não há ciência neste mundo capaz de evitar que, desse lapso verbal, depreendamos a manifestação de que o referido chapéu é uma *Patzerei*.* Outro exemplo encontra-se no seguinte relato de uma senhora sabidamente enérgica: "Meu marido perguntou ao doutor que dieta seguir. Mas o doutor respondeu que ele não precisa de dieta nenhuma, que pode comer e beber o que *eu* quiser". Aqui, por outro lado, o lapso é expressão inconfundível de um plano coerente.

Senhoras e senhores, se verificarmos que não apenas alguns poucos, e sim um número maior de lapsos verbais e atos falhos possui um *sentido*, então será inevitável que esse sentido dos atos falhos, de que ainda não falamos, se torne para nós o mais interessante, des-

---

* Formulada corretamente, a pergunta significaria: "Por certo, você mesma adornou esse chapéu novo e encantador?". Mas o verbo *aufputzen* (adornar) é substituído pelo inexistente *aufpatzen*, remetendo por semelhança fonética ao substantivo *Patzerei*, "ação desastrada".

2. OS ATOS FALHOS

locando legitimamente para segundo plano todas as demais considerações. Se assim for, poderemos deixar de lado todos os fatores fisiológicos e psicofisiológicos e nos dedicar à investigação puramente psicológica do sentido, isto é, do significado, da intenção contida no ato falho. Não deixaremos, pois, de examinar material mais amplo, resultante de nossas observações, tendo em vista essa expectativa.

Antes, porém, de nos dedicarmos a esse propósito, eu gostaria de convidá-los a seguir comigo uma outra pista. Já aconteceu várias vezes de um escritor se servir de um lapso verbal ou de algum outro ato falho como instrumento de expressão literária. Esse fato, por si só, há de constituir prova de que o literato entende o ato falho — o lapso verbal, por exemplo — como portador de um sentido, considerando-se que, afinal, ele o produz deliberadamente. O que ocorre não é que o escritor ou poeta se equivoque por acaso ao escrever e, depois, mantenha esse erro como um lapso cometido por sua personagem. Por intermédio desse lapso, ele quer nos dar a entender alguma coisa, e podemos então verificar do que se trata — se ele deseja sugerir que a personagem em questão está distraída, cansada ou à beira de uma enxaqueca. Não vamos, é claro, superestimar o lapso verbal empregado pelo escritor como portador de sentido. Na vida real, esse lapso poderia perfeitamente não ter sentido nenhum, constituir um acaso psíquico ou apenas em casos muito raros revelar-se pleno de significado; o escritor ter-se-ia aí reservado o direito de intelectualizá--lo, de dotá-lo de sentido apenas para utilizá-lo a favor de seus próprios desígnios. Não seria, contudo, de admirar se tivéssemos mais a aprender sobre o lapso verbal com o poeta do que com o filólogo ou o psiquiatra.

Um exemplo desse lapso encontra-se em *Wallenstein* ("Piccolomini", ato 1, cena 5).* Na cena anterior, Max Piccolomini toma o partido do duque com a máxima veemência, louvando as bênçãos da paz que lhe é revelada durante a viagem em que ele acompanha a filha de Wallenstein até o campo. Com isso, deixa absolutamente perplexos seu pai e o enviado da corte, Questenberg. A cena 5 prossegue da seguinte maneira:

QUESTENBERG Ó, ai de nós! Assim é, então?
Amigo, deixamo-lo ir assim,
Delirante, em vez de prontamente chamá-lo
De volta, para que possamos logo abrir-lhe
Os olhos?

OTÁVIO (*retornando de profunda reflexão*)
Os meus, ele agora os abriu,
E vejo mais do que me alegraria ver.

QUESTENBERG O que há, amigo?

OTÁVIO Maldita viagem!

QUESTENBERG Por quê? O que há?

* *Wallenstein*: trilogia teatral do poeta, dramaturgo, ensaísta e historiador Friedrich Schiller (1759-1805).

2. OS ATOS FALHOS

OTÁVIO Vem — Preciso
Seguir de imediato a desafortunada pista,
Ver com meus próprios olhos — vem (*quer levá-lo*)

QUESTENBERG Mas o que há? Para onde?

OTÁVIO (*apressado*) Até ela!

QUESTENBERG Até...?

OTÁVIO (*corrigindo-se*) Até o duque! Vamos...

Otávio pretendia dizer "até ele" [*zu ihm*], até o duque, mas comete um lapso e, por intermédio das palavras "até ela" [*zu ihr*], revela — a nós, pelo menos — ter identificado muito bem a influência que faz o jovem herói de guerra louvar a paz.

Exemplo ainda mais impressionante descobriu O. Rank em Shakespeare. Está em *O mercador de Veneza*, na famosa cena em que cabe ao feliz amante escolher entre três cofrinhos. O melhor que posso fazer talvez seja ler para os senhores a breve passagem de Rank:

"Um *lapso verbal* de fina motivação literária e emprego tecnicamente brilhante, que, tal como aquele apontado por Freud em *Wallenstein*, mostra que os escritores conhecem o mecanismo e o sentido do ato falho e também pressupõem sua compreensão por parte do público, encontra-se em *O mercador de Veneza*, de Shakespeare (ato III, cena 2). Graças a um feliz acaso, Pórcia, obrigada pela vontade do pai à escolha de um cônjuge por sorteio, escapou até o momento de seus pretendentes indesejados. Como, porém, encontrou enfim em Bassânio o candidato pelo qual sente verdadeira afeição, ela teme que, como os demais, ele seja traído pela sorte. Também nesse caso, ela gostaria de lhe dizer, poderá ele estar certo de seu amor, mas o juramento feito impede Pórcia de dizê-lo. Assim, estando ela tomada por esse conflito interior, o poeta a faz dizer ao pretendente bem-vindo:

Não te apresses, por favor. Espera um dia ou dois
Antes de arriscar; pois, se errares na escolha,
Perderei tua companhia. Portanto, aguarda um pouco.
Algo me diz — *mas não é amor* —
Que não devo te perder.
[...]
Poderia dizer-te a escolha certa,
Mas quebraria um juramento,
O que jamais farei. Poderás perder-me;
Nesse caso, lastimarei não ter pecado,
Não haver perjurado. Malditos esses teus olhos,
Que me dominaram e dividiram.
Metade de mim é tua, a outra metade, tua —
Minha, quero dizer; mas, sendo minha, é também tua
E, assim, toda tua.

Precisamente aquilo que ela desejaria apenas insinuar a ele, porque não deveria dizê-lo — isto é, que, já antes da escolha [do cofrinho], é toda sua e o ama —,

2. OS ATOS FALHOS

isso o poeta, dotado de maravilhosa sensibilidade psicológica, embute claramente no lapso e, mediante esse recurso artístico, logra tranquilizar tanto a insuportável incerteza do amante como a tensão do público, de natureza semelhante, acerca do resultado da escolha."

Notem, ademais, com que refinamento Pórcia concilia, no final, as duas afirmações contidas no lapso, como ela anula a contradição existente entre elas mas, por fim, dá razão ao lapso:

Mas, sendo minha, é também tua
E, assim, toda tua.

Vez por outra, já aconteceu também de um pensador de um campo distante da medicina ter revelado em uma observação o sentido de um ato falho, antecipando-se a nosso esforço para esclarecê-lo. Todos aqui conhecem o espirituoso satírico Lichtenberg (1742-1799), sobre quem Goethe disse: "Onde ele faz um gracejo sempre se esconde um problema". Às vezes a brincadeira também traz à luz a solução do problema. Em *Witzige und satirische Einfälle* [Pensamentos espirituosos e satíricos, 1853], Lichtenberg tem a seguinte frase: "Ele sempre lia 'Agamenon' em vez de *angenommen*, de tanto que havia lido Homero".* Eis aí, na verdade, a teoria completa do lapso de leitura.

---

* Agamenon (ou Agamêmnon) é, como se sabe, um dos protagonistas da *Ilíada*, de Homero; *angenommen* significa "suposto".

Em nosso próximo encontro, veremos se podemos acompanhar os escritores em nossa concepção dos atos falhos.

3. OS ATOS FALHOS (CONTINUAÇÃO)

Senhoras e senhores:

Na última vez nos ocorreu abordar o ato falho não em relação ao ato intencionado, por ele perturbado, mas em si; tivemos a impressão de que, em certos casos, os atos falhos parecem revelar sentido próprio e ponderamos que, se pudéssemos comprovar mais amplamente que eles são de fato dotados de sentido, esse sentido logo se tornaria mais interessante para nós do que o exame das circunstâncias em que o ato falho acontece.

Ponhamo-nos novamente de acordo acerca do que entenderemos por "sentido" de um processo psíquico. Esse "sentido" nada mais é que a intenção a que esse processo serve e a posição dele em uma cadeia psíquica. Para boa parte de nossas investigações, podemos substituir "sentido" por "intenção", "tendência". Quando acreditamos identificar no ato falho uma intenção, deveu-se isso a uma aparência ilusória ou a uma exaltação poética do ato falho cometido?

Vamos nos ater aos exemplos de lapsos verbais e examinar uma quantidade maior dessas ocorrências. Então encontraremos categorias inteiras de casos em que a intenção, o sentido do lapso é evidente. Em especial,

3. OS ATOS FALHOS (CONTINUAÇÃO)

aqueles em que se diz o contrário do que se pretendia dizer. Em seu discurso de abertura da sessão, o presidente diz: "Declaro encerrada a sessão". A manifestação é inequívoca. O sentido e intenção de seu lapso é que o presidente quer encerrar a sessão. "É o que ele próprio diz",* poderíamos acrescentar; basta que o tomemos ao pé da letra. Não levantem a objeção de que isso não é possível, de que sabemos, afinal, que ele não queria encerrar, e sim abrir a sessão, e de que ele próprio, a quem acabamos de reconhecer como instância máxima, pode confirmar que assim o desejava. Os senhores se esquecem de que concordamos em, antes de mais nada, examinar o ato falho em si; a relação dele com a intenção que o perturba só deve vir à baila mais tarde. Do contrário, os senhores estarão incorrendo em um erro de lógica que escamoteia o problema em pauta, ou seja, estarão *begging the question*, como se diz em inglês.

Em outros casos, nos quais o lapso não produz o oposto do que se queria dizer, ainda assim pode ele comunicar o contrário do pretendido. Por exemplo, em *"Ich bin nicht geneigt, die Verdienste meines Vorgängers zu würdigen"* [Não estou inclinado a louvar os méritos de meu antecessor], *geneigt* não é o contrário de *geeignet*, mas resulta em uma clara confissão, a qual está em franca oposição com a situação em que cabe ao orador se manifestar.

---

* Citação de uma frase que se repete algumas vezes no ato II de *As bodas de Figaro*, de Mozart e Lorenzo Da Ponte. Freud cita a versão alemã (*"Er sagt es ja selbst"*); o original italiano diz *"Il destino gliela fa"*.

I OS ATOS FALHOS

Casos há, também, em que o lapso verbal simplesmente acrescenta outro sentido àquele pretendido. A manifestação soa aí como uma contração ou redução, como uma condensação de várias frases em uma só. Quando aquela senhora diz, energicamente: "Ele pode comer e beber o que *eu* quiser", é como se houvesse dito: "Ele pode comer e beber o que quiser, mas ele lá tem querer? Quem pode querer sou eu". Com frequência, os lapsos verbais resultam em semelhantes reduções. Assim é, por exemplo, quando, em seguida a uma exposição sobre a fossa nasal, o professor de anatomia pergunta se todos entenderam o que ele disse e, após concordância geral, prossegue: "Eu não acredito, porque, mesmo numa cidade de um milhão de habitantes, pode-se contar em *um dedo*..., perdão, podem-se contar nos dedos de uma só mão aqueles que entendem a fossa nasal". Também aí a fala abreviada possui um sentido: ela afirma que só existe uma pessoa que compreende o assunto.

A esses grupos de casos em que o próprio ato falho revela seu sentido contrapõem-se outros, em que o lapso verbal não produz nada significativo e que, portanto, contrariam vigorosamente nossas expectativas. Quando, em consequência de um lapso verbal, alguém distorce um nome ou combina uma sequência inusual de sons, essa ocorrência corriqueira parece já responder negativamente à pergunta sobre se todo ato falho produz sentido. Contudo, de um exame mais aproximado desses exemplos, resulta uma fácil compreensão de tais deformações, chegando-se mesmo a verificar que não é

3. OS ATOS FALHOS (CONTINUAÇÃO)

tão grande a diferença entre esses casos mais obscuros e os anteriores, mais evidentes.

Perguntado sobre o estado de saúde de seu cavalo, um senhor responde: *"Ja, das* draut... *das dauert vielleicht noch einen Monat"* [É, isso "dru"... isso dura ainda um mês, talvez]. Indagado sobre o que havia querido dizer de fato, ele explica ter pensado que aquela era uma história triste [*traurig*], o choque entre *dauert* e *traurig* tendo, pois, produzido a palavra inexistente: *draut* (Meringer e Mayer).

Outra pessoa, ao se queixar de determinados acontecimentos, diz: *"Dann aber sind Tatsachen ʒum* Vorschwein *gekommen..."*. Perguntada a respeito do que havia dito, ela confirma que pretendeu caracterizar os acontecimentos em questão como *Schweinereien* [porcarias]. Juntas, as palavras *Vorschein* e *Schweinerei* deram origem à estranha *Vorschwein* (Meringer e Mayer).*

Lembrem-se também do caso daquele jovem que desejou *begleitdigen* a dama desconhecida. Tomamos a liberdade de decompor a palavra utilizada em duas outras — *begleiten* [acompanhar] e *beleidigen* [ofender] — e nos sentimos seguros de nossa interpretação, sem demandar confirmação para ela. Por esses exemplos, os senhores veem agora que também os casos mais obscuros dos lapsos verbais se deixam explicar pela junção de duas intenções diversas, ou seja, pela *interferência*. As diferenças entre tais casos resultam apenas do fato de

---

* A frase correta seria *"Dann aber sind Tatsachen ʒum Vorschein gekommen..."*, que significa "Mas então certos fatos vieram à luz".

| OS ATOS FALHOS

que às vezes uma intenção substitui a outra por completo (como nos lapsos que afirmam o contrário do pretendido), ao passo que outras vezes ela se limita a deformar ou modificar o que se queria dizer, dando origem a construções mistas que, em si, parecem, em maior ou menor grau, plenas de sentido.

Cremos, agora, ter compreendido o segredo de um grande número de lapsos verbais. Se nos ativermos a essa percepção, poderemos compreender outros grupos também, ainda enigmáticos para nós. No caso da deformação de nomes, por exemplo, não podemos atribuí-la sempre e somente à concorrência entre dois nomes parecidos mas diferentes. Outra intenção, no entanto, não é difícil de adivinhar. A deformação de um nome é coisa que ocorre também, muitas vezes, fora dos domínios dos lapsos verbais; ela visa fazer um nome soar mal ou a depreciá-lo e constitui uma conhecida modalidade, ou vício, da injúria, ao qual toda pessoa educada logo aprende a renunciar, ainda que não o faça de bom grado, porque se permite ainda utilizá-lo com frequência sob a forma de "chiste", embora muito pouco digno. Como exemplo gritante e feio dessa deformação de nome, basta mencionar que atualmente o nome do presidente da República da França, Poincaré, foi transformado em *Schweinskarré*.* É natural, portanto, pressupormos também no lapso verbal a existência de tal

---

* *Schweinskarré*: "costeleta de porco"; lembremos que o Império Austro-Húngaro estava em guerra com a França, na Primeira Grande Guerra de 1914-18.

3. OS ATOS FALHOS (CONTINUAÇÃO)

propósito difamatório, que prevalece na deformação do nome. Explicações semelhantes se nos impõem para certos lapsos da fala de efeito cômico ou absurdo. Em *"Ich fordere Sie auf, auf das Wohl unseres Chefs aufzustossen"* [Convido os senhores a arrotar à saúde de nosso chefe], a atmosfera solene é perturbada pela intromissão inesperada de uma palavra que suscita uma imagem desagradável; segundo o modelo de certos xingamentos e imprecações, não podemos imaginar outra coisa senão que pretende expressar-se aí uma vigorosa tendência contrária à suposta homenagem, a qual deseja, antes, dizer: "Não creiam que estou falando sério. Não dou a mínima para esse sujeito", ou coisa parecida. O mesmo vale para aqueles lapsos que transformam palavras inofensivas em expressões inapropriadas e obscenas, como *apopos* em vez de *apropos*, ou *Eischeissweibchen* em lugar de *Eiweissscheibchen* (Meringer e Mayer).*

Conhecemos, em muitas pessoas, essa tendência a transformar deliberadamente palavras inofensivas em obscenas, pelo prazer que assim obtêm. Essa deformação é tida como espirituosa e, na realidade, toda vez que ouvimos alguém dizer coisa semelhante, é necessário que, em primeiro lugar, descubramos se esse alguém o fez de propósito, à maneira de um chiste, ou se de fato cometeu um lapso verbal.

---

* *Apropos* é a forma alemã da expressão francesa à propos, "a propósito"; *apopos* é um termo inexistente, cunhado a partir de *Popo*, que em português brasileiro corresponde a "bumbum". *Eischeissweibchen* seria algo como "mulherzinha-caga-ovo", em vez de *Eiweissscheibchen*, "rodela de clara de ovo".

I OS ATOS FALHOS

Com essas considerações, teríamos, pois, solucionado sem grande esforço o enigma dos atos falhos! Eles não são obra do acaso, mas atos psíquicos sérios; possuem um sentido e nascem da conjunção — ou melhor, do confronto de duas intenções diferentes. Agora, porém, compreendo que os senhores queiram me cobrir de um sem-número de perguntas e dúvidas que cumpre responder e resolver, antes que possamos nos comprazer desse primeiro resultado de nosso trabalho. Eu com certeza não quero instigá-los a decisões precipitadas. Assim, submetamos todas as nossas considerações, uma a uma, a ponderação isenta.

O que desejariam os senhores me perguntar? Se creio que essa explicação é válida para todos os casos de lapso verbal ou apenas para certo número deles? Se é lícito estender essa compreensão para todos os muitos tipos de atos falhos, isto é, para os lapsos de leitura, de escrita, de memória, de extravio etc.? Que papel cumprem fatores como cansaço, nervosismo, distração, distúrbio da atenção, se os atos falhos são de natureza psíquica? Além disso, nota-se que, das duas tendências neles concorrentes, uma é sempre evidente, ao passo que a outra nem sempre o é. O que fazer, então, para desvendar esta última e, quando julgamos tê-la desvendado, como comprovar que não se trata de mera probabilidade, e sim de uma certeza? Terão os senhores ainda outras perguntas? Se não as têm, prossigo com minhas ponderações. Lembro a todos que, na verdade, os atos falhos em si não nos importam tanto; que, de seu estudo, desejamos apenas aprender algo que seja utilizável

3. OS ATOS FALHOS (CONTINUAÇÃO)

na psicanálise. Por isso, minha pergunta é a seguinte: que intenções ou tendências são essas, capazes de perturbar as pessoas dessa maneira, e que relações guardam essas tendências perturbadoras com aqueles aos quais elas perturbam? Assim, nosso trabalho recomeça após a solução do problema.

Seria essa, então, a explicação para todos os casos de lapso verbal? Inclino-me a acreditar que sim, sobretudo porque, sempre que se examina lapso semelhante, a solução encontrada é a mesma. Não se pode, contudo, comprovar que um lapso verbal não possa ocorrer sem a atuação de tal mecanismo. Talvez possa; para nós, não faz diferença do ponto de vista teórico, uma vez que permanecem válidas as conclusões que desejamos tirar para esta introdução à psicanálise; e assim seria mesmo que apenas uma minoria dos lapsos da fala se sujeitasse a nossa concepção, o que decerto não é o caso. À pergunta seguinte, sobre se podemos estender para os demais tipos de atos falhos o resultado que obtivemos para o lapso verbal, desejo responder antecipadamente que sim. Os senhores mesmos se convencerão disso quando nos voltarmos para o exame de lapsos da escrita ou de quando nos equivocamos ao apanhar um objeto etc. Contudo, por razões técnicas, sugiro aos senhores adiar esse trabalho até que tenhamos tratado ainda mais a fundo o próprio lapso verbal.

Resposta mais detalhada merece a pergunta sobre que importância têm ainda fatores como o distúrbio da circulação, o cansaço, o nervosismo, a distração, a teoria do distúrbio da atenção — todos eles ressaltados por outros autores —, uma vez aceito o mecanismo psíquico do lapso verbal que aqui descrevemos. Notem os senhores que não contestamos esses fatores. É, de resto, pouco comum a psicanálise contestar o que outros afirmaram; em geral, ela apenas acrescenta algo novo ao que foi dito, e vez por outra acontece de o novo elemento, até então ignorado, ser precisamente o essencial. A influência que disposições fisiológicas ocasionadas por leve mal-estar, distúrbios da circulação, estados de esgotamento, exercem na ocorrência do lapso verbal deve ser de pronto reconhecida; a experiência pessoal e cotidiana poderá convencê-los de que assim é. E, no entanto, quão pouco isso explica! Acima de tudo, elas não são condições necessárias para a ocorrência do ato falho. O lapso verbal é igualmente possível em um estado de saúde perfeito e de pleno bem-estar. Portanto, esses fatores físicos atuam apenas como facilitadores e favorecedores do mecanismo psíquico singular que produz o lapso verbal. Para explicar essa relação, certa vez vali-me de um símile que repito agora, porque não saberia substituí-lo por outro melhor. Suponham que, tendo me dirigido na escuridão da noite a um local deserto, eu seja assaltado por um vagabundo que me leva o relógio e a carteira. Em seguida, como não vi com nitidez o rosto do ladrão, dou queixa na delegacia mais próxima com as seguintes palavras: "A solidão e a escuridão acabam de me roubar de meus pertences". O delegado de polícia pode, então, me dizer: "O senhor parece sustentar sem razão uma postura extremamente mecanicista. Caracterizemos assim o ocorrido: sob o manto da escuridão e favorecido

3. OS ATOS FALHOS (CONTINUAÇÃO)

pela solidão, um ladrão desconhecido arrebatou-lhe objetos de valor. No seu caso, o fundamental me parece ser que encontremos o ladrão. Depois, talvez possamos recuperar o que ele lhe roubou".

Os fatores psicofisiológicos, como a agitação, a distração, o distúrbio de atenção, contribuem muito pouco para o propósito do esclarecimento. São apenas fórmulas vazias, biombos atrás dos quais não devemos deixar de olhar. A questão é, antes, o que suscitou a agitação ou um particular desvio da atenção. As influências dos sons, as semelhanças entre as palavras e as associações habituais que elas propiciam devem ser vistas como significativas. Todas elas facilitam o lapso verbal, na medida em que indicam os caminhos que ele poderá trilhar. Quando, porém, vejo um caminho à minha frente, decorre naturalmente daí que vou segui-lo? Falta-me ainda um motivo para que eu me decida a trilhá-lo e, além disso, uma força que me leve adiante nesse caminho. Assim, tanto quanto as disposições físicas, as relações entre os sons e entre as palavras são apenas favorecedores do lapso verbal, incapazes de lhe prover verdadeira explicação. Afinal — considerem os senhores —, na imensa maioria dos casos, meu discurso não se deixa perturbar pela circunstância de, por semelhança fonêmica, as palavras que utilizo lembrarem outras, ou de estarem elas intimamente vinculadas a seus antônimos, ou, ainda, de suscitarem associações comuns. Poderíamos, talvez, acompanhar o filósofo Wundt, que nos informa que o lapso verbal ocorre quando, em decorrência do esgotamento físico, as tendências à associação levam a melhor sobre a intenção

I OS ATOS FALHOS

geral do discurso. A afirmação soaria muito bem, se não a contrariasse a experiência, que atesta que numa série de casos faltam os fatores somáticos que favorecem o lapso verbal, e em outra, os fatores associativos.

A pergunta seguinte dos senhores possui para mim interesse particular, ou seja, de que maneira é possível constatar as duas tendências a interferir uma com a outra? Os senhores provavelmente não imaginam a importância capital que essa questão tem. Uma dessas tendências, a que sofre perturbação, é sempre inequívoca, não é mesmo? A pessoa que comete o ato falho a conhece e admite. Motivo para dúvidas e preocupações só nos pode oferecer a outra, a tendência perturbadora. Pois bem, já vimos — e os senhores decerto não se esqueceram disto — que, em uma série de casos, também essa segunda tendência é clara. Ela é indicada pelo efeito do lapso, quando temos a coragem de reconhecê-lo como tal. O presidente da Câmara, ao dizer o oposto do que pretendia, deixa claro que deseja abrir a sessão, mas deixa igualmente claro que gostaria de encerrá-la. Isso é tão evidente que nada resta aí a interpretar. Naqueles casos, porém, em que a tendência perturbadora apenas deforma a original, sem manifestar-se por completo, como chegar à tendência perturbadora a partir da deformação?

Em uma primeira série de casos, isso pode ser feito de maneira simples e segura, ou seja, da mesma maneira como constatamos a tendência que sofreu perturbação. Esta nos é comunicada diretamente pelo orador, o qual, uma vez cometido o lapso, restabelece de imediato a fala original pretendida: *"Das* draut, *nein, das dauert*

3. OS ATOS FALHOS (CONTINUAÇÃO)

vielleicht noch einen Monat" [Isso "dru", não, isso dura ainda um mês, talvez]. Também a tendência deformadora podemos ouvir dele próprio. Perguntamos: "Por que o senhor disse 'dru'?". Ele responde: "Queria dizer que se tratava de uma história triste [*traurig*]". Da mesma forma, no outro caso, aquele em que o lapso produziu *Vorschwein*, o orador confirma que, de início, pretendia dizer *"Das ist eine* Schweinerei" [Isso é uma porcaria], mas se conteve e tomou outra direção. Portanto, a constatação da tendência perturbadora é aí tão segura e bem-sucedida como a daquela que sofreu perturbação. Não por acaso, menciono aqui exemplos cujas comunicação e resolução não provêm de mim nem de nenhum de meus partidários. Em ambos esses casos, contudo, certa intervenção se fez necessária para encontrar a solução. Precisou-se perguntar ao orador o porquê de seu lapso verbal, o que ele saberia dizer sobre o lapso cometido. Do contrário, ele talvez tivesse deixado para trás o equívoco, sem pretender explicá-lo. Perguntado a esse respeito, no entanto, o orador deu a primeira explicação que lhe veio à mente. Notem, pois, os senhores que essa pequena intervenção e seu sucesso já são uma psicanálise, constituem o modelo de toda a investigação psicanalítica que vamos empreender.

Seria muita desconfiança de minha parte supor que, no mesmo momento em que a psicanálise se apresenta diante dos senhores, também a resistência a ela se ergue? Os senhores não sentem vontade de objetar que a informação provinda da pessoa que cometeu o lapso carece de força comprobatória? "Naturalmente", poderiam argumentar, "ela procura responder ao pedido de explicação para o lapso, razão pela qual vai dizer a primeira coisa que lhe vier à mente, se esta lhe parecer uma explicação apropriada. Isso, contudo, não prova que o lapso ocorreu pelo motivo apontado. Ele tanto poderá ter ocorrido por esse motivo como por algum outro. E, ao orador que o cometeu, poderia ocorrer outra explicação, tão boa ou até mesmo mais adequada que a anterior".

É notável o pouco respeito que, no fundo, os senhores demonstram diante de um fato psíquico! Suponham que alguém, ao empreender uma análise química de determinada substância, tenha chegado ao peso de um de seus componentes, certa quantidade de miligramas. Desse peso encontrado, podem-se extrair determinadas conclusões. Pois bem, creem os senhores que a algum químico ocorreria criticar tais conclusões com o argumento de que a substância isolada poderia também ter outro peso? Todos se curvam ao fato de que o peso é aquele mesmo e nenhum outro, fato no qual, confiantes, baseiam ulteriores conclusões. Diante, porém, do fato psíquico da explicação ocorrida ao orador, os senhores não o julgam válido: creem que outra explicação poderia ter lhe ocorrido! Acalentam, assim, a ilusão de uma liberdade psíquica à qual não desejam renunciar. Nisso, lamento estar em total discordância com os senhores.

Aqui, as senhoras e os senhores cessarão de opor resistência, mas apenas para retomá-la em outro ponto. Assim, prosseguirão: "Nós compreendemos que é técnica peculiar da psicanálise obter dos próprios analisandos a solução para seus problemas. Tomemos, en-

3. OS ATOS FALHOS (CONTINUAÇÃO)

tão, outro exemplo: aquele do orador que exorta todos os presentes a 'arrotar' [auf*stoßen*] à saúde do chefe. O senhor diz que, nesse caso, a intenção perturbadora é a do insulto: é ela que se opõe à manifestação de respeito. Isso, contudo, é mera interpretação sua, baseada em observações *exteriores* ao lapso verbal. Se, nesse caso, o senhor perguntar àquele que perpetrou o lapso, ele não confirmará que seu intuito era o de insultar. Pelo contrário: negará com veemência semelhante intenção. Diante de negativa tão clara, por que o senhor não abandona sua interpretação não comprovada?".

Sim, aqui os senhores encontraram um forte argumento. Ponho-me a imaginar esse orador desconhecido; é provável que ele seja um assistente do catedrático homenageado, talvez já professor contratado, um jovem diante das melhores oportunidades da vida. Quero inspecioná-lo, saber se, afinal, não sentiu alguma coisa contrária àquela exigência de homenagear o chefe. Logo me vejo em maus lençóis. Impaciente, ele de súbito me ataca: "Chega, o senhor pare de me fazer essas perguntas ou vou me irritar. Ainda vai acabar com minha carreira com essas suspeitas todas. Eu disse 'arrotar' [auf*stossen*] em vez de 'brindar' [*anstossen*] porque, na mesma frase, já tinha dito *auf* duas vezes. É isso que Meringer chama de reverberação, e não há mais nada a explicar aí, o senhor me entende? Basta". Ora, eis aí uma reação surpreendente, uma negativa bastante enérgica. Vejo que nada vou conseguir desse jovem, mas penso comigo que ele revela um forte interesse pessoal em que seu ato falho não tenha significado nenhum. Talvez os senhores também achem que não é certo ele, de pronto, reagir de forma tão rude a uma investigação meramente teórica, mas, por fim, concluirão que o jovem, na realidade, há de saber o que pretendeu e o que não pretendeu dizer.

Pois bem: será que sabe? Essa talvez seja a pergunta a se fazer.

Agora, os senhores por certo creem me ter nas mãos. "Então, essa é sua técnica", ouço-os dizer. "Quando a pessoa que cometeu o ato falho diz sobre ele alguma coisa que lhe convém, o senhor o declara autoridade última e decisiva no assunto: 'É o que ele próprio diz'. Mas quando o que ele diz não lhe interessa, aí, de súbito, o senhor afirma que essa declaração não tem valor, que não precisamos acreditar nela."

Assim é, na verdade. Mas posso apresentar aos senhores um caso semelhante, no qual se procede de maneira igualmente terrível. Quando, diante do juiz, um acusado confessa seu crime, o juiz acredita na confissão; se, contudo, ele nega tê-lo cometido, o juiz não lhe dá crédito. Não fosse assim, inexistiria a administração da justiça e, a despeito de equívocos ocasionais, os senhores hão de concordar com esse sistema.

"Então o senhor é o juiz, e aquele que comete um ato falho, o acusado a se apresentar à sua frente? Um ato falho é, portanto, um delito?"

Talvez não precisemos recusar nem mesmo essa comparação. Mas vejam os senhores a que importantes diferenças chegamos ao nos aprofundar um pouco nos problemas aparentemente inofensivos propostos pelos atos falhos. São diferenças que, por enquanto, nem sabemos

3. OS ATOS FALHOS (CONTINUAÇÃO)

conciliar. O que ofereço aos senhores é um compromisso temporário com base no símile do juiz e do acusado: os senhores admitem que é indubitável o sentido de um ato falho, quando quem o reconhece é o próprio analisando; em compensação, eu admito aos senhores não ser possível comprovar diretamente o suposto significado, quando o analisando se recusa a nos dar informação ou, naturalmente, quando ele não está disponível para nos fornecer essa informação. Nesse caso, como ocorre na administração da justiça, dependeremos de indícios, os quais poderão tornar uma decisão ora mais, ora menos provável. Em um tribunal, uma condenação baseada em provas indiciárias se dá também por razões práticas. Nós, de nossa parte, não temos essa necessidade; nem por isso, todavia, somos obrigados a renunciar à exploração de tais indícios. Seria um equívoco acreditar que toda ciência se compõe apenas de proposições estritamente comprovadas, bem como seria injusto exigir que assim fosse. Tal exigência só faz um espírito que tem ânsia de autoridade, que necessita substituir seu catecismo religioso por outro, ainda que científico. Em seu catecismo, a ciência tem apenas algumas proposições apodícticas; o resto são afirmações que ela elevou a certos graus de probabilidade. Contentar-se com essas aproximações à certeza e, na ausência das comprovações derradeiras, ser capaz de dar continuidade ao trabalho construtivo é justamente um sinal do modo de pensamento científico.

Mas de onde extrair os fundamentos para nossas interpretações, os indícios a corroborar nossa comprovação, quando a própria declaração do analisando não esclarece o sentido do ato falho? De diversas partes. Em primeiro lugar, da analogia com fenômenos exteriores aos atos falhos, como, por exemplo, quando afirmamos que a deformação de um nome em um lapso verbal possui o mesmo significado difamatório de uma deturpação deliberada desse nome. Além disso, podemos extraí-los da situação psíquica em que o ato falho ocorre, de nosso conhecimento do caráter da pessoa que o comete e das impressões que afetaram essa pessoa antes de cometê-lo, às quais o ato falho constitui possivelmente uma reação. Em regra, procedemos de modo a formular nossa interpretação do ato falho a partir de princípios gerais, uma interpretação que será, de início, apenas uma conjectura, uma sugestão de interpretação, para a qual, a seguir, buscamos confirmação no exame da situação psíquica. Por vezes, precisamos esperar por acontecimentos futuros, anunciados, por assim dizer, pelo próprio ato falho, a fim de obter a confirmação de nossa hipótese.

Demonstrar isso aos senhores não é tarefa que se torne mais fácil para mim, se me atenho ao domínio dos lapsos verbais, embora também aí haja bons exemplos. O jovem desejoso de *begleitdigen* uma dama com certeza é tímido; a senhora cujo marido pode comer e beber o que *ela* quiser, eu a reputo uma daquelas mulheres enérgicas a conduzir sua casa com mão de ferro. Ou considerem o seguinte caso: em uma assembleia geral da "Concordia", um jovem membro da associação profere um veemente discurso oposicionista, no curso do qual se dirige aos diretores da instituição como Vorschuss*mitglieder* [membros da "Vorschuss"],

3. OS ATOS FALHOS (CONTINUAÇÃO)

aparentemente uma mistura de Vor*stand* [direção] e *Aus*schuss [comitê]. Podemos supor ter se manifestado nele uma tendência perturbadora contrária a sua oposição, tendência esta apoiada talvez em algo que podia estar relacionado a um *Vorschuss* [adiantamento]. E, de fato, descobrimos por nosso informante que o orador, sempre necessitado de dinheiro, havia acabado de solicitar um empréstimo. Como intenção perturbadora, manifesta-se aí, com efeito, o pensamento: "Modere sua oposição. Essas são também as pessoas encarregadas de conceder o adiantamento".

Se, contudo, recorrer ao amplo domínio dos demais atos falhos, poderei apresentar aos senhores toda uma rica coleção de evidências desse tipo.

Quando alguém esquece um nome que lhe é conhecido ou tem muita dificuldade em guardá-lo, por mais que se esforce, é natural supormos que essa pessoa tem alguma coisa contra o portador do nome em questão e, por isso, não gosta de lembrá-lo. Considerem agora as seguintes revelações sobre situações psíquicas em que tal ato falho ocorreu:

"Um certo senhor Y apaixonou-se perdidamente por uma dama que, logo a seguir, se casou com um senhor X. Embora conheça o senhor X há muito tempo, tendo com ele inclusive uma relação de negócios, o senhor Y vivia esquecendo seu nome. Muitas vezes, quando queria escrever ao senhor X, precisava perguntar seu nome a outras pessoas".[1]

---

1 Segundo C. G. Jung.

O senhor Y claramente não quer saber coisa nenhuma de seu feliz rival. "Melhor é nem lembrar dele".

Ou: uma dama pergunta ao médico sobre uma conhecida comum, mas a chama pelo nome de solteira. Do sobrenome adotado após o casamento, ela se esqueceu. Confessa, então, ter ficado bastante insatisfeita com aquele casamento e não suportar o marido da amiga.[2]

Teremos ainda muito a dizer sobre outros aspectos do esquecimento de nomes. No momento, interessa-nos sobretudo a situação psíquica verificada quando do esquecimento.

De modo geral, o esquecimento de intenções pode ser referido a uma tendência contrária, que não deseja pôr em prática o propósito em questão. Assim pensa não apenas a psicanálise: esse é também o entendimento comum a todas as pessoas, aquele que todos professam na vida, mas negam na teoria. O benfeitor que se desculpa com seu protegido por ter se esquecido de atender a um pedido não tem sua justificativa aceita por ele. O protegido pensará de imediato: "Ele pouco se importa. Prometeu, mas, na verdade, não quer fazer". Em certas circunstâncias, portanto, também na vida real o esquecimento é malvisto; a diferença entre o entendimento popular e o psicanalítico desses atos falhos parece ter sido abolida. Imaginem uma dona de casa que recebe uma visita com as palavras: "Como? Você veio hoje? Eu me esqueci completamente de ter feito o convite para hoje". Ou o jovem que tem de confessar à amada ter

---

2 Segundo A. A. Brill.

3. OS ATOS FALHOS (CONTINUAÇÃO)

esquecido de comparecer ao último encontro marcado. Por certo, ele não vai confessá-lo, e sim inventar de improviso obstáculos os mais improváveis, os quais o terão impedido de comparecer e mesmo, desde então, de dar qualquer notícia. Em questões militares, sabemos que a desculpa do esquecimento de nada adianta nem há de livrar ninguém de punição, e só podemos considerar justificado que assim seja. Nesse caso, de súbito todos estão de acordo em que certo ato falho é dotado de sentido e concordam também quanto a que sentido ele tem. Por que, então, não são coerentes o bastante para estender esse entendimento aos demais atos falhos, reconhecendo-o de uma vez por todas? Também para isso, é evidente, há uma resposta.

Se até mesmo os leigos pouco duvidam do sentido desse esquecimento de uma intenção, tão menos surpresos ficarão os senhores ao descobrir que os poetas o empregam com idêntico significado. Quem aqui já viu ou leu *César e Cleópatra*, de Bernard Shaw, há de se lembrar de que, na última cena da peça, um César de partida é atormentado pela ideia de que pretendia fazer algo de que agora já não se recorda. Por fim, revela-se o que ele havia esquecido: de se despedir de Cleópatra. Esse pequeno expediente empregado pelo dramaturgo pretende atribuir ao grande César uma superioridade que ele não possuía nem almejava. Fontes históricas dirão aos senhores que César determinou que trouxessem Cleópatra para Roma, e que ali ela se encontrava na companhia de seu pequeno Cesário quando César foi assassinado, ao que, então, Cleópatra fugiu da cidade.

| OS ATOS FALHOS

Os casos de esquecimento de uma intenção são, em geral, tão claros que pouca utilidade possuem para nosso propósito de extrair da situação psíquica indícios que apontem para o sentido de um ato falho. Voltemos nossa atenção para uma modalidade de ato falho particularmente rica em significados e inescrutável: aqueles casos em que perdemos um objeto ou não sabemos onde o guardamos. Os senhores por certo não julgarão crível que, na perda de um objeto — uma casualidade que com frequência nos é dolorosa —, tenhamos nós próprios participação deliberada. Contudo, observações como as que seguem existem em profusão. Um jovem perde o lápis de que gostava muito. Dias antes, havia recebido uma carta do cunhado que terminava com as seguintes palavras: "No momento, não tenho vontade nem tempo de apoiar tua leviandade e tua preguiça".[3] O lápis, no entanto, tinha sido presente desse mesmo cunhado. Sem essa coincidência, naturalmente não poderíamos afirmar que, na perda do lápis, tomou parte a intenção de se livrar do objeto. Casos semelhantes são muito comuns. Perdemos um objeto depois de nos indispor com a pessoa que o deu a nós, da qual não queremos mais nos lembrar; ou, então, quando deixamos de gostar do objeto em si e passamos a procurar um pretexto para substituí-lo por outro melhor. Com essa mesma predisposição contra o objeto, nós o deixamos cair, quebramos ou destruímos. Podemos considerar coincidência o fato de, às vésperas de seu aniversário,

3 Segundo B. Dattner.

3. OS ATOS FALHOS (CONTINUAÇÃO)

um escolar perder, arruinar ou quebrar seu material, como, por exemplo, sua mochila ou seu relógio?

Quem já passou muitas vezes pelo embaraço de não conseguir encontrar algo que guardou também não se dispõe a acreditar na intencionalidade desse equívoco. Não são nada raros, todavia, os exemplos em que as circunstâncias que acompanham o extravio apontam para uma tendência a querer eliminar o objeto, temporária ou permanentemente. Um belo exemplo disso seria o episódio que relato em seguida.

Eis o que me contou um homem jovem: "Alguns anos atrás, meu casamento passou por certos mal-entendidos. Eu achava minha esposa fria demais e, embora reconhecesse de bom grado suas excelentes qualidades, vivíamos uma vida conjunta desprovida de ternura. Um dia, voltando de um passeio, ela me deu um livro, que tinha comprado porque ele talvez me interessasse. Eu a agradeci por aquele sinal de 'atenção', prometi lê-lo, guardei o livro e não o encontrava mais. Passaram-se meses em que, vez por outra, eu me lembrava do livro desaparecido e tentava em vão encontrá-lo. Uns seis meses mais tarde, minha querida mãe, que não morava conosco, adoeceu. Minha esposa deixou nossa casa para ir cuidar da sogra. O estado de minha mãe tornou-se sério, dando a minha esposa a oportunidade de mostrar-me o que ela tinha de melhor. Uma noite, volto para casa cheio de admiração e gratidão por minha esposa. Vou até minha escrivaninha, abro determinada gaveta sem nenhum propósito particular, mas antes como se tomado por uma certeza sonâmbula, e lá

I OS ATOS FALHOS

dentro, em cima de tudo o mais, encontro o livro guardado e desaparecido fazia tanto tempo".

Extinto o motivo, também o extravio do objeto encontrou seu fim.

Senhoras e senhores, eu poderia multiplicar essa coleção de exemplos até o infinito. Mas não é o que pretendo fazer aqui. De todo modo, em meu trabalho *Psicopatologia da vida cotidiana* (publicado pela primeira vez em 1901), os senhores encontrarão farta gama de casos para o estudo dos atos falhos.[4] Todos esses exemplos produzem sempre o mesmo resultado: tornam provável que atos falhos possuam um sentido e mostram aos senhores como depreender ou confirmar esse sentido a partir das circunstâncias que o acompanham. Hoje serei mais conciso, porque nos propusemos apenas tirar proveito do estudo desses fenômenos visando a uma preparação para a psicanálise. Assim, devo ainda me aprofundar em apenas dois grupos de observações: o dos atos falhos acumulados e combinados e o da confirmação de nossas interpretações por eventos posteriores.

Os atos falhos acumulados e combinados constituem por certo o ápice de seu gênero. Fosse nossa preocupação provar que atos falhos podem ter um sentido, bastaria termos nos restringido já de início a essa categoria, porque nela o sentido se revela inequívoco até mesmo à percepção embotada e se impõe ao mais crítico dos juízos. As manifestações acumuladas demonstram

---

4 Assim como nas compilações de Maeder (em francês), A. A. Brill (inglês), E. Jones (inglês) e J. Stärcke (holandês), entre outras.

3. OS ATOS FALHOS (CONTINUAÇÃO)

uma obstinação que quase nunca sucede no acaso, mas combina muito bem com o que é proposital. Por fim, a alternância das diversas modalidades de ato falho nos mostra o que nele é mais importante e essencial: não a forma ou o meio de que se vale, e sim a intenção à qual ele próprio serve e que há de ser realizada por caminhos os mais diversos. Quero, pois, apresentar aos senhores um caso de esquecimento repetido. Ernest Jones relata que certa vez escreveu uma carta e, por motivos que ele próprio desconhecia, esqueceu-a durante vários dias sobre a escrivaninha. Por fim, decidiu postá-la, mas recebeu-a de volta do *Dead letter office*, porque se esquecera de endereçá-la. Então, depois de fazê-lo, levou-a à caixa do correio, mas dessa vez não tinha selos. Foi, enfim, obrigado a reconhecer para si mesmo sua relutância em enviar aquela carta.

Em outro caso, combinam-se o apanhar equivocado de um objeto com seu extravio. Uma senhora viaja para Roma na companhia do cunhado, um famoso artista. O visitante é bastante festejado pelos alemães que moram na cidade e, entre outras coisas, ganha de presente uma antiga medalha de ouro. A senhora se irrita com o fato de o cunhado não saber apreciar devidamente a beleza da peça. Substituída pela irmã, ela volta para casa e, ao desfazer as malas, descobre que, sem saber como, levou consigo a medalha. Por carta, comunica o fato de imediato ao cunhado e anuncia que, no dia seguinte, enviaria de volta para Roma a peça sequestrada. No dia seguinte, porém, o objeto se revela tão bem guardado que lhe é impossível localizá-lo e despachá-lo. A senhora, então, se dá conta do significado daquela sua "distração": o desejo de ter a medalha para si.[5]

Já relatei aos senhores um exemplo da combinação de esquecimento e equívoco: como alguém, de início, se esquece de um encontro marcado e, depois, para ter certeza de que não tornará a esquecê-lo, comparece ao encontro em horário diferente do combinado. Um caso análogo, extraído de sua própria experiência, relatou-me um amigo dotado de interesses não apenas científicos, mas também literários. Contou-me ele: "Alguns anos atrás, aceitei minha eleição para o comitê de certa associação literária, porque imaginei que a sociedade poderia me ajudar a levar ao palco uma peça de minha autoria. Ainda que sem grande interesse, eu participava regularmente das reuniões que aconteciam toda sexta-feira. Alguns meses atrás, recebi enfim a garantia de que a peça seria encenada no teatro de F. e, desde então, passou a acontecer com frequência de eu me *esquecer* das reuniões da associação. Quando li o que você escreveu sobre essas coisas, senti vergonha desse meu esquecimento e recriminei-me pela vileza de, agora que não preciso mais daquela gente, faltar às reuniões. Resolvi, pois, não esquecer de modo algum o compromisso, na sexta seguinte. Lembrava-me a todo momento desse propósito, até o momento em que, pondo-o em prática, lá estava eu, diante da porta da sala de reunião. Para meu espanto, ela estava fechada; a reunião já tinha acabado. É que eu tinha errado o dia: já era sábado!".

5 Segundo R. Reitler.

3. OS ATOS FALHOS (CONTINUAÇÃO)

Seria muito interessante continuar elencando observações desse tipo, mas sigo adiante. Quero dar aos senhores uma ideia daqueles casos em que nossa interpretação precisa aguardar confirmação posterior.

Compreensivelmente, a condição principal para esses casos é nosso desconhecimento da situação psíquica presente, ou sua inacessibilidade. Então nossa interpretação tem apenas o valor de uma hipótese, à qual nós próprios não desejamos atribuir importância demasiada. Mais tarde, porém, algum acontecimento vem nos mostrar como era justificada aquela nossa interpretação inicial. Certa feita, estando eu em visita a recém-casados, ouvi da jovem mulher um relato sorridente de um acontecimento. No dia seguinte ao do retorno de viagem, ela fora visitar a irmã solteira, a fim de, como nos velhos tempos, irem juntas às compras, enquanto o marido cuidava dos negócios. De súbito, um cavalheiro do outro lado da rua chamou-lhe a atenção, e ela cutucou a irmã, dizendo: "Olhe, lá vai o senhor L.". Ela havia se esquecido de que, fazia algumas semanas, aquele senhor era seu marido. Estremeci com esse relato, mas não ousei tirar dele nenhuma conclusão. Só fui me lembrar desse pequeno episódio anos mais tarde, depois de aquele casamento ter tido desfecho dos mais desafortunados.

A. Maeder conta-nos a história de uma senhora que, na véspera de seu casamento, esqueceu-se de ir experimentar o vestido de noiva, dele se lembrando apenas ao anoitecer, para desespero da costureira. A esse esquecimento ele vincula o fato de, pouco depois, a dama haver se separado do marido. Conheço uma senhora, hoje separada, que, na administração de seus bens, com frequência assinava documentos com o nome de solteira, muitos anos antes de voltar a adotá-lo. Sei de mulheres que, em viagem de núpcias, perderam a aliança de casamento, e sei também que o curso de seu matrimônio acabou por emprestar sentido a esse acaso. Termino citando ainda outro exemplo gritante, mas com melhor desfecho. Conta-se que um famoso químico alemão não se casou porque se esqueceu do horário para o qual a cerimônia estava marcada, dirigindo-se ao laboratório, em vez de rumar para a igreja. Teve a prudência de limitar-se a essa única tentativa, e morreu solteiro, em idade avançada.

Talvez tenha ocorrido também aos senhores que, nesses exemplos, os atos falhos tomam o lugar dos augúrios ou presságios da Antiguidade. De fato, uma parte daqueles presságios constituía-se de nada mais que atos falhos, quando, por exemplo, alguém tropeçava ou caía. Outra parte, no entanto, exibia características de acontecimentos objetivos, não de atos subjetivos. Os senhores não acreditariam se eu lhes dissesse como é difícil, às vezes, no exame de determinado evento, decidir se ele pertence a um ou outro grupo. Com frequência, um ato sabe muito bem se disfarçar de experiência passiva.

É provável que aqueles de nós que possuem longa experiência da vida admitam para si mesmos que teriam se poupado numerosas decepções e dolorosas surpresas, se tivessem tido a coragem e a resolução necessárias para interpretar como presságios, como sinais de uma intenção ainda secreta, os pequenos atos falhos em suas relações com outras pessoas. Em geral, não ousamos fazê-

-lo, porque isso nos pareceria voltar à superstição pelo rodeio da ciência. Além disso, nem todos os presságios se verificam, e os senhores entenderão, com base em nossas teorias, que nem todos eles precisam verificar-se.

4. OS ATOS FALHOS (CONCLUSÃO)

Senhoras e senhores: Que os atos falhos possuem sentido é algo que podemos estabelecer como resultado de nossos esforços até o momento e tomar como base para o prosseguimento de nossa investigação. Enfatizemos mais uma vez que não afirmamos — e tampouco necessitamos desta afirmação para nossos fins — que todo ato falho é dotado de sentido, embora eu considere isso provável. Para nós, basta demonstrar a existência de tal sentido com relativa frequência, nas diferentes formas que assume o ato falho. Nesse aspecto, aliás, essas diferentes formas de ato falho se comportam de maneira diversa. No lapso verbal, da escrita etc. é possível que haja casos de fundo puramente psicológico; nas modalidades que se assentam no esquecimento (o esquecimento de nomes e intenções, o extravio e assim por diante), não posso acreditar nesse fundamento; quanto à perda de objetos, é muito provável que em certos casos se possa reconhecê-la como não intencional. De modo geral, os equívocos que ocorrem em nossa vida deixam-se explicar apenas em parte por nossos pontos de vista. Tenham em mente essa restrição quan-

OS ATOS FALHOS

do, daqui em diante, partirmos do princípio de que os atos falhos são atos psíquicos e surgem da interferência mútua de duas intenções.

Esse é o primeiro resultado da psicanálise. Da ocorrência de tais interferências e da possibilidade de elas redundarem em semelhantes fenômenos, disso a psicologia até agora não tinha conhecimento. Nós expandimos consideravelmente o domínio dos fenômenos psíquicos e conquistamos para o terreno da psicologia manifestações que antes não eram de sua alçada.

Detenhamo-nos ainda um momento na afirmação de que os atos falhos são "atos psíquicos". Ela diz mais que nossa outra afirmação, a de que eles têm um sentido? Não creio; ela é, antes, mais vaga e mais ambígua. Tudo aquilo que se pode observar na vida psíquica será ocasionalmente caracterizado como fenômeno psíquico. Logo, a questão passará a ser se uma manifestação psíquica resulta da influência direta de fatores físicos, orgânicos, materiais — caso em que seu estudo não caberá à psicologia — ou se ela deriva primeiramente de outros processos psíquicos, por trás dos quais tem início, em alguma parte, a série de influências orgânicas. É esse último caso que temos em vista quando caracterizamos um fenômeno como um processo psíquico, razão pela qual é mais apropriado formular nossa tese dizendo que o fenômeno em questão é rico em sentidos ou possui um sentido. Por "sentido" entendemos significado, intenção, tendência e posicionamento numa série de nexos psíquicos.

Há uma quantidade de outros fenômenos muito próximos dos atos falhos, mas aos quais essa desig-

4. OS ATOS FALHOS (CONCLUSÃO)

nação já não se aplica. Nós os chamamos *atos casuais* ou *sintomáticos*. Também eles exibem caráter de algo imotivado, insignificante, desimportante, e, mais claramente do que isso, de algo supérfluo. Diferencia-os dos atos falhos a ausência de uma outra intenção, que, em conflito com eles, os perturbe. Por outro lado, sem que nenhuma fronteira os delimite, esses atos se imiscuem nos gestos e movimentos com os quais contamos para expressar emoções. Pertence à categoria dos atos casuais tudo aquilo que, como se brincássemos e sem nenhum propósito aparente, fazemos com nossas roupas, com partes de nosso corpo, com objetos ao nosso alcance, assim como a ausência dessas ações e, além disso, as melodias que cantarolamos para nós mesmos. Sustento, perante os senhores, a afirmação de que todos esses fenômenos são dotados de sentido e podem ser interpretados da mesma maneira que os atos falhos, como pequenos indícios de outros processos psíquicos mais importantes, como atos psíquicos de plena validade. Não pretendo, no entanto, me deter nessa nova extensão dos domínios abarcados pelos fenômenos psíquicos, mas sim retornar aos atos falhos, que permitem elaborar com clareza muito maior as indagações que importam à psicanálise.

Vejamos, pois, quais as perguntas mais interessantes que formulamos em relação aos atos falhos e ainda não respondemos. Dissemos que eles resultam da interferência mútua de duas intenções diversas, das quais uma é a que sofreu perturbação, ao passo que a outra é a perturbadora. As intenções que sofreram perturba-

I OS ATOS FALHOS

ção não ensejam novas perguntas, mas, das intenções perturbadoras, queremos saber, em primeiro lugar, que intenções são essas, capazes de perturbar outras, e, em segundo, como elas se relacionam com as intenções por elas perturbadas.

Permitam-me ainda uma vez tomar o lapso verbal como representante de todo o gênero, e responder à segunda pergunta antes de me dedicar à primeira.

No lapso verbal, a intenção perturbadora pode guardar uma relação conteudística com aquela que sofreu perturbação. Nesse caso, ela contém uma contradição, uma retificação ou um complemento a esta última. Mais interessante e obscuro, porém, é o caso em que a intenção perturbadora nada tem a ver, do ponto de vista do conteúdo, com aquela que sofreu perturbação.

Comprovações da primeira relação, nós podemos encontrá-las sem esforço nos exemplos que já conhecemos e em outros, semelhantes a eles. Em quase todos os casos em que o lapso verbal expressa o contrário do pretendido, a intenção perturbadora revela-se o oposto daquela que sofreu perturbação, e o ato falho é a representação do conflito entre duas inclinações incompatíveis. "Declaro a sessão aberta, mas preferiria já tê-la encerrado" é o sentido do lapso do presidente da Câmara dos Deputados. Um jornal político acusado de corrupção defende-se em um artigo que deveria culminar nas seguintes palavras: "Nossos leitores testemunharão em nosso favor que sempre defendemos, da maneira *menos egoísta* [*in* un*eigennützigster Weise*], o bem de todos". Contudo, o redator encarregado da defesa escreve: "da maneira *mais egoísta*

4. OS ATOS FALHOS (CONCLUSÃO)

[*in eigennützigster Weise*]". Isso significa que ele pensou consigo: "Preciso escrever assim, mas penso de outra maneira". Um deputado, ao exigir que a verdade seja dita *rückhaltlos* [sem reservas] ao imperador, certamente escuta uma voz interior que, assustada com a ousadia, comete um lapso e transforma *rückhaltlos* em *rückgratlos* [covardemente, sem espinha dorsal].[6]

Naqueles exemplos, já conhecidos dos senhores, que dão a impressão de uma contração ou redução, o que temos são retificações, acréscimos ou prolongamentos mediante os quais uma segunda tendência se impõe ao lado da primeira. Sim, coisas foram reveladas [*Es sind da Dinge zum* Vorschein *gekommen*], mas melhor é dizê-lo de uma vez: indecências [*Schweinereien*] foram reveladas — daí a frase *Es sind Dinge zum* Vorschwein *gekommen*. Ou: as pessoas capazes de compreender o assunto se podem *contar nos dedos de uma só mão*; mas não, na verdade *uma única* pessoa é capaz de compreendê-lo — daí *contar em um dedo*. Ou: "meu marido pode comer e beber o que quiser, mas, o senhor sabe, *eu* não tolero que ele queira alguma coisa" — daí a construção *Ele pode comer e beber o que* eu *quiser*. Em todos esses casos, o lapso verbal decorre do próprio conteúdo da intenção que sofreu perturbação, ou se liga a ele.

O outro tipo de relação entre as intenções que interferem uma na outra causa estranheza. Quando a intenção perturbadora nada tem a ver com o conteúdo daquela que sofreu perturbação, de onde vem ela, afinal, e

---

6 No Parlamento alemão, em novembro de 1908.

I OS ATOS FALHOS

a que se deve o fato de se manifestar como perturbação exatamente ali? A observação — e somente ela pode aqui fornecer uma resposta — permite identificar que a perturbação advém de um pensamento que a pessoa em questão entretinha pouco antes do fato e que, então, repercute dessa maneira, independentemente de já ter ou não encontrado expressão no discurso. Na realidade, essa perturbação deve ser caracterizada, portanto, como reverberação, mas não necessariamente como uma reverberação de palavras já ditas. Também aqui está presente um nexo associativo entre aquilo que perturba e aquilo que é perturbado, mas não se trata de um nexo dado pelo conteúdo, e sim de um nexo artificial, muitas vezes produzido por caminhos bastante forçados.

Ouçam um exemplo simples, que eu próprio observei. Em nosso belo maciço das Dolomitas, certa vez encontrei duas senhoras vienenses vestidas como turistas. Acompanhei-as um pouco e discutíamos os prazeres, mas também os incômodos, daquela vida de turistas. Uma das senhoras admitiu que aquele modo de passar o dia tinha lá seus desconfortos. "É verdade", disse ela, "que não é muito agradável caminhar o dia inteiro sob o sol e ficar com a blusa e a camiseta encharcadas." Ao dizê-lo, ela precisou em certo ponto superar uma pequena hesitação. Depois, prosseguiu: "Quando, porém, a gente chega *nach Hose* e pode se trocar...". Não analisamos esse lapso verbal, mas penso que os senhores poderão facilmente compreendê-lo. A intenção daquela senhora era proceder a uma enumeração mais completa e dizer: blusa, camiseta e *Hose* [calcinha]. Todavia,

4. OS ATOS FALHOS (CONCLUSÃO)

por uma questão de decoro, ela não mencionara *Hose*. Na próxima sentença, então, de conteúdo independente da anterior, a palavra não dita surge como distorção de *nach Hause* [em casa], de sonoridade semelhante.

Podemos, agora, nos voltar para a pergunta principal, cuja resposta viemos adiando já há um bom tempo: que intenções são essas que, de maneira inabitual, se manifestam como perturbações de outras? Bem, elas decerto são muito variadas, mas nosso desejo é encontrar aí um denominador comum. Se examinarmos toda uma série de exemplos com esse fim, eles logo se dividirão em três grupos distintos. Ao primeiro grupo pertencem aqueles casos em que a tendência perturbadora é conhecida de quem fala e, além disso, foi sentida por ele anteriormente ao lapso verbal. Em *Vorschwein*, o falante não apenas reconhece que seu veredicto sobre os acontecimentos em questão era o de que se tratava de *Schweinereien*, como também que era sua intenção — da qual recuou depois — expressá-lo em palavras. O segundo grupo se constitui dos casos em que o falante reconhece igualmente como sua a tendência perturbadora, mas não sabe que, pouco antes do lapso, ela se encontrava ativa nele. Aceita, portanto, nossa interpretação de seu lapso, mas em certa medida admira-se ainda dela. Exemplos desse comportamento podem ser encontrados mais facilmente, talvez, em outros atos falhos que não o lapso verbal. No terceiro grupo, a interpretação dada à intenção perturbadora é rechaçada com veemência pelo falante, que não apenas contesta abrigá-la em si anteriormente ao lapso, como afirma

I OS ATOS FALHOS

também ser-lhe ela inteiramente estranha. Lembrem-se do exemplo de auf*stossen* e da negativa descortês que obtive do falante ao desvendar a intenção perturbadora. Sabem os senhores que ainda não logramos chegar a um acordo quanto à compreensão desses casos. Eu não atribuiria importância nenhuma à negativa do proponente daquele brinde, e sustentaria imperturbavelmente a minha interpretação. Já os senhores, penso eu, sob o efeito da resistência do orador, ponderam se não seria melhor renunciar à interpretação de tais atos falhos e dá-los como atos puramente fisiológicos, no sentido pré-analítico da formulação. Posso imaginar o que os assusta. Minha interpretação encerra a hipótese de que é possível ao falante manifestar intenções que ele próprio desconhece, mas que posso depreender de indícios. Diante de uma hipótese tão nova e de consequências tão graves, os senhores se detêm. Mas estabeleçamos uma coisa: se os senhores desejam aplicar de forma coerente essa concepção dos atos falhos reforçada por tantos exemplos, é necessário que se decidam em favor dessa estranha hipótese. Se não puderem fazê-lo, terão de renunciar à compreensão ainda nem bem adquirida.

Detenhamo-nos um pouco mais naquilo que une os três grupos, naquilo que é comum aos três mecanismos dos lapsos verbais. Por sorte, esse elemento comum é inequívoco. Nos dois primeiros grupos, a tendência perturbadora é reconhecida pelo falante; no primeiro, acrescenta-se a isso o fato de essa tendência haver se anunciado pouco antes do lapso. Contudo, nos dois casos, *ela foi rechaçada. O falante se decidiu a não*

4. OS ATOS FALHOS (CONCLUSÃO)

transformá-la em palavras, e é então que ocorre o lapso verbal, ou seja, é então que a tendência rechaçada se converte, contra a vontade do falante, em manifestação, na medida em que modifica a expressão da intenção por ele aprovada e se mistura a ela ou toma diretamente seu lugar. Esse é, portanto, o mecanismo do lapso verbal.

A partir desse meu ponto de vista, posso perfeitamente conciliar o que ocorre no terceiro grupo com o mecanismo acima descrito. Preciso apenas supor que os três grupos se distinguem pelo alcance maior ou menor com que é rechaçada a intenção. No primeiro grupo, a intenção está presente e se faz notar anteriormente à manifestação do falante; somente depois disso ela experimenta o repúdio do qual se ressarce no lapso verbal. No segundo grupo, esse repúdio exibe alcance maior: antes ainda da manifestação, a intenção já não se faz notar. É curioso que nem isso a impeça de ser parte da causa do lapso! Esse comportamento, porém, torna mais fácil explicar o que se passa no terceiro grupo. A esse respeito, ouso externar a suposição de que, no ato falho, pode também se manifestar uma tendência rechaçada há mais tempo, talvez há muito tempo, uma tendência que não é notada e que, por isso mesmo, pode ser negada pelo falante. Mas ponham de lado o problema do terceiro grupo; ainda assim, a partir da observação dos outros casos, os senhores decerto poderão tirar a conclusão de que *a repressão da intenção de dizer algo é condição imprescindível para que o lapso verbal ocorra.*

Podemos agora afirmar que fizemos novos progressos na compreensão dos atos falhos. Sabemos não

I OS ATOS FALHOS

apenas que eles são atos psíquicos nos quais se podem reconhecer sentido e intenção, e não apenas que decorrem da interferência mútua de duas intenções distintas, mas também que, em sua execução, uma dessas intenções precisa experimentar certo rechaço para que, mediante a perturbação da outra, possa manifestar-se. Ela mesma precisa ter sofrido perturbação antes que possa se transformar em intenção perturbadora. Com isso, naturalmente ainda não adquirimos uma compreensão completa dos fenômenos a que chamamos atos falhos. Percebemos de imediato que novas perguntas surgem e, de modo geral, pressentimos que tanto mais motivos para novas perguntas aparecerão quanto mais avançarmos em nossa compreensão. Podemos perguntar, por exemplo, por que tudo isso não se dá de forma mais simples. Se há a intenção de rechaçar certa tendência, em vez de executá-la, esse rechaço deveria ser capaz de fazer com que nada daquela tendência ganhasse expressão; ou então ele poderia falhar, permitindo à tendência rechaçada expressão plena. Os atos falhos, no entanto, são soluções de compromisso; para cada uma das duas intenções, eles significam a um só tempo sucesso e insucesso parciais; a intenção ameaçada não é reprimida por completo nem logra — a não ser em casos isolados — se impor incólume. Podemos supor que condições especiais haveriam de ser necessárias para o surgimento dessas soluções de interferência ou compromisso, mas não logramos nem sequer imaginar de que tipo elas poderiam ser. Tampouco acredito que um maior aprofundamento no estudo dos atos falhos seria capaz de nos

4. OS ATOS FALHOS (CONCLUSÃO)

revelar essas relações desconhecidas. Antes disso, será preciso ainda investigar outras áreas obscuras da vida psíquica; somente as analogias com que aí depararemos poderão nos encorajar a propor aquelas hipóteses necessárias a uma explicação mais abrangente dos atos falhos. E tem mais! Também o trabalho com pequenos indícios, como o que costumamos realizar continuamente nessa área, contém seus próprios perigos. Há uma enfermidade psíquica, a paranoia combinatória, na qual a utilização desses pequenos indícios desconhece limites, e naturalmente não é meu desejo postular que as conclusões construídas sobre esse fundamento são todas corretas. De tais perigos só pode nos oferecer proteção a ampla base de nossas observações, a repetição de impressões semelhantes colhidas nas mais diversas áreas da vida psíquica.

Abandonaremos aqui, portanto, a análise dos atos falhos. Mas quero solicitar uma coisa aos senhores: guardem na memória, como modelo, a maneira como abordamos esses fenômenos. Desse exemplo os senhores podem depreender quais as intenções de nossa psicologia. Não queremos apenas descrever e classificar os fenômenos, mas compreendê-los como sinais de um jogo de forças na psique, como manifestação de tendências dotadas de metas, que trabalham em consonância ou dissonância umas com as outras. Esforçamo--nos em obter uma *concepção dinâmica* dos fenômenos psíquicos. Nessa nossa concepção, os fenômenos percebidos devem ficar em segundo plano perante tendências apenas supostas.

I OS ATOS FALHOS

Não vamos, portanto, seguir nos aprofundando nos atos falhos, mas podemos ainda realizar uma incursão por esse vasto domínio, na qual reencontraremos coisas conhecidas e descobriremos algumas novidades. Deixemo-nos guiar aí pela subdivisão nos três grupos já propostos anteriormente: os lapsos verbais, com suas formas aparentadas que são os lapsos da escrita, da leitura, da audição e da memória (este último com suas subdivisões de acordo com o objeto esquecido — nomes, palavras estrangeiras, intenções, impressões); os lapsos que cometemos ao apanhar, guardar ou perder objetos. Os equívocos, na medida em que nos interessam, vinculam-se em parte ao esquecimento e em parte aos lapsos que ocorrem ao apanharmos objetos.

Acerca do *lapso verbal*, embora já o tenhamos tratado em detalhes, temos ainda alguma coisa a acrescentar. Ligam-se a ele fenômenos afetivos menores que são de algum interesse. Ninguém admite de bom grado tê-lo cometido; além disso, com frequência não ouvimos nossos próprios lapsos, mas jamais deixamos de ouvir aqueles cometidos por outra pessoa. Em certo sentido, o lapso verbal é também contagioso; não é fácil falar sobre ele sem também incorrer num lapso. Suas formas mais insignificantes, aquelas que nada têm de importante a revelar sobre processos psíquicos ocultos, deixam entrever com facilidade o que as motivou. Quando, por exemplo, em decorrência de uma perturbação que aí se manifesta por um motivo qualquer, uma pessoa pronuncia como curta uma vogal longa, ela estenderá alguma vogal curta subsequente, cometendo assim novo

4. OS ATOS FALHOS (CONCLUSÃO)

lapso verbal para compensar o anterior. O mesmo acontece quando ela pronuncia um ditongo de forma incorreta e negligente, isto é, um *eu* ou *oi* como *ei*: o que fará a seguir será tentar reparar o erro e transformar em *eu* ou *oi* o próximo *ei*.* Papel decisivo parece desempenhar aí a consideração pelo interlocutor, que não deve acreditar que quem fala é desleixado no trato com a língua materna. A segunda distorção, compensadora, tem justamente por propósito chamar a atenção do interlocutor para a primeira, assegurando-lhe, assim, que ela tampouco escapou àquele que fala. Os casos mais frequentes, simples e insignificantes de lapsos verbais consistem em contrações de palavras e antecipações sonoras, que se manifestam em partes inconspícuas do discurso. Em uma oração mais longa, por exemplo, o lapso verbal pode se dar pela antecipação da última palavra que se tencionava dizer. Isso causa a impressão de certa impaciência para terminar a oração e, de modo geral, dá testemunho de alguma resistência a enunciar a oração ou mesmo o discurso em si. Deparamos, assim, com casos limítrofes, nos quais se confundem as diferenças entre a concepção psicanalítica do lapso verbal e o entendimento que tem dele a fisiologia comum. Nesses casos, supomos a existência de uma tendência a perturbar aquela que é a intenção do discurso; essa tendência, no entanto, anuncia apenas sua presença, e não o que ela própria pretende. A perturbação que ela suscita segue,

---

* Os exemplos são da fonética alemã, em que os ditongos *eu* e *oi* têm a mesma pronúncia, *ói*, e *ei* é pronunciado *ai*.

I OS ATOS FALHOS

então, certas influências sonoras e a atração exercida por associações, podendo ser compreendida como algo que desvia a atenção daquela que era a intenção original da fala. Contudo, nem essa perturbação da atenção nem a propensão associativa, agora em ação, estão na essência do processo. Esta permanece sendo a indicação da existência de uma intenção perturbadora do propósito do discurso, mas, dessa vez, sua natureza não pode ser depreendida dos efeitos por ela produzidos, ao contrário do que acontece em todos os casos mais pronunciados do lapso verbal.

O *lapso de escrita*, de que passo a tratar agora, assemelha-se em tal medida ao verbal que dele não nos cabe esperar obter novas perspectivas. Mas talvez ele tenha ainda uma pequena contribuição a dar. Os pequenos equívocos, tão comuns, que cometemos ao escrever, as contrações, as antecipações de palavras, sobretudo as últimas de uma oração, apontam, também eles, para uma relutância geral em escrever e para uma impaciência desejosa de terminar logo a frase; efeitos mais pronunciados do lapso da escrita permitem identificar a natureza e a intenção da tendência perturbadora. Quando encontramos um lapso desse tipo numa carta, normalmente o que sabemos é que nem tudo estava em ordem com quem a redigiu; o que, no entanto, se passava com essa pessoa, nem sempre conseguimos estabelecer. O lapso de escrita é com frequência tão pouco percebido por quem o cometeu como o verbal. O que chama a atenção é o seguinte: existem pessoas que têm por hábito reler toda carta que escrevem antes

4. OS ATOS FALHOS (CONCLUSÃO)

de enviá-la; outros não têm esse costume, mas, quando excepcionalmente o fazem, sempre têm a oportunidade de encontrar e corrigir algum lapso evidente. Como se explica isso? É como se essas pessoas soubessem que cometeram um lapso ao escrever a carta. Devemos realmente acreditar nisso?

Ao significado prático do lapso de escrita vincula-se um problema interessante. Os senhores talvez se lembrem do caso de um assassino, H., hábil na obtenção de culturas de agentes patogênicos altamente perigosos, que conseguia de institutos científicos, fazendo-se passar por bacteriologista, e depois as utilizava para, dessa maneira bastante moderna, livrar-se de pessoas que lhe eram próximas. Pois esse mesmo homem certa vez se queixou por escrito, à direção de um desses institutos, da ineficácia das culturas que lhe haviam sido enviadas, mas cometeu um lapso ao fazê-lo: em lugar de "em minhas experiências com camundongos [*Mäuse*]" ou "porquinhos-da-índia [*Meerschweinchen*]", lia-se claramente "em minhas experiências com seres humanos [*Menschen*]". O lapso chamou a atenção dos médicos do instituto; tanto quanto sei, porém, eles não tiraram daí nenhuma conclusão. O que pensam os senhores? Não deveriam ter os médicos tomado esse lapso da escrita como uma confissão e dado início, assim, a uma investigação mediante a qual teriam interrompido a tempo a obra do assassino? Nesse caso, o desconhecimento de nossa concepção dos atos falhos não foi causa de uma negligência de importante significado prático? Bem, creio que um tal lapso por certo ter-me-ia parecido deveras suspeito, mas uma objeção de peso impede seu emprego como confissão. A questão não é tão simples assim. O lapso da escrita com certeza constitui um indício, mas, em si, ele não teria bastado para pôr em marcha uma investigação. É certo que ele revela estar o homem imbuído do pensamento de infectar seres humanos, mas não é possível determinar se esse pensamento possui o valor de um claro propósito maléfico ou o de uma fantasia irrelevante na prática. É até possível que aquele que comete semelhante lapso apresente a melhor das justificativas subjetivas para negar tal fantasia e repudiá-la como algo totalmente estranho a sua pessoa. Quando, mais adiante, abordarmos a diferença entre as realidades psíquica e material, os senhores terão oportunidade de compreender ainda melhor tais possibilidades. De novo, trata-se aqui de um caso em que um ato falho adquire posteriormente um significado inesperado.

No *lapso de leitura* encontramos uma situação psíquica que claramente difere daquela verificada nos lapsos da fala e da escrita. Nele, uma das duas tendências concorrentes é substituída por um estímulo sensorial e se mostra, talvez por isso mesmo, menos resistente. Aquilo que lemos não é produto de nossa própria vida psíquica, como é o que tencionamos escrever. A maioria dos casos de lapsos de leitura consiste, portanto, em uma substituição. Substitui-se a palavra a ser lida por outra, sem que isso implique necessariamente uma relação de conteúdo entre o texto e o resultado do lapso, que em geral se assenta em alguma semelhança de

4. OS ATOS FALHOS (CONCLUSÃO)

palavras. O exemplo de Lichtenberg é o melhor desse grupo: *Agamemnon* em vez de *angenommen*. A fim de saber qual a tendência perturbadora, aquela que provocou o lapso de leitura, pode-se aqui pôr de lado o texto que foi lido equivocadamente e dar início à investigação analítica com o auxílio de duas perguntas: que ideia é a mais próxima do efeito produzido pelo lapso e em que situação ele ocorreu. Por vezes, apenas o conhecimento desta última já basta para o esclarecimento do lapso, como, por exemplo, quando alguém, premido por certas necessidades, perambula por uma cidade que lhe é desconhecida e, em uma grande placa situada à altura de um primeiro andar, lê a palavra *Klosetthaus* [toalete]. Resta-lhe ainda apenas o tempo necessário para se admirar de a placa ter sido afixada em local tão alto, antes que ele se aperceba de que, a rigor, ela diz *Korsetthaus* [casa de espartilhos]. Em outros casos, justamente esse lapso de leitura que independe do conteúdo do texto demanda análise mais minuciosa, à qual não se pode proceder sem experiência prévia na técnica psicanalítica e sem confiança nela. Na maioria dos casos, porém, o esclarecimento de um lapso de leitura é tarefa mais fácil. A palavra substituta, como no exemplo de Agamenon, logo revela o pensamento que desencadeou a perturbação. Nestes tempos de guerra, por exemplo, onde quer que deparemos com palavras semelhantes, é bastante comum lermos em seu lugar nomes de cidades, comandantes e expressões militares que ressoam a todo momento ao nosso redor. Aquilo que nos interessa e preocupa toma o lugar do que é desconhecido e ainda

I OS ATOS FALHOS

desinteressante. As imagens residuais dos pensamentos turvam toda nova percepção.

Tampouco faltam aos casos de lapso de leitura aqueles de outro tipo, em que o próprio texto lido desperta a tendência perturbadora mediante a qual, então, ele é em geral transformado em seu oposto. Tendo lido algo indesejado, a pessoa se convence, por meio da análise, de que o responsável pela alteração do que foi lido é um desejo intenso de rejeitá-lo.

Nos casos mais frequentes, mencionados primeiramente, faltam dois fatores aos quais atribuímos papel importante no mecanismo dos atos falhos: o conflito entre duas tendências e o rechaço de uma delas, que se ressarce disso mediante o efeito do ato falho. Não se trata de dizer que, no lapso de leitura, encontramos algo que contrarie esses fatores, mas a premência do pensamento que conduz ao lapso é bastante mais notória que o rechaço que esse conteúdo possa ter sofrido anteriormente. Esses dois fatores, aliás, são os que se nos apresentam mais palpáveis nas diferentes situações em que ocorre o ato falho caracterizado pelo esquecimento.

O *esquecimento de uma intenção* tem explicação evidente; sua interpretação, já dissemos, não é contestada nem sequer pelos leigos. A tendência que perturba a realização da intenção é sempre uma intenção contrária, um "não querer", acerca do qual só nos resta saber por que não se expressa de outra maneira ou de modo menos velado. A presença, contudo, dessa vontade contrária é indubitável. Por vezes, é possível adivinhar algo dos motivos que a obrigam a se ocultar; mas, às escondidas e

4. OS ATOS FALHOS (CONCLUSÃO)

por intermédio do ato falho, ela sempre alcança seu propósito, ao passo que, se externasse sua franca oposição, com certeza seria rechaçada. Quando, entre intenção e execução, imiscui-se uma alteração importante da situação psíquica, em consequência da qual já não caberia a realização daquela intenção, o esquecimento desta foge ao âmbito do ato falho. Nesse caso, não nos admiramos, mas antes compreendemos que teria sido supérfluo lembrar a intenção, que foi temporária ou permanentemente apagada. O esquecimento de uma intenção só pode ser chamado de ato falho quando não podemos acreditar que ela foi interrompida dessa forma.

De modo geral, os casos de esquecimento de intenção são tão uniformes e transparentes que, por isso mesmo, não possuem interesse para nossa investigação. Há dois pontos, no entanto, nos quais o estudo desse ato falho nos ensina algo de novo. Dissemos que o esquecimento, ou seja, a não realização de uma intenção, aponta para uma vontade contrária que lhe é hostil. E assim é de fato, mas, de acordo com o que revelam nossas investigações, essa vontade contrária pode ser de duas naturezas distintas: ela pode ser direta ou indireta. O significado desta última modalidade se deixa explicar melhor por intermédio de um ou dois exemplos. Quando, diante de um terceiro, um benfeitor se esquece de dizer uma palavra em favor de seu protegido, isso pode se dar, na verdade, porque o referido benfeitor não está tão interessado em seu protegido e, portanto, não sente grande vontade de interceder por ele. De todo modo, assim interpretará o protegido o esquecimento de seu benfeitor. A questão, contudo, pode ser mais complicada. A vontade contrária à realização da intenção por parte do benfeitor pode ter outra origem e outro objeto. Não é necessário que ela esteja relacionada a seu protegido; ela pode, antes, estar voltada contra a pessoa junto à qual ele deveria interceder. Os senhores veem, portanto, as dúvidas que, também aqui, se contrapõem à aplicação prática de nossas interpretações. A despeito da interpretação correta do esquecimento, há o risco de que o protegido nutra desconfiança demasiada e acabe por cometer grave injustiça contra seu benfeitor. Outro exemplo é o de alguém que se esquece de um encontro ao qual havia prometido e pretendia comparecer. A explicação habitual para tanto será a aversão pura e simples ao encontro com a pessoa em questão. A análise, todavia, poderá comprovar que a tendência perturbadora não está relacionada à pessoa em si, e sim ao local onde o encontro foi marcado, se, em razão de alguma lembrança dolorosa a ele vinculada, a pessoa deseja evitá-lo. Ou, se alguém se esquece de postar uma carta, a tendência contrária à postagem pode, é certo, assentar em seu conteúdo; mas não se pode excluir a possibilidade de que a carta em si seja inofensiva, tendo sucumbido àquela tendência contrária apenas porque algo nela lembra outra carta, escrita no passado, a qual, por sua vez, oferece à vontade contrária um alvo direto de ataque. Pode-se dizer, então, que a vontade contrária transferiu-se da carta anterior — em relação à qual ela se justificava — para a atual, com a qual ela nada tem a ver. Veem, pois, os senhores, que é necessário exercer moderação e cautela no emprego de nossas justificadas interpretações; coisas

4. OS ATOS FALHOS (CONCLUSÃO)

que se equivalem do ponto de vista psicológico podem, na prática, possuir significados diversos.

Fenômenos como esses decerto lhes parecerão bastante incomuns. Talvez os senhores tendam a supor nessa vontade contrária "indireta" um processo que já se pode caracterizar como patológico. Posso lhes garantir, no entanto, que ele também ocorre no âmbito da norma e da saúde. De resto, não me entendam mal. De maneira nenhuma desejo eu próprio admitir a não confiabilidade de nossas interpretações analíticas. A referida pluralidade de significados presente no esquecimento de uma intenção persiste apenas enquanto não procedemos a uma análise do caso e o interpretamos apenas com base em nossos pressupostos gerais. Uma vez empreendida a análise da pessoa em questão, sempre descobrimos com suficiente certeza se o esquecimento se deu por uma vontade contrária direta ou se decorreu de algum outro motivo.

Trato agora do segundo ponto que tem algo a nos ensinar. Quando, em uma grande quantidade de casos, encontramos confirmação de que o esquecimento de uma intenção remonta a uma vontade contrária, criamos coragem para estender essa explicação a uma série de outros casos médicos que a pessoa analisada não confirma, e sim nega, a vontade contrária por nós desvendada. Tomem como exemplo disso aqueles casos frequentes em que uma pessoa se esquece de devolver livros emprestados ou de pagar contas ou dívidas contraídas. Chegamos mesmo a acusá-la de pretender ficar com os livros ou de não querer pagar a dívida, ao

I OS ATOS FALHOS

passo que ela, embora negue essa intenção, não logra encontrar outra explicação para seu comportamento. Prosseguimos, então, dizendo que ela possui, sim, a intenção, apenas não sabe disso, e que nos basta o fato de a intenção se haver denunciado por meio do esquecimento. Todavia, a pessoa em questão pode repetir que simplesmente se esqueceu. Os senhores percebem aí uma situação idêntica àquela em que já nos vimos antes. Se desejamos levar adiante de forma coerente nossas interpretações dos atos falhos, que demonstramos ser tão múltiplas e justificadas, é inevitável que avancemos rumo à suposição de que o ser humano abriga tendências capazes de entrar em ação sem que ele saiba da existência delas. Ao admiti-lo, contudo, estaremos em contradição com todas as concepções predominantes tanto na vida como na psicologia.

O *esquecimento de nomes próprios e de nomes estrangeiros*, assim como o de palavras estrangeiras, também se deixa remontar a uma intenção contrária, a qual direta ou indiretamente se volta contra o nome em pauta. Já apresentei aos senhores vários exemplos de tal rejeição direta. A causação indireta, no entanto, é bastante comum nesse caso, e sua constatação demanda, em geral, análise cuidadosa. Assim, por exemplo, nestes tempos de guerra, que nos obrigaram a abrir mão de tantas de nossas simpatias de antes, também a capacidade de lembrar nomes próprios foi bastante prejudicada em consequência das mais singulares associações. Há pouco tempo, aconteceu-me de eu não conseguir reproduzir o nome da inofensiva cidade morávia de Bisenz;

4. OS ATOS FALHOS (CONCLUSÃO)

da análise, resultou que a culpa disso não era nenhuma hostilidade direta, e sim a lembrança sonora do nome do Palazzo *Bisenzi*, em Orvieto, onde tantas vezes me hospedei de bom grado. Como motivação para essa tendência contrária à lembrança de um nome apresenta-se aqui um princípio que, mais adiante, vai nos revelar toda a sua grandiosa importância como causa de sintomas neuróticos: a aversão da memória a se lembrar de coisas vinculadas a sentimentos de desprazer, sentimentos estes que a lembrança poderia reavivar. Essa intenção de evitar o desprazer provocado pela memória ou por outros atos psíquicos, essa fuga psíquica do desprazer, nós podemos identificá-la como motivação última e eficaz não apenas do esquecimento de nomes, mas também de muitos outros atos falhos, como, por exemplo, as omissões e os equívocos.

Contudo, o esquecimento de nomes parece particularmente favorecido por fatores psicofisiológicos, razão pela qual ele se verifica também em casos nos quais não se consegue confirmar a interferência de um elemento de desprazer. Mediante investigação analítica da pessoa que tende a esquecer nomes, os senhores poderão constatar que os nomes não lhe fogem apenas porque ela própria não gosta de seus portadores ou porque lembram fatos desagradáveis, mas também porque, para ela, o nome esquecido pertence a outro rol de associações, com o qual guarda relações mais íntimas. O nome é, pois, como que retido nesse outro rol, e o acesso a ele é negado às demais associações momentaneamente ativadas. Se os senhores se lembram dos artifícios da técnica mnemônica, poderão constatar com alguma estranheza que as mesmas conexões estabelecidas deliberadamente para proteger um nome do esquecimento fazem também com que ele seja esquecido. O exemplo mais óbvio disso são aqueles nomes próprios que, como é compreensível, possuem valores psíquicos bastante diferentes para pessoas diferentes. Tomem como exemplo um nome como Teodoro. Para alguns dos senhores, ele não possui nenhum significado especial; para outros, será o nome do pai, de um irmão, amigo ou o próprio nome. A experiência analítica mostrará que, no primeiro caso, não há risco de esquecimento, o portador do nome é um estranho; no segundo caso, as pessoas tenderão sempre a negar a um estranho o nome que parece reservado a alguém de sua íntima relação. Suponham agora que a esse entrave associativo possa vir a se juntar a ação do princípio do desprazer e, além disso, um mecanismo indireto, e os senhores poderão então ter uma ideia correta da complexidade de que se reveste a causa do esquecimento temporário de um nome. Uma análise apropriada, no entanto, descortinará por completo aos senhores todas essas complicações.

O *esquecimento de impressões e experiências vividas* mostra, de modo ainda mais nítido e exclusivo que o esquecimento de nomes, a atuação dessa tendência a afastar da memória o que é desagradável. Naturalmente, esse tipo de esquecimento não pertence, em toda a sua abrangência, à categoria dos atos falhos; ele só será um ato falho na medida em que, avaliado com base em nossa experiência habitual, resultar conspícuo ou in-

4. OS ATOS FALHOS (CONCLUSÃO)

justificado, ou seja, quando o esquecimento tiver por objeto, por exemplo, impressões demasiado recentes ou importantes, ou, então, constitua uma ausência capaz de produzir uma lacuna em uma lembrança de resto completa. Como e por que somos, de modo geral, capazes de nos esquecer inclusive de experiências que por certo nos deixaram impressão profunda, como aquelas da primeira infância, esse é outro problema, em que a defesa contra impulsos desprazerosos, embora desempenhe algum papel, nem de longe basta como explicação. Que impressões desagradáveis tendem a ser esquecidas é fato que não se pode negar. Psicólogos diversos já o apontaram, e o grande Darwin ficou tão impressionado com isso que adotou como "regra de ouro" registrar com especial cuidado observações que pareciam desfavoráveis a sua teoria, porque estava convencido de que justamente essas não queriam se fixar em sua memória.

Quem ouve falar pela primeira vez nesse princípio da defesa contra o desprazer por meio do esquecimento inclina-se a objetar que, em sua experiência, precisamente o penoso é difícil de esquecer, na medida em que, contra a vontade da pessoa, ele sempre volta para atormentá-la, como acontece, por exemplo, com a lembrança de insultos e humilhações. Também esse fato é correto, mas a objeção não se aplica. É importante que se comece logo a levar em consideração que a vida psíquica é praça e campo de batalha para tendências opostas, ou, expresso em termos não dinâmicos, ela se compõe de contradições e pares de oposições. Comprovar a presença de determinada tendência não significa excluir outra, oposta a ela: há lugar suficiente para ambas. Tudo depende de como essas oposições se posicionam umas em relação às outras, que efeitos decorrem de uma e de outra.

A *perda e o extravio* de objetos são fenômenos de particular interesse em razão de sua multiplicidade de significados, isto é, da grande variedade de tendências a que esses atos falhos podem estar a serviço. Comum a todos os casos é o desejo de perder o objeto; diversos, porém, são a razão e o propósito. Perdemos uma coisa quando ela se danificou, quando temos a intenção de substituí-la por outra melhor, quando deixamos de gostar dela, quando proveio de alguém com quem nossas relações se deterioraram ou quando foi adquirida em circunstâncias que não desejamos mais recordar. Esquecer alguma coisa em algum lugar, danificá-la ou quebrá-la podem também servir a esse mesmo propósito. Na esfera da vida social, a experiência mostraria que filhos indesejados ou ilegítimos são muito mais frágeis do que aqueles concebidos legitimamente. Esse resultado não é produzido pela técnica grosseira das chamadas "fazedoras de anjos";* alguma negligência no cuidado com a criança é mais do que suficiente para alcançá-lo. Com a preservação das coisas pode suceder o mesmo que ocorre no cuidado com as crianças.

---

* Tradução literal de *Engelmacherinnen*; mas em alemão a palavra designa as mulheres que intencionalmente descuram das crianças bastardas que são pagas para cuidar, a fim de embolsar o dinheiro, e não apenas as abortadeiras, como em português.

4. OS ATOS FALHOS (CONCLUSÃO)

A perda de objetos pode ocorrer também sem que o valor do objeto em si tenha diminuído em nada. Isso é o que acontece quando se tem a intenção de sacrificar uma coisa ao destino com o propósito de evitar uma perda que se teme. A análise nos diz que semelhantes esconjurações do destino ainda são bastante comuns entre nós. Por isso, nossa perda é, com frequência, sacrifício voluntário. Da mesma forma, essa perda pode também servir a um propósito desafiador ou autopunitivo. Em resumo, é impossível abarcar as motivações mais remotas que atuam nessa nossa tendência a nos livrarmos de um objeto por intermédio da perda.

A *ação errada*, assim como outros equívocos, é com frequência empregada como um meio de realização de desejos que não devemos nos conceder. A intenção mascara-se de acaso feliz. Assim é, por exemplo, quando, como sucedeu a um de nossos amigos, alguém, claramente a contragosto, precisa tomar o trem para visitar um local fora da cidade e, ao fazer a necessária baldeação, embarca erradamente num trem que o conduz de volta à cidade. Ou quando, em viagem, desejosos de nos deter um pouco mais numa estação intermediária, mas impossibilitados de fazê-lo em virtude de certas obrigações, ignoramos ou perdemos determinada conexão, o que acaba por obrigar-nos à desejada interrupção da viagem. Ou, ainda, como aconteceu a um paciente ao qual eu proibira de telefonar para sua amada, mas que, "por engano", "perdido em pensamentos", solicitou o número errado ao telefonar para mim e se viu, de súbito, ao telefone com a amada. Um belo exemplo de

| OS ATOS FALHOS

ação equivocada, de importante consequência prática também, nos traz o seguinte relato de um engenheiro a explicar a origem de um dano material:

"Há algum tempo, no laboratório da faculdade, trabalhei com vários colegas em uma série de complicados experimentos de elasticidade, um trabalho que havíamos assumido de livre e espontânea vontade, mas que começou a demandar mais tempo do que esperávamos. Um dia, estava eu a caminho do laboratório com meu colega F., que comentou como lhe desagradava perder tanto tempo justamente naquele dia, no qual tinha tantas outras coisas para fazer em casa. Eu só pude concordar com sua queixa e, em alusão a um acontecimento da semana anterior, complementei, meio brincando: 'Tomara que a máquina pife de novo; aí, interrompemos o trabalho e vamos embora mais cedo!'. De acordo com nossa divisão do trabalho, o colega F. ficou encarregado de comandar a válvula de escape da prensa, ou seja, de, mediante a abertura cuidadosa da válvula, fazer escoar lentamente o fluido hidráulico desde o acumulador até o cilindro da prensa hidráulica. Ao condutor do experimento, postado junto do manômetro, cabia avisar quando a pressão correta fosse atingida, ocasião em que, alto e bom som, ele diria 'Pare!'. Dado esse comando, porém, F. pôs-se a girar a válvula com toda a força — para a esquerda (todas as válvulas, sem exceção, fecham para a direita!). Com isso, a pressão total do acumulador passou de repente a agir sobre a prensa, algo que os canos não estavam preparados para suportar, de modo que uma junção estourou de imediato —

4. OS ATOS FALHOS (CONCLUSÃO)

um defeito da máquina absolutamente inofensivo, mas que nos obrigou a dar o trabalho por encerrado e ir para casa. Característico desse episódio é, no entanto, que, um tempo depois, quando conversávamos sobre o ocorrido, meu amigo F. não se lembrava de jeito nenhum do comentário que eu havia feito, do qual eu me lembrava com absoluta segurança".

Pode-se depreender desse relato que nem sempre é o inofensivo acaso que torna as mãos dos serviçais inimigos tão perigosos dos pertences que seus patrões mantêm em casa. Mas os senhores podem também se perguntar se o acaso é sempre o responsável, mesmo quando provocamos danos a nós mesmos e pomos em risco nossa integridade. São sugestões cujo valor, oportunamente, os senhores talvez possam avaliar à luz da análise de suas próprias observações.

Caros ouvintes! Isso está longe de ser tudo que haveria a dizer sobre atos falhos. Ainda há muito a pesquisar e discutir. Mas me dou por satisfeito se, com as considerações a esse respeito expostas até o momento, provoquei algum abalo nas concepções que os senhores abrigam e suscitei certa disposição para aceitar novas. De resto, resigno-me a deixá-los diante de um assunto não esclarecido. A partir do estudo dos atos falhos não podemos provar todas as nossas teses, e tampouco dependemos única e exclusivamente desse material. Para nosso propósito, o grande valor dos atos falhos reside no fato de serem eles fenômenos bastante frequentes, facilmente observáveis em nós mesmos e cuja ocorrência não pressupõe de modo algum que estejamos doentes.

I OS ATOS FALHOS

Quero apenas abordar ainda uma das perguntas dos senhores que permaneceu sem resposta: se, como vimos em tantos exemplos, as pessoas chegam tão próximas da compreensão dos atos falhos, se com frequência se comportam como se pudessem desvendar seu sentido, como é possível que, de modo geral, elas os caracterizem como casuais, desprovidos de sentido e importância e, ademais, resistam com tanta veemência ao esclarecimento psicanalítico desses mesmos fenômenos?

Os senhores têm razão. Isso, de fato, salta aos olhos e demanda explicação. Contudo, em vez de lhes dar essa explicação, vou conduzi-los pouco a pouco às relações a partir das quais ela haverá de se impor aos senhores sem o meu auxílio.

SEGUNDA PARTE: OS SONHOS

II OS SONHOS

5. DIFICULDADES E PRIMEIRAS APROXIMAÇÕES

Senhoras e senhores: Certo dia, descobriu-se que os sintomas que afligem determinados doentes dos nervos possuem um sentido.[1] Com base nisso, criou-se o método de tratamento psicanalítico. Nesse tratamento, aconteceu de os pacientes revelarem seus sonhos em vez de apenas relatarem seus sintomas. Assim nasceu a conjectura de que também esses sonhos têm um sentido.

Não vamos, porém, percorrer esse caminho histórico, e sim a trilha inversa. Vamos demonstrar o sentido dos sonhos como preparação para o estudo das neuroses. Essa inversão se justifica, uma vez que o estudo do sonho não é apenas a melhor preparação para o das neuroses: o próprio sonho é também um sintoma neurótico e, aliás, um sintoma que tem para nós a inestimável vantagem de se apresentar em todas as pessoas saudáveis. De fato, se todas as pessoas fossem saudáveis e apenas sonhassem, nós poderíamos extrair de seus sonhos quase todas as descobertas que a investigação das neuroses nos proporcionou.

Portanto, os sonhos se tornam objeto da investigação psicanalítica. De novo, um fenômeno comum e subestimado, aparentemente sem nenhum valor prático

---

1 Josef Breuer, nos anos 1880-2. Cf. a esse respeito as conferências que proferi nos Estados Unidos em 1909, "Cinco lições de psicanálise" e *Contribuição à história do movimento psicanalítico* [1914].

5. DIFICULDADES E PRIMEIRAS APROXIMAÇÕES

— como os atos falhos, com os quais tem em comum o fato de ocorrer em pessoas saudáveis. De resto, porém, as condições para nosso trabalho são mais desfavoráveis nesse caso. Os atos falhos foram apenas negligenciados pela ciência, que pouco se preocupou com eles; ocupar-se deles, todavia, ao menos não constituía nenhuma vergonha. Admitia-se que podia haver coisa mais importante, mas talvez seu estudo produzisse algum resultado. Ocupar-se dos sonhos, por outro lado, além de pouco prático e supérfluo, é verdadeiramente ignominioso; seu estudo atrai o ódio ao que não é científico, desperta a suspeita de uma tendência pessoal ao misticismo. Um médico dedicar-se aos sonhos, quando, mesmo na neuropatologia e na psiquiatria, há tanta coisa mais séria a investigar — tumores do tamanho de uma maçã a comprimir o órgão responsável pela psique, hemorragias, inflamações crônicas, cuja ocorrência permite demonstrar alterações histológicas com o auxílio do microscópio! Não, o sonho é demasiado insignificante, um objeto indigno de investigação.

Além disso, sua própria natureza desafia todas as exigências da investigação precisa. Nem sequer do próprio objeto se tem segurança, quando se trata de estudar os sonhos. Uma ideia delirante, por exemplo, se nos apresenta com clareza e contornos definidos. Eu sou o imperador da China, diz em voz alta o doente. Mas e no sonho? Na maioria dos casos, contá-lo já é impossível. Quando alguém relata um sonho, tem essa pessoa uma garantia de que o está relatando de forma correta? Não estará, antes, modificando-o ao narrá-lo, inventan-

II OS SONHOS

do alguma coisa a mais, compelido pela imprecisão da lembrança? Da maioria dos sonhos nem somos capazes de nos lembrar, uma vez que, à exceção de pequenos fragmentos, esquecemos o que sonhamos. Haveremos, pois, de basear uma psicologia científica ou um método de tratamento de pessoas enfermas na interpretação de semelhante material?

É lícito que certo exagero nesse juízo desperte em nós suspeição. As objeções ao sonho como objeto de pesquisa claramente vão longe demais. Já deparamos com o argumento da insignificância ao tratar dos atos falhos. Dissemos a nós mesmos, então, que coisas importantes também podem se manifestar sob a forma de pequenos indícios. No que tange à imprecisão do sonho, essa é uma característica como qualquer outra; não se pode prescrever o caráter que terão as coisas. De resto, há também sonhos que são claros e precisos. E há outros objetos da investigação psiquiátrica que sofrem desse mesmo caráter impreciso, como ocorre, por exemplo, com muitos casos de imagens obsessivas de que se ocuparam respeitados e conceituados psiquiatras. Quero lembrar aqui o último caso com que deparei em minha atividade médica. O doente se apresentou com as seguintes palavras: "Tenho uma sensação que é como se tivesse machucado ou desejado machucar um ser vivo — uma criança? Não, um cachorro, talvez. Como se o tivesse jogado de uma ponte, ou coisa parecida". Podemos remediar a dificuldade da lembrança incerta do sonho estabelecendo que como sonho há de valer precisamente aquilo que o sonhador conta, inde-

5. DIFICULDADES E PRIMEIRAS APROXIMAÇÕES

pendentemente do que ele possa ter esquecido ou modificado em sua memória. E, por fim, não se pode nem mesmo afirmar que o sonho, de modo geral, é coisa desimportante. Por experiência própria, sabemos que o estado de espírito em que despertamos de um sonho pode se estender pelo restante do dia; médicos já observaram casos em que uma doença mental teve um sonho como ponto de partida, retendo uma ideia delirante originária desse mesmo sonho; fala-se de personagens históricas que extraíram de um sonho o estímulo para feitos importantes. Assim sendo, perguntamo-nos: qual a origem do desdém dos círculos científicos pelo sonho?

Eu acredito que ele é uma reação à tendência a superestimá-lo verificada em épocas passadas. É sabido que a reconstrução do passado não é tarefa fácil, mas podemos afirmar com segurança — permitam-me o gracejo — que nossos antepassados, há três mil anos ou mais, já sonhavam como nós sonhamos. Tanto quanto sabemos, os antigos, em sua totalidade, davam grande importância aos sonhos, aos quais atribuíam também aplicação prática. Extraíam deles sinais referentes ao futuro, e neles buscavam augúrios. Para os gregos e outros povos orientais, empreender uma campanha militar sem um intérprete de sonhos pode, por vezes, ter parecido tão impossível quanto, hoje em dia, sem aviões de reconhecimento. Ao realizar suas conquistas, Alexandre, o Grande, levava em seu séquito os mais famosos intérpretes de sonhos. A cidade de Tiro, outrora ainda situada em uma ilha, opôs ao rei resistência tão violenta que ele chegou a pensar em desistir de sitiá-la. Então,

II OS SONHOS

uma noite, sonhou com um sátiro que dançava como em triunfo e, ao relatar esse sonho a seus intérpretes, foi informado de que ele anunciava sua vitória sobre a cidade. Ordenou, pois, o ataque e, assim, ocupou Tiro. Etruscos e romanos valiam-se de outros métodos para sondar o futuro, mas a interpretação dos sonhos foi cultivada e tida em alta conta ao longo de toda a época helenística-romana. Da literatura que se ocupou do assunto, restou-nos pelo menos a obra principal, o livro de Artemidoro de Daldis, datado como contemporâneo do imperador Adriano. Como foi que a arte da interpretação dos sonhos entrou em decadência, e o próprio sonho caiu em descrédito, não sei dizer aos senhores. Nisso, o Iluminismo não há de ter desempenhado grande papel, uma vez que a obscura Idade Média preservou fielmente coisas muito mais absurdas que a interpretação dos sonhos dos antigos. O fato é que o interesse no sonho degenerou pouco a pouco em superstição, firmando-se apenas entre os incultos. O derradeiro abuso cometido contra a interpretação dos sonhos, já em nossos dias, busca extrair deles os números predestinados a serem sorteados na loteria. Em contrapartida, a ciência exata dos dias atuais ocupou-se repetidas vezes do sonho, sempre e apenas, porém, com o intuito de aplicar a ele suas teorias fisiológicas. Para os médicos, o sonho naturalmente não era um ato psíquico, e sim a manifestação na vida psíquica de estímulos somáticos. Binz, em 1878, declarou que o sonho é "um processo somático sempre inútil e, na maioria dos casos, francamente doentio, acima do qual a alma do mundo

5. DIFICULDADES E PRIMEIRAS APROXIMAÇÕES

e a imortalidade se erguem tão sublimes como o azul do éter sobre uma superfície arenosa recoberta de ervas daninhas no mais profundo dos vales". Maury compara o sonho aos espasmos desordenados da dança de são Guido, em contraposição aos movimentos coordenados do ser humano normal; uma antiga comparação faz um paralelo entre o conteúdo do sonho e as notas que produziriam "os dez dedos de uma pessoa não versada em música deslizando pelas teclas do piano".

Interpretar significa encontrar um sentido oculto; mas não se pode falar nisso se concebemos de tal forma a operação do sonho. Examinem os senhores como o descrevem Wundt, Jodl e outros filósofos mais recentes; sua descrição se contenta em enumerar as discrepâncias entre a vida onírica e o pensamento em estado de vigília, o que fazem com a intenção de diminuir o sonho, destacando a desintegração das associações, a supressão da crítica, a exclusão de todo saber e outros indícios de um desempenho inferior. A única contribuição valiosa para o conhecimento dos sonhos proveniente das ciências exatas relaciona-se à influência que estímulos corporais, atuantes durante o sono, exercem sobre o conteúdo onírico. Temos dois grossos volumes de um recém-falecido autor norueguês, J. Mourly Vold, ambos voltados à investigação experimental do sonho (traduzidos para o alemão em 1910 e 1912), que se dedicam quase exclusivamente às consequências das mudanças de posição dos membros. São louvados como modelos da investigação exata do sonho. Podem os senhores imaginar o que a ciência exata diria, se des-

II OS SONHOS

cobrisse que pretendemos tentar encontrar o *sentido* dos sonhos? Talvez ela até já o tenha dito. Mas não vamos nos deixar intimidar. Se os atos falhos puderam ter um sentido, também os sonhos podem ter; e, em muitos e muitos casos, os atos falhos possuem um sentido que escapou à investigação exata. Adotemos, pois, o juízo preliminar dos antigos e do povo e sigamos os passos dos velhos intérpretes de sonhos.

Antes de tudo, precisamos nos orientar em nossa tarefa, passar em revista o domínio dos sonhos. O que é um sonho, afinal? É difícil dizê-lo em uma única frase. Não procuraremos dar definição nenhuma, se basta apontar para uma matéria já conhecida de todos. Devemos, no entanto, ressaltar aquilo que é a essência do sonho. Onde encontrá-la? A diversidade é gigantesca no interior do quadro que abrange nossa área de estudo, diversidade em todas as direções. Essencial por certo será aquilo que pudermos apontar como comum a todos os sonhos.

A primeira coisa que todos os sonhos têm em comum, naturalmente, é o fato de dormirmos quando sonhamos. Sonhar é, evidentemente, nossa vida psíquica durante o sono, uma vida psíquica que possui certas semelhanças com a do estado de vigília, mas que, em razão de grandes diferenças, dessa também se aparta. Esta era já a definição de Aristóteles. Talvez sonho e sono guardem relação ainda mais próxima. Um sonho pode nos acordar, e é comum termos um sonho quando acordamos espontaneamente ou quando somos arrancados do sono. Assim, o sonho parece ser um estado

5. DIFICULDADES E PRIMEIRAS APROXIMAÇÕES

intermediário entre o sono e a vigília. Isso tudo nos remete ao sono. Mas o que é o sono?

Temos aí um problema fisiológico ou biológico ainda bastante controvertido. Não temos nenhum poder de decisão nessa matéria, mas acho que podemos tentar uma caracterização psicológica do sono. O sono é um estado em que nada quero saber do mundo exterior, pelo qual já não tenho nenhum interesse. Trata-se de um estado que adentro na medida em que me afasto desse mundo exterior e me fecho a seus estímulos. Além disso, adormeço também quando estou cansado desse mundo. Ao adormecer, portanto, digo ao mundo exterior: "Deixe-me em paz, quero dormir". A criança faz o contrário: "Não quero dormir agora, não estou cansado, quero ver mais coisas". A tendência biológica do sono parece ser, pois, propiciar repouso; sua característica psicológica é a suspensão de interesse pelo mundo. Nossa relação com o mundo, ao qual viemos tão a contragosto, parece implicar que não o suportamos sem interrupção. Assim, retiramo-nos temporariamente para aquele estado anterior a nossa chegada, isto é, à existência no ventre materno. No mínimo, criamos para nós próprios condições muito semelhantes às de então: calor, escuridão e ausência de estímulos. Alguns inclusive se enrolam como um pacote apertado e assumem, ao dormir, postura corporal parecida com a que tinham no ventre materno. É como se o mundo não nos tivesse, adultos, por inteiro: dois terços de nós está nele; o outro terço ainda nem nasceu. Desse modo, cada despertar pela manhã é como um novo nascimento. Acerca desse estado que sucede

II OS SONHOS

ao sono, costumamos dizer: "Sinto-me uma nova pessoa" — e, ao dizê-lo, é provável que façamos uma ideia bastante equivocada do sentimento geral de um recém-nascido, que, pode-se supor, é de mal-estar. Também acerca do nascimento dizemos: "Vir à luz".

Se o sono é isso, então o sonho não consta de seu programa; parece, ao contrário, um acréscimo importuno. Acreditamos também que o sono desprovido de sonhos é o melhor de todos e o único correto. No sono, não deve haver nenhuma atividade psíquica; havendo alguma atividade semelhante, isso significa que não logramos restabelecer o estado de repouso fetal; não conseguimos evitar em sua totalidade os restos de atividade psíquica. Esses restos seriam o sonhar. Assim sendo, parece de fato que o sonho não precisa ter sentido nenhum. No caso dos atos falhos, era diferente: tratava-se de atividades desempenhadas durante a vigília. Quando durmo, porém, e interrompo toda e qualquer atividade psíquica, não logrando reprimir apenas restos dela, não há necessidade nenhuma de que esses restos tenham algum sentido. Não posso nem sequer fazer uso desse sentido, uma vez que o restante de minha vida psíquica encontra-se adormecido. O que se tem, então, pode com efeito ser apenas reação espasmódica, fenômenos psíquicos decorrentes de estímulos somáticos. Os sonhos seriam, portanto, restos da atividade psíquica da vigília a perturbar o sono, e nós poderíamos nos propor a abandonar de imediato tema tão inapropriado à psicanálise.

Contudo, ainda que supérfluo, o sonho existe, e podemos tentar explicar essa existência a nós mesmos.

5. DIFICULDADES E PRIMEIRAS APROXIMAÇÕES

Por que a vida psíquica não adormece? Provavelmente porque alguma coisa não lhe dá sossego. Estímulos atuam sobre ela, que precisa reagir a eles. O sonho é, portanto, o modo como a psique reage aos estímulos que atuam sobre o sono. Notamos aqui uma porta de acesso à compreensão do sonho. Podemos procurar em diversos sonhos aqueles estímulos desejosos de perturbar o sono, aqueles aos quais o sonho constitui reação. Obteríamos, assim, a primeira característica comum a todos os sonhos.

Há outro traço comum? Sim, e ele é inegável, mas muito mais difícil de apreender e descrever. No sono, os processos psíquicos exibem caráter bastante diverso daqueles do estado de vigília. No sonho, vive-se toda sorte de coisas e se acredita nelas, quando, na verdade, o que se vivencia é, talvez, nada mais que aquele único estímulo perturbador. O que é vivido o é predominantemente por meio de imagens visuais. Outros sentimentos podem desempenhar algum papel, e até mesmo pensamentos podem aí se imiscuir; os demais sentidos podem igualmente participar do vivido, mas, acima de tudo, trata-se de imagens. Parte da dificuldade de se contar um sonho decorre do fato de termos de traduzir essas imagens em palavras. O sonhador nos diz com frequência: "Eu poderia desenhar o que sonhei, mas não sei como relatá-lo". Na realidade, não se trata de uma atividade psíquica reduzida, como a do idiota comparada à do gênio; trata-se, sim, de algo que é qualitativamente diverso, embora seja difícil dizer em que consiste essa diferença. G. T. Fechner lança a hipótese de que o

II OS SONHOS

palco no qual os sonhos se desenrolam (na psique) seria diferente daquele em que se dá a vida imaginativa [*Vorstellungsleben*] no estado de vigília. É certo que não a compreendemos, que não sabemos o que pensar disso, mas tal conjectura reproduz de fato a impressão de estranheza que a maioria dos sonhos nos transmite. Também a comparação da atividade onírica com o desempenho de mãos nada musicais é aqui de pouca valia. O piano, afinal, responderá sempre com as mesmas notas ao passeio do acaso por suas teclas, mesmo que essas notas não formem melodias. Embora não seja compreendida, tomemos o cuidado de não perder de vista essa segunda característica comum a todos os sonhos.

Existem outras? Se existem, não as encontro, vejo apenas diferenças por toda parte e em todos os aspectos, tanto no que se refere à duração aparente dos sonhos quanto no que toca a sua clareza, à participação afetiva, a sua persistência etc. Essa variedade não é propriamente o que esperaríamos encontrar numa defesa necessária, débil e espasmódica ante um estímulo. No que se refere à extensão, há sonhos que são bem curtos, contendo apenas uma imagem ou poucas imagens, um único pensamento ou mesmo uma única palavra; outros são de uma extraordinária riqueza de conteúdo, encenam romances inteiros e parecem durar muito tempo. Existem sonhos que são tão nítidos quanto a experiência vivida, tão nítidos que, já despertos há algum tempo, ainda não os reconhecemos como tais; outros são indescritivelmente débeis, além de sombrios e difusos; de fato, em um único e mesmo sonho, as partes de extrema

5. DIFICULDADES E PRIMEIRAS APROXIMAÇÕES

nitidez podem se alternar com aquelas difusas, quase impalpáveis. Sonhos podem ser perfeitamente sensatos ou ao menos coerentes, e mesmo engenhosos, de beleza fantástica; outros, por sua vez, são confusos, como que idiotas, absurdos e, com frequência, francamente loucos. Há sonhos que não nos impressionam nem um pouco e sonhos em que todos os afetos se apresentam, uma dor que leva ao choro, uma angústia que faz despertar, admiração, encanto etc. Na maioria das vezes, os sonhos são esquecidos assim que despertamos, ou então se conservam ao longo do dia de maneira que sua lembrança vai se tornando cada vez mais pálida e incompleta até à noite; outros sonhos, como, por exemplo, os da infância, perduram de tal forma que, trinta anos depois, permanecem na memória como uma experiência recém-vivida. Sonhos podem, como indivíduos, surgir uma única vez e nunca mais aparecer, ou podem se repetir, inalterados ou com pequenas variações. Em suma, essa pouca atividade psíquica noturna dispõe de enorme repertório; na verdade, ela exibe à noite a mesma capacidade que a psique demonstra durante o dia, e, no entanto, nunca é a mesma coisa.

Poder-se-ia tentar explicar toda essa gama variada de sonhos mediante a suposição de que ela corresponde a diversos estados intermediários entre o sono e a vigília, a diversos estágios do sono incompleto. Nesse caso, porém, paralelamente ao valor, ao conteúdo e à nitidez da operação do sonho, haveria de crescer também, a cada sonho, a clara compreensão de que se trata de um sonho, uma vez que a psique vai aí se aproximando do

II OS SONHOS

despertar; não poderia, pois, acontecer de, bem ao lado de um pedacinho nítido e sensato de sonho, vir se posicionar outro, insensato e indistinto, seguido de novo trabalho bem-feito. Por certo, a psique não seria capaz de alterar tão rapidamente a profundidade de seu sono. Essa explicação não ajuda, portanto; a coisa não é tão simples assim.

Renunciemos por enquanto à busca do "sentido" do sonho e tentemos, em vez disso, abrir um caminho para uma melhor compreensão dele a partir daquilo que os sonhos têm em comum. Da relação dos sonhos com o sono concluímos que o sonho é reação a um estímulo perturbador do sono. Dissemos que esse é, ademais, o único ponto em que a psicologia experimental exata pode nos auxiliar; ela nos dá a comprovação de que, durante o sono, estímulos são introduzidos no sonho. Muitas investigações desse tipo já foram realizadas, até aquela de Mourly Vold, citada anteriormente; além disso, é provável que cada um de nós possa confirmar esse resultado com base em uma ou outra observação pessoal. Escolhi alguns experimentos mais antigos para comunicar aqui. Maury fez realizar tais experimentos em sua própria pessoa. Enquanto dormia, deram-lhe água-de-colônia para cheirar; ele sonhou que estava no Cairo, na loja de Giovanni Maria Farina, e a isso se seguiram aventuras incríveis.[*] Ou: beliscaram-lhe levemente

---

[*] G. M. Farina (1685-1766), piemontês estabelecido em Colônia, produziu uma loção que veio a se tornar conhecida como "água de Colônia".

5. DIFICULDADES E PRIMEIRAS APROXIMAÇÕES

a nuca, e ele sonhou tanto com um curativo que lhe era aplicado como com um médico que o havia tratado na infância. Ou, ainda: pingaram-lhe água na testa e, de súbito, ele estava na Itália, suava muito e bebia o vinho branco de Orvieto.

O que nos chama a atenção nesses sonhos gerados experimentalmente é algo que talvez possamos compreender com ainda maior clareza em outra série de sonhos estimulados. Refiro-me a três sonhos relatados por um observador engenhoso, Hildebrandt, todos eles reações à campainha de um despertador:

"Então saio a passear numa manhã de primavera e perambulo pelos campos verdejantes até uma aldeia vizinha. Nela, vejo numerosos habitantes em trajes festivos a caminho da igreja, o hinário debaixo do braço. Claro! É domingo, e o serviço religioso está para começar, bem de manhãzinha. Decido participar dele, mas antes, acalorado, vou me refrescar no cemitério que circunda a igreja. Enquanto leio lápides diversas, ouço o sineiro subir à torre e, no alto desta, vejo o pequeno sino de aldeia que dará o sinal para o início do serviço. Por um bom tempo, ele permanece imóvel; depois, começa a balançar e, de repente, as badaladas ressoam claras e penetrantes, tão claras e penetrantes que põem fim a meu sono. O som dos sinos provém, no entanto, do despertador.

"Uma segunda combinação. É dia claro de inverno, a neve ergue-se alta nas ruas. Concordei em participar de um passeio de trenó, mas tenho de es-

II OS SONHOS

perar bastante até receber o anúncio de que o trenó está diante da minha porta. Seguem-se os preparativos para o embarque — visto a pele, apanho o abafo para os pés — e, por fim, estou sentado em meu lugar. Mas a partida demora, até que as rédeas transmitam o sinal aos cavalos parados. Então, eles partem; o balanço vigoroso dos guizos dá início a sua conhecida música de legiões de janízaros, e com tamanha força que de pronto se esgarça a teia de aranha do sonho. De novo, trata-se de nada mais que o som estridente do despertador.

"E um terceiro exemplo. Vejo uma ajudante de cozinha caminhar pelo corredor com uma pilha de pratos, rumo à sala de jantar. A coluna de porcelana que leva nos braços me parece a ponto de se desequilibrar. 'Tome cuidado', advirto, 'essa pilha toda vai cair no chão.' Naturalmente, não deixo de ouvir em resposta a obrigatória contestação: a moça diz que está acostumada com aquilo etc. Enquanto isso, sigo acompanhando seu progresso com um olhar de preocupação. E, de fato, na soleira da porta ela tropeça, a louça frágil despenca, espatifa-se no chão e se estilhaça em centenas de pedaços a seu redor. Como, porém, não tardo em perceber, a barulheira sem fim não é de fato um matraquear de louça, e sim uma campainha. E essa campainha, percebo ao acordar, é apenas o despertador cumprindo seu dever".

Esses três são sonhos graciosos, têm um sentido, não são incoerentes como os sonhos costumam ser. Deles

5. DIFICULDADES E PRIMEIRAS APROXIMAÇÕES

não temos, portanto, o que reclamar. O que têm em comum é o fato de, em cada um, a situação culminar em um barulho que, ao despertar, se reconhece ser o do despertador. Vemos aqui, pois, de que forma um sonho é gerado, mas descobrimos outra coisa também. O sonho não reconhece o despertador — que não figura nele; em vez disso, substitui por outro o barulho dele, interpreta o estímulo que interrompe o sono, mas o faz a cada vez de um modo diferente. Por que isso? Não há resposta para essa pergunta, o motivo parece ser arbitrário. Compreender o sonho, porém, demandaria a capacidade de apontar o porquê da escolha desse barulho, e de nenhum outro, na interpretação do estímulo representado pelo despertador. De maneira análoga, há que se objetar nos experimentos de Maury que se, por um lado, o estímulo introduzido de fato aparece no sonho, por outro, não se fica sabendo o porquê da forma que ele assume, a qual não parece decorrer de modo algum da natureza do estímulo perturbador do sono. Além disso, nas experiências de Maury, em geral grande quantidade de outro tipo de material onírico vem se juntar ao resultado direto do estímulo, como, por exemplo, as aventuras incríveis do sonho da água-de-colônia, para as quais não se tem nenhuma explicação.

Considerem os senhores que esses sonhos que nos acordam ainda são os que nos oferecem as melhores oportunidades para a identificação da influência exercida por estímulos exteriores perturbadores do sono. Na maioria dos demais casos, será mais difícil fazê-lo. Não é todo sonho que nos faz acordar, e quando, pela ma-

II OS SONHOS

nhã, nos lembramos de um sonho que tivemos, como fazer para encontrar o estímulo perturbador que talvez tenha atuado durante a noite? Certa feita, logrei identificar *a posteriori* um tal estímulo sonoro, naturalmente apenas em decorrência de circunstâncias especiais. Certa manhã, acordei numa cidade do Tirol com a certeza de haver sonhado que o papa tinha morrido. Não sabia como explicar aquele sonho, até que minha mulher me perguntou: "Você ouviu a barulheira terrível dos sinos vinda de todas as igrejas e capelas, quando o dia estava clareando?". Não, eu não tinha ouvido nada, meu sono é mais resistente, mas, graças àquela informação, compreendi meu sonho. Com que frequência estímulos assim podem levar o adormecido a sonhar, sem que, depois, ele tenha notícia deles? Talvez isso ocorra com muita frequência, talvez não. Se o estímulo já não pode ser comprovado, não há como termos convicção dele. De todo modo, recuamos dessa avaliação dos estímulos exteriores perturbadores do sono a partir do momento em que tomamos conhecimento de que eles só podem explicar um pedacinho do sonho, jamais a totalidade da reação onírica.

Nem por isso precisamos abandonar por completo essa teoria. Ademais, ela admite um prolongamento. Claro está que não faz diferença o que perturba o sono e incentiva a psique a sonhar. Se nem sempre se trata de um estímulo sensorial provindo de fora, talvez a perturbação provenha de um estímulo corporal, de nossos órgãos internos. É uma suposição óbvia, que corresponde também à mais popular das opiniões acerca da origem

5. DIFICULDADES E PRIMEIRAS APROXIMAÇÕES

dos sonhos. Com frequência, ouvimos dizer que os sonhos provêm do estômago. Infelizmente, também nesse caso podemos supor que muitas vezes ocorrerá de um estímulo somático atuante durante a noite não mais poder ser comprovado após o despertar, tornando-se, assim, indemonstrável. Não ignoremos, todavia, as muitas experiências pessoais a corroborar a hipótese de que os sonhos derivam de um tal estímulo. Em regra, é incontestável que a situação de nossos órgãos internos pode influenciar o sonho. A relação de tantos conteúdos oníricos com um enchimento da bexiga ou com um estado de excitação dos órgãos genitais é tão clara que não se pode ignorá-la. A partir desses casos transparentes chegamos a outros em que o conteúdo do sonho permite no mínimo inferir justificadamente a atuação de estímulos somáticos, na medida em que esse conteúdo apresenta algo que se pode compreender como elaboração, representação ou interpretação daqueles estímulos. O pesquisador dos sonhos Scherner (1861) defendeu com particular ênfase a tese de que os sonhos derivam de estímulos provenientes de nossos órgãos internos e ilustrou-a com alguns belos exemplos. Assim, quando ele vê num sonho "duas fileiras de belos rapazes de cabelos loiros e tez delicada, que, belicosas e postadas uma defronte da outra, partem para o ataque, se atracam, tornam a se desvencilhar, retornam à postura anterior e, depois, voltam a se atacar", a interpretação das fileiras de rapazes como os dentes fala por si mesma, e ela parece encontrar plena comprovação quando, após a cena, o sonhador "extrai da mandíbula um dente comprido". Também a interpretação de "corredores compridos, estreitos e tortuosos" como estímulo proveniente do intestino parece convincente e confirma a formulação de Scherner segundo a qual o sonho busca, acima de tudo, representar o órgão emissor do estímulo com objetos semelhantes a ele.

Assim, temos de estar prontos a admitir que, no sonho, estímulos internos podem desempenhar o mesmo papel que os externos. Infelizmente, a avaliação deles está sujeita às mesmas objeções. Em grande parte dos casos, a interpretação que aponta para um estímulo corporal permanece incerta ou indemonstrável. Nem todo sonho — apenas certo número deles, na verdade — desperta a suspeita de que estímulos internos, provenientes dos órgãos, tiveram participação em seu surgimento; por fim, estímulo somático interior e estímulo sensorial exterior revelam-se, ambos em igual medida, incapazes de dizer mais sobre o sonho do que o que corresponde à reação direta ao estímulo em si. De onde vem o restante do sonho, permanece um mistério.

Atentemos, porém, para uma peculiaridade da vida onírica que sobressai do estudo do efeito provocado por tais estímulos. O sonho não reproduz simplesmente o estímulo, mas o elabora, remete a ele, o inclui em um contexto e o substitui por outra coisa. Esse é um aspecto do trabalho do sonho que há de nos interessar, porque talvez nos aproxime da essência dos sonhos. Quando alguém faz uma coisa levado por um incentivo, a obra realizada não se esgota no incentivo. *Macbeth*, de Shakespeare, por exemplo, é peça de ocasião, composta

5. DIFICULDADES E PRIMEIRAS APROXIMAÇÕES

para a entronização do rei que pela primeira vez reuniu as coroas dos três reinos. Mas esse ensejo histórico dá conta do conteúdo do drama, explica-nos sua grandeza e seu mistério? Talvez os estímulos externos e internos que atuam sobre a pessoa adormecida também sejam apenas incentivadores do sonho, de cuja essência, no entanto, nada revelam.

A outra característica comum aos sonhos, sua peculiaridade psíquica, é, por um lado, de difícil apreensão e, por outro, não oferece nenhum ponto de apoio que possamos seguir. Aquilo que vivemos no sonho, nós o fazemos na maioria das vezes de forma visual. Os estímulos podem oferecer alguma explicação para isso? É, na realidade, o estímulo que vivenciamos? Por que, então, o vivido se apresenta sob forma visual, se apenas em raríssimos casos a estimulação dos olhos é que desencadeia o sonho? Ou será possível demonstrar que, quando sonhamos com falas, é porque, durante o sono, uma conversa ou algum ruído semelhante penetrou nossos ouvidos? Ouso descartar decididamente essa possibilidade.

Se o que os sonhos têm em comum não nos permite avançar, talvez seja o caso de examinarmos suas diferenças. De modo geral, eles com frequência são insensatos, confusos e absurdos; mas há também sonhos sensatos, sóbrios e razoáveis. Examinemos se os últimos, sensatos, podem nos dar alguma informação sobre os primeiros. Vou relatar aos senhores o sonho sensato mais recente que me contaram, o sonho de um rapaz. "Fui passear na Kärntnerstrasse, onde encontrei o senhor X, com quem caminhei durante algum tempo. Depois, fui a um res-

II OS SONHOS

taurante. Duas senhoras e um senhor sentaram-se à minha mesa. De início, aquilo me irritou, e não quis nem olhar para eles. Em seguida, porém, olhei para aquelas pessoas e descobri que eram muito simpáticas". O rapaz acrescenta que, na noite anterior, havia estado de fato na Kärntnerstrasse, seu caminho habitual, e tinha encontrado ali o senhor X. A outra parte do sonho não se constitui de reminiscência direta, guarda apenas certa semelhança com algo vivido no passado. Outro sonho de características sóbrias é o de uma mulher. "O marido pergunta a ela: 'Não devíamos mandar afinar o piano?'. Ela responde: 'Não vale a pena. Precisamos mandar forrar os martelos também'." Esse sonho é a reprodução sem grandes modificações de uma conversa que a mulher e o marido haviam tido no dia anterior. O que aprendemos com esses sonhos sóbrios? Nada, a não ser que neles têm lugar repetições dos acontecimentos do dia, ou alusões a eles. Já seria alguma coisa, se pudéssemos generalizar esse fato para todos os sonhos. Não é, porém, o que acontece, uma vez que também ele só se aplica a uma minoria de casos. Na maioria dos sonhos não figura alusão nenhuma ao dia anterior, e isso tampouco lança alguma luz nos sonhos insensatos e absurdos. Tudo que sabemos é que deparamos com nova tarefa. Não queremos saber apenas o que um sonho diz, mas, quando ele o diz claramente como em nossos exemplos, queremos saber também por que e para que esse elemento conhecido e recém-vivenciado se repete nele.

Creio que os senhores, tanto quanto eu, devem estar cansados de continuar com tentativas como as que em-

5. DIFICULDADES E PRIMEIRAS APROXIMAÇÕES

preendemos até o momento. Vemos, pois, que dedicar todo o interesse a um problema não basta, quando não se conhece um caminho que possa levar à solução. Até agora não encontramos esse caminho. A psicologia experimental nada nos deu, a não ser algumas apreciáveis informações sobre o significado dos estímulos como incentivadores dos sonhos. Da filosofia só nos cabe, mais uma vez, esperar a recriminação arrogante pelo pouco valor intelectual de nosso objeto de pesquisa; e às ciências ocultas não vamos recorrer. A história e a opinião popular nos dizem que o sonho é pleno de significado e sentido e que ele olha para o futuro, o que é difícil de aceitar e certamente impossível de provar. Assim, nossos esforços iniciais redundam em completa perplexidade.

Inesperadamente, uma indicação nos chega de um lado para o qual até agora não havíamos olhado: do uso da língua — que nada tem de casual, pois é o precipitado de velhos conhecimentos, embora não possa ser explorado sem cautela. De fato, a língua alemã conhece algo que chama de *Tagträumen* [sonhar durante o dia]. Sonhos diurnos são fantasias (produtos da fantasia), fenômenos bastante generalizados, que se podem observar tanto em pessoas saudáveis como nas enfermas, e que podemos facilmente estudar em nós mesmos. O que mais chama a atenção nessas construções fantasiosas é o fato de terem recebido o nome de "*sonhos* diurnos", pois não têm nenhuma das duas características comuns aos sonhos. Já o nome contradiz sua relação com o sono, e, quanto à segunda característica comum, não se vivencia nem se alucina coisa nenhuma nesses "sonhos": o que

II OS SONHOS

se faz, em vez disso, é imaginar alguma coisa. Sabemos que se trata de uma fantasia, que não estamos vendo coisa alguma, e sim pensando. Os sonhos diurnos aparecem na pré-puberdade, com frequência já no final da infância, e se estendem até a idade madura, quando são ou abandonados ou mantidos até idade bastante avançada. O conteúdo dessas fantasias é comandado por uma motivação bem transparente: são cenas e acontecimentos em que encontram satisfação as necessidades egoístas, de ambição, de poder, ou os desejos eróticos das pessoas. Nos rapazes, predominam em geral as fantasias ligadas à ambição, ao passo que nas mulheres, que jogaram toda a sua ambição no sucesso amoroso, prevalecem as fantasias eróticas. Com muita frequência, no entanto, a carência erótica mostra-se o pano de fundo também nos homens; os seus êxitos e atos heroicos devem servir para conquistar a admiração e as graças das mulheres. No mais, os sonhos diurnos são bastante variados e experimentam destinos os mais diversos. Em pouco tempo, cada um deles é abandonado e substituído por um novo, ou é mantido, desenvolvendo-se numa longa história e adaptando-se às circunstâncias da vida. Eles evoluem com o tempo, por assim dizer, e dele recebem uma "marca temporal" que atesta a influência exercida pela nova situação. São, ademais, a matéria bruta da produção poética, porque é de seus sonhos diurnos que, mediante certas reformulações, disfarces e omissões, o escritor inventa as situações que utiliza em seus contos, romances, peças de teatro. O herói dos sonhos diurnos é, todavia, sempre o próprio sonhador, seja diretamente ou por intermédio de uma identificação transparente com outra pessoa.

Talvez os sonhos diurnos tenham esse nome graças à relação igual que mantêm com a realidade, a fim de sugerir que seu conteúdo é tão pouco real como o dos sonhos. Mas talvez o nome compartilhado se deva a uma característica psíquica desconhecida do sonho, uma daquelas que procuramos. É também possível que nos equivoquemos ao pretender utilizar essa igualdade de designação como algo significativo. Só mais adiante isso poderá ser esclarecido.

6. PRESSUPOSTOS E TÉCNICA DA INTERPRETAÇÃO

Senhoras e senhores: Necessitamos, portanto, de um novo caminho, de um método, a fim de podermos seguir adiante na investigação dos sonhos. Faço-lhes agora uma sugestão natural. Admitamos, como pressuposto de tudo o que segue, *que o sonho não é um fenômeno somático, e sim psíquico*. O que isso significa, os senhores sabem; mas o que nos dá o direito de fazer essa suposição? Nada, assim como nada nos impede de fazê-la. A questão é: se o sonho é um fenômeno somático, ele não nos diz respeito; ele pode nos interessar apenas sob a premissa de que é um fenômeno psíquico. Trabalhemos, pois, com a hipótese de que assim é de fato, e vejamos o que acontece. O resultado de nosso

II OS SONHOS

trabalho decidirá se nos cabe sustentar essa hipótese e se, portanto, é lícito defendê-la como um resultado. O que pretendemos alcançar realmente, o que visa nosso trabalho? Queremos aquilo que toda ciência almeja, ou seja, compreender os fenômenos, estabelecer um nexo entre eles e, em última instância, se possível, expandir nosso poder sobre tais fenômenos.

Portanto, prosseguimos o trabalho com a suposição de que o sonho é um fenômeno psíquico. Nesse caso, ele é obra e manifestação do sonhador, mas uma manifestação que não nos diz nada, que não entendemos. O que fazem os senhores, se eu der voz a uma manifestação que lhes seja incompreensível? Os senhores me farão perguntas, não é mesmo? Por que não haveríamos, então, de fazer o mesmo: *perguntar ao sonhador o que seu sonho significa*?

Os senhores se recordam que já nos vimos uma vez nessa mesma situação. Isso aconteceu quando da investigação de certos atos falhos e, especificamente, de um caso de lapso verbal. Ante a declaração *Da sind Dinge ʒum* Vorschwein *gekommen*, perguntamos — ou melhor, por sorte, não fomos nós que perguntamos, mas outros, bem distantes da psicanálise — o que o falante havia querido dizer com sua fala incompreensível. A resposta foi imediata. Ele tivera a intenção de dizer que se tratava de *Schweinereien* [porcarias], mas rechaçara essa intenção em favor de outra, mais branda: *Da sind Dinge ʒum* Vorschein *gekommen* [coisas foram reveladas]. Na ocasião, expliquei aos senhores que indagações como essa constituíam o modelo de toda investigação

6. PRESSUPOSTOS E TÉCNICA DA INTERPRETAÇÃO

psicanalítica, e os senhores compreendem agora que a psicanálise se vale da técnica de, tanto quanto possível, receber de seus próprios analisandos a solução para seus enigmas. Assim, também o sonhador é quem deve nos dizer o que seu sonho significa.

É sabido, contudo, que as coisas não são tão simples no caso dos sonhos. Nos atos falhos, isso era possível em certo número de casos. Depois, deparamos com outros, nos quais o indagado nada queria dizer ou mesmo, revoltado, repudiava a resposta que lhe propúnhamos. Em se tratando do sonho, os casos do primeiro tipo não existem: o sonhador sempre alega não saber o que o sonho significa. Repudiar nossa interpretação ele não pode, porque não temos nenhuma a lhe oferecer. Devemos, pois, desistir de nossa tentativa? Como o sonhador não sabe a resposta, nós tampouco, e um terceiro não tem como sabê-la, por certo a perspectiva de descobri-la é nenhuma. Sim, se os senhores assim desejam, desistam da tentativa. Se, todavia, sua vontade é outra, trilhemos juntos o caminho à nossa frente. Digo-lhes, pois, que é bem possível, e até mesmo bastante provável, que o sonhador saiba, sim, o que seu sonho significa; *ele apenas não sabe que sabe, e é por isso que crê não saber.*

Os senhores chamarão minha atenção para o fato de que, de novo, introduzo uma hipótese, que é já a segunda neste breve contexto, e, com isso, reduzo enormemente a pretensão de credibilidade de meu procedimento. Pressuponho que o sonho é um fenômeno psíquico; pressuponho, ademais, que o ser humano abriga elementos psíquicos que ele conhece sem saber que conhe-

II OS SONHOS

ce, e assim por diante. Basta, então, encarar a improbabilidade interna de cada uma dessas duas premissas para que tranquilamente se perca o interesse nas conclusões que delas poderiam resultar.

Contudo, senhoras e senhores, eu não os trouxe aqui para iludi-los ou ocultar-lhes o que quer que seja. De fato, anunciei "Conferências elementares introdutórias à psicanálise",* mas não pretendi com isso oferecer-lhes uma apresentação *in usum Delphini*,** capaz de lhes expor um contexto aplainado, com todas as suas dificuldades cuidadosamente escondidas, suas lacunas preenchidas e suas dúvidas encobertas, a fim de levá-los a crer serenamente ter aprendido alguma coisa nova. Não, precisamente por serem os senhores iniciantes, quis mostrar-lhes nossa ciência como ela é, com seus desalinhos e durezas, seus desafios e preocupações. E isso porque bem sei que nenhuma outra ciência é e nem pode ser diferente, sobretudo em seus primeiros passos. Sei também que, em geral, a instrução busca inicialmente ocultar do aluno essas dificuldades e imperfeições. Com a psicanálise, porém, isso não é possível. De fato, fiz aqui duas pressuposições, uma dentro da outra, e quem julgar tudo isso demasiado penoso ou incerto, ou quem estiver acostumado a certezas superiores e a deduções mais elegantes, esse

---

* O adjetivo "elementares" foi omitido na publicação dessas conferências.

** Ou *"ad usum Delphini"*: literalmente, "para uso do Delfim", expressão que designava as edições dos livros clássicos expurgadas dos trechos mais picantes, preparadas especialmente para o filho de Luís XIV.

6. PRESSUPOSTOS E TÉCNICA DA INTERPRETAÇÃO

não precisa continuar nos acompanhando. Com isso, quero dizer apenas que tal pessoa não deve se ocupar de problemas psicológicos, pois receio que não encontrará os caminhos exatos e seguros que está disposta a trilhar. É também desnecessário que uma ciência que tem algo a oferecer busque granjear ouvintes e adeptos. Seus resultados é que devem trabalhar em seu favor, e ela pode esperar até que eles tenham conquistado atenção para si.

Àqueles dentre os senhores que desejem prosseguir nesse assunto, todavia, cabe lembrar que minhas duas suposições não se revestem do mesmo valor. A primeira — a de que o sonho seria um fenômeno psíquico — é a premissa que queremos provar mediante o sucesso de nosso trabalho; a segunda já foi comprovada em outra área, e apenas tomo a liberdade de transpô-la para nossos problemas.

Onde, em que área, terá sido obtida a comprovação da existência de um saber do qual o ser humano nada sabe, como aquele que postulamos aqui para o sonhador? Seria um fato notável, surpreendente, modificador de nossa concepção da vida psíquica, um fato que não precisaria se ocultar; um fato, aliás, que se anula em sua própria denominação e que, no entanto, pretende ser algo real: uma *contradictio in adjecto*. Na verdade, ele não se oculta. Não é culpa sua que nada saibam dele ou que ninguém lhe dê a devida atenção. Assim como tampouco é culpa nossa que todos esses problemas psicológicos sejam condenados por pessoas que se mantiveram distantes de todas as observações e experiências que foram decisivas nessa matéria.

II OS SONHOS

Tal comprovação foi obtida na área dos fenômenos hipnóticos. Quando, em 1889, assisti às impressionantes demonstrações de Liébeault e Bernheim em Nancy, fui testemunha do seguinte experimento. Um homem foi posto em estado de sonambulismo e, nesse estado, fizeram-lhe passar por toda sorte de experiências alucinatórias e depois o acordaram; de início, ele parecia nada saber dos acontecimentos transcorridos durante seu sono hipnótico. Bernheim instou-o diretamente a relatar o que se passara com ele durante a hipnose. Ele afirmava não ter lembrança nenhuma. Mas Bernheim insistiu, pressionou-o, assegurou-lhe que ele sabia, que devia se lembrar do que acontecera, e, de repente, o homem, hesitante, começou a se lembrar. De início, lembrou-se vagamente de uma das experiências sugeridas, depois de outra, e a lembrança foi se tornando cada vez mais clara e mais completa, até que, por fim, toda ela retornou. Se, depois de algum tempo, ele sabia o que se passara, e naquele ínterim nada descobrira de nenhuma outra parte, então é correto concluir que sabia daquelas lembranças também antes. Apenas não tinha acesso a elas, não sabia que sabia, acreditava não saber. Trata-se, pois, do mesmo caso que supomos suceder com o sonhador.

Espero que os senhores estejam surpresos com esse fato e que me perguntem: "Por que o senhor não recorreu a essa comprovação antes, ao falar dos atos falhos, quando imputamos ao homem que cometera um lapso verbal intenções que ele desconhecia e negou possuir? Se alguém crê nada saber de experiências vividas que traz realmente na memória, já não é tão improvável que

6. PRESSUPOSTOS E TÉCNICA DA INTERPRETAÇÃO

tampouco saiba de outros processos psíquicos em seu interior. Esse argumento por certo nos teria impressionado e levado adiante na compreensão dos atos falhos". Com certeza, eu teria podido recorrer a ele anteriormente, mas guardei-o para um momento no qual ele seria mais necessário. Os atos falhos se revelaram, em parte, autoexplicativos e, em parte, advertiram-nos que, a fim de preservar a relação entre os fenômenos, deveríamos supor a existência desses processos psíquicos de que nada sabemos. No caso dos sonhos, somos obrigados a buscar explicações em outra parte; além disso, conto com o fato de que aqui os senhores admitirão mais facilmente uma transposição a partir da hipnose. É preciso que os senhores entendam como normal o estado em que cometemos um ato falho; ele nada tem a ver com o estado hipnótico. Por outro lado, há um nítido parentesco entre esse último e o sono, que é a precondição para o sonho. A hipnose, de fato, é descrita como um sono artificial; dizemos "Durma" à pessoa que hipnotizamos, e as sugestões que fazemos são comparáveis aos sonhos do sono natural. Em ambos os casos, as situações psíquicas são realmente análogas. No sono natural, desinteressamo-nos de todo o mundo exterior; no sono hipnótico, do mundo inteiro, menos da pessoa que nos hipnotizou, com a qual permanecemos em contato. Aliás, o chamado "sono de babá", em que ela permanece em contato com o bebê e só é acordada por ele, constitui uma contraparte normal do sono hipnótico. Portanto, a transposição para o sono normal de uma situação típica da hipnose não parece representar ousadia tão grande.

II OS SONHOS

A suposição de que também no sonhador está presente um conhecimento daquilo que ele sonhou — um conhecimento que apenas lhe é inacessível e no qual, por isso mesmo, ele próprio não crê — não é pura invenção. E atentemos para o fato de que aqui se abre uma terceira porta para o estudo do sonho: aos estímulos perturbadores do sono e aos sonhos diurnos, acrescentamos agora os sonhos sugeridos do estado hipnótico.

Retornemos então, talvez com maior confiança, a nossa tarefa. É, pois, bastante provável que o sonhador saiba de seu sonho; trata-se apenas de possibilitar a ele encontrar e comunicar-nos esse saber. Não vamos exigir que nos diga de imediato o sentido do sonho; mas sua origem, o círculo de ideias e interesses do qual provém, isso ele será capaz de identificar. No caso do ato falho, os senhores se lembram, perguntamos ao orador como ele havia chegado à palavra equivocada, *Vorschwein*, e a primeira resposta que lhe ocorreu deu-nos a explicação. Nossa técnica no tocante ao sonho é bastante simples, uma imitação desse mesmo modelo. De novo, perguntamos ao sonhador o que o levou a ter seu sonho e, outra vez, sua primeira resposta há de ser vista como uma explicação. Se ele crê ou não saber é uma diferença que desconsideramos; tratamos ambos os casos como se fossem um só.

Essa técnica é decerto muito fácil, mas temo que ela venha a encontrar ferrenha oposição por parte dos senhores, que com certeza dirão: "Uma nova premissa, a terceira! E a mais improvável de todas! Se perguntamos ao sonhador o que lhe ocorre em relação a seu sonho,

6. PRESSUPOSTOS E TÉCNICA DA INTERPRETAÇÃO

justamente sua primeira associação deve nos dar a explicação desejada? Ora, pode ser que não lhe ocorra coisa nenhuma, ou sabe Deus o que lhe virá à cabeça. Não podemos compreender em que se baseia tal expectativa. Com efeito, isso significaria depositar confiança demasiada em Deus, num ponto em que seria mais adequado um maior juízo crítico. Além disso, um sonho não é apenas uma palavra equivocada: ele se compõe de muitos elementos. A que associação haveremos de nos ater?".

Os senhores têm razão em tudo que é secundário. Um sonho distingue-se de um lapso verbal também na diversidade de elementos. A técnica precisa levar isso em consideração. Então lhes sugiro a decomposição do sonho em seus diferentes elementos, e que procedamos à investigação de cada um deles em separado; se assim fizermos, estará restabelecida a analogia com o lapso verbal. Têm razão também os senhores quanto à possibilidade de a resposta do sonhador para cada elemento isolado do sonho ser que nada lhe vem ao pensamento. Há casos em que aceitamos essa resposta, e mais adiante os senhores saberão quais são eles. Curiosamente, são casos em que certas associações podem ocorrer inclusive a nós mesmos. De modo geral, contudo, contestaremos o sonhador se ele afirmar que nada lhe vem à mente; insistiremos e lhe asseguraremos que alguma coisa há de lhe ocorrer — e estaremos com a razão. Alguma ideia há de lhe ocorrer, qualquer que seja ela; para nós, é indiferente. Certas informações, a que poderíamos chamar históricas, ele dará com grande facilidade. Dirá, por exemplo: "Isso é uma coisa que me aconteceu

II OS SONHOS

ontem" (como no caso dos dois "sonhos sóbrios" que conhecemos). Ou: "Isso me lembra algo que aconteceu há muito pouco tempo" — e, desse modo, vamos notar que as vinculações dos sonhos a impressões dos dias imediatamente anteriores é bem mais comum do que acreditamos de início. Por fim, o sonho o lembrará também de acontecimentos distantes, ou mesmo de um passado bastante longínquo.

No essencial, porém, os senhores estão equivocados. Se acham que é arbitrário supor que a primeira associação do sonhador tem de nos dar o que procuramos ou nos conduzir a ele, se acreditam que essa poderá ser uma associação qualquer, sem nenhuma vinculação com o que buscamos — constituindo, assim, minha expectativa nesse sentido mera manifestação de minha confiança em Deus —, aí os senhores estarão cometendo um grande erro. Anteriormente tomei a liberdade de repreendê-los por abrigarem uma crença profunda na liberdade e arbitrariedade psíquica, que, porém, não é nada científica e só pode capitular ante a exigência de um determinismo predominante também na vida psíquica. Peço aos senhores que respeitem como fato o sonhador inquirido ter respondido com uma associação e não com outra. Mas não estou contrapondo uma crença a outra. Pode-se comprovar que a associação produzida pelo sonhador não é arbitrária ou indeterminável, nem está desvinculada daquilo que buscamos. De fato, há não muito tempo descobri — sem, aliás, atribuir valor demasiado a esta descoberta — que também a psicologia experimental produziu semelhantes comprovações.

6. PRESSUPOSTOS E TÉCNICA DA INTERPRETAÇÃO

Devido à importância do tema, solicito-lhes atenção especial para ele. Se peço a alguém que me diga o que lhe ocorre em relação a determinado elemento de um sonho, estou pedindo a essa pessoa que ela se entregue a associações livres *atendo-se a uma ideia inicial*. Isso pede um emprego específico da atenção, que é bem diferente daquele da reflexão e que a exclui. Alguns adotam essa atitude com facilidade; outros exibem inépcia inacreditável ao tentar fazê-lo. Há, contudo, um grau mais elevado de liberdade de associação, que se verifica quando abandono essa ideia inicial e estabeleço apenas que tipo de coisa deve ocorrer à pessoa, quando específico, por exemplo, que ela deixe lhe ocorrer livremente um nome próprio ou um número. Esse pensamento espontâneo haveria de ser mais arbitrário, mais imprevisível do que aquele resultante do emprego de nossa técnica. Pode-se demonstrar, no entanto, que ele é sempre determinado rigorosamente por importantes atitudes internas que, no momento em que têm efeito, nos são desconhecidas — tão desconhecidas quanto as tendências perturbadoras nos atos falhos ou as que provocam atos casuais.

Eu, e muitos outros depois de mim, já realizei repetidas investigações semelhantes, algumas delas publicadas, nas quais solicitei a pessoas que, sem qualquer reserva, deixassem vir à mente nomes e números. Procede-se aí de maneira a solicitar contínuas associações com os nomes que vão surgindo, associações que, portanto, já não são inteiramente livres, e sim vinculadas, como os pensamentos espontâneos ligados aos elementos de um sonho. Prossegue-se dessa maneira até que se esgote o ímpeto

II OS SONHOS

para produzi-las. Chega-se, então, ao esclarecimento da motivação e do significado dos nomes mencionados espontaneamente. O resultado é sempre o mesmo; o que essas experiências comunicam abrange, com frequência, rico material, e requer extensas explanações. As associações com números são talvez as mais comprobatórias; elas transcorrem tão rapidamente e rumam com tão incrível segurança para uma meta velada que, de fato, causam perplexidade. Vou comunicar aos senhores um único exemplo dessa análise de nomes, pois, de forma conveniente, ele demanda pouco material.

No curso do tratamento de um homem jovem, começo a falar sobre esse tema e menciono que, a despeito da aparente arbitrariedade, a ninguém ocorre um nome que não seja rigorosamente condicionado pelas relações mais próximas, pelas peculiaridades do sujeito da experiência e por sua situação momentânea. Como ele duvida da minha afirmação, sugiro que ele próprio faça de imediato a experiência. Sei que ele possui relacionamentos bastante numerosos e de toda sorte com mulheres e moças, e creio, portanto, que ele disporá de escolha particularmente farta, em se tratando de nomes femininos que poderão lhe ocorrer. Ele está de acordo. Para meu espanto, ou talvez para espanto dele, porém, não sou alvo de uma avalanche de nomes de mulheres; o rapaz permanece mudo por algum tempo e confessa, então, que um único nome, e nenhum outro, lhe vem à mente: *Albine*. "Que curioso. Mas a que você vincula esse nome? Quantas Albines você conhece?" Estranhamente, ele não conhecia nenhuma mulher chamada Albine e nada mais lhe

6. PRESSUPOSTOS E TÉCNICA DA INTERPRETAÇÃO

ocorreu em relação àquele nome. Podia-se supor, então, que a análise fracassara; mas, não — ela apenas já terminara, nenhuma outra associação se fazia necessária. O próprio rapaz tinha a pele extraordinariamente clara, e, em nossas conversas ao longo do tratamento, eu, de brincadeira, já o chamara repetidas vezes de "albino"; tratávamos, na época, de estabelecer a porção feminina de sua constituição. Ele próprio era, pois, aquela Albine, a moça mais interessante naquele momento.

Do mesmo modo, certas melodias que nos ocorrem subitamente se revelam condicionadas e pertencem a uma linha de pensamento que tem o direito de nos ocupar sem que saibamos dessa atividade. Então é fácil mostrar que nossa relação com a melodia vincula-se a sua letra ou sua origem. Devo, no entanto, tomar o cuidado de não estender essa afirmação a pessoas verdadeiramente musicais, com as quais, por acaso, não possuo experiência nenhuma. Para essas pessoas, o teor musical em si da melodia deve ser determinante para seu aparecimento. Com certeza, o primeiro caso é mais frequente. Sei de um jovem a quem a melodia da "Canção de Páris" de *A bela Helena*, de resto encantadora, perseguiu por algum tempo, até que a análise chamou sua atenção para a concorrência atual entre o seu interesse por uma "Ida" e por uma "Helena".*

La belle Hélène é uma ópera de J. Offenbach. Na mitologia grega, Páris era pastor no monte Ida quando teve de julgar qual das três deusas — Hera, Atena e Afrodite — era a mais bela. Tendo julgado em favor de Afrodite, ganhou como recompensa o amor da mais bela mulher do mundo, Helena.

II OS SONHOS

Se, portanto, aquilo que nos ocorre livremente é assim condicionado e posto em determinado contexto, então estaremos certos em concluir que pensamentos espontâneos dotados de uma única vinculação — a de uma ideia inicial — não poderão ser menos condicionados. Com efeito, a investigação nos mostra que, além do vínculo que fornecemos mediante a ideia inicial, essas associações permitem reconhecer um outro, com um grupo de pensamentos e interesses de alto teor afetivo, os chamados *complexos*, cuja atuação é, naquele momento, desconhecida, isto é, inconsciente.

Pensamentos espontâneos com vínculos assim foram objeto de investigações experimentais bastante instrutivas, que tiveram papel notável na história da psicanálise. A escola de Wundt já nos dera o chamado experimento de associação, em que o sujeito é incumbido de responder o mais rapidamente possível a uma *palavra-estímulo* com uma *reação* qualquer. Pode-se, então, estudar o intervalo transcorrido entre estímulo e reação, a natureza da palavra obtida como reação, o eventual erro numa repetição posterior da mesma experiência etc. A escola de Zurique, sob a direção de Bleuler e Jung, forneceu a explicação para as reações resultantes da experiência de associação, solicitando ao sujeito da experiência que esclarecesse as suas reações mediante associações posteriores, quando apresentassem algo notável. Verificou-se, então, que essas reações notáveis eram determinadas, de forma bastante nítida, pelos complexos do sujeito da experiência. Com isso, Bleuler e Jung construíram a primeira ponte entre a psicologia experimental e a psicanálise.

6. PRESSUPOSTOS E TÉCNICA DA INTERPRETAÇÃO

Assim instruídos, os senhores poderão dizer: "Reconhecemos agora que as associações livres são determinadas, e não arbitrárias, como havíamos acreditado. Admitimos o mesmo em relação àquilo que ocorre às pessoas diante de elementos do sonho. Mas não é isso que nos importa. O senhor afirma que o que ocorre ao sonhador em relação a um elemento do sonho será determinado pelo pano de fundo psíquico desse mesmo elemento, algo que não conhecemos. E isso não nos parece ter sido comprovado. Já esperamos que a associação diante de um elemento do sonho se mostre determinada por um dos complexos do sonhador, mas de que nos adianta que seja assim? Isso não nos conduz à compreensão do sonho, e sim ao conhecimento desses chamados complexos, como na experiência de associação. A questão é: o que eles têm a ver com o sonho?".

Os senhores têm razão, mas deixam de enxergar um fator, e precisamente aquele em razão do qual não escolhi a experiência de associação como ponto de partida desta exposição. Nessa experiência, a palavra-estímulo, a determinante da reação, é escolhida arbitrariamente por nós. A reação que se segue é, pois, um intermediário entre essa palavra-estímulo e o complexo então despertado do sujeito da experiência. No sonho, a palavra-estímulo é substituída por alguma coisa que provém, ela própria, da vida psíquica do sonhador, de fontes que lhe são desconhecidas, algo que poderia facilmente ser um "derivado do complexo". Por isso, não é propriamente fantasiosa a expectativa de que também as demais associações vinculadas aos elementos do sonho

II OS SONHOS

sejam determinadas pelo mesmo complexo que o do próprio elemento e conduzam ao desvelamento deste.

Permitam que, à luz de outro caso, eu lhes mostre que as coisas são de fato como sugere nossa expectativa. O esquecimento de nomes próprios oferece, na realidade, um modelo excelente para o que sucede na análise do sonho; ocorre apenas que, nesse caso, encontramos numa só pessoa o que, na interpretação do sonho, distribui-se por duas. Quando esqueço temporariamente um nome, ainda trago em mim a certeza de que sei esse nome — aquela mesma certeza de que, tratando-se do sonhador, só pudemos nos apropriar pela via do experimento de Bernheim. Contudo, o nome esquecido e, no entanto, sabido me é inacessível. Refletir, por mais que eu me esforce, de nada adianta, é o que a experiência logo me diz. A cada tentativa, posso, porém, em lugar do nome esquecido, deixar que me ocorram um ou vários nomes substitutos. Quando um desses nomes me ocorre de forma espontânea, torna-se evidente a similaridade dessa situação com a da análise do sonho. Afinal, tampouco o elemento do sonho é o correto: ele é mero substituto de outra coisa, da coisa verdadeira, que não conheço, mas que me cabe encontrar por intermédio da análise do sonho. De novo, a diferença está em que, tendo esquecido um nome, reconheço sem pensar o substituto como não verdadeiro, ao passo que, no caso do elemento do sonho, precisamos nos empenhar muito para alcançar essa compreensão. Todavia, também no esquecimento de nomes tem-se um caminho para ir do sucedâneo ao verdadeiro e inconsciente,

6. PRESSUPOSTOS E TÉCNICA DA INTERPRETAÇÃO

isto é, ao nome esquecido. Se concentro minha atenção nos nomes substitutos e sigo fazendo com que outros nomes me ocorram, mais cedo ou mais tarde chego ao esquecido e descubro que os seus sucedâneos espontâneos, tanto quanto aqueles por mim evocados, guardavam relação com o nome esquecido, foram por ele determinados.

Quero apresentar aos senhores uma análise desse tipo. Um dia, noto que não consigo me lembrar do nome daquele pequeno país na Riviera cuja capital é Monte Carlo. É irritante, mas assim é. Penso em tudo o que sei sobre o país, no príncipe Albert, da casa de Lusignan, em seus casamentos, em seu gosto pela pesquisa oceanográfica e no que mais consigo me lembrar, mas de nada adianta. Então paro de pensar e deixo que me ocorram nomes substitutos em lugar daquele esquecido. Eles se sucedem com rapidez. *Monte Carlo* é o primeiro; depois vêm *Piemonte*, *Albânia*, *Montevidéu*, *Colico*. Albânia é o primeiro a me chamar a atenção nessa série, mas ele é substituído de imediato por *Montenegro*, provavelmente em razão da antonímia entre branco [*albus*] e negro. Percebo, então, que quatro desses nomes substitutos contêm uma mesma sílaba, *mon*, e, de súbito, encontro a palavra esquecida, que digo em voz alta: *Mônaco*. Os nomes substitutos saíram de fato do nome esquecido: os quatro primeiros, da primeira sílaba; o último traz de volta a sequência de sílabas e toda a sílaba final. Ao mesmo tempo, identifico com facilidade o que me privou por um tempo da lembrança do nome. Mônaco está ligado a Munique, que em italiano

II OS SONHOS

se chama *Monaco*. Foi essa cidade que exerceu o efeito inibidor da lembrança.

Trata-se por certo de um belo exemplo, mas demasiado simples. Em outros casos, seria necessária uma série maior de nomes substitutos; isso tornaria mais clara a analogia com a análise do sonho. Vivi experiências desse tipo também. Quando, certa feita, um amigo me convidou para beber um vinho italiano com ele, aconteceu de, na taberna, ele se esquecer do nome do vinho que pretendia pedir, por dele guardar a melhor das lembranças. De toda uma gama de disparatados nomes substitutos que lhe ocorreram em lugar do esquecido, pude tirar a conclusão de que o pensamento numa certa Hedwig lhe havia roubado a lembrança do nome do vinho. E, de fato, ele não apenas me confirmou que experimentara o tal vinho pela primeira vez em companhia de uma Hedwig, como também, por intermédio dessa revelação, reencontrou o nome que procurava. À época, meu amigo gozava de um casamento feliz; a Hedwig em questão pertencia a outros tempos, dos quais ele não gostava de se lembrar.

O que é possível fazer quando esquecemos nomes há de ser possível também na interpretação de sonhos, ou seja, obter acesso ao material verdadeiro retido, mediante associações a partir de um sucedâneo. Com base no exemplo do esquecimento de nomes, podemos supor que as associações com um elemento do sonho serão determinadas tanto pelo elemento do sonho como pelo material autêntico e inconsciente por trás dele. Teríamos com isso justificado em alguma medida nossa técnica.

7. CONTEÚDO ONÍRICO MANIFESTO E PENSAMENTOS ONÍRICOS LATENTES

Senhoras e senhores: Como veem, não foi em vão que estudamos os atos falhos. Graças a esse empenho conquistamos — com base nas premissas que lhes indiquei — duas coisas: uma concepção do elemento do sonho e uma técnica interpretativa. Essa concepção do elemento do sonho diz que ele é algo não verdadeiro, um sucedâneo de outra coisa, desconhecida do sonhador, similar à tendência do ato falho: um sucedâneo de algo cujo saber o sonhador abriga, mas que lhe é inacessível. Nossa expectativa é a de poder transpor essa concepção para a totalidade do sonho, que se constitui de tais elementos. Nossa técnica consiste em permitir, mediante a associação livre vinculada a esses elementos, que surjam outras formações substitutivas, a partir das quais possamos chegar ao que está oculto.

Sugiro agora aos senhores a introdução de uma mudança em nossa nomenclatura, que deverá facilitar nossos movimentos. Em vez de "oculto", "inacessível", "não verdadeiro", passaremos a nos valer da descrição correta e dizer "inacessível à consciência do sonhador", ou *inconsciente*. O que queremos dizer com isso nada mais é do que aquilo que lhes pode indicar a palavra esquecida ou a tendência perturbadora do ato falho, isto é, um conteúdo *momentaneamente inconsciente*. É claro que, em contraposição a isso, podemos chamar *conscientes* aos elementos em si do sonho e às novas formações substitutivas obti-

II OS SONHOS

das por meio de associação. Os termos escolhidos ainda não se vinculam a nenhuma construção teórica. O emprego da palavra "inconsciente" é irrepreensível como descrição pertinente e de fácil compreensão.

Se transpomos nossa concepção do elemento isolado para a totalidade do sonho, resulta daí que o sonho como um todo é o sucedâneo deformado de outra coisa, inconsciente, e que a tarefa da interpretação do sonho consiste em encontrar esse algo inconsciente. Disso decorrem de imediato três regras importantes, que nos cumpre seguir ao longo do trabalho interpretativo:

1) Não devemos nos preocupar com o que o sonho parece dizer, seja isso algo compreensível ou absurdo, claro ou confuso, porque de maneira nenhuma esse é o material inconsciente que buscamos (uma restrição plausível a essa regra se nos imporá mais adiante); 2) nosso trabalho deve se concentrar em despertar as ideias substitutivas para cada elemento; não devemos refletir a respeito delas nem examiná-las à procura de um conteúdo adequado; o quanto elas se afastam do elemento do sonho não deve ser motivo de preocupação; 3) aguardemos até que o inconsciente oculto e procurado apareça por si só, exatamente como a palavra Mônaco no experimento que apresentei.

Agora compreendemos também que não faz diferença que o sonho seja recordado muito ou pouco e, sobretudo, com que grau de fidelidade ou incerteza. O sonho lembrado não é, afinal, a coisa verdadeira, e sim um sucedâneo deformado, que, mediante o despertar de formações substitutivas, há de nos ajudar a chegar mais

7. CONTEÚDO ONÍRICO MANIFESTO E PENSAMENTOS ONÍRICOS LATENTES

perto do verdadeiro, a tornar consciente o inconsciente do sonho. Se nossa lembrança já não é fiel, o sucedâneo apenas lhe acrescenta nova deformação, que tampouco poderá ser imotivada.

Podemos realizar o trabalho interpretativo em nossos próprios sonhos ou nos de outras pessoas. Quando o efetuamos em nossos próprios sonhos, na verdade aprendemos mais; o processo resulta mais comprobatório. Se procuramos fazê-lo, notamos que algo se opõe a esse trabalho. Não concedemos livre trânsito a tudo que nos ocorre. Influências seletivas e averiguadoras se fazem valer. Ao que nos vem à mente, dizemos: "Não, isso não combina, não tem relação nenhuma"; a outra associação: "É absurdo demais"; a uma terceira: "Isso é completamente secundário". Podemos, assim, observar de que forma, com tais objeções, sufocamos as associações até por fim bani-las, antes mesmo que elas tenham se apresentado com toda a clareza. Por um lado, portanto, atemo-nos em demasia à ideia inicial, ao elemento em si do sonho; por outro, perturbamos com nossa escolha o resultado da livre associação. Se, ao proceder à interpretação, não estamos sozinhos, se fazemos outra pessoa interpretar nosso sonho, notamos muito claramente outro motivo que empregamos para fazer essa escolha inadmissível. Vez por outra, diremos: "Não, esse pensamento é desagradável demais; não quero, não posso comunicá-lo".

Objeções como essas, é evidente, põem em risco o êxito de nosso trabalho. Temos de nos defender delas, o que, tratando-se da interpretação de nossos próprios

II OS SONHOS

sonhos, fazemos mediante o firme propósito de não ceder a elas. Quando o sonho que interpretamos é de outra pessoa, nós lhe impomos como regra inquebrantável que ela não deixe de nos comunicar nada do que lhe ocorre, ainda que contra o pensamento haja as quatro objeções: demasiado desimportante, absurdo demais, descabido ou embaraçoso demais para ser dito. Ela prometerá obedecer a essa regra, e teremos o direito de nos irritar se ela não cumprir o prometido. A primeira explicação para isso que daremos a nós mesmos é a de que, apesar de o termos asseverado com toda a autoridade, ela não entendeu o porquê da livre associação; pensamos, então, em talvez ganhá-la por intermédio da teoria, dando-lhe artigos para ler ou enviando-a a palestras que possam transformá-la em adepta de nossas concepções sobre a livre associação. Mas seremos preservados desses erros pela observação de que, ao interpretarmos nossos próprios sonhos — e podemos estar seguros de nossa própria convicção —, surgem as mesmas objeções críticas sobre certas coisas que nos ocorrem, objeções estas que só mais tarde, em uma segunda instância, por assim dizer, serão eliminadas.

Em vez de nos irritarmos com a desobediência do sonhador, podemos nos valer dessas experiências para aprender algo novo com elas, algo que é tanto mais importante quanto menos estamos preparados para ele. Compreendemos que o trabalho da interpretação do sonho se realiza em face de uma *resistência* que lhe é oposta e cujas manifestações compõem-se daquelas objeções críticas. Essa resistência independe da convic-

7. CONTEÚDO ONÍRICO MANIFESTO E PENSAMENTOS ONÍRICOS LATENTES

ção teórica do sonhador. E aprendemos ainda mais do que isso. Percebemos que tal objeção crítica nunca está com a razão. Pelo contrário, os pensamentos que tanto gostaríamos de suprimir revelam-se *sem exceção* os mais importantes, os mais decisivos para a descoberta do inconsciente. É verdadeiramente uma distinção, quando um pensamento espontâneo é acompanhado de uma objeção desse tipo.

Essa resistência é algo inteiramente novo, um fenômeno que encontramos com base em nossas premissas, mas que não era parte delas. Em nosso cálculo, o novo fator não representa uma surpresa propriamente agradável. Antevemos que ele não vai facilitar nosso trabalho. Na verdade, ele poderia mesmo nos convencer a abandonar todo esse nosso empenho em torno do sonho. Uma coisa tão desimportante como o sonho, e, ainda por cima, tamanhas dificuldades, em vez de uma técnica pura e simples! Por outro lado, essas mesmas dificuldades poderiam nos estimular e fazer supor que o trabalho valerá a pena. É comum depararmos com resistências sempre que desejamos avançar do sucedâneo, que é o que o elemento do sonho significa, em direção ao oculto e inconsciente. É lícito, portanto, pensarmos que, por trás desse sucedâneo, oculta-se algo importante. Do contrário, por que tantas dificuldades para conservar o ocultamento? Quando uma criança não quer abrir o punho fechado para mostrar o que ele guarda, então com certeza é algo impróprio, que ela não deveria ter.

No momento em que introduzimos nesse quadro a noção dinâmica de uma resistência, precisamos também

II OS SONHOS

levar em conta que esse fator é quantitativamente variável. Pode haver resistências maiores ou menores, e estamos preparados para deparar com diferenças desse tipo ao longo de nosso trabalho. Talvez devamos conjugar com essa uma outra descoberta que fazemos ao interpretar um sonho: por vezes, uma única associação, ou apenas umas poucas, já basta para nos conduzir do elemento do sonho a seu conteúdo inconsciente, ao passo que, outras vezes, longas cadeias de associações e a superação de muitas objeções críticas se fazem necessárias para tanto.

Diremos a nós mesmos que essas diferenças estão relacionadas à grandeza variável da resistência, e é provável que tenhamos razão. Se a resistência é pequena, o sucedâneo não se acha muito distante do conteúdo inconsciente; uma grande resistência, porém, traz consigo grandes deformações desse material inconsciente e, assim, um longo caminho de volta desde o sucedâneo até o conteúdo inconsciente.

Agora, talvez tenha chegado a hora de tomarmos um sonho para nele aplicar nossa técnica, a fim de verificar se nossas expectativas em relação a ela se confirmam. Sim, mas que sonho escolher para isso? Os senhores não vão acreditar na dificuldade que tenho para tomar essa decisão, e ainda não posso fazê-los compreender a causa dessa dificuldade. É evidente que devem existir sonhos que sofreram pouca deformação, e o melhor seria começarmos por eles. Mas que sonhos se apresentam menos deformados? Os compreensíveis e nada confusos, dos quais já apresentei dois exemplos aos senhores? Seria um

7. CONTEÚDO ONÍRICO MANIFESTO E PENSAMENTOS ONÍRICOS LATENTES

equívoco escolhê-los. O exame mostra que esses sonhos sofreram um grau extremamente alto de deformação. Se, no entanto, renuncio a uma condição específica e escolho um sonho qualquer, é provável que os senhores fiquem muito decepcionados. É possível que tenhamos de apontar ou listar um número tão grande de associações vinculadas a cada elemento do sonho que o trabalho acabará por resultar completamente impenetrável. Se anotamos o sonho e contrapomos a ele o registro de todas as associações que ele suscitou, o número destas pode facilmente ultrapassar em muito o texto onírico em si. O mais profícuo pareceria, portanto, escolher para a análise diversos sonhos curtos que possam ao menos, cada um deles, nos dizer ou confirmar alguma coisa. Será essa nossa decisão, a menos que a experiência nos indique onde encontrar de fato os sonhos menos deformados.

Todavia, conheço também outro modo de facilitar nosso caminho. Em vez de nos lançarmos à interpretação de sonhos inteiros, vamos nos limitar a elementos isolados dos sonhos e observar, a partir de uma série de exemplos, como eles encontram explicação mediante o emprego de nossa técnica.

a) Uma senhora conta que, quando criança, sonhava com bastante frequência que *Deus tinha sobre a cabeça um chapéu pontiagudo de papel*. Como haverão os senhores de entender isso sem o auxílio da sonhadora? Seu sonho soa completamente absurdo. Deixa de sê-lo, porém, quando a senhora relata que, à mesa, quando criança, costumavam pôr um chapéu semelhante em sua cabeça, porque ela não conseguia parar de olhar

II OS SONHOS

para o prato dos irmãos; queria ver se tinham recebido mais comida que ela. O chapéu deveria, pois, servir de antolhos. De resto, uma informação histórica, fornecida sem qualquer dificuldade. A interpretação desse elemento e, por consequência, de todo esse sonho breve, resulta fácil com o auxílio de uma associação feita pela sonhadora. "Como tinham me dito que Deus era onisciente e via tudo", disse ela, "esse sonho só pode significar que sei e vejo tudo, como Deus, mesmo quando tentam me impedir de fazê-lo." Trata-se, talvez, de um exemplo demasiado simples.

b) Uma paciente cética tem um sonho mais longo, durante o qual certas pessoas lhe contam sobre meu livro acerca do chiste e o elogiam bastante. Depois, mencionam algo sobre um "canal", *talvez outro livro em que aparece um canal, alguma coisa relacionada a canal... ela não sabe ao certo... não está claro.*

Com certeza, os senhores tenderão a acreditar que o elemento "canal" fugirá à interpretação por ser, ele próprio, tão indefinido. E estão certos quanto à dificuldade que aí supõem, mas essa dificuldade não decorre da falta da clareza: a falta de clareza é que decorre de outro motivo, o mesmo que torna difícil a interpretação. Nada ocorre, à sonhadora, que ela seja capaz de vincular a "canal"; eu, é claro, tampouco sei o que dizer. Passado algum tempo — na verdade, no dia seguinte —, ela relata ter-lhe ocorrido algo que *talvez* esteja relacionado ao assunto. Trata-se de uma piada que alguém lhe contou. Em um navio entre Dover e Calais, um conhecido escritor conversa com um inglês, que, em determina-

7. CONTEÚDO ONÍRICO MANIFESTO E PENSAMENTOS ONÍRICOS LATENTES

do contexto, cita a frase: *Du sublime au ridicule il n'y a qu'un pas* [Do sublime ao ridículo há apenas um passo]. O escritor responde: *Oui, le Pas de Calais*. O que ele quer dizer é que acha a França grandiosa e a Inglaterra, ridícula. O *Pas de Calais*, no entanto, é um canal: o Canal da Mancha. Se acho que essa associação tem relação com o sonho? É claro que sim; na realidade, ela dá solução ao elemento misterioso do sonho. Ou os senhores duvidam que, anteriormente ao sonho, essa piada já estava presente como conteúdo inconsciente de "canal"? Supõem, então, que ele só foi acrescentado depois? A associação que ocorreu à paciente dá testemunho de seu ceticismo, um ceticismo que, nela, se oculta por trás de uma insistente admiração. A resistência é, provavelmente, a razão para ambas as coisas, tanto para a associação tão hesitante como para a indefinição do correspondente elemento do sonho. Observem aqui a relação deste último com seu conteúdo inconsciente. Ele é como um pedacinho desse inconsciente, como uma alusão a ele, mas seu isolamento tornou-o incompreensível.

c) Um paciente tem um sonho dotado de contextualização mais extensa. À volta de uma mesa de formato particular, estão sentados diversos membros de sua família etc. Em relação à mesa, o que lhe ocorre é que já havia visto móvel semelhante em visita a determinada família. Seus pensamentos prosseguem: nessa família, pai e filho tinham um relacionamento especial, ao que ele logo acrescenta que, na verdade, o mesmo acontece entre ele e seu pai. A mesa, portanto, figura no sonho para caracterizar esse paralelo.

II OS SONHOS

Esse paciente estava familiarizado havia tempo com as demandas da interpretação dos sonhos. Um outro talvez tivesse se surpreendido com o fato de um detalhe tão insignificante como a forma de uma mesa ser tomado como objeto de pesquisa. Na verdade, não há nada que consideremos casual ou indiferente num sonho; é justamente da explicação para detalhes tão ínfimos e imotivados que esperamos obter informação. Os senhores talvez se admirem de o trabalho onírico ter se valido da escolha da mesa para dar expressão ao pensamento "em nossa casa, é como na deles". Mas também isso estará explicado, se eu disser aos senhores que a família em questão tinha por sobrenome *Tischler* [marceneiro]. Na medida em que nosso sonhador faz seus parentes tomarem lugar àquela mesa [*Tisch*, em alemão], ele os declara *Tischler* também. Notem, de resto, como a comunicação de tais interpretações de sonhos nos torna necessariamente indiscretos. Os senhores reconhecerão aí uma das dificuldades que sugeri existir na escolha de exemplos. Teria sido fácil para mim substituir o presente exemplo por outro, mas provavelmente só teria evitado uma indiscrição à custa de outra.

É hora, parece-me, de introduzir aqui dois termos que há muito poderíamos ter empregado. Àquilo que o sonho narra, chamamos *conteúdo manifesto do sonho*; ao conteúdo oculto, ao qual nos cabe chegar pela via das associações, damos o nome de *pensamentos oníricos latentes*. Atentemos, pois, para as relações entre conteúdo onírico manifesto e pensamentos oníricos latentes, como elas se apresentam nesses exemplos. Essas relações po-

7. CONTEÚDO ONÍRICO MANIFESTO E PENSAMENTOS ONÍRICOS LATENTES

dem ser de caráter bastante diverso. Nos exemplos a) e b), o elemento manifesto é parte dos pensamentos latentes, constituindo, porém, pequena porção deles. Da grande construção psíquica amalgamada nos pensamentos oníricos inconscientes, um pedacinho também alcança o sonho manifesto sob a forma de fragmento ou, em outros casos, de uma alusão, como uma rubrica, uma abreviação em estilo telegráfico. O trabalho interpretativo precisa reconstituir o todo a partir desse pedaço ou alusão, o que conseguimos fazer muito bem no exemplo b). Um dos tipos de deformação em que consiste o trabalho do sonho é, pois, a substituição por um fragmento ou alusão. Em c), além disso, reconhece-se outro tipo de relação, o qual, nos exemplos que se seguem, vemos expresso de modo mais puro e nítido.

d) O sonhador *tira* [*hervorziehen*] *uma dama* (determinada, conhecida) *de detrás da cama*. Já na primeira coisa que lhe ocorre, ele mesmo encontra o sentido desse elemento do sonho. O significado é que ele dá *preferência* [*vorziehen*] à dama em questão.

e) Outro sonha que *seu irmão está dentro de uma caixa*. Sua primeira associação substitui "caixa" [*Kasten*] por armário [*Schrank*]; a segunda fornece a interpretação: o que o irmão está fazendo é *se restringir* [*sich einschränken*].

f) O sonhador *escala uma montanha, de cima da qual desfruta de uma vista ampla e extraordinária*. Isso soa inteiramente racional, talvez não haja aí o que interpretar, tratando-se de descobrir apenas a que reminiscência o sonho se refere e por que motivo ela foi evocada. Mas os senhores se equivocam. O que se revela é que

II OS SONHOS

esse sonho necessita tanto de interpretação quanto algum outro, mais confuso. Com efeito, nada ocorre ao sonhador acerca da escalada de uma montanha; o que lhe vem à mente é que um conhecido está organizando um número da revista *Rundschau* [ao pé da letra, "vista panorâmica"] dedicado a nossas relações com continentes os mais longínquos. O pensamento onírico latente é aqui, portanto, a identificação do sonhador com o *Rundschauer* [aquele que "olha em torno", desfrutando da vista panorâmica].

Os senhores encontram aqui um novo tipo de relação entre os elementos manifesto e latente do sonho. Aquele não é bem uma deformação, mas uma representação desse, mediante uma imagem plástica concreta que tem na literalidade da palavra seu ponto de partida. Não obstante, e por isso mesmo, trata-se de novo de uma deformação, uma vez que já não sabemos em que imagem concreta a palavra teve origem, razão pela qual não a reconhecemos quando é substituída pela imagem. Se os senhores levarem em consideração que o sonho manifesto se constitui predominantemente de imagens visuais — raras vezes de pensamentos ou palavras —, poderão adivinhar que cabe a esse tipo de relação importância especial na formação do sonho. Veem também que, por esse caminho, torna-se possível a uma grande série de pensamentos abstratos criar no sonho manifesto imagens substitutivas que, afinal, servem unicamente ao propósito do ocultamento. Essa é a técnica dos conhecidos enigmas compostos de imagens. De onde vem a aparência de algo chistoso que tais

7. CONTEÚDO ONÍRICO MANIFESTO E PENSAMENTOS ONÍRICOS LATENTES

representações têm, essa é uma questão especial, de que não carece nos ocuparmos aqui.

Acerca de um quarto tipo de relação existente entre os elementos manifesto e latente, devo me calar até que ela seja mencionada em nossa técnica. Mesmo então não terei feito aos senhores uma enumeração completa, mas isso é quanto basta para nossos propósitos.

Têm os senhores a coragem de se lançar agora à interpretação de um sonho completo? Façamos a tentativa e vejamos se estamos bem equipados para essa tarefa. Naturalmente, não vou escolher nenhum dos sonhos mais obscuros, mas decerto optarei por um que traz bem marcadas as propriedades do sonho.

Pois bem. Uma jovem dama, casada há muitos anos, sonha o seguinte: *Está no teatro com o marido, e todo um lado da plateia está vazio. O marido conta a ela que Elise L. e o noivo também queriam ir, mas só haviam encontrado lugares ruins, três por um florim e cinquenta centavos, os quais não puderam aceitar. Não teria sido nenhuma desgraça, é o que pensa a jovem dama.*

A primeira coisa que a sonhadora nos conta é que o pretexto para o sonho é mencionado no próprio conteúdo manifesto. O marido de fato contara a ela que Elise L., uma conhecida mais ou menos da mesma idade, tinha ficado noiva. O sonho é uma reação a esse comunicado. Sabemos já que, para muitos sonhos, é fácil buscar justificativa em um episódio do dia anterior, e que tais derivações são com frequência apontadas pelo sonhador sem nenhuma dificuldade. Outras informações desse mesmo tipo, para outros elementos do sonho

II OS SONHOS

manifesto, nos são também fornecidas pela sonhadora. Qual a procedência do detalhe segundo o qual todo um lado da plateia estava vazio? Trata-se de uma alusão a um fato real ocorrido na semana anterior. Ela pretendera ir a um espetáculo teatral e, por isso, comprara ingressos *antecipadamente*, e com tanta antecedência que precisara pagar uma taxa pela venda antecipada. Quando chegou ao teatro, verificou-se que sua preocupação havia sido desnecessária, uma vez que *um lado da plateia estava quase vazio*. Teria podido comprar os ingressos no próprio dia do espetáculo. O marido tampouco perdera a oportunidade de provocá-la por causa daquela *precipitação*. E quanto ao preço, um florim e cinquenta centavos? A informação provinha de outro contexto, bem diferente, que nada tinha a ver com o anterior, mas que, de novo, fazia alusão a notícia recente. Sua cunhada ganhara de presente do marido a soma de 150 florins, e a parvalhona logo correra ao joalheiro para gastar o dinheiro numa joia. De onde vem o número 3? Sobre isso, a sonhadora não sabe o que dizer, a não ser que aceitemos a associação que fez: a noiva, Elise L., era três meses mais nova que ela, que já estava casada fazia quase dez anos. E quanto ao absurdo de se comprar três ingressos, se são apenas duas pessoas? A esse respeito, a sonhadora não diz nada; recusa-se a fazer qualquer outra associação e a dar mais informações.

Contudo, ao nos relatar suas poucas associações, a jovem dama nos deu tanto material que, a partir dele, é possível adivinhar seus pensamentos oníricos latentes. Há de chamar a atenção que, em suas comunicações

7. CONTEÚDO ONÍRICO MANIFESTO E PENSAMENTOS ONÍRICOS LATENTES

acerca do sonho, surjam em vários lugares informações temporais precisas, as quais fundamentam um ponto comum entre partes diversas do material. Ela comprou *cedo demais* os ingressos para o teatro, *precipitou-se* em tê-los à mão, tanto assim que precisou pagar mais por isso. A cunhada, de modo similar, *apressa-se* rumo ao joalheiro, a fim de comprar uma joia com o dinheiro ganho, como se corresse o risco de *se atrasar* ao fazê-lo. Juntemos a esses tão enfáticos "cedo demais" e "precipitadamente" o pretexto em si para o sonho (a notícia segundo a qual a amiga, apenas três meses *mais jovem*, encontrara enfim um homem decente) e a crítica expressa no xingamento dirigido à cunhada — a de que aquela sua pressa era *absurda* —, e, como que espontaneamente, deparamos com a seguinte construção dos pensamentos oníricos latentes, para os quais o sonho manifesto constitui maldisfarçado sucedâneo:

"Foi um *absurdo* da minha parte ter me apressado tanto em me casar! Pelo exemplo de Elise, vejo agora que, mesmo mais tarde, teria arrumado um marido." (A pressa é representada por seu comportamento quando da compra dos ingressos e pelo da cunhada ao comprar a joia. O sucedâneo para o casamento surge aqui como a ida ao teatro.) Teríamos aí o pensamento principal. Talvez possamos seguir adiante, embora com menor certeza, porque, nos pontos a seguir, a análise não poderia prescindir das manifestações da sonhadora. "Teria conseguido um lugar cem vezes melhor pelo mesmo dinheiro!" (cento e cinquenta florins é cem vezes mais que um florim e cinquenta centavos.) Se nos

II OS SONHOS

é lícito tomar o dinheiro pelo dote, isso significaria a compra do marido com o dote: tanto a joia como os ingressos ruins figurariam aqui no lugar do cônjuge. Ainda mais desejável seria que precisamente o elemento "três ingressos" tivesse algo a ver com um homem. Nossa compreensão, porém, não chega a tanto. Adivinhamos apenas que o sonho expressa a *subestimação* do marido e o arrependimento por *ter se casado tão cedo*.

Meu juízo é que ficaremos mais surpresos e confusos do que satisfeitos com o resultado dessa primeira interpretação de um sonho. Ela nos fornece dados demais de uma só vez, mais do que aquilo com que, no momento, temos a capacidade de lidar. Notamos já que não vamos esgotar os ensinamentos dessa interpretação. Apressemo-nos, pois, em extrair daí a percepção daqueles que reconhecemos como conhecimentos novos e seguros.

Em primeiro lugar, é notável que, nos pensamentos latentes, a ênfase principal recaia sobre o elemento da precipitação; no sonho manifesto não encontramos sinal dele. Sem a análise, não poderíamos ter ideia de que esse fator desempenha um papel. Parece, portanto, possível que justamente o principal, aquilo que é central nos pensamentos inconscientes, fique de fora do sonho manifesto. Em razão disso, a impressão que temos do sonho todo precisa ser profundamente transformada. Em segundo lugar, encontramos no sonho uma combinação sem sentido: três por um florim e cinquenta. Dos pensamentos oníricos, extraímos a frase: foi um absurdo (ter me casado tão cedo). Pode-se descartar a possibilidade de esse pensamento ("foi um absurdo") ser representado no sonho manifesto pela inclusão neste de um elemento absurdo? Em terceiro lugar, um olhar comparativo ensina que a relação entre elementos manifestos e latentes não é de modo algum uma relação simples, na qual um único elemento manifesto seja sempre o substituto de outro, latente. Antes, é necessário que haja uma relação de conjunto entre esses dois campos, dentro da qual um elemento manifesto pode representar vários elementos latentes, ou um elemento latente pode ser substituído por diferentes elementos manifestos.

No que toca ao sentido do sonho e ao comportamento da sonhadora em relação a ele, haveria também muita coisa surpreendente a dizer. Ela por certo reconhece a interpretação, mas se espanta com seu resultado. Não sabia que subestimava tanto seu marido e tampouco sabe por que o faz. Nisso, portanto, ainda há muito de incompreensível. Acredito realmente que ainda não estamos equipados para interpretar um sonho e que necessitamos aprender mais e nos preparar melhor.

8. SONHOS DE CRIANÇAS

Senhoras e senhores: Temos a impressão de que avançamos depressa demais. Recuemos um pouco. Antes de empreendermos nossa recente tentativa de superar a dificuldade da deformação do sonho mediante nossa técnica, havíamos dito a nós mesmos que melhor seria circundá-

II OS SONHOS

-la, atendo-nos àqueles sonhos em que a deformação não se apresenta ou se mostra em grau mínimo, caso existam sonhos assim. De novo, isso representa um desvio na linha evolutiva de nosso conhecimento, uma vez que, na realidade, só notamos a existência dos sonhos livres de deformação depois de termos empregado com coerência nossa técnica interpretativa e de havermos efetuado análises completas dos sonhos deformados.

Os sonhos que procuramos se acham nas crianças. Eles são curtos, claros, coerentes, fáceis de entender e inequívocos, e, no entanto, são indubitavelmente sonhos. Não creiam os senhores que todos os sonhos infantis são dessa mesma natureza. Também a deformação do sonho tem início bem no começo da infância; já se registraram sonhos de crianças de cinco a oito anos que traziam em si todas as características dos posteriores. Se, contudo, os senhores se limitarem ao período que vai desde o início da atividade psíquica reconhecível até o quarto ou quinto ano de vida, reunirão uma série de sonhos possuidores do caráter que se pode chamar de infantil, podendo ainda encontrar exemplos isolados desses mesmos sonhos nos anos finais da infância. Na verdade, sob certas condições, até pessoas adultas têm sonhos idênticos àqueles típicos da infância.

Desses sonhos infantis podemos extrair, com grande facilidade e grau de certeza, esclarecimentos acerca da natureza do sonho, que, segundo esperamos, hão de se mostrar decisivos e de validade universal.

1. Para a compreensão desses sonhos, não é necessário realizar nenhuma análise e tampouco empregar uma

8. SONHOS DE CRIANÇAS

técnica. Não precisamos questionar a criança que conta seu sonho. Mas é preciso acrescentar algumas informações de sua vida. Sempre deparamos com uma experiência vivida no dia anterior a nos explicar seu sonho. O sonho é a reação da vida psíquica, durante o sono, a essa experiência vivida durante o dia.

Vejamos alguns exemplos, a fim de neles basear conclusões ulteriores.

a) Um menino de 22 meses deve dar de presente de aniversário uma cesta de cerejas. Claramente, ele o faz muito a contragosto, embora tenham lhe prometido que ele próprio ganharia algumas delas. Na manhã seguinte, ele conta seu sonho: *He(r)mann comeu todas as cerejas*.

b) Uma menina de três anos e três meses atravessa o lago pela primeira vez. Na hora de desembarcar, ela se recusa a deixar o barco e chora copiosamente. Para ela, a viagem de barco parece ter passado rápido demais. Na manhã seguinte: *Essa noite estive no lago*. Por certo, podemos complementar, essa viagem durou mais tempo.

c) Um garoto de cinco anos e três meses participa de uma excursão ao Escherntal, junto de Hallstatt. Tinha ouvido falar que Hallstatt ficava no sopé da Dachstein, montanha pela qual demonstrara grande interesse. Da casa, no Aussee, tinha uma bela vista da Dachstein, e, com o binóculo, podia-se ver lá no topo a Cabana de Simony. O menino se empenhara repetidas vezes para conseguir avistar a cabana com o binóculo, não se sabe com que resultado. A excursão começou em um clima alegre, de muita expectativa. Sempre que uma nova montanha surgia, o garoto perguntava: "Essa aí é a Dachstein?".

II OS SONHOS

Seu humor ia piorando à medida que recebia um não como resposta, até que se calou de vez e não quis seguir a pequena trilha até a cachoeira. Acharam que estava cansado demais, mas, na manhã seguinte, ele relatou com grande felicidade: "Essa noite, sonhei *que estivemos na Cabana de Simony*". Havia sido com essa expectativa, portanto, que ele tomara parte na excursão. Acerca dos detalhes, relatou apenas o que já tinha ouvido antes: até lá em cima, são seis horas subindo degraus.

Esses três sonhos bastam para nos fornecer todas as informações desejadas.

2. Vemos que esses sonhos infantis não são desprovidos de sentido; são *atos psíquicos compreensíveis e plenamente válidos*. Lembrem-se do que lhes disse inicialmente sobre o juízo da medicina acerca dos sonhos, a comparação com dedos não versados em música deslizando sobre as teclas do piano. Não escapará aos senhores quão radicalmente esses sonhos infantis contrariam aquela concepção. Seria, contudo, demasiado peculiar que justamente a criança seja capaz de feitos psíquicos plenos durante o sono, enquanto um adulto se contenta com reações semelhantes a espasmos. Temos, ademais, todas as razões para acreditar que a criança goza de um sono melhor e mais profundo.

3. Esses sonhos são isentos de deformação, e por isso não requerem trabalho interpretativo. Aqui, os sonhos manifesto e latente coincidem. *Assim, a deformação não é da essência do sonho*. Suponho que isso tira um peso do coração dos senhores. Todavia, examinando-os mais de perto, admitiremos haver uma porçãozinha de deforma-

8. SONHOS DE CRIANÇAS

ção, certa diferença entre conteúdo onírico manifesto e pensamentos oníricos latentes também nesses sonhos.

4. O sonho infantil é a reação a uma experiência vivida durante o dia que deixou algum arrependimento, algum anseio ou um desejo não realizado. *O sonho traz a realização direta, não encoberta, desse desejo.* Pensem agora em nossas explicações sobre o papel dos estímulos corporais externos ou internos como perturbadores do sono e incitadores de sonhos. Chegamos a ele por meio de fatos absolutamente seguros, mas não logramos elucidar dessa maneira senão uma pequena quantidade de sonhos. Nesses sonhos infantis, nada aponta para a influência de tais estímulos somáticos; nisso não temos como nos equivocar, uma vez que os sonhos são inteiramente compreensíveis e fáceis de apreender em sua totalidade. Nem por isso, contudo, é necessário que desistamos da etiologia dos estímulos no sonho. Podemos tão somente nos perguntar por que, desde o início, nos esquecemos de que, além dos corporais, há também estímulos psíquicos perturbadores do sono. Sabemos, afinal, que devemos a tais excitações a perturbação do sono do adulto, na medida em que elas o impedem de produzir a disposição psíquica para o sono, ou seja, a retirada do interesse no mundo. Ele não quer interromper a vida, preferindo, antes, dar continuidade ao trabalho nas coisas que o ocupam, razão pela qual não adormece. Para a criança, tal estímulo psíquico perturbador do sono é o desejo não resolvido, ao qual ela reage com o sonho.

5. Daí chegamos, pelo caminho mais curto, a uma informação importante sobre a função do sonho. Como

II OS SONHOS

reação ao estímulo psíquico, ele precisa ter o valor de uma resolução desse estímulo, a fim de que este possa ser eliminado e o sono possa prosseguir. De que forma o sonho possibilita dinamicamente essa resolução, ainda não sabemos, mas já podemos perceber que *o sonho não perturba o sono*, como ele é acusado de fazer; ele é, antes, *o guardião do sono, o eliminador das perturbações ao sono*. Embora acreditemos que teríamos dormido melhor se não fosse pelo sonho, estamos errados; na realidade, sem o auxílio do sonho não teríamos nem sequer dormido. É mérito do sonho que tenhamos dormido bem. Ele não deixa de nos incomodar um pouco, da mesma forma como o guarda-noturno com frequência é obrigado a fazer algum ruído enquanto dá caça aos perturbadores da paz desejosos de nos acordar com seu barulho.

6. Que um desejo seja o causador do sonho, que a realização desse desejo seja o conteúdo do sonho, é uma de suas características principais. A outra característica, igualmente constante, é que o sonho não apenas dá expressão a um pensamento, mas apresenta, sob a forma de uma experiência alucinatória, aquele desejo como realizado. *Quero atravessar o lago*, diz o desejo que enseja o sonho; o sonho em si tem por conteúdo *estou atravessando o lago*. Portanto, uma diferença entre os sonhos latente e manifesto, uma deformação do pensamento onírico latente, está presente também nesses simples sonhos infantis: trata-se da *transformação do pensamento em experiência vivida*. Na interpretação do sonho, cumpre sobretudo desfazer essa alteração. Caso isso venha a se confirmar como uma característica das

8. SONHOS DE CRIANÇAS

mais gerais do sonho, então o fragmento relatado anteriormente, *"vejo meu irmão dentro de uma caixa"*, não se traduz por "meu irmão se restringe", e sim por "eu gostaria que meu irmão se restringisse, *meu irmão precisa se restringir"*. Das duas características gerais do sonho apresentadas aqui, a segunda tem obviamente mais chance de ser aceita sem contestação do que a primeira. Apenas mediante investigações bastante abrangentes poderemos assegurar que o causador do sonho há de ser sempre um desejo, e não uma preocupação, uma intenção ou uma recriminação. Isso, no entanto, não afetará a outra característica: a de que o sonho não reproduz simplesmente esse estímulo, mas o anula, elimina, resolve, por meio de uma espécie de experiência vivida.

7. A partir dessas características do sonho, podemos retomar a comparação do sonho com o ato falho. Neste último, diferenciamos a tendência perturbadora daquela que sofreu perturbação, constituindo o ato falho um compromisso entre ambas. O sonho insere-se nesse mesmo esquema. A tendência que sofreu perturbação só pode ser a tendência a adormecer. A tendência perturbadora é substituída, nesse caso, pelo estímulo psíquico, ou, digamos, pelo desejo que demanda resolução, porque não identificamos até o momento nenhum outro estímulo psíquico perturbador. Também o sonho é resultado de um compromisso. As pessoas dormem, mas experimentam a eliminação de um desejo; satisfazem um desejo mas, ao mesmo tempo, prosseguem com o sono. Ambas as coisas são em parte realizadas e em parte abandonadas.

II OS SONHOS

8. O senhores se lembram de que, anteriormente, nutrimos a esperança de obter acesso à compreensão dos problemas do sonho a partir do fato de que certas construções fantasiosas e bastante transparentes para nós são chamadas de *sonhos diurnos*. Esses sonhos diurnos são, na verdade, realizações de desejos, de desejos ambiciosos e eróticos que nos são bem conhecidos. Mas, ainda que vividamente representados, são desejos pensados, jamais vividos de forma alucinatória. Das duas características principais do sonho, os sonhos diurnos mantêm, portanto, aquela de que temos menos segurança, ao passo que a outra está ausente, porque depende do sono e não é realizável no estado de vigília. O uso da língua nos dá, pois, um sinal de que a realização do desejo é característica central do sonho. Paralelamente a isso, se a experiência vivida no sonho é apenas imaginação transformada, possibilitada pelas condições do sono — ou seja, um "sonhar diurno *noturno*" —, compreende-se de pronto que o processo de formação do sonho logra eliminar o estímulo noturno e proporcionar satisfação, uma vez que também o sonho diurno é atividade ligada à satisfação e que só cultivamos por causa dela.

Além desse, outros usos da língua se manifestam na mesma direção. Conhecidos provérbios alemães dizem que o porco sonha com bolotas de carvalho e o ganso com milho, ou perguntam com que sonha a galinha: com milho. Os provérbios, portanto, descem ainda mais, indo da criança ao animal, e afirmam que o conteúdo do sonho é a satisfação de uma necessidade. Muitos usos idiomáticos parecem sugerir o mesmo, como quando se

8. SONHOS DE CRIANÇAS

diz da beleza que ela é "de sonho" ou quando afirmamos coisas como "nem em sonho eu teria pensado nisso", ou "nem em meus sonhos mais ousados eu teria imaginado...". Nisso o uso da língua toma evidente partido. É verdade que existem também sonhos angustiantes e sonhos de conteúdo embaraçoso ou indiferente, mas estes não serviram de estímulo à língua. Embora ela reconheça a existência de sonhos "ruins", o sonho em si é, para ela, apenas a doce realização de um desejo. Tampouco encontramos um provérbio que nos assegure que o porco ou o ganso sonham com a própria morte.

Naturalmente, é inconcebível que o caráter de realização do desejo exibido pelo sonho não tenha sido notado pelos autores que escreveram sobre o assunto. Na verdade, muitas vezes esse caráter foi mencionado, mas a ninguém ocorreu reconhecê-lo como uma característica geral e fazer dele a pedra angular para a explicação dos sonhos. Bem podemos imaginar o que os impediu de tomar esse caminho, e falaremos sobre isso em mais detalhe.

Mas vejam os senhores toda a gama de explicações que extraímos da consideração dos sonhos infantis, e quase sem esforço nenhum! Depreendemos deles a função do sonho como guardião do sono; seu surgimento a partir de duas tendências concorrentes, das quais uma permanece constante (a demanda pelo sono), ao passo que a outra almeja satisfazer um estímulo psíquico; a prova de que o sonho é um ato psíquico pleno de sentido; suas duas características principais: a realização do desejo e a vivência alucinatória. E, ao descobrir tudo isso, quase pudemos nos esquecer de que estávamos fa-

II OS SONHOS

zendo psicanálise. À parte a ligação estabelecida com os atos falhos, nosso trabalho não exibiu nenhum cunho especificamente psicanalítico. Qualquer psicólogo que nada saiba dos pressupostos da psicanálise poderia ter nos fornecido o mesmo esclarecimento acerca dos sonhos infantis. Por que nenhum o fez?

Se só existissem sonhos como os infantis, o problema estaria resolvido, nossa tarefa teria sido cumprida — e, aliás, sem inquirir o sonhador, sem recorrer ao inconsciente e sem fazer uso da livre associação. Aí está, evidentemente, a tarefa ainda a cumprir. Repetidas vezes, já nos ocorreu de características dadas como de validade geral se confirmarem apenas em certo tipo e certa quantidade de sonhos. Para nós, trata-se, assim, de saber agora se as características gerais depreendidas dos sonhos infantis são mais duradouras, se elas valem também para sonhos não transparentes, cujo conteúdo manifesto não permite reconhecer nenhuma relação com algum desejo diurno que restou. Acreditamos que esses outros sonhos sofreram uma abrangente deformação e, por isso, não podem ser avaliados de pronto. Imaginamos também que, para o esclarecimento dessa deformação, vamos precisar da técnica psicanalítica, da qual pudemos prescindir na recém-adquirida compreensão dos sonhos infantis.

Existe, todavia, ainda uma classe de sonhos que não se mostram deformados e que, como os infantis, podem facilmente ser reconhecidos como realizações de desejos. São aqueles que, ao longo de toda a vida, são provocados por necessidades somáticas imperativas como a

8. SONHOS DE CRIANÇAS

fome, a sede, a necessidade sexual, ou seja, realizações de desejos como reação a estímulos somáticos internos. Assim, anotei um sonho de uma menina de dezenove meses que consistia em um cardápio do qual constava também o nome dela (*Anna F.* ..., *morangos, morangos silvestres, ovos mexidos, mingau*), como reação a um dia de jejum motivado por um problema digestivo, problema este que fora relacionado à fruta que figura duas vezes no sonho. Ao mesmo tempo, sua avó, cuja idade somada à da neta perfazia setenta anos, precisara jejuar um dia inteiro, em razão do transtorno de um rim flutuante, e na mesma noite sonhou que, convidada (à casa de alguém), lhe haviam servido os melhores petiscos. Observações feitas em prisioneiros obrigados a passar fome e em pessoas que sofreram privações em viagens e expedições ensinam que, sob tais condições, são constantes os sonhos em que figura a satisfação de tais necessidades. É o que, em *Antarctic* (1904), Otto Nordenskjöld relata sobre a tripulação que passou o inverno com ele (vol. 1, pp. 336 ss): "Bastante característico da direção tomada por nossos pensamentos mais íntimos eram nossos sonhos, que jamais haviam sido tão vívidos e numerosos como agora. Mesmo aqueles dentre nossos camaradas que, em geral, quase nunca sonhavam tinham agora, pela manhã, quando trocávamos nossas últimas experiências nesse mundo da fantasia, longas histórias para contar. Todas elas tratavam do mundo exterior, agora tão distante de nós, embora com frequência adaptadas a nossa situação atual... Na maior parte das vezes, nossos sonhos giravam em torno de comida e bebida. Um de nós, que se

II OS SONHOS

distinguia por participar de grandes almoços noturnos, ficava felicíssimo quando, de manhã, podia contar que tinha feito 'uma refeição de três pratos'; outro sonhava com tabaco, com montanhas inteiras de tabaco; e outros ainda com o navio que, a toda vela, se aproximava pelo mar aberto. Menção aqui merece também um outro sonho. O carteiro vem trazer a correspondência e dá uma longa explicação sobre por que ela demorou tanto a chegar: ele a teria entregado no endereço errado, e somente depois de muito esforço havia conseguido reavê-la. É claro que, durante o sono, nos ocupávamos de coisas ainda mais impossíveis, mas a falta de fantasia em quase todos os sonhos, tanto os que eu próprio sonhei como aqueles que me contaram, era bastante notável. Decerto, seria de grande interesse psicológico que todos esses sonhos tivessem sido anotados. Mas é fácil compreender o quanto ansiávamos pelo sono, uma vez que ele podia nos oferecer o que cada um de nós mais ardentemente desejava". Cito ainda uma passagem extraída de Du Prel: "Mungo Park, perto de morrer de sede em viagem pela África, sonhava sem cessar com os vales e as pradarias abundantes em água de sua terra natal. Da mesma forma, Trenck, atormentado pela fome na fortaleza de Magdeburgo, via-se cercado de opulentas refeições, e George Back, que participou da primeira expedição de Franklin, sonhava constante e regularmente com ricos banquetes, enquanto, em consequência de terríveis privações, aproximava-se da morte por inanição".

É comum que, vítima de sede noturna, uma pessoa que tenha degustado pratos de forte tempero durante o

8. SONHOS DE CRIANÇAS

jantar sonhe estar bebendo. No sonho, é decerto impossível resolver uma necessidade mais forte de comida ou bebida; o sonhador acorda sedento e precisa, então, tomar água de verdade. Na prática, é insignificante o que o sonho opera nesse caso, mas não menos claro é que ele surge com o propósito de preservar o sono do estímulo que compele ao despertar e à ação. Com frequência, porém, tratando-se de necessidades menos intensas, sonhos de satisfação bastam para superá-las.

Também sob a influência de estímulos sexuais, o sonho proporciona satisfação, mas esta revela peculiaridades dignas de nota. Em razão de o instinto sexual ser um pouco menos dependente de seu objeto do que a fome e a sede, a satisfação nos sonhos em que há polução pode ser real; em virtude de certas dificuldades na relação com o objeto, as quais mencionaremos mais adiante, é muito comum que essa satisfação real se vincule a um conteúdo onírico obscuro ou deformado. Como notou Otto Rank, essa peculiaridade dos sonhos que apresentam polução os torna objetos propícios para o estudo da deformação do sonho. Nos adultos, aliás, todos os sonhos motivados por necessidade costumam conter, além da satisfação, algo que provém de fontes estimuladoras puramente psíquicas e que, para sua compreensão, demandam interpretação.

De resto, não é nosso desejo afirmar que os sonhos de realização de um desejo dos adultos, moldados à semelhança dos infantis, só ocorrem como reação às necessidades imperativas já mencionadas. Conhecemos também sonhos curtos e claros dessa mesma natureza,

II OS SONHOS

influenciados por certas situações dominantes, os quais provêm de fontes estimuladoras indubitavelmente psíquicas. Assim é, por exemplo, com os sonhos de impaciência, quando alguém já fez os preparativos para uma viagem, uma apresentação teatral que lhe é importante, uma palestra ou uma visita e sonha, então, com a realização antecipada de sua expectativa, ou seja, na noite anterior ao evento, vê-se já em seu destino, no teatro ou em conversa com seu anfitrião. O mesmo se verifica naqueles que, com razão, são chamados sonhos de conforto, quando alguém que gostaria de prolongar o sono sonha já ter se levantado, se lavado ou já estar na escola, ao passo que, na realidade, segue dormindo: prefere levantar-se no sonho a fazê-lo de verdade. Nesses sonhos, o desejo de dormir, que já identificamos como partícipe constante da formação do sonho, ganha clara expressão e se revela seu principal formador. A necessidade de dormir coloca-se, com toda razão, ao lado das outras grandes necessidades físicas.

Quero mostrar aos senhores, mediante a reprodução de um quadro de Schwind que está na Galeria Schack, de Munique, com que propriedade o pintor apreendeu o surgimento de um sonho a partir de uma situação vigente. Trata-se do *Sonho do prisioneiro*, que não poderia ter por conteúdo outra coisa senão sua libertação. É muito próprio que a libertação ocorra por meio da janela, porque dela penetra o estímulo de luz que põe fim ao sono do prisioneiro. Os gnomos sobrepostos provavelmente representam as sucessivas posições que ele teria de assumir em sua escalada para alcançar a al-

8. SONHOS DE CRIANÇAS

tura da janela, e, se não estou enganado, se não atribuo ao artista demasiada intencionalidade, o gnomo mais ao alto, aquele que serra as grades — fazendo, portanto, o que ele próprio gostaria de fazer —, ostenta os mesmos traços faciais do prisioneiro.

Em todos os sonhos, à exceção dos infantis e daqueles de tipo infantil, a deformação, como já afirmei, se interpõe em nosso caminho como um impedimento. De início, não sabemos dizer se todos eles são realização de um desejo, como supomos; de seu conteúdo manifesto não depreendemos o estímulo psíquico que lhes deu origem, e tampouco podemos provar que estão todos empenhados na abolição ou resolução desse estímulo. Precisam ser interpretados, isto é, traduzidos; é necessário desfazer a deformação, substituir seu conteúdo manifesto pelo latente, antes que possamos formar um juízo sobre se aquilo que descobrimos em relação aos sonhos infantis pode reivindicar validade para todos os sonhos.

Moritz von Schwind, *O sonho do prisioneiro*

9. A CENSURA
DOS SONHOS

Senhoras e senhores: A partir do estudo dos sonhos de crianças pudemos conhecer a gênese, natureza e função do sonho. *Os sonhos são remoções de estímulos (psíquicos) perturbadores do sono pela via da satisfação alucinatória.* Dos sonhos dos adultos, no entanto, logramos esclarecer um só grupo: aquele formado pelos sonhos que designamos de tipo infantil. O que se passa com os demais ainda não sabemos, e tampouco os compreendemos. Por enquanto, chegamos a uma conclusão cuja importância não queremos subestimar. Sempre que um sonho é inteiramente compreensível, ele se revela a realização alucinatória de um desejo. Essa coincidência não pode ser casual nem irrelevante.

Com base em reflexões diversas e na analogia com nossa concepção dos atos falhos, supomos que um sonho de outro tipo seja um sucedâneo deformado de um conteúdo conhecido, e precisa ser relacionado a este primeiramente. A investigação e a compreensão dessa *deformação do sonho* constituem, pois, nossa próxima tarefa.

A deformação do sonho é que faz com que ele nos pareça estranho e incompreensível. Queremos saber várias coisas a seu respeito: em primeiro lugar, de onde ela vem, sua dinâmica; em segundo, o que ela faz e, por fim, como o faz. Podemos afirmar também que a deformação é obra do trabalho do sonho. Vamos, pois, descrever o trabalho do sonho e remontá-lo às forças que nele atuam.

II OS SONHOS

Ouçam agora o sonho que vou lhes contar. Ele foi registrado por uma dama de nosso círculo[2] e, segundo informou ela, provém de uma senhora de meia-idade, bastante respeitada e culta. Não se procedeu a nenhuma análise desse sonho. Nossa informante assinala que, para psicanalistas, ele não necessita de interpretação. A própria sonhadora tampouco o interpretou, mas julgou-o e condenou-o como se soubesse interpretá-lo, uma vez que declarou sobre ele: "E coisa semelhante, repugnante e estúpida como essa, é o que sonha uma mulher de cinquenta anos que, noite e dia, não pensa senão em cuidar do filho!".

Eis o sonho dos "serviços amorosos".*

"Ela vai ao hospital número 1 da guarnição e diz ao guarda no portão que precisa falar com o médico-chefe, doutor ... (fala um nome que lhe é desconhecido), porque quer prestar serviços no hospital. Ao dizê-lo, ela enfatiza a palavra 'serviços' de tal maneira que o suboficial nota de pronto que se trata de serviços 'amorosos'. Como é uma senhora de idade, ele, depois de certa hesitação, a deixa entrar. Mas, em vez de ir até o médico-chefe, ela chega a uma sala grande e escura, na qual muitos oficiais e médicos militares se encontram em pé e sentados ao redor de uma mesa comprida. Ela se di-

---

2 A dra. von Hug-Hellmuth

* No original, *Liebesdienste*, que significa primariamente "serviço feito por caridade ou por obséquio", mas que adquire, no contexto, um sentido menos inocente, pois *Liebe* é "amor".

9. A CENSURA DOS SONHOS

*rige a um médico e capitão, que, depois de umas pou-
cas palavras, a compreende perfeitamente. No sonho,
o conteúdo textual de sua fala é: 'Eu e muitas outras
mulheres e moças de Viena estamos prontas a, em prol
dos soldados, de toda a corporação e de seus oficiais,
sem distinção, [...]'. Aqui, a fala no sonho se torna um
murmúrio. Que, porém, ela foi bem compreendida por
todos os presentes é o que mostram a ela as expressões em
parte constrangidas, em parte maliciosas nos rostos dos
oficiais. A dama prossegue: 'Sei que nossa decisão causa
estranheza, mas ela foi tomada com toda a seriedade.
No campo de batalha, tampouco perguntam ao soldado
se quer ou não morrer'. Segue-se um silêncio embaraçoso
de cerca de um minuto. O médico e capitão passa o braço
pela cintura da dama e diz: 'Prezada senhora, suponha
que chegue de fato a acontecer de [...] (murmúrio)'. Ela
se esquiva do braço do capitão enquanto pensa consigo:
'São mesmo todos iguais'. Em seguida, responde: 'Deus
do céu, sou uma mulher de idade e talvez nem chegue
a tanto. De resto, uma condição teria de ser respeitada: a de que se leve em consideração a idade, isto é, a
de que jamais uma mulher de meia-idade e um garoto
jovem [...] (murmúrio). Isso seria pavoroso'. O médico
responde: 'Compreendo perfeitamente'. Alguns oficiais
riem alto, dentre eles um que, na juventude, a cortejou.
A dama, então, deseja ser levada à presença do médico-
-chefe, seu conhecido, a fim de pôr tudo em pratos lim-
pos. Para seu grande espanto, ocorre-lhe então que ela
não sabe o nome dele. Ainda assim, o médico a instrui
com muita gentileza e respeito a subir até o segundo*

II OS SONHOS

andar por uma estreita escada de ferro, de caracol, que conduz da sala onde se encontram até o andar de cima. Ao subir a escada, ela ouve um oficial dizer: 'É uma decisão colossal, tanto faz se uma mulher é jovem ou velha. Meus parabéns!'. E, com o sentimento de estar cumprindo um dever, ela sobe por uma escada sem fim.

Esse mesmo sonho se repete mais duas vezes em poucas semanas, com modificações insignificantes e que não lhe comprometem o sentido geral, como informa a própria dama."

Em seu caráter contínuo, trata-se de um sonho que equivale a uma fantasia diurna. São poucas as rupturas, e muitos detalhes de conteúdo poderiam ter sido clarificados com uma investigação, o que, como os senhores sabem, não ocorreu. O que chama a atenção e desperta nosso interesse é o fato de o sonho ter várias lacunas — lacunas não de memória, mas de conteúdo. Em três passagens, é como se o conteúdo tivesse sido apagado. As falas onde aparecem tais lacunas são interrompidas por um murmúrio. Como não fizemos uma análise do sonho, tampouco temos, a rigor, o direito de dizer alguma coisa sobre seu sentido. Há nele, porém, alusões a partir das quais se podem tirar certas conclusões, como, por exemplo, na palavra "serviços amorosos"; acima de tudo, os pedaços das falas que antecedem os murmúrios pedem uma complementação que não poderia ser mais inequívoca. Se inserimos ali esse complemento, teremos, do ponto de vista do conteúdo, uma fantasia segundo a qual a sonhadora está disposta a, cumprindo

9. A CENSURA DOS SONHOS

um dever patriótico, oferecer sua própria pessoa para a satisfação das necessidades amorosas dos militares, tanto dos oficiais como da corporação em geral. Sem dúvida, é muito chocante, um exemplo de uma despudorada fantasia libidinosa, a qual, no entanto, nem sequer acontece no sonho. Justamente onde o contexto exigiria esta confissão se acha, no sonho manifesto, um murmúrio indefinido: algo se perdeu ou foi reprimido.

Espero que os senhores reconheçam como óbvio ser essa natureza chocante o motivo pelo qual as passagens em questão foram suprimidas. Onde, porém, encontram os senhores paralelos dessa ocorrência? Em nossos dias, não é necessário ir muito longe. Apanhem qualquer jornal que trate de política e os senhores verão que, aqui e ali, o texto está ausente; em seu lugar, rebrilha o branco do papel. Todos aqui sabem que se trata da censura à imprensa. Nos trechos agora em branco estava escrito alguma coisa malvista pela autoridade censora, razão pela qual ela foi eliminada. Por certo, é uma pena, pensam os senhores, porque era o mais interessante, "a melhor passagem do artigo".

Outras vezes, a atuação da censura não se deu no texto já pronto. O autor previu para quais passagens se haveria de esperar a objeção da censura e, em razão disso, atenuou-as preventivamente, modificou-as um pouco ou se deu por satisfeito com sugestões e alusões ao que de fato desejaria escrever. Nesse caso, o jornal não exibe pedaços em branco, mas, a partir de certos rodeios e obscuridades de expressão, os senhores poderão adivinhar o experiente cuidado tomado de antemão com a censura.

II OS SONHOS

Atenhamo-nos a esse paralelo. O que afirmamos é que também as falas não ditas no sonho, encobertas por murmúrio, foram vítimas de censura. Referimo-nos especificamente a uma *censura do sonho*, à qual devemos atribuir algum papel na deformação. Onde quer que lacunas apareçam no sonho manifesto, elas se devem à censura do sonho. Cabe-nos, na verdade, ir além disso e identificar como manifestação da censura a lembrança particularmente débil, indefinida e duvidosa de um elemento do sonho em meio a outros, de desenvolvimento mais nítido. Raras vezes, porém, essa censura se manifesta tão abertamente — de modo tão ingênuo, poder-se-ia dizer — como no exemplo do sonho dos "serviços amorosos". Bem mais comum é que ela aconteça da outra forma, isto é, mediante a produção de atenuantes, de sugestões e de alusões, em lugar da coisa real.

Para uma terceira modalidade de atuação da censura não conheço paralelo no âmbito da vigente censura à imprensa. Posso, no entanto, demonstrá-la no único sonho que analisamos até aqui. Os senhores se lembram do sonho dos "três ingressos ruins por um florim e cinquenta". Dos pensamentos latentes desse sonho constava com destaque o elemento "precipitado, cedo demais". Seu significado era que havia sido absurdo casar-se tão *cedo*, assim como absurdo fora comprar ingressos tão *cedo*, e havia sido ridículo da parte da cunhada gastar o dinheiro com tanta *pressa*, comprando com ele uma joia. Desse elemento central dos pensamentos oníricos nada se transferiu para o sonho manifesto; neste, deslocam-se para o centro a ida ao

9. A CENSURA DOS SONHOS

teatro e a compra dos ingressos. Esse deslocamento da ênfase, esse reagrupamento dos elementos do sonho, faz o sonho manifesto diferir tanto dos pensamentos oníricos latentes que ninguém suspeitaria da presença destes últimos por trás dos primeiros. O deslocamento da ênfase é um dos principais meios de deformação do sonho; ele confere ao sonho aquela estranheza em virtude da qual o próprio sonhador não deseja reconhecê-lo como seu.

Omissão, modificação e reagrupamento do material são, portanto, os efeitos produzidos pela atuação da censura e os meios empregados para a deformação do sonho. A própria censura do sonho é a causadora — ou uma das causadoras — da deformação que ora examinamos. Modificação e reordenamento é o que estamos acostumados a designar como *deslocamento*.

Após essas observações sobre os efeitos da censura do sonho, voltemo-nos agora para sua dinâmica. Espero que os senhores não atribuam sentido demasiado antropomórfico ao termo, julgando ser o censor dos sonhos um homúnculo severo ou um espírito que habita algum quartinho do cérebro e ali exerce sua função; tampouco devem os senhores pensar em uma localização, imaginando uma "central cerebral" da qual partiria tal influência censuradora, passível de abolição caso a referida central sofresse dano ou fosse eliminada. Por enquanto, trata-se apenas de um bom termo para designar uma relação dinâmica. Isso não nos impede de perguntar que tendências exercem semelhante influência e sobre quais tendências ela é exercida. Não nos sur-

II OS SONHOS

preenderá descobrir que, já uma vez, deparamos com a censura do sonho, talvez sem reconhecê-la.

Foi isso mesmo que aconteceu. Lembrem-se de que tivemos uma surpresa quando começamos a empregar nossa técnica de livre associação. Ao fazê-lo, sentimos uma *resistência* se opor a nossos esforços para, a partir de um elemento do sonho, chegar ao elemento inconsciente do qual ele é sucedâneo. Essa resistência, dissemos, pode apresentar grandeza variável: por vezes, é enorme; outras vezes, é minúscula. Neste último caso, nosso trabalho de interpretação só precisa ultrapassar uns poucos estágios intermediários; quando, porém, a resistência é grande, então é necessário que atravessemos longas cadeias de associações vinculadas ao elemento, somos conduzidos para bem longe dele e precisamos, em nosso caminho, superar todas as dificuldades que se apresentam como objeções críticas à associação feita. Essa resistência que se nos opõe quando do trabalho interpretativo, cabe-nos agora inseri-la no trabalho do sonho na qualidade de censura do sonho. A resistência à interpretação é apenas a objetivação da censura do sonho. Ela nos dá prova de que o poder da censura não se esgota na deformação, extinguindo-se em seguida; essa censura, ao contrário, persiste como instituição permanente, e seu propósito é preservar a deformação. Aliás, assim como a resistência à interpretação varia em sua grandeza de acordo com o elemento, também a deformação produzida pela censura apresenta grandeza variável em cada elemento de um mesmo sonho. Se compararmos sonho manifesto e sonho la-

9. A CENSURA DOS SONHOS

tente, veremos que alguns elementos latentes são eliminados por completo, outros sofrem maior ou menor modificação e outros, ainda, permanecem inalterados ou podem ser intensificados e integrados ao conteúdo onírico manifesto.

Queríamos, todavia, examinar que tendências exercem censura e contra quais tendências é dirigida. Bem, essa pergunta, fundamental para a compreensão do sonho e talvez da própria vida humana, é fácil de responder, se abarcarmos toda a série de sonhos submetidos a interpretação. As tendências que exercem a censura são aquelas que o juízo desperto do sonhador reconhece, aquelas com as quais ele se sente em concordância. Tenham a certeza de que, ao rejeitar uma interpretação correta de um sonho que tiveram, os senhores o fazem pelos mesmos motivos pelos quais a censura do sonho entrou em ação, a deformação se produziu e a interpretação se fez necessária. Pensem no sonho de nossa dama de cinquenta anos. Ela acha seu sonho repugnante sem tê-lo interpretado; teria ficado ainda mais indignada se a dra. von Hug lhe houvesse comunicado algo da interpretação inescapável, e foi justamente por causa dessa sua condenação do próprio sonho que passagens chocantes foram nele substituídas por murmúrios.

As tendências *contra* as quais a censura do sonho se volta devem ser descritas primeiramente do ponto de vista da própria instância que a exerce. A partir dessa ótica, só se poderá dizer que são de natureza condenável, que são ética, estética e socialmente chocantes, que são, enfim, coisas em que nem ousamos pensar ou em

II OS SONHOS

que só pensamos com repulsa. Acima de tudo, esses desejos censurados e expressos de forma deformada são manifestações de um egoísmo sem limites nem consideração. E, no entanto, é o próprio Eu que está presente em cada sonho, sempre como protagonista, ainda que ele saiba se ocultar muito bem no conteúdo manifesto dos sonhos. Esse *"sacro egoísmo"** do sonho por certo não está desconectado da atitude própria do sono, que consiste, afinal, no desaparecimento de todo e qualquer interesse pelo mundo exterior.

O Eu, liberto de todos os grilhões da ética, sabe-se também em concordância com todas as reivindicações do anseio sexual, tanto aquelas condenadas há tempos por nossa educação estética como as que contrariam por todas as exigências éticas de restrição. O anseio por prazer — a libido, como dizemos — escolhe seus objetos sem qualquer escrúpulo, e demonstra mesmo preferência pelos proibidos, ou seja, não apenas pela mulher do próximo, como também, e sobretudo, por objetos incestuosos unanimemente sacralizados pelos seres humanos: a mãe e a irmã, para os homens; o pai e o irmão, no caso das mulheres. (O próprio sonho de nossa dama de cinquenta anos é incestuoso, uma vez que sua libido se volta inequivocamente para o filho.) Apetites que julgamos distantes da natureza humana mostram-se fortes o bastante para incitar sonhos. Também o ódio grassa sem limites. Desejos de vingança e de morte dirigidos contra pessoas próximas, aquelas que mais amamos na

---

* Em italiano no texto: "sagrado egoísmo".

9. A CENSURA DOS SONHOS

vida — como nossos pais, irmãos, cônjuge, os próprios filhos —, não são nada incomuns. Esses desejos censurados parecem assomar em nós como se provenientes de um verdadeiro inferno; após a interpretação, quando já nos encontramos em estado de vigília, não há censura que nos pareça dura o suficiente contra eles.

Mas não repreendam o sonho em si por esse conteúdo mau. Não se esqueçam de que ele tem a inofensiva e mesmo útil função de proteger o sono de toda perturbação. Essa maldade não é parte de sua essência. Afinal, os senhores sabem também da existência de sonhos reconhecíveis como de satisfação de desejos legítimos e de necessidades físicas urgentes. Esses, contudo, não apresentam deformação; tampouco precisam dela, porque podem cumprir sua função sem ofender as tendências éticas e estéticas do Eu. Além disso, tenham em mente que a deformação do sonho é proporcional a dois fatores: por um lado, ela é tanto maior quanto mais grave for o desejo a censurar, e, por outro, quanto mais rigorosas se apresentarem no momento as demandas da censura. Assim sendo, uma jovem mocinha, educada com rigor e pudica, vai deformar com censura implacável estímulos oníricos que nós, médicos, por exemplo, haveríamos de reconhecer como desejos libidinosos permitidos e inofensivos, desejos que a própria sonhadora entenderá dessa forma uma década mais tarde.

De resto, ainda estamos longe de poder nos indignar com o resultado obtido por nosso trabalho interpretativo. Creio que ainda não o compreendemos bem; mas, acima de tudo, cabe-nos a tarefa de protegê-lo de cer-

II OS SONHOS

tas objeções. Não é nada difícil encontrar nele algum problema. Nossas interpretações de sonhos foram feitas com base nas premissas que professamos anteriormente, isto é, a de que todo sonho possui um sentido, a de que podemos transpor do sono hipnótico para o normal a existência de processos psíquicos momentaneamente inconscientes e a de que todas as associações são determinadas. Se, com base nessas premissas, tivéssemos chegado a resultados plausíveis em nossa interpretação dos sonhos, poderíamos dizer com razão que as premissas estavam corretas. Mas como afirmá-lo, se os resultados se apresentam como acabo de descrevê-los? Se assim é, o óbvio seria dizer: são resultados impossíveis, sem sentido nenhum e, ao menos em parte, bastante improváveis, o que significa que algo estava errado nas premissas. Ou o sonho não é um fenômeno psíquico ou não há nada de inconsciente em nosso estado normal; ou, ainda, nossa técnica tem algum defeito. Não é muito mais fácil e satisfatório aceitar que seja assim do que admitir todas as monstruosidades que supostamente descobrimos com base em nossas premissas?

As duas coisas! Seria, sim, mais fácil e mais satisfatório, mas nem por isso necessariamente mais correto. Concedamo-nos tempo; a questão ainda não admite um juízo definitivo. Acima de tudo, intensifiquemos a crítica a nossas interpretações. Que seus resultados não causem alegria nem sejam agradáveis talvez não pese tanto assim. Um argumento mais forte é o de que os sonhadores, tendo nossa interpretação atribuído aos seus sonhos tais tendências dos desejos, com boas razões as

9. A CENSURA DOS SONHOS

repudiam com toda a ênfase. "O quê?", dirá um: "A partir do meu sonho o senhor quer me provar que lamento o dinheiro que gastei no dote de minha irmã e na educação de meu irmão? Mas não pode ser! É só por meus irmãos que trabalho, não tenho nenhum outro interesse na vida a não ser cumprir meu dever para com eles, como prometi, sendo o mais velho, à nossa falecida mãe". Uma senhora protestará: "Então eu desejo que meu marido morra? Isso é um absurdo revoltante! Nós temos o mais feliz dos casamentos — o senhor provavelmente não vai acreditar nisso —, e tem mais: a morte dele tiraria de mim tudo que tenho neste mundo!". E um terceiro revidaria: "Tenho desejos sexuais com minha irmã? Isso é ridículo. Não tenho nenhum interesse nela; nós nos damos mal e faz anos que não trocamos uma única palavra". Talvez não atribuíssemos maior importância ao caso, se esses sonhadores não confirmassem nem negassem as tendências que neles interpretamos; poderíamos alegar que são coisas a seu respeito que eles próprios não sabem. Mas o fato de eles sentirem que abrigam precisamente o desejo oposto ao interpretado e de poderem demonstrar mediante sua maneira de viver a predominância desse desejo contrário, isso, sim, há de nos deixar desconfiados. Não seria chegada a hora de abandonar por completo o trabalho na interpretação do sonho por terem seus resultados nos conduzido *ad absurdum*?

Não, reitero que não é o caso. Também esse argumento mais forte desmorona quando o abordamos de forma crítica. Pressupondo-se que existam tendências

II OS SONHOS

inconscientes na vida psíquica, não possui força comprobatória nenhuma a demonstração de que tendências opostas a elas são as predominantes na vida consciente. Talvez a vida psíquica tenha lugar também para tendências contrárias, para contradições que existem lado a lado; é mesmo possível que a predominância de um estímulo seja condição para o caráter inconsciente do estímulo contrário. Fica-se, portanto, com aquelas primeiras objeções levantadas, as de que os resultados da interpretação dos sonhos não são simples nem muito agradáveis. À primeira, cabe responder que nem todo o entusiasmo dos senhores pelo que é simples poderia resolver um único dos problemas do sonho; é necessário, portanto, acostumar-se a supor relações mais complexas. À segunda, que os senhores evidentemente cometem uma injustiça ao se valer de sentimentos de bem--estar ou repugnância como motivadores de um juízo científico. Que importância tem o fato de os resultados da interpretação dos sonhos lhes parecerem desagradáveis ou mesmo vergonhosos e repugnantes? *Ça n'empêche pas d'exister* [Isso não impede que as coisas existam], ouvi meu mestre Charcot responder certa vez, quando eu ainda era um jovem estudante, em situação parecida. É necessário ter humildade, pôr de lado as próprias simpatias e antipatias, se desejamos descobrir o que é real neste mundo. Se um físico fosse capaz de provar aos senhores que a vida orgânica na Terra tem pouquíssimo tempo para escapar a um congelamento total, ousariam os senhores revidar: "Não pode ser. Essa perspectiva é muito desagradável"? Penso, por certo, que se cala-

9. A CENSURA DOS SONHOS

riam, até que outro físico surgisse e demonstrasse ter havido um erro nas premissas ou nos cálculos daquele primeiro. Quando repudiam o que lhes é desagradável, o que fazem é, antes, repetir o mecanismo da formação do sonho, em vez de compreendê-lo e superá-lo.

Talvez os senhores prometam, agora, ignorar o caráter repugnante dos desejos oníricos censurados, e retrocedam para o argumento de que é, afinal, improvável que se destine espaço tão amplo para o mal na constituição humana. Mas a própria experiência dos senhores lhes dará o direito de fazer essa afirmação? Não quero falar aqui sobre como os senhores se veem, mas terão encontrado tamanha benevolência em seus superiores e concorrentes, tamanho espírito cavalheiresco em seus inimigos e tão pouca inveja em seu círculo de conhecidos a ponto de precisarem se sentir obrigados a contestar a porção de egoísmo e maldade na natureza humana? Não conhecem os senhores o grau de descomedimento e de inconfiabilidade da média dos homens em todas as questões relativas à vida sexual? Ou não sabem que todos os abusos e excessos com que sonhamos à noite são cotidianamente cometidos por seres humanos em estado de vigília, sob a forma de crimes? O que faz a psicanálise, senão confirmar as antigas palavras de Platão, que declarou serem os bons aqueles que se contentam com apenas sonhar com aquilo que os outros, os maus, fazem de fato?

Voltem agora o olhar do plano individual para o da grande guerra que segue devastando a Europa e pensem nas brutalidade, crueldade e hipocrisia imensas que

II OS SONHOS

hoje se espraiam pelo mundo da cultura. Acreditam mesmo os senhores que um punhado de gananciosos e de aliciadores inescrupulosos teria conseguido libertar tantos espíritos maus, não contassem eles com a cumplicidade dos milhões de aliciados? Creem, pois, sob tais circunstâncias, poder defender a exclusão do mal da constituição psíquica do ser humano?

Os senhores me repreenderão por julgar a guerra de maneira unilateral; dirão que ela trouxe à tona também o que há de mais belo e mais nobre no homem, sua coragem heroica, sua capacidade de sacrifício pessoal, sua sensibilidade social. Com certeza, mas não sejam cúmplices da injustiça que com tanta frequência já se cometeu contra a psicanálise, recriminando-a por negar uma coisa porque afirma outra. Não é nossa intenção negar as nobres aspirações da natureza humana, nem jamais fizemos nada para diminuir-lhes o valor. Ao contrário; mostro aos senhores não apenas os desejos oníricos maus e censurados, mas também a censura que os reprime e os torna irreconhecíveis. Se nos detivemos um pouco no que há de mau no ser humano e o enfatizamos com veemência, foi só porque outros o negam, o que não torna melhor, mas apenas incompreensível, nossa vida psíquica. Se, portanto, abandonarmos a valoração ética unilateral, decerto lograremos encontrar a fórmula mais correta para a relação entre o mal e o bem na natureza humana.

Aí está, portanto. Não precisamos abandonar os resultados de nosso trabalho na interpretação dos sonhos, ainda que sejamos obrigados a julgá-los desconcertan-

9. A CENSURA DOS SONHOS

tes. Mais tarde, por outro caminho, talvez possamos chegar mais perto de compreendê-los. Por enquanto, estabeleçamos que a deformação do sonho é consequência da censura exercida por tendências reconhecidas do Eu contra desejos de alguma forma chocantes que se agitam em nós à noite, durante o sono. De resto, por que isso acontece especificamente à noite e de onde provêm esses desejos condenáveis, são questões em que ainda há muito a inquirir e investigar.

Seria injusto se agora deixássemos de destacar devidamente outro resultado de nossas investigações. Os desejos oníricos que procuram nos perturbar o sono nos são desconhecidos; nós só os descobrimos com a interpretação dos sonhos; há que se caracterizá-los, portanto, como momentaneamente inconscientes, no sentido já aludido. Mas temos de reconhecer que eles são mais que momentaneamente inconscientes. Depois de haver tomado conhecimento deles por meio da interpretação, também o sonhador os renega, como descobrimos em tantos casos. Repete-se, pois, aquilo com que deparamos pela primeira vez quando da interpretação do lapso verbal envolvendo *aufstoßen*, em que o orador, revoltado, assegurou que jamais, nem à época nem antes, havia tido consciência de nenhum sentimento desrespeitoso de sua parte em relação ao chefe. Já naquele momento duvidamos do valor dessa garantia, e a substituímos pela hipótese de que a ignorância do orador em relação a tal impulso talvez fosse permanente. Ao se repetir agora, na interpretação de um sonho que sofreu forte deformação, esse fato ganha em importância para nossa compreensão do fenômeno. Então estamos preparados para aceitar que na vida psíquica existem processos e tendências de que nada sabemos, há muito tempo nada sabemos, desde sempre, talvez. O inconsciente adquire, assim, um novo sentido para nós. O "momentâneo" ou "temporário" desaparece de sua natureza; talvez se trate de uma inconsciência *permanente*, e não apenas de uma "latência momentânea". Voltaremos, é claro, a tratar também desse assunto em outra oportunidade.

10. O SIMBOLISMO DOS SONHOS

Senhoras e senhores: Descobrimos que a deformação do sonho, que nos turva sua compreensão, é consequência de uma atividade censória dirigida contra desejos inconscientes inadmissíveis. Todavia, naturalmente não afirmamos que a censura é o único fator ao qual se deve a deformação do sonho, e, de fato, o prosseguimento de nosso estudo nos possibilita descobrir que dela participam outros fatores. Isso equivale a dizer que mesmo excluindo a censura onírica não seríamos capazes de compreender os sonhos, o sonho manifesto ainda não seria idêntico aos pensamentos oníricos latentes.

Esse outro fator que torna o sonho obscuro, que também contribui para a deformação do sonho, nós o descobrimos ao nos dar conta de uma lacuna em nossa técnica. Já admiti aos senhores que, com efeito, por vezes nada ocorre aos analisandos que eles sejam capazes

10. O SIMBOLISMO DOS SONHOS

de associar a certos elementos do sonho. É verdade que isso não ocorre tão frequentemente como afirmam; em muitos casos, a associação pode ser obtida através da perseverança. Ainda assim, casos há em que a associação não se apresenta, ou em que, mesmo que por fim a obtenhamos, não corresponde ao que dela esperávamos. Isso tem um significado especial quando acontece durante um tratamento psicanalítico, um significado que não nos interessa aqui; mas o mesmo pode suceder também na interpretação dos sonhos de uma pessoa normal ou quando interpretamos nossos próprios sonhos. Nesses casos, quando nos convencemos de que a insistência de nada adianta, verificamos por fim que essa ocorrência indesejada se repete em relação a certos elementos do sonho, e começamos a identificar um novo padrão onde, de início, acreditávamos ter percebido apenas uma falha excepcional da técnica.

Assim, somos tentados a interpretar nós mesmos esses elementos "mudos" do sonho, a empreender uma tradução deles com nossos próprios meios. Somos então levados a reconhecer que, toda vez que ousamos fazer essa substituição, obtemos um sentido satisfatório, ao passo que, enquanto não nos decidimos a assim intervir, o sonho permanece desprovido de sentido e a cadeia é interrompida. O acúmulo de casos parecidos se encarrega, então, de munir nossas tentativas, de início tímidas, da necessária certeza.

Apresento-lhes essas considerações de forma algo esquemática, o que é admissível para propósitos didáticos; mas minha exposição nada falseia: ela apenas simplifica.

II OS SONHOS

Desse modo, obtemos traduções constantes para uma série de elementos do sonho, ou seja, algo muito parecido com as que encontramos nos livros populares dedicados ao assunto. Os senhores não terão se esquecido de que, em nossa técnica associativa, jamais aparecem substitutos constantes para os elementos do sonho.

De pronto, os senhores dirão que esse caminho interpretativo lhes parece ainda mais incerto e questionável que o anterior, por meio da livre associação. Mas temos ainda algo a acrescentar. De fato, quando, pela experiência, já coletamos tais substituições constantes em número suficiente, acabamos por dizer a nós mesmos que, na verdade, deveríamos ter chegado a tais porções da interpretação do sonho à custa de nosso próprio conhecimento, que elas, na realidade, poderiam ter sido compreendidas sem as associações do sonhador. De onde haveríamos de conhecer seu significado, isso é o que vamos ver na segunda metade de nossa discussão.

Chamamos de *simbólica* tal relação constante entre um elemento do sonho e sua tradução, e ao elemento do sonho em si, um *símbolo* do pensamento onírico inconsciente. Os senhores se lembram de que anteriormente, ao analisar as relações entre elementos do sonho e a coisa "autêntica" por trás deles, distingui três relações desse tipo: a da parte pelo todo, a da alusão e a da ilustração mediante imagens. Anunciei, então, uma quarta, que não nomeei. Esta é, pois, a simbólica, que agora introduzo. A ela se relacionam discussões muito interessantes, que abordarei antes de expor nossas

10. O SIMBOLISMO DOS SONHOS

observações específicas sobre o simbolismo. O simbolismo é, talvez, o capítulo mais notável da doutrina dos sonhos.

Antes de mais nada, na medida em que os símbolos constituem traduções fixas, eles realizam em certa medida o ideal tanto da interpretação dos sonhos dos antigos como da interpretação popular, do qual nos afastamos bastante com o emprego de nossa técnica. Em determinadas circunstâncias, eles nos permitem interpretar um sonho sem inquirir o sonhador, o qual, de todo modo, nada teria a dizer sobre o símbolo. Conhecendo-se os símbolos oníricos usuais e, além disso, a pessoa do sonhador, as condições em que ele vive e as impressões anteriores ao sonho, pode-se muitas vezes interpretar um sonho sem maiores dificuldades, traduzi-lo diretamente, por assim dizer. Tal proeza é lisonjeira para o intérprete e impressiona o sonhador; ela contrasta agradavelmente com o árduo trabalho inquisitivo. Mas não se deixem seduzir por isso. Realizar proezas não é nossa tarefa. A interpretação baseada no conhecimento dos símbolos não constitui técnica capaz de substituir o procedimento associativo nem pode se equiparar a este; é apenas seu complemento, produzindo resultados que o alimentam. Todavia, no que tange ao conhecimento da situação psíquica do sonhador, considerem que os senhores não interpretarão apenas sonhos de pessoas que conhecem bem; que, em geral, não saberão dos acontecimentos diurnos que provocaram o sonho; e que serão as associações dos analisandos a lhes informar sobre aquilo a que chamamos situação psíquica.

II OS SONHOS

É, ademais, bastante curioso — inclusive em relação a questões que mencionaremos mais adiante — que, de novo, a mais veemente resistência se tenha feito ouvir contra a existência dessa relação simbólica entre o sonho e o inconsciente. Mesmo pessoas de grande julgamento e reputação, que concordaram amplamente com a psicanálise, se recusam a segui-la nisso. Tanto mais curioso se revela esse comportamento quando se considera que, em primeiro lugar, o simbolismo não é próprio apenas dos sonhos nem característico deles e, em segundo, que o simbolismo dos sonhos não foi descoberto pela psicanálise, embora ela não careça de descobertas surpreendentes. Desejando-se demarcar seu início em tempos modernos, é ao filósofo K. A. Scherner (1861) que se há de atribuir a descoberta do simbolismo dos sonhos. A psicanálise apenas corroborou suas descobertas, modificando-as radicalmente, porém.

Agora os senhores desejarão saber algo sobre a essência desse simbolismo onírico, assim como ouvir exemplos dele. Relato-lhes de bom grado tudo que sei, mas confesso que nossa compreensão não vai tão longe quanto gostaríamos.

Em essência, essa relação simbólica é uma comparação, mas não uma comparação qualquer. Pressentimos que ela possui condicionalidade particular, mas não sabemos dizer no que consiste essa condicionalidade. Nem tudo aquilo com que podemos comparar um objeto ou um acontecimento figura no sonho como símbolo de um ou de outro. Além disso, o sonho tampouco se vale de símbolos para o que quer que seja: ele os em-

10. O SIMBOLISMO DOS SONHOS

prega apenas para certos elementos dos pensamentos oníricos latentes. Limitações existem, portanto, tanto em um caso como no outro. É preciso admitir também que, por enquanto, não há como delimitar com precisão o conceito de símbolo, que se confunde com os de substituição, representação e que tais, aproximando-se ainda do de alusão. Quando se tem uma série de símbolos, a comparação que a fundamenta faz-se óbvia. Mas há outros conjuntos de símbolos diante dos quais somos obrigados a nos perguntar onde estaria o denominador comum, o *tertium comparationis* da suposta comparação. Examinando-os mais de perto, é possível que o descubramos, mas ele pode também permanecer oculto. É também singular, sendo o símbolo uma comparação, que essa não se deixe desvendar por intermédio da associação, e que o sonhador a desconheça, ou seja, que ele se sirva da comparação sem saber dela. E mais: que, mesmo depois de apresentado a ela, o sonhador não se sinta nem sequer inclinado a reconhecê-la. Os senhores veem, portanto, que essa relação simbólica se constitui de uma comparação muito especial, cujo fundamento ainda não compreendemos com clareza. Mais adiante, talvez possamos encontrar indícios daquilo que por ora desconhecemos.

Não é grande a extensão de coisas que podem encontrar no sonho representação simbólica. O corpo humano como um todo, os pais, os filhos, os irmãos, o nascimento e a morte, a nudez e ainda algumas outras. A única representação da pessoa humana como um todo que é típica, ou seja, que se encontra com regu-

II OS SONHOS

laridade, é sua representação como uma *casa*, como o percebeu Scherner, que desejou mesmo atribuir a esse símbolo um significado extraordinário e indevido. Acontece nos sonhos de, às vezes com prazer, às vezes com receio, descermos pela fachada de uma casa. Aquelas fachadas que possuem paredes lisas são homens; as que apresentam saliências e sacadas, nas quais podemos nos segurar, são mulheres. Os pais figuram nos sonhos como *imperadores* ou *imperatrizes*, *reis* ou *rainhas*, ou então como outras figuras de respeito; o sonho é, nisso, bastante reverente. Menos afetuoso ele se revela no trato com filhos e irmãos, simbolizados por *pequenos animais* ou *insetos*. O nascimento quase sempre encontra representação relacionada a água; mergulha-se na água ou sai-se dela, resgata-se uma pessoa da água ou se é resgatado por ela; ou seja, tem-se com essa pessoa uma relação maternal. A morte é substituída nos sonhos pela *partida*, por uma *viagem de trem*; o estar morto, por uma série de alusões obscuras, como que hesitantes; a nudez, por *roupas* e *uniformes*. Os senhores podem ver como aqui se confundem as fronteiras entre as representações simbólica e alusiva.

Em comparação com essa escassez de símbolos, há de chamar a atenção o fato de objetos e conteúdos de outro âmbito encontrarem representação em um simbolismo bastante rico. Refiro-me ao âmbito da vida sexual, dos órgãos genitais, dos acontecimentos e relações sexuais. A imensa maioria dos símbolos que aparecem nos sonhos compõe-se de símbolos sexuais. Verifica-se aí uma notável desproporção: os conteúdos designados

10. O SIMBOLISMO DOS SONHOS

são poucos, mas os símbolos para eles existem em quantidade extraordinária, de tal forma que cada um deles pode ser expresso por símbolos numerosos e quase equivalentes. Da interpretação resulta, assim, algo que provoca generalizada irritação: em contraposição com a diversidade apresentada nos sonhos, as interpretações dos símbolos são bastante monótonas. Isso desagrada todo aquele que toma conhecimento dessa monotonia, mas o que se há de fazer?

Como essa é a primeira vez, nestas conferências, que falamos de conteúdos da vida sexual, devo prestar contas aos senhores sobre que tratamento pretendo dar a esse tema. A psicanálise não vê motivo para dissimulações e alusões, julga não ser necessário que nos envergonhemos de abordar assunto tão importante; crê, portanto, que correto e decente é chamar as coisas pelo nome e espera, assim, manter distantes quaisquer pensamentos paralelos perturbadores. O fato de estarmos falando a uma plateia composta de membros de ambos os sexos nada modificará nessa nossa postura. Assim como não existe ciência *in usum delphini*, tampouco existe ciência para mocinhas, e as damas que aqui se encontram já indicaram mediante sua presença nesta sala de aula que desejam ser equiparadas aos homens.

Para o órgão genital masculino, portanto, o sonho possui uma série de representações a que podemos chamar simbólicas e nas quais o denominador comum da comparação é, em geral, bastante óbvio. Para a genitália masculina de forma geral, tem importância simbólica acima de tudo o sagrado número três. Sua compo-

II OS SONHOS

nente mais notória e de interesse para ambos os sexos, o membro masculino, encontra substitutos simbólicos antes de mais nada naquelas coisas que lhe são semelhantes na forma, ou seja, compridas e verticalmente salientes, como *bengalas*, *guarda-chuvas*, *estacas*, *árvores* e coisas assim; além disso, em objetos que compartilham com o designado a propriedade de penetrar no corpo e ferir, ou seja, *armas* pontiagudas de toda sorte, *facas*, *punhais*, *lanças*, *sabres*, assim como armas de fogo — *fuzis*, *pistolas* e *revólveres*, estes, em virtude de sua forma, símbolos bastante apropriados. Nos sonhos angustiados das moças, a perseguição por um homem portando faca ou arma de fogo desempenha importante papel. Esse é talvez o caso mais recorrente de simbolismo onírico, o qual os senhores podem agora facilmente traduzir. De fácil compreensão é também a substituição do membro masculino por objetos dos quais jorra água, como *torneiras*, *regadores*, *chafarizes*, ou por objetos capazes de alongar-se, como *luminárias suspensas*, *lapiseiras* e assim por diante. O fato de *lápis*, *hastes para pena de escrever*, *lixas de unha*, *martelos* e outros *instrumentos* serem símbolos sexuais masculinos inequívocos também se liga a um aspecto conhecido do órgão.

A propriedade notável do membro masculino que lhe permite erguer-se contra a força da gravidade, o que é parte do fenômeno da ereção, leva à sua representação simbólica mediante *balões de ar*, *aviões* e, mais recentemente, o *dirigível de Zeppelin*. O sonho, no entanto, conhece ainda outra forma, bem mais expressiva, de simbolizar a ereção. Ele transforma o membro se-

10. O SIMBOLISMO DOS SONHOS

xual no essencial da pessoa e a faz voar *ela própria*. Não se deixem impressionar com o fato de que os sonhos em que estamos voando, com frequência tão belos e tão conhecidos de todos nós, só possam ser interpretados como sonhos de excitação sexual geral, como sonhos de ereção. Entre os pesquisadores psicanalistas, P. Federn pôs essa interpretação acima de qualquer dúvida; mas também Mourly Vold, tão elogiado por sua sobriedade e condutor daqueles experimentos nos quais braços e pernas do sonhador eram posicionados artificialmente, chegou a essa mesma conclusão em suas investigações, embora efetivamente distanciado da psicanálise ou mesmo ignorante, talvez, de sua existência. Não transformem em objeção o fato de também as mulheres terem esse mesmo tipo de sonho. Lembrem-se, antes, de que nossos sonhos se pretendem realizações de desejos e de que o desejo de ser homem, consciente ou inconsciente, é bastante frequente nas mulheres. E o fato de que seja possível as mulheres realizarem esse desejo com as mesmas sensações que o homem não deve desconcertar ninguém que seja versado em anatomia. Afinal, a mulher possui em sua genitália um pequeno membro semelhante ao masculino, e esse membrozinho, o clitóris, chega a desempenhar papel idêntico ao do membro maior, masculino, tanto na infância como na idade que precede a primeira relação sexual.

Entre os símbolos sexuais masculinos menos compreensíveis estão certos *répteis* e *peixes*, sobretudo o famoso símbolo da *cobra*. Por certo, não é fácil explicar como foi que *chapéus* e *casacos* vieram a ter esse mesmo

II OS SONHOS

emprego, mas seu significado simbólico é inquestionável. Por fim, podemos nos perguntar ainda se é lícito caracterizar como simbólica a substituição do órgão sexual masculino por outro membro, isto é, o pé ou a mão. Creio que o contexto e as contrapartes femininas nos obrigam a fazê-lo.

A genitália feminina é representada simbolicamente por todos aqueles objetos que partilham sua propriedade de encerrar um espaço oco que pode abrigar alguma coisa dentro de si. Ou seja, *poços*, *grutas* e *cavernas*, assim como *vasos* e *garrafas*, *caixas*, *latas*, *malas*, *caixinhas*, *caixotes*, *bolsas*, *bolsos* e assim por diante. *Barcos* pertencem também a essa categoria. Outros símbolos guardam mais relação com o ventre materno que com a genitália feminina. Esse é o caso dos *armários*, dos *fornos* e sobretudo dos *quartos*. O simbolismo do quarto resvala no da casa, com *portas* e *portão* a simbolizar a abertura genital. Certos materiais também simbolizam a mulher, como a *madeira*, o *papel* e os objetos compostos desses materiais, como a *mesa* e o *livro*. No que tange aos animais, ao menos o *caracol* e o *marisco* devem ser citados como símbolos femininos inconfundíveis; das partes do corpo humano, a *boca* representa a abertura genital; no âmbito das edificações, temos a *igreja* e a *capela*. Como os senhores podem ver, nem todos os símbolos são igualmente compreensíveis.

À genitália cabe acrescentar os seios, que, como os hemisférios maiores do corpo feminino, encontram representação nas *maçãs*, nos *pêssegos* e nas *frutas* em geral. Os pelos que recobrem a região genital de ambos os

10. O SIMBOLISMO DOS SONHOS

sexos, o sonho os descreve como um *bosque* ou *matagal*. A complicada topografia dos órgãos sexuais femininos torna compreensível que, com muita frequência, eles sejam representados como uma *paisagem* com rochas, floresta e águas, ao passo que o mecanismo impressionante do aparato sexual masculino faz com que toda sorte de *máquinas* complicadas o simbolizem.

Um símbolo digno de nota da genitália feminina é a *caixinha de joias*; *joia* e *tesouro* são, também nos sonhos, designações da pessoa amada; *doces* são uma representação frequente do prazer sexual. A autossatisfação obtida com nossa própria genitália é sugerida por todo tipo de atividade lúdica [*Spielen*], inclusive tocar piano. Representações simbólicas requintadas da masturbação são o *deslizar* e o *escorregar*, assim como o *arrancar um galho*. Um símbolo onírico particularmente notável constitui a *queda* ou a *extração de dentes*. Em primeiro lugar, ela por certo significa castração, como castigo pela masturbação. Representações particulares do intercurso sexual são, no sonho, menos numerosas do que se poderia esperar pelo que foi dito até aqui. Atividades rítmicas, como *dançar*, *cavalgar* e *escalar*, merecem menção, assim como experiências violentas, como *ser atropelado*. Além dessas, simbolizam-no certos *trabalhos manuais* e, naturalmente, a *ameaça com armas*.

Os senhores não devem imaginar que o emprego e a tradução desses símbolos sejam coisas muito simples. Deparamos aí com toda sorte de coisas a contrariar nossa expectativa. Parece quase inacreditável, por exemplo, que essas representações simbólicas com frequência não

II OS SONHOS

distingam nitidamente os sexos. Vários símbolos significam pura e simplesmente um órgão genital, tanto faz se masculino ou feminino. Assim é, por exemplo, com a criança *pequena*, o filho ou filha *pequena*. Outras vezes, um símbolo predominantemente masculino pode ser usado para representar a genitália feminina, ou vice--versa. Não se compreende esse mecanismo até que se tenha adquirido uma visão profunda do desenvolvimento das representações sexuais nas pessoas. Em diversos casos, essa ambiguidade dos símbolos pode ser apenas aparente; excetuam-se também desse emprego bissexual os símbolos mais evidentes, como *armas*, *bolsas* e *caixas*.

Quero agora, partindo não do objeto representado, mas do próprio símbolo, dar aos senhores um panorama daquelas áreas das quais os símbolos sexuais são em geral extraídos, e desejo acrescentar ainda alguns comentários adicionais, sobretudo no tocante aos símbolos possuidores de um denominador comum incompreensível. Um tal símbolo obscuro é, por exemplo, o *chapéu*, ou talvez tudo que usamos para cobrir a cabeça; em geral, seu significado é masculino, mas ele pode ser feminino também. Da mesma forma, o *casaco* representa um homem, nem sempre, talvez, com conotação genital. Os senhores são livres para perguntar por quê. A *gravata*, que pende do pescoço e não é utilizada pelas mulheres, é um claro símbolo masculino. Roupa de baixo branca e roupa de cama em geral são símbolos femininos; *vestimentas* e *uniformes* substituem, como já dissemos, a nudez, as formas do corpo; *sapatos* e *chinelos* represen-

10. O SIMBOLISMO DOS SONHOS

tam a genitália feminina: *mesa* e *madeira* já foram mencionadas como símbolos enigmáticos, mas certamente femininos. Escadas, sejam elas de mão ou de madeira, e escadarias, assim como a locomoção sobre elas, são símbolos seguros da relação sexual. A um exame mais detalhado, o caráter rítmico dessa locomoção salta aos olhos como denominador comum, bem como, talvez, o crescimento da excitação, a crescente falta de ar à medida que se sobe por elas.

Já falamos aqui da *paisagem* como representação da genitália feminina. *Montanhas* e *rochas* são símbolos do membro masculino; o *jardim* é símbolo frequente da genitália feminina. As *frutas* não representam os filhos, e sim os seios. *Animais selvagens* significam excitação sexual, assim como maus instintos, paixões. *Botões* e *flores* designam a genitália feminina ou, em especial, a virgindade. Não se esqueçam de que os botões são, de fato, os órgãos genitais das plantas.

O *quarto*, nós já o conhecemos como símbolo. A representação pode aqui se expandir, na medida em que as janelas e as entradas e saídas de um quarto assumem o significado das aberturas do corpo. O quarto estar *aberto* ou *fechado* insere-se também nessa simbologia, e a chave que o abre é decerto um símbolo masculino.

Esse seria, pois, o material que compõe o simbolismo dos sonhos. Ele não se apresenta completo: poderíamos tanto aprofundá-lo como expandi-lo. Mas creio que o que temos parecerá mais que suficiente aos senhores e poderá mesmo irritá-los. Os senhores perguntarão: "Então, quer dizer que eu vivo cercado de

II OS SONHOS

símbolos sexuais? Todos os objetos que me circundam, todas as roupas que visto, todas as coisas que pego nas mãos, tudo isso é sempre um símbolo sexual e nada mais?". Por certo, motivos não faltam para que formulemos perguntas admiradas, e a primeira delas é: "De onde, afinal, extrair o significado desses símbolos oníricos, sobre os quais o próprio sonhador não nos dá informação nenhuma ou apenas informação insuficiente?".

Minha resposta: de fontes as mais diversas, dos contos de fada e dos mitos, de contos burlescos e chistes, do folclore — isto é, do conhecimento das tradições, dos costumes, dos provérbios e das cantigas populares —, do uso poético e do uso cotidiano da língua. Por toda parte encontramos o mesmo simbolismo, e em muitos desses lugares nós o compreendemos sem maiores explicações. Se examinarmos essas fontes em detalhe, uma a uma, encontraremos tantos paralelos com o simbolismo onírico que só poderemos nos convencer da correção de nossas interpretações.

Segundo Scherner, como já dissemos, o corpo humano com frequência encontra na simbologia da casa sua representação no sonho. Dando sequência a essa simbologia, temos ainda janelas, portas e portões — as entradas para as cavidades do corpo —, bem como fachadas lisas ou dotadas de sacadas e saliências onde nos segurar. Esse mesmo simbolismo, contudo, é o que encontramos no uso cotidiano da língua alemã, quando, em tom familiar, saudamos um conhecido como *altes Haus* [casa velha], quando falamos em repreender alguém valendo-nos da expressão *eins aufs Dachl geben*

10. O SIMBOLISMO DOS SONHOS

[dar um safanão no telhado] ou quando dizemos de uma pessoa que algo está errado em seu *Oberstübchen* [quartinho de cima]. Em anatomia, aliás, as aberturas do corpo são chamadas *Leibespforten* [portais do corpo].

De início, surpreende-nos que nossos pais figurem nos sonhos como casais reais ou imperiais. Mas isso tem paralelo nos contos de fada. Não nos vem à mente de súbito que muitos deles começam com as palavras "era uma vez um rei e uma rainha", e que isso nada mais significa senão "era uma vez um pai e uma mãe"? Em linguagem familiar e brincalhona, chamamos nossos filhos de "príncipes", e o primogênito é chamado "príncipe herdeiro". O próprio rei se denomina "pai da pátria". E, em tom de brincadeira, chamamos crianças pequenas de *Würmer* [minhocas] e, cheios de compaixão, dizemos *das arme Wurm* [a pobre minhoca].

Voltemos agora ao simbolismo da casa. Quando, em sonho, nos valemos das saliências de uma casa para nos segurar, isso não lembra a conhecida expressão idiomática alemã utilizada para designar seios bem desenvolvidos: *Sie hat etwas zum Anhalten* [Nela a gente tem onde segurar]? Nesse mesmo domínio, temos ainda outra expressão popular, que diz: *Sie hat viel Holz vor dem Haus* [Ela tem muita madeira na frente da casa]. É como se a linguagem popular viesse em auxílio de nossa interpretação de que "madeira" é um símbolo feminino, maternal.

Sobre a madeira, há mais a dizer. Não nos é possível compreender como foi que esse material veio a representar o caráter maternal, feminino. É possível, no entanto, que uma comparação entre as línguas venha

II OS SONHOS

nos ajudar. A palavra alemã *Holz* [madeira] tem a mesma raiz da palavra grega *'ύλη*, que significa "matéria", "matéria-prima". Estaríamos aqui, pois, diante do caso nada incomum em que a designação genérica para "material" acabaria por ser utilizada para designar um material específico. Madeira é também o nome de uma ilha no Atlântico. O nome, dado pelos portugueses quando de seu descobrimento, se devia ao fato de, à época, a ilha apresentar-se coberta de florestas. Na língua portuguesa, "madeira" é a palavra para *Holz*. Os senhores hão de reconhecer que "madeira", com uma pequena alteração, nada mais é que a palavra latina *materia*, que constitui a designação genérica para "material". *Materia*, por sua vez, deriva de *mater*, mãe. O material de que uma coisa se constitui é, por assim dizer, sua mãe. Essa antiga concepção segue viva, portanto, no uso simbólico da "madeira" como representante do maternal e do feminino.

No sonho, o nascimento é em geral expresso mediante uma relação com a água. Mergulhar na água ou emergir dela significa parir ou ser parido. Não nos esqueçamos de que esse símbolo se assenta duplamente sobre uma verdade histórica de nossa evolução. Por um lado, e esta é a verdade mais distante, todos os mamíferos terrestres, inclusive os antepassados do homem, originaram-se de animais aquáticos; por outro, todo mamífero, todo ser humano, passou na água a primeira fase de sua existência, isto é, mergulhado como embrião no líquido amniótico do ventre materno, tendo saído da água ao nascer. Não estou afirmando que o sonhador sabe disso; o que defendo é, ao contrário, que ele não

10. O SIMBOLISMO DOS SONHOS

precisa sabê-lo. Há outra coisa que o sonhador sabe provavelmente porque lhe contaram na infância, e reafirmo que, também neste caso, o saber em nada contribuiu para a construção do símbolo. Quando criança, contaram-lhe que é a cegonha que traz os bebês, mas de onde ela os traz? Do lago, da fonte, ou seja, também da água. Quando informaram isso a um de meus pacientes, na infância — ele era um pequeno conde na época —, ele desapareceu por uma tarde inteira. Por fim, foram encontrá-lo deitado à beira do lago do castelo, com o rosto voltado para a água a espiar com fervor: ele queria ver se conseguia enxergar as criancinhas lá no fundo.

Nos mitos sobre o nascimento dos heróis, que O. Rank submeteu a análise comparativa — o mais antigo é o do rei Sargão da Acádia e data de cerca de 2800 a.C. —, abandono e resgate na água desempenham papel predominante. Rank reconheceu neles representações do nascimento análogas às que ocorrem nos sonhos. Quando, em um sonho, resgatamos uma pessoa da água, dela nos tornamos mãe, ou fazemo-nos mãe simplesmente. No mito, uma pessoa que salva uma criança da água declara-se sua verdadeira mãe. Em um conhecido chiste, pergunta-se ao garoto judeu inteligente quem era a mãe de Moisés. Ele responde sem titubear: "A princesa". "De jeito nenhum", repreendem-lhe, "ela só o tirou da água." "É o que ela diz", ele replica, provando, assim, ter encontrado a interpretação correta do mito.

No sonho, partir em viagem significa morrer. Quando uma criança pergunta pelo paradeiro de um morto de quem sente falta, é costume dizermos que a pessoa

II OS SONHOS

falecida *foi viajar*. Mais uma vez, eu gostaria de refutar a crença que afirma ter esse símbolo onírico se originado da desculpa utilizada com as crianças. O poeta se serve dessa mesma relação simbólica quando fala do além como país não descoberto, do qual nenhum *viajante* (*no traveller*) jamais regressou.* Também no cotidiano é corriqueiro falarmos em "última viagem". Quem conhece o rito dos antigos sabe como a velha crença dos egípcios levava a sério a ideia da viagem à terra dos mortos. Chegaram até nós vários exemplares do *Livro dos mortos*, que era dado à múmia em viagem, como se fosse um guia. A partir do momento em que os locais de sepultamento foram separados daqueles de moradia, essa última viagem dos mortos fez-se, de fato, real.

Tampouco o simbolismo relativo à genitália é coisa peculiar apenas aos sonhos. Cada um dos senhores terá algum dia cometido a descortesia de chamar a uma mulher *alte Schachtel* [caixa velha], talvez sem saber estar se servindo de um símbolo genital. O Novo Testamento diz: "A mulher é um *vaso* frágil". As escrituras sagradas dos judeus, em seu estilo tão próximo do poético, estão repletas de expressões de um simbolismo sexual nem sempre bem compreendido e cuja interpretação, no Cântico dos Cânticos, por exemplo, já conduziu a diversos mal-entendidos. Na literatura hebraica posterior, é bastante difundida a representação da mulher como uma casa; nesta, a porta representa a abertura genital. Quando, por exemplo, ela não é mais virgem, o homem

---

* Cf. *Hamlet*, ato III, cena I.

10. O SIMBOLISMO DOS SONHOS

se queixa de ter encontrado "a porta aberta". A mesa como símbolo da mulher também ocorre nessa mesma literatura. A esposa diz do marido: "Arrumei a mesa para ele, mas *ele a virou*". "Virar a mesa" daria origem a crianças paralíticas. Extraí esses exemplos de um ensaio escrito por L. Levy, de Brno, intitulado "A simbologia sexual da Bíblia e do Talmud".*

São os etimologistas que nos fazem crer que os barcos em nossos sonhos representam as mulheres; eles afirmam que, em sua origem, a palavra *Schiff* [barco] designava "vaso de barro", ou seja, era o mesmo que *Schaff* [gamela]. A lenda grega de Periandro de Corinto e sua mulher, Melissa, oferece-nos confirmação de que o forno representa a mulher e seu ventre. Segundo o relato de Heródoto, quando, a fim de ter alguma notícia dela, o tirano conjurou a sombra de sua esposa — a quem amava loucamente, mas assassinou por ciúme —, a falecida comprovou sua identidade dizendo-lhe que ele, Periandro, tinha "enfiado seu pão em forno gelado", um modo velado de se referir a um fato que não podia ser do conhecimento de mais ninguém.** Na *Antropophyteia*, editada por F. S. Krauß e fonte insubstituível de tudo quanto diz respeito à vida sexual dos povos, lemos que, em certa região da Alemanha, diz-se da mulher que pariu que "seu forno se partiu". A preparação

---

* Em *Zeitschrift für Sexualwissenschaft* [Revista de Sexologia], v. I, 1914.
** Heródoto, *História*, v.92; Periandro se relacionara com ela já morta.

II OS SONHOS

do fogo e tudo o que tem a ver com ela está impregnado de simbolismo sexual. A chama é constantemente o órgão genital masculino, ao passo que o fogo, ou o fogão, é o colo feminino.

Se os senhores se surpreenderam com a frequência com que a paisagem é empregada no sonho para representar a genitália feminina, aprendam com os mitologistas qual foi o papel desempenhado pela *Mãe Terra* no ideário e nos cultos da Antiguidade, e como esse simbolismo determinou a concepção de agricultura. Que, no sonho, o quarto representa uma mulher, isso os senhores tenderão a inferir do uso cotidiano da língua alemã, em que *Frau* é substituído por *Frauenzimmer*,* ou seja, faz com que a pessoa humana seja representada pelo espaço destinado a ela. De modo semelhante, falamos em "Sublime Porta" ao nos referir ao sultão e a seu governo; o próprio nome dado ao soberano no antigo Egito, *faraó*, nada mais significa que "grande recinto". (No antigo Oriente, os recintos entre os portões duplos da cidade são locais de reunião à maneira das praças do mercado no mundo clássico.) Creio, porém, que essa derivação é por demais superficial. Parece-me mais provável que o quarto tenha se tornado símbolo da mulher em razão de ser o espaço que circunda os homens. Que "casa" tem esse mesmo significado, já sabemos; da mitologia e da linguagem poética nos é lícito inferir que também *cidade*, *burgo*, *castelo* e *fortaleza* simbolizam a

---

* *Frauenzimmer*, que significa literalmente "quarto, aposento de mulher", é um sinônimo meio pejorativo de *Frau*, "mulher".

10. O SIMBOLISMO DOS SONHOS

mulher. A questão poderia ser facilmente solucionada considerando-se os sonhos daquelas pessoas que não falam nem entendem alemão. Nos últimos anos, tratei sobretudo pacientes de outras línguas e creio me lembrar de que, em seus sonhos, *Zimmer* [aposento] tinha igualmente o significado de *Frauenzimmer*, ainda que sua língua não possuísse expressão análoga. Há outros indícios de que a relação simbólica é capaz de ultrapassar barreiras linguísticas, o que, aliás, já foi expresso por G. H. von Schubert, velho estudioso dos sonhos, em 1814. Todavia, nenhum de meus sonhadores desconhecia inteiramente a língua alemã, razão pela qual cumpre-me deixar essa diferenciação àqueles psicanalistas que, em outras terras, possam coletar experiências com pessoas monolíngues.

Entre as representações simbólicas do órgão genital masculino, não há praticamente nenhuma que não seja recorrente no uso jocoso, vulgar ou poético da língua, sobretudo entre os poetas da Antiguidade clássica. Incluo aqui não só os símbolos que figuram nos sonhos, mas símbolos novos também, como as ferramentas empregadas em diversos afazeres — à frente de todas, o arado. No mais, ao tratar da representação simbólica do masculino, aproximamo-nos de um terreno bastante extenso e controverso, do qual, por razões de economia, queremos nos manter distantes. Desejo, pois, dedicar algumas observações apenas à simbologia do número 3, que, por assim dizer, não se encaixa no quadro geral. Se esse número não deve a própria simbologia a seu caráter sagrado, é questão que permanece em aberto. Certo pa-

II OS SONHOS

rece apenas que muitas das coisas tripartites que ocorrem na natureza derivam de tal significado simbólico seu emprego em brasões e emblemas, como é o caso da folha do trevo. Meras estilizações do órgão genital masculino seriam também o chamado lírio francês, tripartido, e o tríscele que figura no brasão singular de duas ilhas tão distantes entre si como a Sicília e a ilha de Man (três pernas semidobradas que partem de um centro). Na Antiguidade, imagens do membro masculino eram consideradas a mais poderosa defesa (*apotropaea*) contra influências ruins, e liga-se a isso o fato de todos os amuletos de nosso tempo serem facilmente reconhecíveis como símbolos genitais ou sexuais. Examinemos esses amuletos, em geral usados sob a forma de pequenos pendentes prateados: o trevo de quatro folhas, o porco, o cogumelo, a ferradura, a escada, o limpa-chaminés. O trevo de quatro folhas substituiu o de três, na realidade o apropriado a servir como símbolo; o porco é um velho símbolo da fertilidade; o cogumelo é sem dúvida um símbolo fálico, havendo mesmo aqueles que devem seu nome científico à inequívoca semelhança com o membro masculino (*phallus impudicus*); a ferradura reproduz o contorno da abertura genital feminina; e o limpa-chaminés portando sua escada faz companhia aos demais símbolos porque ele realiza um daqueles trabalhos com os quais o ato sexual é vulgarmente comparado (cf. *Anthropophyteia*). Sua escada, nós a conhecemos nos sonhos como símbolo sexual; auxilia-nos aqui o uso cotidiano da língua alemã, que nos mostra o emprego do verbo *steigen* (escalar, trepar) com conotação sexual.

10. O SIMBOLISMO DOS SONHOS

Dizemos, por exemplo, *den Frauen nachsteigen* [correr atrás das mulheres] e *ein alter Steiger* [um velho mulherengo]. Em francês, língua em que a palavra para "degrau" é *marche*, encontramos expressão análoga para um velho femeeiro: *un vieux marcheur*. Que o ato sexual de muitos animais maiores pressuponha escalar, montar na fêmea, provavelmente tem relação com isso.

A expressão "arrancar um galho" [*das Abreissen eines Astes*], como representação simbólica para a masturbação, não se revela apenas em concordância com designações vulgares para o ato masturbatório, mas possui também paralelos mitológicos. Particularmente curiosa, no entanto, é a representação da masturbação — ou melhor, do castigo para tanto: a castração — mediante a queda ou a extração de dentes, porque encontramos para isso uma contrapartida etnológica que pouquíssimos sonhadores hão de conhecer. Não me parece haver dúvida de que a circuncisão, praticada por tantos povos, é um equivalente e um substituto da castração. Relatam-nos agora que certas tribos primitivas australianas praticam a circuncisão como rito de passagem à puberdade (para festejar a virilidade do jovem), ao passo que outras, vivendo bem próximas das primeiras, substituem esse ato pela extração de um dente.

Com esses exemplos, concluo minha exposição. São apenas exemplos; sabemos mais sobre o tema, e os senhores podem imaginar quão mais rica e interessante seria uma tal coletânea de exemplos colhida não por diletantes como nós, mas por especialistas de fato em mitologia, antropologia, linguística ou folclore. Algu-

II OS SONHOS

mas conclusões agora se impõem, que não podem ser definitivas, mas nos darão muito o que pensar.

Em primeiro lugar, deparamos com o fato de o sonhador ter à disposição um modo de expressão simbólico que, em estado de vigília, ele não conhece nem reconhece. Isso é tão espantoso quanto descobrirem os senhores que sua criada compreende sânscrito, embora saibam que ela nasceu em uma aldeia da Boêmia e jamais aprendeu essa língua. Não é fácil lidar com esse fato a partir de nossas concepções psicológicas. Tudo que podemos dizer é que o conhecimento dessa simbologia é inconsciente, ou seja, que ele pertence à vida intelectual inconsciente do sonhador. Mas tampouco esse dado nos basta. Até aqui, só havíamos precisado admitir a existência de aspirações inconscientes, aquelas das quais temporária ou permanentemente nada sabemos. Agora, porém, trata-se de mais, de conhecimentos inconscientes, de relações de pensamento e comparações entre diferentes objetos, o que resulta em que a todo momento um deles pode substituir o outro. Essas comparações não são refeitas a cada vez, mas estão prontas e à disposição; isso é o que se depreende do fato de elas serem as mesmas para pessoas diferentes, e mesmo, talvez, de permanecerem as mesmas em diferentes línguas.

De onde vem o conhecimento dessas relações simbólicas? O uso cotidiano da língua cobre apenas uma pequena parte delas. Os variados paralelos com outras áreas são, de modo geral, desconhecidos do sonhador; nós mesmos tivemos de nos esforçar para encontrá-los.

10. O SIMBOLISMO DOS SONHOS

Em segundo lugar, essas relações simbólicas não são coisa peculiar ao sonhador ou ao trabalho do sonho, mediante o qual elas ganham expressão. Já descobrimos que desse mesmo simbolismo se servem os mitos e os contos de fada, os provérbios e as cantigas populares, o uso corriqueiro da língua e a fantasia poética. O âmbito dessa simbologia é extraordinariamente grande; o simbolismo dos sonhos constitui apenas uma pequena parte dele, e não seria conveniente abordar toda essa problemática a partir do sonho. Muitos dos símbolos empregados em outras partes não figuram no sonho, ou nele aparecem raras vezes; e vários dos símbolos oníricos não estão presentes em todos os outros domínios, mas, como viram os senhores, somente aqui e ali. Temos a impressão de estar diante de uma velha e já desaparecida forma de expressão, da qual em diferentes domínios elementos variados permaneceram — um aqui, outro ali, um terceiro, talvez sob forma ligeiramente modificada, em vários domínios. Lembro-me aqui da fantasia de um interessante doente mental que imaginou uma "língua básica", da qual todas essas relações simbólicas seriam resquícios.[*]

Em terceiro lugar, há de saltar aos olhos dos senhores que esse simbolismo não é apenas sexual nos outros domínios mencionados, ao passo que, no sonho, os símbolos são empregados quase exclusivamente para dar expressão a objetos e relações de caráter sexual. Tampouco isso é fácil de explicar. Teriam símbolos de significado sexual original encontrado outro uso mais

---

[*] Cf. o "Caso Schreber" (1911).

II OS SONHOS

tarde, e estaria ligada a isso a atenuação da representação simbólica em outros tipos de representação? Essas perguntas são claramente irrespondíveis a partir do estudo apenas do simbolismo onírico. Podemos apenas nos ater à suposição de que existe uma estreita relação entre os símbolos verdadeiros e a sexualidade.

Em anos recentes, recebemos importante aceno nessa direção. Um linguista, Hans Sperber (de Upsala), cujo trabalho não possui nenhum vínculo com a psicanálise, afirmou que coube às necessidades sexuais desempenhar o papel mais significativo no surgimento e no desenvolvimento posterior da linguagem.* Seus sons iniciais serviam ao propósito da comunicação e de chamar o parceiro sexual; o ulterior desenvolvimento das raízes da linguagem teria acompanhado as diversas modalidades de trabalho dos primeiros seres humanos. O trabalho era realizado em conjunto e acompanhado da repetição ritmada de manifestações de linguagem. Com isso, um interesse sexual se teria vinculado a ele. O homem primitivo teria, por assim dizer, tornado o trabalho aceitável ao tratá-lo como equivalente e substituto da atividade sexual. Assim, a palavra proferida durante o trabalho conjunto possuiria dois significados: ela designava tanto o ato sexual como o trabalho equiparado a esse ato. Com o tempo, a palavra teria se desprendido de

---

* Cf. H. Sperber, "Über den Einfluss sexueller Momente auf Entstehung und Entwicklung der Sprache" [Sobre a influência de fatores sexuais na gênese e desenvolvimento da linguagem], *Imago*, v. I, 1912.

10. O SIMBOLISMO DOS SONHOS

seu significado sexual e se fixado nesse trabalho. Gerações mais tarde, o mesmo aconteceria com nova palavra, dotada de significado sexual e aplicada também a um novo tipo de trabalho. Desse modo, toda uma série de raízes da linguagem se teria formado, todas de origem sexual, mas todas elas tendo perdido esse significado. Se está correta essa hipótese aqui sintetizada, abre-se para nós uma possibilidade de entendimento do simbolismo onírico. Compreenderíamos por que, no sonho — que preserva algo dessa situação antiquíssima —, há uma quantidade tão extraordinária de símbolos para o sexual, e por que armas e ferramentas em geral sempre representam os homens, ao passo que a matéria em si e o material trabalhado representam as mulheres. A relação simbólica seria resquício da antiga identidade da palavra; coisas que, no passado, tinham o mesmo nome dos órgãos genitais poderiam agora, no sonho, aparecer como símbolos desses mesmos órgãos.

A partir dos paralelos que traçamos para o simbolismo onírico, os senhores podem também avaliar a característica da psicanálise que contribui para torná-la objeto de interesse geral, como jamais a psicologia ou a psiquiatria lograram ser. No trabalho psicanalítico tecem-se relações com muitas outras ciências humanas, e o estudo dessas relações promete frutos valiosos: para a mitologia, para a linguística, para o folclore, para a etnopsicologia e para o estudo da religião. Os senhores julgarão, pois, compreensível que desse solo psicanalítico tenha brotado uma revista que se propôs como tarefa exclusiva o cultivo de tais relações: a revista *Imago*, fun-

II OS SONHOS

dada em 1912 e dirigida por Hanns Sachs e Otto Rank. Em todas essas relações, a psicanálise atua como a parte doadora, mais do que receptora. É certo que isso lhe é vantajoso, porque torna mais familiares seus estranhos resultados, na medida em que eles reaparecem em outras esferas do conhecimento, mas, em regra, é a psicanálise que provê os métodos e pontos de vista técnicos cuja aplicação naquelas outras áreas há de se mostrar frutífera. A vida psíquica do indivíduo nos fornece, na investigação psicanalítica, os esclarecimentos que nos permitem solucionar muitos dos enigmas da vida das massas humanas, ou ao menos lançar sobre eles a luz correta.

De resto, ainda nem disse aos senhores sob que circunstâncias podemos obter uma visão mais aprofundada daquela suposta "língua básica", em que âmbito a maior parte dela se preservou. Enquanto não dispuserem desse saber, os senhores não poderão apreciar todo o significado dessa matéria. Esse âmbito é o da neurose; seu material são os sintomas e as demais manifestações dos doentes dos nervos, para cujo esclarecimento e tratamento a psicanálise foi criada.

Minha quarta consideração retorna, pois, a nosso ponto de partida e nos conduz à via prescrita. Dissemos que, mesmo que a censura do sonho não existisse, ele não nos seria facilmente compreensível, porque nos veríamos diante da tarefa de traduzir sua linguagem simbólica para a linguagem de nosso pensamento em estado de vigília. O simbolismo é, portanto, ao lado da censura onírica, um segundo fator, independente, da deformação do sonho. É plausível supor, no entanto, que é confortável para a censura do sonho servir-se desse simbolismo, uma vez que ele conduz ao mesmo fim: à estranheza e à incompreensibilidade do sonho.

Logo se mostrará se, dando prosseguimento ao estudo do sonho, não haveremos de deparar com um novo fator a contribuir para a deformação. Mas eu não gostaria de deixar o tema do simbolismo onírico sem, ainda uma vez, mencionar o enigma que é o fato de esse tema ter encontrado tanta resistência entre as pessoas cultas, se é tão inquestionável a difusão do simbolismo no mito, na religião, na arte e na linguagem. A relação com a sexualidade não seria, mais uma vez, responsável por isso?

11. O TRABALHO DO SONHO

Senhoras e senhores: Compreendidas a censura do sonho e a representação simbólica, é certo que o tema da deformação ainda não está dominado por completo, mas os senhores têm agora condições de compreender a maioria dos sonhos. Para tanto, basta que se valham das duas técnicas complementares: evocar no sonhador associações que os conduzam do conteúdo substituto ao verdadeiro e, a partir de seu próprio conhecimento, trocar os símbolos por seus significados. Mais tarde, trataremos de algumas incertezas que aí seguem.

Podemos agora retomar um trabalho que já intentamos realizar, ainda que com meios insuficientes, ao examinar as relações entre os elementos do sonho e seus

II OS SONHOS

conteúdos reais. Constatamos naquele momento quatro relações principais: a da parte com o todo, a da aproximação ou alusão, a da relação simbólica e a da representação plástica das palavras. Em escala maior, é o que voltaremos a fazer, mediante a comparação do conteúdo manifesto do sonho com o conteúdo latente que encontramos pela via da interpretação.

Espero que os senhores nunca mais confundam essas duas coisas. Se conseguirem fazer isso, provavelmente já terão avançado mais na compreensão dos sonhos do que a maioria dos leitores de minha *Interpretação dos sonhos*. Lembrem-se, mais uma vez, que o trabalho que transforma o sonho latente em manifesto é chamado *trabalho do sonho*. A operação que avança na direção contrária, a que pretende conduzir do sonho manifesto ao latente, é nosso *trabalho de interpretação*. O trabalho interpretativo deseja anular o trabalho do sonho. Os sonhos de tipo infantil, aqueles reconhecidos como de evidente realização de desejos, passaram em certa medida por esse trabalho do sonho, ou seja, pela transformação do desejo em realidade e, em geral, dos pensamentos em imagens visuais. Eles não necessitam de interpretação: basta que revertamos essas duas transformações. Nos demais sonhos, porém, o trabalho do sonho abrange ainda o que chamamos de *deformação*, e é essa deformação que cabe ao trabalho interpretativo desfazer. Tendo comparado diversas interpretações, vejo-me em condições de expor resumidamente aos senhores o que o trabalho do sonho faz com o material contido nos pensamentos oníricos latentes. Peço-lhes, porém, que não busquem compreen-

11. O TRABALHO DO SONHO

der demais o que segue. A descrição que lhes faço deve ser ouvida com serena atenção.

A primeira realização do trabalho do sonho é a *condensação*. Entendemos por isso o fato de o sonho manifesto encerrar menos conteúdo que o latente, constituindo-se, portanto, em uma espécie de tradução abreviada deste último. A condensação pode, vez por outra, não ocorrer, mas em geral está presente e, com frequência, é enorme. Ela jamais inverte essa relação, isto é, jamais acontece de o sonho manifesto ser mais abrangente e rico em conteúdo que o latente. A condensação se dá na medida em que: 1. certos elementos latentes são excluídos; 2. apenas um fragmento dos vários complexos do sonho latente figuram no manifesto; 3. elementos latentes que possuem algo em comum apresentam-se reunidos no sonho manifesto, ou seja, fundem-se em uma única unidade.

Se assim o desejarem, os senhores podem reservar o termo "condensação" para designar apenas esse último processo. Seus efeitos são bem fáceis de demonstrar. Se pensarem em seus próprios sonhos, os senhores não terão dificuldade de se lembrar da condensação de diversas pessoas em uma só. Essa pessoa composta de uma mistura terá, por exemplo, a aparência de A, mas estará vestida como B; estará executando uma tarefa que lembra C, mas saberemos que se trata de D. Naturalmente, com essa construção mista é realçado algo que as quatro pessoas têm em comum. Assim como ocorre com pessoas, pode-se também produzir uma mistura de objetos ou localidades, uma vez obedecida a condição

II OS SONHOS

de que esses objetos ou localidades compartilhem de algo que o sonho latente acentua. É como a construção de um conceito novo e fugaz que tem como núcleo esse elemento em comum. Em regra, a sobreposição dessas individualidades condensadas dá origem a uma imagem desfocada e indistinta, como quando batemos várias fotografias valendo-nos de uma única e mesma chapa.

A produção dessas construções mistas deve ser de grande importância para o trabalho do sonho, uma vez que podemos demonstrar que, na falta dos necessários elementos comuns, estes são produzidos deliberadamente, como ocorre, por exemplo, quando da escolha da expressão verbal para um pensamento. Nós já tivemos contato com tais condensações e construções mistas: elas desempenharam um papel na origem de vários casos de lapso verbal. Lembrem-se do rapaz que manifestou o desejo de *begleitdigen* uma dama. Além disso, temos chistes cuja técnica construtiva remete a condensação semelhante. Mas, excetuando-se esses casos, é lícito afirmar que esse procedimento é incomum e causa estranheza. É certo que a construção dessas misturas humanas que ocorrem nos sonhos tem sua contrapartida em muitas criações de nossa fantasia, que facilmente combina em uma unidade aquilo que, em nossa experiência, não se coaduna; esse é o caso, por exemplo, dos centauros e dos animais fabulosos da antiga mitologia, ou das pinturas de Böcklin. A fantasia "criadora" não é capaz de inventar coisa nenhuma: o que ela faz é reunir componentes estranhos entre si. Mas o singular no proceder do trabalho do sonho é que o material de que ele

11. O TRABALHO DO SONHO

dispõe são pensamentos — que podem, alguns deles, ser repulsivos e inaceitáveis, mas que são corretamente formados e expressos. Esses pensamentos são levados pelo trabalho do sonho a tomar outra forma, e é notável e incompreensível que nessa tradução, nessa transposição como que para outra escrita ou língua, sejam aplicados os expedientes da fusão e da combinação. Isso porque, em regra, uma tradução se empenha em atentar para as singularidades presentes no texto e em manter separadas as coisas semelhantes. O trabalho do sonho se empenha justamente no contrário: como sucede no chiste, ele busca uma palavra ambígua capaz de condensar pensamentos diferentes e oferecer a eles um ponto de encontro. Não é necessário que compreendamos de imediato essa caraterística, mas ela pode se revelar significativa para o entendimento do trabalho do sonho.

Embora a condensação torne o sonho impenetrável, não se tem a impressão de que ela seja um efeito da censura do sonho. Preferível seria, antes, relacioná-la a fatores mecânicos ou econômicos. Mas, de toda forma, a censura se beneficia dela.

As realizações da condensação podem ser extraordinárias. Com seu auxílio, às vezes é possível juntar dois pensamentos bem diferentes num único sonho manifesto, de modo que se chegue a uma interpretação aparentemente suficiente de um sonho e não se note uma possível "superinterpretação".

No que toca aos vínculos entre os sonhos latente e manifesto, a condensação pode também acarretar o fim de toda relação simples entre os elementos de um e de

II OS SONHOS

outro. Um elemento manifesto corresponde ao mesmo tempo a vários elementos latentes; no sentido inverso, um elemento latente pode ter participação em vários elementos manifestos, à maneira, portanto, de um entrelaçamento. Na interpretação de um sonho, descobrimos também que as associações feitas com determinado elemento manifesto não surgem necessariamente em sequência. É frequente que tenhamos de esperar até que a totalidade do sonho tenha sido interpretada.

Assim, o trabalho do sonho fornece um tipo bastante incomum de transcrição dos pensamentos oníricos, não é uma tradução palavra por palavra ou signo por signo, tampouco uma seleção conforme determinadas regras — por exemplo, se reproduzisse apenas as consoantes de uma palavra e excluísse as vogais — e nem aquilo que poderíamos chamar de um representante, isto é, um mesmo elemento que seja sempre escolhido para representar vários outros. O que ele nos dá é outra coisa, bem mais complicada.

A segunda realização do trabalho do sonho é o *deslocamento*. Sobre ele, por sorte, já vimos algo, e sabemos que é inteiramente obra da censura do sonho. Ele se manifesta de duas formas: na primeira, um elemento latente não é substituído por um seu componente próprio, e sim por algo mais distante, isto é, por uma alusão; na segunda, a ênfase psíquica passa de um elemento importante para outro irrelevante, fazendo com que o sonho tenha outro centro e, assim, pareça estranho.

A substituição por uma alusão ocorre também em nosso pensamento no estado de vigília, mas há uma

11. O TRABALHO DO SONHO

diferença. Quando pensamos acordados, essa alusão precisa ser facilmente compreensível, e a substituição deve guardar uma relação de conteúdo com a coisa real. Também o chiste se vale com frequência da alusão; ele abandona o requisito da associação conteudística e o substitui por associações externas insólitas, como, entre outras, a homofonia e a polissemia. Mantém, contudo, o requisito da compreensibilidade; o chiste perderia todo o seu efeito, se o caminho de volta da alusão ao real não resultasse fácil. No sonho, todavia, a alusão a serviço do deslocamento libertou-se dessas duas restrições. Ela se liga ao elemento que substitui por meio de relações extrínsecas e remotas, razão pela qual é ininteligível; e, quando revertida, seu significado mais parece um chiste malsucedido ou uma explicação bastante forçada. Com efeito, a censura do sonho só atinge seu objetivo quando logra tornar irreconhecível o caminho desde a alusão até a coisa real.

Como meio de expressão do pensamento, o deslocamento da ênfase é um recurso inaudito. No pensamento em estado de vigília, nós o admitimos apenas de vez em quando, a fim de obter um efeito cômico. Posso evocar nos senhores a impressão de desatino que esse deslocamento provoca lembrando uma anedota. Em certa aldeia, havia um ferreiro que cometeu um crime digno de pena de morte. O tribunal decidiu que ele deveria pagar pelo crime, mas como aquele era o único ferreiro da aldeia e, portanto, indispensável, e como a aldeia dispunha de três alfaiates, um dos alfaiates foi enforcado em seu lugar.

II OS SONHOS

A terceira realização do trabalho do sonho é a mais interessante psicologicamente. Ela consiste na conversão de pensamentos em imagens visuais. Estabeleçamos desde já que nem tudo nos pensamentos oníricos experimenta essa conversão; muita coisa conserva sua forma original e figura também no sonho manifesto como pensamento ou saber. Além disso, imagens visuais não são a única forma na qual se convertem os pensamentos. Mas elas são, por certo, o essencial na formação do sonho. Essa porção do trabalho do sonho é a segunda mais constante, como sabemos, e, no que diz respeito aos elementos oníricos isolados, já tomamos conhecimento da "representação plástica das palavras".

Está claro que essa não é uma realização fácil. Para ter uma ideia de sua dificuldade, imaginem terem os senhores assumido a tarefa de substituir por uma série de ilustrações as palavras de um importante artigo de jornal versando sobre política. Os senhores serão, pois, lançados de volta da escrita alfabética para a pictórica. Pessoas e coisas mencionadas poderão facilmente, e talvez até com vantagem, ser substituídas por imagens; as dificuldades aparecerão, porém, na representação de todas as palavras abstratas e de todas aquelas partes do discurso que indicam relações de pensamento, como partículas, conjunções e que tais. No caso das palavras abstratas, os senhores recorrerão a toda sorte de artifícios. Vão, por exemplo, dar ao texto do artigo nova redação, que talvez soe mais inusitada, mas que contenha elementos mais concretos e mais aptos à representação. Depois, hão de se lembrar que a maioria das palavras

11. O TRABALHO DO SONHO

abstratas compõe-se de palavras concretas que perderam sua coloração, motivo pelo qual, tanto quanto possível, recorrerão ao significado concreto original dessas palavras. Ficarão felizes em poder representar o "possuir" [*Besitzen*] de um objeto mediante um "sentar-se" real e físico em cima dele [*Daraufsitzen*]. Assim faz também o trabalho do sonho. Sob tais circunstâncias, não haverão de ter os senhores grandes pretensões quanto à exatidão da representação. Por isso mesmo, permitirão também ao trabalho do sonho que ele substitua um elemento tão difícil de ilustrar como, por exemplo, a quebra de um matrimônio, ou "adultério" [*Ehebruch*, "ruptura do casamento"], por outro tipo de quebra [*Bruch*]: a de uma perna [*Beinbruch*].[3] Desse modo, conseguirão

3 Enquanto eu revisava as provas destas páginas, o acaso me pôs nas mãos uma notícia de jornal que reproduzo aqui como um inesperado comentário ao que foi dito acima:

"CASTIGO DIVINO (*Um braço quebrado pelo adultério*). A sra. Anna M., esposa de um reservista, processou a sra. Klementine K. por *adultério*. A acusação afirma que K. entreteve com Karl M. um relacionamento passível de punição enquanto seu próprio marido estava no campo de batalha, de onde inclusive lhe enviava mensalmente setenta coroas. K. já teria recebido *muito dinheiro* do marido da demandante, ao passo que ela própria afirma precisar viver com o filho em uma situação de *fome e miséria*. Companheiros do marido ter-lhe-iam revelado que K. e M. teriam visitado tavernas e se embebedado até tarde da noite. Certa feita, a acusada teria mesmo perguntado ao marido da demandante, na presença de vários soldados, se ele não iria se separar logo da velha para ir morar com ela. A própria zeladora de K. teria visto diversas vezes o marido da demandante vestido muito à vontade em casa de K.

"Ontem, perante um juiz de Leopoldstadt, K. negou conhecer M. e haver tido com ele qualquer relação íntima.

II OS SONHOS

em certa medida equilibrar as esquisitices da escrita pictórica, quando se trata de substituir a alfabética.

Para a representação daquelas partes do discurso que indicam relações de pensamento, como um "porque", um "portanto" ou um "mas", os senhores não poderão contar com semelhante auxílio. Na conversão em imagens, essas componentes do texto se perdem. Da mesma forma, o trabalho do sonho dissolve o conteúdo dos pensamentos oníricos nos objetos e ações que eram sua matéria bruta. Os senhores poderão ficar satisfeitos se, de alguma maneira, tiverem a possibilidade de, nos mais sutis detalhes das imagens, indicar certas relações que, em si mesmas, não admitem representação. É assim que o trabalho do sonho logra expressar muito do conteúdo dos pensamentos oníricos latentes por meio de peculiaridades formais do sonho manifesto, da cla-

---

"Contudo, a testemunha Albertine M. declarou que K. teria beijado o marido da demandante, tendo sido flagrada por ela própria ao fazê-lo.

"Em audiência anterior, M., na condição de testemunha, já havia negado possuir relações íntimas com a acusada. Mas ontem, em *carta* ao juiz, a testemunha retratou-se das declarações feitas anteriormente e *admitiu* ter tido um relacionamento amoroso com K. até junho passado. Na audiência anterior, ele teria negado sua relação com a acusada apenas porque esta lhe havia procurado anteriormente a seu depoimento e *suplicado de joelhos* para que ele a salvasse e nada dissesse. 'Hoje' — escreveu a testemunha — 'sinto-me compelido a oferecer a este tribunal confissão plena, uma vez que *quebrei meu braço esquerdo*, o que me parece ser *castigo divino* pela falta que cometi.'

"O juiz constatou que o ato sujeito a punição já *prescreveu*, ao que a demandante *retirou a acusação*, seguindo-se a liberação da acusada."

11. O TRABALHO DO SONHO

reza ou obscuridade desse conteúdo manifesto, de sua decomposição em várias partes e de outros expedientes semelhantes. O número de sonhos parciais em que um sonho se decompõe equivale, em geral, ao número de temas principais, aos grupos de pensamentos no sonho latente. Um breve sonho inicial com frequência relaciona-se com o sonho principal pormenorizado que lhe sucede à maneira de uma introdução ou da exposição de um motivo; uma oração subordinada nos pensamentos oníricos é substituída no sonho manifesto pela inserção de uma mudança de cena, e assim por diante. A forma em si dos sonhos, portanto, não é de modo algum irrelevante; também ela requer interpretação. Múltiplos sonhos em uma mesma noite costumam ter, todos eles, o mesmo significado e indicam o empenho por lidar de maneira cada vez melhor com um estímulo de intensidade crescente. Nos próprios sonhos isolados, um elemento de particular dificuldade pode encontrar representação em "dobretes",* isto é, em símbolos diversos.

Na comparação continuada dos pensamentos oníricos com os sonhos manifestos que os substituem, descobrimos muitas coisas para as quais não estávamos preparados, como, por exemplo, que também a insensatez e a absurdidade dos sonhos podem ter significado. Nesse ponto, de fato, a oposição entre as concepções médica e psicanalítica do sonho se aguçam em grau inaudito. De acordo com a primeira, o sonho é insensa-

---

* Em linguística, palavras de significado diverso e de mesma etimologia, como "tenro" e "terno".

II OS SONHOS

to porque a atividade da psique sonhadora perdeu todo senso crítico; na nossa concepção, ao contrário, o sonho só se torna insensato quando precisa dar representação a uma crítica — o juízo "isso é absurdo" — contida nos pensamentos oníricos. O sonho da ida ao teatro, já conhecido dos senhores (três ingressos por um florim e cinquenta), é um bom exemplo disso. O juízo nele expresso reza: foi *absurdo* ter me casado tão cedo.

No trabalho interpretativo também descobrimos a que correspondem aquelas dúvidas e incertezas que o sonhador tantas vezes nos comunica, sobre se determinado elemento apareceu no sonho, se se tratava de fato desse elemento ou de algum outro. Essas dúvidas e incertezas em geral não têm correspondente nos pensamentos oníricos latentes; elas resultam inteiramente da atuação da censura do sonho e equivalem a uma tentativa de expurgo não inteiramente bem-sucedida.

Entre nossos achados mais surpreendentes está o modo como o trabalho do sonho lida com oposições no material latente. Já sabemos que concordâncias nesse material são substituídas por condensações no sonho manifesto. Pois as oposições recebem o mesmo tratamento dado às concordâncias e são expressas com particular predileção pelo mesmo elemento manifesto. Um elemento do sonho manifesto que encerra uma oposição pode tanto significar ele próprio quanto seu contrário, ou então as duas coisas ao mesmo tempo. Somente o sentido poderá decidir qual tradução haveremos de escolher. A isso se liga o fato de não haver no sonho uma representação para o "não", ou ao menos não uma representação inequívoca.

11. O TRABALHO DO SONHO

Uma analogia bem-vinda para esse estranho comportamento do trabalho do sonho nos é oferecida pela evolução das línguas. Diversos linguistas afirmam que, nas línguas mais antigas, oposições como fraco-forte, claro-escuro, grande-pequeno eram expressas por palavras de mesma raiz ("O sentido antitético das palavras primitivas"). Assim, no egípcio antigo, *ken* significava originalmente "forte" e "fraco". Na fala, as pessoas se valiam da entonação e dos gestos para se guardar de mal-entendidos no emprego de palavras tão ambivalentes; na escrita, faziam-no mediante o acréscimo do chamado determinativo, ou seja, de uma imagem que não era pronunciada. *Ken*, no sentido de "forte", era, pois, escrita mediante o acréscimo da imagem de um homenzinho em pé em seguida à palavra; se o sentido pretendido era o de "fraco", a imagem que se seguia era a de um homem sentado displicentemente. Apenas mais tarde, mediante ligeiras modificações feitas na palavra primitiva homófona, surgiram duas designações diferentes para os sentidos opostos que ela encerrava. Do *ken* significando "forte-fraco" nasceu, assim, um *ken* "forte" e um *kan* "fraco". Abundantes resquícios desses antigos sentidos opostos de uma mesma palavra conservaram-se não apenas nos derradeiros desenvolvimentos das línguas antigas, mas também em línguas mais novas e ainda vivas. Quero lhes dar aqui alguns exemplos extraídos de K. Abel (1884).[*]

---

[*] Cf. a longa resenha que Freud publicou sobre o trabalho de Abel, com o mesmo título dele: "Sobre o sentido antitético das palavras primitivas" (1910).

II OS SONHOS

O latim possui essas palavras ainda e sempre ambi-valentes, como é o caso de *altus* (alto e baixo) e *sacer* (sacro e sacrílego).

Exemplos de modificação de uma mesma raiz são: *clamare* (gritar) e *clam* (baixo, quieto, em segredo); *siccus* (seco) e *succus* (suco), bem como, no alemão, *Stimme* (voz) e *stumm* (mudo).

Quando comparamos línguas aparentadas, os exem-plos resultantes são muitos. Em inglês, *lock* (trancar); em alemão, *Loch* (buraco), *Lücke* (lacuna). Em inglês, *cleave* (fender); em alemão, *kleben* (colar).

A palavra inglesa *without*, "com-sem", é hoje em-pregada no sentido de "sem". Que, além de significar acréscimo, *with* possuía também o sentido se subtração, isso é o que ainda hoje se depreende de compostos como *withdraw* [retirar] e *withhold* [reter]. Algo semelhante acontece com a palavra alemã *wieder*.

Ainda outra peculiaridade do trabalho do sonho en-contra paralelo na evolução das línguas. No egípcio an-tigo, assim como em línguas posteriores, acontecia de a sequência de fonemas das palavras de mesmo sentido se inverter. Exemplos disso no inglês e no alemão são: *Topf* e *pot* (panela); *boat* (barco) e *tub* (banheira); *hurry* (pressa) e *Ruhe* (calma); *Balken* (viga) e *Kloben* (tora), *club* (por-rete); *wait* (esperar) e *täuwen* (demorar-se). Ou, no latim e no alemão: *capere* e *packen* (apanhar), *ren* e *Niere* (rim).

Tais inversões, abordadas aqui em palavras isoladas, ocorrem de formas variadas por obra do trabalho do sonho. A inversão de sentido, a substituição pelo con-trário, já conhecemos. Além disso, encontramos nos

11. O TRABALHO DO SONHO

sonhos inversão de situações, da relação entre duas pessoas, ou seja, como num "mundo ao revés". No sonho, com relativa frequência é a lebre que atira no caçador. Além disso, verificamos nele inversões na sequência dos acontecimentos, de sorte que um fato causador sucede, em vez de preceder, o fato seguinte. É como a encenação de uma peça em um teatro de quinta categoria, em que o herói tomba antes que, dos bastidores, seja disparado o tiro que deve matá-lo. Há também sonhos nos quais toda a ordem dos elementos encontra-se invertida, de forma que, para extrair daí um sentido, a interpretação deve considerar em primeiro lugar o que vem por último, e por último o que vem primeiro. Os senhores se lembram de que, em nossos estudos sobre o simbolismo dos sonhos, entrar ou cair na água significa o mesmo que emergir dela, isto é, parir ou ser parido, e subir ou descer uma escada significam a mesma coisa. É inegável a vantagem que a deformação do sonho é capaz de extrair dessa liberdade de representação.

É lícito que caracterizemos esses traços do trabalho do sonho como *arcaicos*. Também eles estão presos a antigos sistemas de expressão, línguas e escritas, e trazem consigo as mesmas dificuldades de que falaremos mais adiante, em contexto crítico.

Antes, porém, façamos mais algumas considerações. No trabalho do sonho, trata-se evidentemente de converter em imagens sensoriais, a maioria delas de natureza visual, os pensamentos latentes vertidos em palavras. Ora, nossos pensamentos se originaram de imagens sensoriais desse tipo. Seu primeiro material e seus estágios

II OS SONHOS

preliminares foram impressões dos sentidos, ou, melhor dizendo, imagens mnemônicas delas. Apenas depois ligaram-se a elas palavras, que, por sua vez, foram enfeixadas em pensamentos. Assim, o trabalho do sonho submete os pensamentos a um tratamento *regressivo*, reverte seu desenvolvimento, e essa regressão precisa deixar pelo caminho toda nova aquisição ocorrida no percurso que vai das imagens mnemônicas até os pensamentos.

Esse seria, pois, o trabalho do sonho. Diante dos processos de que tomamos conhecimento ao examiná-lo, o interesse no sonho manifesto haveria de regredir consideravelmente. Mas quero ainda dedicar algumas considerações a este último, que é o único de que temos conhecimento direto.

É natural que o sonho manifesto perca importância para nós. Há de nos parecer indiferente se ele se mostra bem composto ou se dissolve em uma série de imagens isoladas e desconectadas. E mesmo que nos revele um exterior aparentemente significativo, sabemos que este surgiu através da deformação do sonho, e com o conteúdo interno do sonho só poderá guardar relação tão pouco orgânica como aquela que a fachada de uma igreja italiana guarda com sua planta e estrutura. Outras vezes, também essa fachada do sonho possui seu significado, reproduzindo um componente importante dos pensamentos oníricos latentes sob forma pouco ou nada deformada. Isso, contudo, não temos como saber antes de submeter o sonho à interpretação e, a partir daí, formar um juízo acerca do grau de deformação ocorrido. Dúvida semelhante se verifica quando dois elementos parecem guardar íntima re-

11. O TRABALHO DO SONHO

lação no sonho. Essa relação aparente pode conter valiosa indicação para que, também no sonho latente, juntemos os equivalentes desses elementos; outras vezes, porém, aquilo que os pensamentos integram o sonho separa.

De modo geral, devemos nos abster da pretensão de explicar uma parte do sonho manifesto com base em outra, como se o sonho tivesse sido concebido de forma coerente e constituísse uma representação pragmática. Na maioria dos casos ele é, antes, comparável a uma brecha calcária, que, composta de fragmentos unidos por meio de um cimento natural, forma desenhos que não integravam as pedras que lhe deram origem. Com efeito, há uma parte do trabalho do sonho, a chamada *elaboração secundária*, que cuida de produzir um todo mais ou menos coerente a partir dos resultados imediatos do trabalho do sonho. Com frequência, ela organiza o material de acordo com um sentido inteiramente equivocado, e realiza inserções onde lhe parece necessário.

Por outro lado, cumpre não superestimar o trabalho do sonho, isto é, não lhe atribuir feitos demasiados. As operações listadas acima esgotam suas atividades; mais que condensar, deslocar, dar representação plástica e, depois, submeter o todo a uma elaboração secundária, ele não pode fazer. Juízos, críticas, expressões de perplexidade, conclusões — nada disso é obra do trabalho do sonho, e apenas raras vezes manifestação de uma reflexão sobre o sonho; na maioria dos casos, trata-se de porções dos pensamentos oníricos latentes que, modificadas em maior ou menor grau e adaptadas ao contexto, penetram no sonho manifesto. O trabalho do sonho tampouco é

II OS SONHOS

capaz de compor falas. À exceção de uns poucos casos que podemos indicar, as falas nos sonhos constituem imitações ou combinações de falas ouvidas ou pronunciadas no dia anterior, que se inscreveram nos pensamentos latentes como material ou como incitadoras do sonho. O trabalho do sonho também não é capaz de fazer contas; cálculos que figurem no sonho manifesto são, em geral, combinações de números, falsas operações que não possuem nenhum sentido aritmético ou, mais uma vez, são apenas cópias de contas dos pensamentos oníricos latentes. Assim sendo, não é de admirar que o interesse voltado para o trabalho do sonho logo almeje afastar-se dele em direção àqueles pensamentos oníricos latentes que, deformados em maior ou menor grau, o sonho manifesto acaba por revelar. Não se pode, contudo, justificar que esse novo enfoque chegue ao ponto de, na consideração teórica, tomar pelo sonho em si o que são, na verdade, pensamentos oníricos latentes, e que conduza a afirmações acerca do primeiro que só podem ter validade em relação a este último. É singular que os resultados da psicanálise possam ser empregados tão equivocadamente, ensejando tal confusão. "Sonho" só se pode chamar o resultado do trabalho do sonho, ou seja, a *forma* que esse trabalho dá aos pensamentos latentes.

O trabalho do sonho é um processo de natureza bastante singular, de um tipo do qual até o momento não se conhece nada igual na vida psíquica. Condensações, deslocamentos e conversões regressivas de pensamentos em imagens como as que ele opera são novidades cujo mero conhecimento já recompensa abundantemente o empenho psicanalítico. Mais uma vez, os senhores podem depreender dos paralelos com o trabalho do sonho os vínculos que os estudos psicanalíticos revelam com outras áreas, em especial com a evolução das línguas e do pensamento. Mas uma ideia do real significado dessas descobertas, os senhores só poderão ter ao tomar conhecimento de que os mecanismos da formação dos sonhos são modelares para a forma como surgem os sintomas neuróticos.

Sei também que ainda não podemos ter uma visão geral dos novos ganhos para a psicologia decorrentes desses trabalhos. Queremos apenas assinalar as novas provas que eles fornecem da existência de atos psíquicos inconscientes — tais são, de fato, os pensamentos oníricos latentes — e como a interpretação dos sonhos promete um amplo e insuspeitado acesso ao conhecimento da vida psíquica inconsciente.

Agora, porém, é chegada a hora de expor aos senhores em detalhes, com uma variedade de exemplos breves de sonhos, aquilo para o qual os preparei em linhas gerais.

12. ANÁLISES DE EXEMPLOS DE SONHOS

Senhoras e senhores: Não fiquem decepcionados se, mais uma vez, eu lhes apresentar apenas fragmentos de interpretações de sonhos, em vez de convidá-los a participar da interpretação de um belo sonho completo. Dirão os senhores que, depois de tantos preparativos, constituiria esse um direito adquirido, convicção

II OS SONHOS

que expressariam argumentando que, depois da bem-sucedida interpretação de milhares de sonhos, deveria nos ser possível há tempos reunir uma coleção de ótimos exemplos para demonstrar todas as nossas afirmações sobre o trabalho do sonho e os pensamentos oníricos. Sim, mas são muitas as dificuldades que me impedem de realizar esse desejo.

Antes de mais nada, devo confessar que não existe ninguém cuja principal ocupação seja interpretar sonhos. Quando, então, nos ocupamos de interpretá-los? Vez por outra, podemos nos dedicar, sem nenhuma intenção particular, aos sonhos de algum conhecido, ou, durante algum tempo, à análise de nossos próprios sonhos, a fim de nos preparar para o trabalho psicanalítico. Na maioria dos casos, porém, os sonhos de que nos ocupamos são aqueles dos doentes de nervos em tratamento psicanalítico. Esses sonhos oferecem material extraordinário, que nada fica a dever aos sonhos das pessoas saudáveis, mas, em razão da técnica de tratamento, vemo-nos obrigados a subordinar sua interpretação às intenções terapêuticas e, assim, a abandonar toda uma série de sonhos, tão logo tenhamos extraído deles algo de útil para o tratamento em questão. Muitos dos sonhos que ocorrem ao longo da terapia subtraem-se a uma interpretação completa. Como eles nascem da grande quantidade de um material psíquico que ainda não conhecemos, sua compreensão só se torna possível depois de encerrada a terapia. Além disso, a comunicação desses sonhos iria requerer o desvelamento de todos os segredos de uma neurose, o que não é o caso, pois foi

12. ANÁLISES DE EXEMPLOS DE SONHOS

justamente como preparação para o estudo das neuroses que abordamos o sonho.

Creio que os senhores renunciariam de bom grado a esse material e prefeririam ouvir a explicação para seus próprios sonhos ou para aqueles de pessoas saudáveis. Mas isso tampouco é possível, em razão do conteúdo de tais sonhos. Não podemos expor de forma tão inconsiderada nem a nós mesmos nem a outra pessoa de cuja confiança gozamos, e isso é o que demandaria a interpretação detalhada de seus sonhos, que, como os senhores sabem, envolveria os aspectos mais íntimos de sua personalidade. Além dessa dificuldade relativa à obtenção do material, a comunicação de tais sonhos implicaria uma outra. Os senhores bem sabem que o sonho parece estranho até ao próprio sonhador, que dirá a quem não o conhece. Contudo, nossa literatura especializada não carece de análises boas e pormenorizadas. Eu próprio publiquei algumas, relacionadas a determinados casos clínicos. Talvez o mais belo exemplo de interpretação de um sonho seja aquele relatado por Otto Rank, contendo dois sonhos inter-relacionados de uma jovem. Impressa, sua descrição ocupa duas páginas; a análise, no entanto, compreende 76 páginas. Eu precisaria talvez de todo um semestre para conduzi-los por semelhante trabalho. Quando nos dedicamos a um sonho mais longo que tenha sido alvo de deformação mais intensa, precisamos dar tantos esclarecimentos, recorrer a tão extenso material relativo a associações e lembranças, entrar por tantos desvios, que uma palestra a seu respeito resultaria demasiado abrangente e insatisfatória. Então peço aos

II OS SONHOS

senhores que se contentem com aquilo que podemos realizar mais facilmente, isto é, com o relato de pequenos pedaços dos sonhos de pessoas neuróticas, nos quais possamos isolar uma coisa ou outra. Mais fáceis de demonstrar são os símbolos oníricos e certas peculiaridades da representação onírica regressiva. Vou indicar aos senhores por que julguei digno de comunicação cada um dos sonhos que relato a seguir.

1) Um sonho que consiste apenas de duas breves imagens: *O tio do sonhador fuma um cigarro, embora seja sábado. Uma mulher alisa e acaricia o sonhador como se ele fosse seu filho.*

No tocante à primeira imagem, o sonhador (judeu) observa que seu tio é um homem religioso, que jamais fez nem faria algo tão pecaminoso. Com relação à mulher da segunda imagem, nada lhe ocorre a não ser sua própria mãe. Evidentemente, cumpre aqui relacionar essas duas imagens ou esses dois pensamentos. Mas como? Uma vez que o sonhador contestou expressamente a realidade da atitude do tio, é natural que introduzamos aqui um "se". "*Se* meu tio, um homem santo, fumasse um cigarro em pleno sábado, então seria igualmente lícito que eu me deixasse acariciar por minha mãe." Isso só pode significar que a carícia da mãe é coisa tão proibida como é, para o judeu devoto, fumar no sábado. Os senhores se lembram de eu lhes ter dito que, no trabalho do sonho, ficam suspensas todas as relações entre os pensamentos oníricos; estes se dissolvem em material bruto, e é tarefa da interpretação restabelecer as relações omitidas.

12. ANÁLISES DE EXEMPLOS DE SONHOS

2) Em virtude de minhas publicações sobre o sonho, acabei de certa maneira me tornando um consultor público para questões relacionadas a esse assunto, razão pela qual recebo há muitos anos correspondência das mais variadas partes, na qual sonhos me são relatados ou submetidos para avaliação. Sou grato, claro, a todos aqueles que, além do sonho, me enviam material adicional que torne possível a interpretação, bem como àqueles que me encaminham sua própria interpretação. Pertence a esta última categoria o sonho a seguir, de 1910, enviado por um estudante de medicina de Munique. Faço uso dele para mostrar aos senhores como é inacessível à compreensão um sonho, antes que o sonhador nos tenha dado informações sobre ele. Suponho, na verdade, que, no fundo, os senhores julguem ideal a interpretação que se vale de um significado simbólico e que prefeririam pôr de lado a técnica associativa. Meu propósito é libertá-los desse equívoco danoso.

"13 de julho de 1910. Perto do amanhecer, tive o seguinte sonho. *Estou descendo de bicicleta uma rua de Tübingen, quando um dachshund marrom vem correndo atrás de mim e me morde o calcanhar. Pouco adiante, desço da bicicleta, sento-me numa escada e começo a golpear o animal, cujos dentes seguem cravados em mim.* (Nem a mordida nem a cena toda me causam sentimentos desagradáveis.) *Defronte, estão sentadas duas ou três senhoras mais velhas, que me observam com um sorrisinho. Então acordo e, como tantas vezes ocorre, o sonho todo está claro para mim nesse momento de transição para a vigília.*"

II OS SONHOS

Símbolos nos são aqui de pouca valia. Mas o sonhador relata: "Recentemente, apaixonei-me por uma moça só de vê-la na rua, mas não tive oportunidade de fazer contato com ela. Gostaria muito que o dachshund me oferecesse essa oportunidade, porque gosto bastante de animais e achei simpática essa característica dela também". Ele acrescenta ainda que, com grande habilidade e para espanto frequente dos espectadores, já interveio repetidas vezes em brigas de cachorros. Ficamos sabendo, portanto, que a moça de que ele gostou pode ser vista constantemente na companhia de um cachorro dessa raça particular. A moça foi excluída do sonho manifesto, que mantém apenas o cachorro associado a ela. Talvez as senhoras mais velhas a sorrir para ele figurem no lugar dela. O restante de seu relato, no entanto, não basta para esclarecer esse ponto. O fato de ele estar de bicicleta no sonho é repetição direta da situação que tem na lembrança: todas as vezes que encontrou a moça com o cachorro, ele estava andando de bicicleta.

3) Quando alguém perde um de seus parentes mais queridos, os sonhos que essa pessoa tem por algum tempo são de um tipo especial, em que a consciência dessa morte estabelece um notável compromisso com a necessidade de trazer de volta à vida o ente querido. Nesses sonhos, por vezes o falecido está morto e, no entanto, segue vivendo, porque não sabe que está morto: morreria, sim, se soubesse disso. Outras vezes, apresenta-se semimorto e semivivo, e cada um desses estados tem seus indícios particulares. Não podemos caracterizar esses sonhos como simplesmente absurdos,

12. ANÁLISES DE EXEMPLOS DE SONHOS

uma vez que o retorno à vida não é mais inadmissível em um sonho do que, por exemplo, nos contos de fada, onde é bastante comum. Até onde logrei analisá-los, verifiquei que esses sonhos podem ter uma solução racional, mas que o desejo pio de trazer o morto de volta à vida sabe se valer dos meios mais estranhos. Exponho aos senhores agora um sonho desse tipo, que parece bem estranho e absurdo e cuja análise exibirá aos senhores muito daquilo para o qual nossas explicações teóricas os prepararam. Trata-se do sonho de um homem que perdeu o pai há muitos anos.

O pai está morto, mas foi exumado e sua aparência é ruim. Desde então, segue vivendo, e o sonhador faz de tudo para que o pai não o perceba. (Depois disso, o sonho em questão passa a tratar de outras coisas, aparentemente bem diferentes.)

O pai morreu, disso sabemos. A exumação não corresponde à realidade, que, de todo modo, não conta muito em relação ao resto. Mas o sonhador relata: depois de regressar do enterro do pai, um dente começou a lhe doer. Seu desejo era tratar esse dente de acordo com o que prescreve a religião judaica: se um dente o incomoda, arranque-o. Assim sendo, ele foi a um dentista. Este, porém, lhe disse: "Não se arranca um dente assim. É preciso ter paciência com ele. Vou aplicar algo para matá-lo. Daqui a três dias, o senhor volta, e aí extraímos".

"Essa 'extração'", diz o sonhador de repente, "é a exumação."

Teria ele razão? Não se trata bem disso, e sim de coisa semelhante, já que o que é extraído não é o dente em si,

II OS SONHOS

mas o que está morto nele. A julgar por outras experiências, todavia, inexatidões como essa devemos admitir no
trabalho do sonho. O sonhador teria, então, condensa-
do o pai falecido e o dente que havia sido morto, mas
não extraído; fundira ambos numa mesma unidade. Não
admira, pois, que o sonho manifesto apresente algo sem
sentido; afinal, nem tudo que se diz do dente se aplica
ao pai. Onde estaria o *tertium comparationis* entre dente e
pai, que torna possível essa condensação?

E, no entanto, assim deve ter sido, porque o sonhador
prossegue, dizendo que sabe que sonhar com a queda de
um dente significa a perda de um membro da família.

Sabemos que essa interpretação popular é incorreta ou, no mínimo, correta apenas em sentido burlesco.
Tanto mais surpreendente será, então, redescobrir o
tema assim abordado por trás dos outros segmentos do
conteúdo do sonho.

Sem ser solicitado a fazê-lo, o sonhador começa em
seguida a falar da enfermidade e da morte do pai, assim
como de sua relação com ele. O pai sofrera uma longa
enfermidade, cujo tratamento havia custado muito dinheiro a ele, o filho. Este, porém, nunca achara nada
daquilo demasiado, nunca se impacientara nem nutrira
o desejo de que tudo acabasse logo. O sonhador se gaba
de sua genuína piedade judaica em relação ao pai, da
rigorosa obediência da lei judaica. Não chama a atenção
aí uma contradição nos pensamentos que pertencem ao
sonho? Ele havia identificado o dente com o pai. No
tocante ao dente, queria proceder segundo a lei judaica,
que determinava a extração, caso o dente provocasse

12. ANÁLISES DE EXEMPLOS DE SONHOS

dor ou incômodo. Também em relação ao pai pretendia ter agido conforme os preceitos dessa lei; nesse caso, no entanto, ela reza que não se dê atenção aos gastos ou aborrecimentos, que se suporte toda dificuldade e não se tenha nenhuma intenção hostil contra o objeto que provoca a dor. A concordância entre as duas atitudes não seria mais convincente se, de fato, o sonhador tivesse desenvolvido em relação ao pai sentimentos semelhantes aos que abrigara contra o dente doente, ou seja, se tivesse desejado que uma morte rápida pusesse fim àquela existência supérflua, dolorosa e dispendiosa?

Não tenho dúvida de que essa era, na realidade, sua postura em relação ao pai ao longo da demorada enfermidade, e de que as alardeadas reafirmações de piedade religiosa servem ao propósito de desviá-lo de tais lembranças. Em condições assim, o desejo da morte do genitor costuma despertar e se recobrir da máscara de uma ponderação compassiva, tal como: "Para ele, seria apenas um alívio". Notem, porém, que aqui ultrapassamos uma barreira no interior dos próprios pensamentos oníricos latentes. A primeira parte deles por certo esteve inconsciente apenas durante algum tempo — isto é, durante a formação do sonho —, ao passo que as emoções hostis voltadas contra o pai talvez tenham estado inconscientes desde sempre; é possível que provenham da infância e que, ao longo da enfermidade do pai, tenham aqui e ali, de um modo tímido e dissimulado, adentrado sorrateiramente a consciência. Com certeza ainda maior podemos dizer o mesmo de outros pensamentos latentes que deram contribuições inequívocas

II OS SONHOS

ao conteúdo do sonho. Das emoções hostis ao pai não encontramos sinal no sonho. Mas, se procuramos a raiz dessa hostilidade na infância, lembramos que a angústia relativa ao pai se instala porque este, já nos primeiros anos, se opõe à atividade sexual do menino, como, por razões sociais, também faz nos anos que se seguem à puberdade. Essa relação com o pai também se aplica ao nosso sonhador. Em seu amor por ele misturam-se respeito e medo, vindos da intimidação sexual prematura.

O complexo da masturbação explica, então, as demais frases do sonho manifesto. Se, por um lado, "sua aparência é ruim" faz alusão a outra fala do dentista — que afirma resultar ruim a aparência quando se perde um dente naquela posição —, por outro, a frase se refere também à "aparência ruim" por meio da qual o jovem na puberdade trai, ou receia trair, sua atividade sexual exagerada. No sonho manifesto, o sonhador, não sem sentir alívio, transfere a aparência ruim de si para o pai, uma das inversões do trabalho do sonho conhecida dos senhores. "Ele segue vivendo" coincide tanto com o desejo de trazer o pai de volta à vida como com a promessa do dentista de poupar o dente. Bastante refinada é a oração "o sonhador faz de tudo *para que o pai não o perceba*", assim construída para nos levar a complementar: não perceba "que está morto". Mas o único complemento que faz sentido resulta, mais uma vez, do complexo da masturbação, em que é natural que o jovem tudo faça para ocultar do pai sua vida sexual. Lembrem-se, por fim, de que sempre devemos interpretar os chamados "sonhos com estímulo dentário" com

12. ANÁLISES DE EXEMPLOS DE SONHOS

referência à masturbação e ao medo do castigo decorrente dessa prática.

Os senhores veem agora como surgiu esse sonho incompreensível, ou seja, a partir da produção de uma condensação singular e enganadora, da omissão de todos os pensamentos centrais ao encadeamento do pensamento latente e da criação de formações substitutivas de significado ambíguo para os pensamentos mais profundos e temporalmente distantes.

4) Já tentamos várias vezes nos aproximar daqueles sonhos sóbrios e banais que nada contêm de absurdo ou estranho, mas que levantam a questão: por que sonhamos com coisas tão indiferentes? Quero, portanto, expor um novo exemplo desse tipo: três sonhos interligados que uma jovem senhora teve numa mesma noite.

a) *Ela caminha pelo vestíbulo de sua casa, bate a cabeça no lustre que pende baixo do teto e começa a sangrar.*

Não se trata de uma reminiscência nem de nada que tenha de fato ocorrido. A informação que a sonhadora fornece leva a outros caminhos, bem diversos. "O senhor sabe como os cabelos me caem em grande quantidade. 'Filha', disse-me ontem minha mãe, 'se continuar assim, sua cabeça vai ficar lisa como um bumbum'." A cabeça representa aqui, portanto, a outra extremidade do corpo. O significado simbólico do lustre, nós podemos compreender sem precisar de ajuda: todo objeto expansível simboliza o membro masculino. Estamos, pois, diante de um sangramento na extremidade inferior do corpo que resulta do choque com o pênis. Isso ainda poderia ser ambíguo. Mas as demais associações indicam que se

II OS SONHOS

trata da crença de que o sangramento menstrual adviria da relação sexual com o homem — um elemento de teoria sexual em que muitas moças imaturas acreditam.

b) *Ela vê no vinhedo uma vala profunda que sabe ter se originado de uma árvore arrancada*. Comenta a esse respeito que a árvore *lhe falta*. Quer dizer com isso que, no sonho, não viu a árvore, mas essa mesma formulação dá expressão a outro pensamento, que garante completamente a interpretação simbólica. O sonho se refere a outra das teorias sexuais infantis: à crença de que, originalmente, as meninas possuíam o mesmo órgão genital que os meninos e de que sua configuração posterior teve origem por meio da castração (o arrancar de uma árvore).

c) *Ela está diante da gaveta de sua escrivaninha e a conhece tão bem que sabe de imediato se alguém mexeu ali*. Como toda gaveta, caixote ou caixa, a gaveta da escrivaninha representa a genitália feminina. Ela sabe que se pode reconhecer na genitália os indícios do ato sexual (ou de um simples toque, como ela crê) e teme há tempos uma tal comprovação de culpa. Creio que, nesses três sonhos, a ênfase recai sobre o *saber*. A sonhadora se lembra de suas investigações sexuais infantis, de cujos resultados tanto se orgulhava na época.

5) De novo, um pouco de simbolismo. Desta vez, no entanto, é necessário que eu comece com um breve relato prévio da situação psíquica. Depois de uma noite de amor com uma mulher, um senhor descreve sua parceira como uma daquelas naturezas maternais nas quais, no trato amoroso com o homem, o desejo de ter um filho se impõe de forma irresistível. As circunstâncias

12. ANÁLISES DE EXEMPLOS DE SONHOS

desse encontro, porém, requerem a precaução de que a ejaculação ocorra fora do ventre feminino. Ao acordar na manhã seguinte, a mulher relata o sonho a seguir.

Um oficial com um boné vermelho corre atrás dela na rua. Em fuga, ela sobe uma escada, ele segue atrás. Sem fôlego, ela chega em casa e bate a porta. Ele permanece do lado de fora e, como ela pode ver pelo olho mágico, senta-se num banco e chora.

Nessa perseguição por parte do oficial com o boné vermelho e na resfolegante subida da escada, os senhores decerto reconhecem uma representação do ato sexual. O fato de a sonhadora se fechar para o perseguidor pode lhes servir como exemplo daquelas inversões tão empregadas no sonho, pois, na realidade, foi o homem quem se absteve da conclusão do ato amoroso. Também o pesar da mulher é deslocado para seu parceiro, que, afinal, é quem chora no sonho, um choro que ao mesmo tempo sugere a ejaculação.

Os senhores alguma vez terão ouvido dizer que, segundo a psicanálise, todos os sonhos têm um significado sexual. Agora se veem numa posição que lhes permite formar um juízo a respeito da incorreção dessa crítica. Conheceram os sonhos que expressam desejos, os que tratam da satisfação das necessidades mais evidentes — fome, sede, anseio por liberdade —, e conheceram também os sonhos de bem-estar e impaciência, assim como os de pura ganância e egoísmo. Mas que aqueles bastante deformados manifestam sobretudo — não exclusivamente, repetimos — desejos sexuais, isso os senhores podem guardar como resultado da pesquisa psicanalítica.

II OS SONHOS

6) Tenho um motivo especial para coletar exemplos do emprego dos símbolos nos sonhos. Em nosso primeiro encontro, reclamei da dificuldade de efetuar demonstrações no ensino da psicanálise, e, portanto, de despertar convicções, e desde então os senhores certamente concordam comigo. Contudo, as afirmações isoladas da psicanálise guardam entre si relação tão íntima que a convicção pode facilmente espraiar-se de um ponto específico para uma porção maior do todo. Pode-se dizer, da psicanálise, que basta lhe dar a mão e ela já nos pega pelo braço. Quem aceitar a explicação para os atos falhos não poderá, pela via da lógica, furtar-se a crer em tudo o mais. Um segundo ponto igualmente acessível da psicanálise é dado pelo simbolismo dos sonhos. Vou apresentar aos senhores o sonho, já publicado, de uma mulher do povo, cujo marido é policial e que, com certeza, nunca ouviu falar no simbolismo dos sonhos ou na psicanálise. Julguem os senhores se a interpretação, que se vale de símbolos sexuais, pode ser chamada de arbitrária e forçada.

"[...] *Então alguém invadiu a casa e, com medo, ela chamou por um policial. Este, porém, em amigável companhia de 'dois vagabundos', tinha ido a uma igreja cuja porta de entrada tinha vários degraus. Atrás da igreja erguia-se um monte e, lá em cima, uma espessa floresta. O policial exibia capacete, gorjal e casaco. Tinha uma barba castanha e cerrada. Os dois vagabundos, que o haviam acompanhado pacificamente, levavam aventais em forma de saco amarrados em torno do*

12. ANÁLISES DE EXEMPLOS DE SONHOS

quadril. Diante da igreja, um caminho conduzia até o monte. De ambos os lados, ele estava tomado por grama e matagal cada vez mais densos, os quais, no topo, transformavam-se em verdadeira floresta."

Os senhores podem reconhecer sem esforço os símbolos empregados. O órgão genital masculino é representado por uma tríade de pessoas; o feminino, pela paisagem com capela, monte e floresta. Outra vez, os senhores encontram os degraus como símbolo do ato sexual. O que no sonho é chamado de "monte" leva o mesmo nome em anatomia, isto é, *mons veneris*, ou "monte de Vênus".

7) Outro sonho solucionável mediante o emprego de símbolos, tanto mais notável e comprobatório pelo fato de o próprio sonhador ter traduzido todos eles, embora não possuísse nenhum conhecimento teórico prévio relativo à interpretação dos sonhos. Trata-se de um comportamento bastante incomum, cujos determinantes não são bem conhecidos.

"Ele vai passear com o pai em um local que, com certeza, é o Prater,* pois vê-se a rotunda e, diante dela, uma construção menor à qual se prende um balão, que aparenta estar bastante flácido. O pai lhe pergunta para que serve tudo aquilo; embora admirado com a pergunta, o filho lhe explica. Depois chegam a um pátio, em que se estende uma grande chapa de latão. O pai quer arrancar um bom pedaço dela, mas olha em torno, para ver se

---

* O grande parque público de Viena.

II OS SONHOS

ninguém vai perceber. O filho lhe diz que basta pedir ao vigia, e ele poderá, então, levar um pedaço sem nenhum problema. Uma escadaria desce do pátio para dentro de um poço cujas paredes revestem-se de um estofamento macio, como uma poltrona de couro. No fim do poço, há uma plataforma mais comprida e, em seguida, começa um novo poço [...]"

O próprio sonhador interpreta: "A rotunda é minha genitália, o balão defronte, meu pênis, sobre cuja flacidez tenho motivos para reclamar". Isso nos permite detalhar a tradução: a rotunda seria o traseiro, que as crianças, em geral, incluem na genitália; a construção menor diante dela, o escroto. No sonho, o pai lhe pergunta o que é tudo aquilo, ou seja, pergunta-lhe sobre o propósito e o funcionamento dos órgãos genitais. Inverter os fatos, de forma que seja o filho a perguntar, é aqui um passo óbvio. Como, na realidade, ele nunca fez tal pergunta ao pai, devemos entender esse pensamento onírico como um desejo, ou tomá-lo como uma oração condicional: "Se eu tivesse pedido esclarecimentos sexuais a meu pai...". Logo encontraremos a complementação para esse pensamento em outro ponto do sonho.

O pátio no qual se estende a chapa de latão não deve ser, em princípio, tomado simbolicamente; sua origem é o local de trabalho do pai. (Por uma questão de discrição, usei "latão" em lugar do material que o pai de fato comercializa, sem com isso alterar em nada o teor restante do sonho.) O sonhador entrou na loja do pai

12. ANÁLISES DE EXEMPLOS DE SONHOS

e ficou bastante chocado com as práticas incorretas em que se baseia boa parte de seu ganho. A continuação desse pensamento onírico poderia ser: "(Se eu tivesse perguntado), ele teria me enganado, assim como faz com seus clientes". Para o desejo de arrancar um pedaço da chapa de latão, que serve aqui de representação da desonestidade nos negócios, o próprio sonhador nos dá, pela segunda vez, uma explicação: ele significa a masturbação. Disso sabemos há tempos e, ademais, a explicação combina muito bem com o fato de o segredo da masturbação vir expresso por seu contrário (pode-se, afinal, praticar o ato abertamente). Vem, pois, ao encontro de nossas expectativas o fato de a atividade masturbatória ser atribuída ao pai, assim como a formulação da pergunta na primeira cena do sonho. O poço, o sonhador o interpreta de pronto como a vagina, e o faz recorrendo ao macio estofamento das paredes. Que o ato de descer a escada, tanto quanto subir por ela, pretende descrever o coito no interior da vagina, é algo que eu mesmo acrescento.

Para os detalhes representados pela plataforma mais comprida que se segue ao primeiro poço e, mais adiante, pela presença de novo poço, o sonhador nos fornece explicação autobiográfica. Por algum tempo teve relações sexuais, mas parou de tê-las em razão de certas inibições; agora, espera poder retomá-las com o auxílio do tratamento.

8) Os dois sonhos que relato a seguir, ambos de um estrangeiro com forte inclinação para a poligamia, comunico aos senhores como prova de que nosso Eu está

II OS SONHOS

presente em todos os nossos sonhos, mesmo naqueles em que ele se oculta ao conteúdo manifesto. Nestes sonhos, as malas simbolizam as mulheres.

a) *Ele parte em viagem, sua bagagem é levada de carro até a estação; são muitas malas amontoadas, dentre as quais duas grandes malas pretas que se parecem com mostruários. Em tom de consolo, diz a alguém: "Bom, elas só vão comigo até a estação".*

Na realidade, ele costuma viajar com muita bagagem, da mesma forma como relata muitas histórias sobre mulheres durante o tratamento. As duas malas pretas correspondem a duas mulheres negras que, no momento, desempenham papel central em sua vida. Uma delas quis viajar para Viena, onde ele já se encontrava; a meu conselho, ele enviara um telegrama a ela, dissuadindo-a de fazê-lo.

b) Uma cena na alfândega. *Um companheiro de viagem abre sua mala e, indiferente, fumando um cigarro, diz: "Não tem nada aí dentro". O funcionário da alfândega parece acreditar nele, mas torna a enfiar a mão dentro dela e encontra algo proibidíssimo. Resignado, o viajante, então, diz: "Não há o que fazer".*

O viajante é ele próprio; o funcionário da alfândega sou eu. Em geral, ele é muito honesto em suas confissões, mas decidira não me contar sobre um novo e recém-iniciado relacionamento com uma dama, porque podia supor, e com razão, que ela não me era desconhecida. Ele transfere para um estranho a situação embaraçosa de ver comprovada sua culpa, de maneira que ele próprio parece não figurar no sonho.

12. ANÁLISES DE EXEMPLOS DE SONHOS

9) A seguir, um exemplo de um símbolo que ainda não mencionei. *Ele encontra sua irmã em companhia de duas amigas, também irmãs. Estende a mão para as duas, mas não para a própria irmã.*

O sonho não se vincula a nenhum acontecimento real. Na verdade, os pensamentos do sonhador o levam de volta a uma época em que pensava muito em uma observação que havia feito: a de que os seios das meninas demoram muito a se desenvolver. As duas irmãs são, portanto, os seios; ele gostaria muito de apanhá-los nas mãos, não fosse sua própria irmã.

10) Aqui, um exemplo da simbologia da morte no sonho.

Ele caminha com duas pessoas, cujos nomes sabe, mas dos quais se esqueceu ao acordar, sobre uma passarela de ferro íngreme e bastante alta. De repente, as duas pessoas desaparecem, e ele vê um homem de aspecto fantasmagórico, com um boné e terno de linho. Pergunta-lhe se é o mensageiro que traz os telegramas... Não. É o carroceiro? Não. Então, ele segue adiante, sente-se ainda muito angustiado no sonho e, depois de acordar, dá sequência a ele, fantasiando que a ponte de ferro de súbito desmorona e ele próprio mergulha no abismo.

Pessoas que enfatizamos não conhecer ou de cujo nome nos esquecemos são em geral aquelas muito próximas de nós. O sonhador tem dois irmãos; tivesse ele desejado a morte deles, seria justo que o medo da morte agora o atormentasse. Acerca do mensageiro, afirma que essas pessoas sempre trazem notícias nefastas. A julgar pelo uniforme, poderia tratar-se ain-

II OS SONHOS

da de um acendedor de lampiões, responsável também por apagá-los, ou seja, da mesma forma que o gênio da morte apaga a tocha. Ao carroceiro, associa o poema de Uhland sobre a viagem marítima do rei Carlos ("*König Karls Meerfahrt*") e se lembra de uma viagem marítima repleta de perigos, feita em companhia de dois camaradas, na qual ele fez o mesmo papel do rei no poema.* Em relação à ponte de ferro, ocorre-lhe um acidente recente e a frase tola que diz ser a vida uma ponte pênsil.

11) Como outro exemplo de representação da morte, podemos citar o seguinte sonho: *Um senhor desconhecido entrega a ele um cartão de visitas com bordas pretas.*

12) Em muitos aspectos o sonho a seguir será do interesse dos senhores, embora ele tenha como uma de suas premissas um estado neurótico.

Ele viaja pela estrada de ferro. O trem para em campo aberto. Ele acredita que um desastre está para acontecer, é necessário buscar refúgio, e percorre todos os compartimentos do trem, matando cada um que encontra: cobrador, maquinista etc.

Junta-se a isso a lembrança de uma história contada por um amigo. Num trem que seguia pela Itália, um compartimento estava sendo utilizado para transportar um louco. Por descuido, porém, permitiram a outro viajante acomodar-se ali. O louco matou esse viajante.

---

* Nesse poema de Johann Ludwig Uhland (1787-1862), o rei Carlos e seus doze cavaleiros são surpreendidos por uma tempestade numa viagem à Terra Santa; cada um dos cavaleiros se lamenta, enquanto o rei, calado, guia o barco em segurança até o porto.

12. ANÁLISES DE EXEMPLOS DE SONHOS

O sonhador se identifica com esse louco e justifica seu ato com uma imagem obsessiva que de vez em quando o atormenta: a de que precisa "eliminar os que sabem". Depois, no entanto, ele próprio encontra motivação melhor para seu sonho. No dia anterior, tornara a ver, no teatro, a moça com quem queria se casar, mas da qual se afastara porque ela lhe dera motivo para ciúmes. Pela intensidade que seu ciúme é capaz de atingir, seria de fato loucura de sua parte pretender casar-se com ela. Ou seja, ele a considera tão pouco confiável que, em razão de seu ciúme, precisaria matar todos os que lhe cruzassem o caminho. Caminhar por uma série de quartos — compartimentos, no presente caso — é um símbolo já conhecido da condição de casado (contraposição à monogamia).

Sobre a parada do trem num campo aberto e o medo de um acidente, ele conta que certa vez, quando ocorreu de um trem se deter assim, subitamente, na via férrea e fora da estação, uma jovem mulher que também viajava nele explicou que talvez um choque fosse iminente, para o que a medida mais apropriada a tomar seria pôr as pernas para cima. "Pôr as pernas para cima" era uma atitude que também havia desempenhado um papel nos muitos passeios e excursões pela natureza que, nos primeiros e felizes tempos de seu relacionamento amoroso, ele havia feito com aquela moça. Um novo argumento para pensar que ele tinha de ser louco para se casar com ela agora. Mas que ele mantinha o desejo de cometer tal loucura, disso eu podia estar certo, em razão de meu conhecimento da situação.

13. TRAÇOS ARCAICOS E INFANTILISMO DOS SONHOS

Senhoras e senhores: Retomemos mais uma vez nossa conclusão de que o trabalho do sonho, sob a influência da censura, transpõe os pensamentos oníricos latentes para outro modo de expressão. Os pensamentos latentes não são mais do que aqueles conhecidos e conscientes que temos acordados; o novo modo de expressão nos é, em múltiplos aspectos, incompreensível. Dissemos que ele recorre a estados de nosso desenvolvimento intelectual que já superamos há muito tempo, como a linguagem imagética, o recurso aos símbolos e talvez a relações anteriores ao desenvolvimento de nossa linguagem discursiva. Por isso, chamamos o modo de expressão do trabalho do sonho de *arcaico* ou *regressivo*.

Os senhores podem tirar daí a conclusão de que, do estudo mais aprofundado do trabalho do sonho, haveria de ser possível extrair valiosos esclarecimentos acerca dos primeiros passos, não tão bem conhecidos, de nosso desenvolvimento intelectual. Espero que assim seja, mas, até o momento, esse trabalho ainda não teve início. Essa pré-história à qual o trabalho do sonho nos reconduz é dupla: por um lado, a pré-história individual de nossa infância; por outro, na medida em que cada indivíduo, de algum modo, repete abreviadamente na infância todo o desenvolvimento da espécie humana, ela é também a pré-história filogenética. Se somos capazes de determinar que porção dos processos psíquicos latentes advém da pré-história individual e que porção da pré-

13. TRAÇOS ARCAICOS E INFANTILISMO DOS SONHOS

-história filogenética — isso é algo que não considero impossível. Assim, parece-me, a referência simbólica, não aprendida pelo indivíduo, tem o direito de ser considerada herança filogenética.

Contudo, essa não é a única característica arcaica do sonho. Por experiência própria, os senhores decerto conhecem a curiosa amnésia que recobre nossa infância. Refiro-me ao fato de que nossos primeiros anos de vida — até cinco, seis ou oito anos de idade — não deixam na memória os mesmos rastros que nossas vivências posteriores. Por certo, encontramos uma ou outra pessoa que pode se gabar de possuir uma lembrança contínua, desde a mais tenra infância até os dias atuais; mas a situação contrária, aquela das lacunas na memória, é incomparavelmente mais comum. Esse é um fato, creio, que nunca despertou o devido assombro. Aos dois anos, uma criança já fala bem, logo se mostra capaz de lidar com situações psíquicas complicadas e diz coisas que, muitos anos mais tarde, outras pessoas lhe relatarão, mas das quais ela própria se esqueceu. Nos primeiros anos de vida, no entanto, a memória apresenta desempenho melhor, porque está menos sobrecarregada que em anos posteriores. Além disso, não há motivo para considerar a função da memória tarefa psíquica particularmente elevada ou difícil. Pelo contrário: mesmo entre pessoas de capacidade intelectual bastante baixa encontramos indivíduos possuidores de boa memória.

Como uma segunda peculiaridade sobreposta a essa primeira, devo, porém, mencionar que, desse vazio da memória que abarca os primeiros anos da infância,

II OS SONHOS

sobressaem algumas lembranças bem preservadas, em geral percebidas plasticamente, as quais não possuem justificativa para sua preservação. Com o material fornecido pelas impressões que chegam até nós em nossa vida posterior, a memória procede de forma a efetuar uma seleção. Ela conserva o que é importante e descarta o irrelevante. Algo diferente ocorre com as memórias preservadas da infância. Elas não correspondem necessariamente a experiências importantes daqueles anos, nem mesmo àquelas que, do ponto de vista da criança, haveriam de parecer importantes. Muitas vezes, são tão banais e insignificantes que, admirados, nos perguntamos por que justamente detalhes como esses escaparam do esquecimento. Com o auxílio da análise, já procurei em outro momento abordar o mistério da amnésia infantil e dos resquícios de memória que a interrompem, tendo chegado à conclusão de que, na verdade, também na criança apenas o que é importante permanece na memória. O que ocorre é que, mediante os processos da condensação e muito particularmente do deslocamento, já conhecidos dos senhores, esse conteúdo importante se faz representar na memória por coisas aparentemente irrelevantes. Por essa razão, denominei essas memórias infantis *lembranças encobridoras*; mediante análise minuciosa, pode-se obter delas tudo que foi esquecido.

No tratamento psicanalítico, é comum depararmos com a tarefa de preencher as lacunas dessas memórias infantis; sempre que em alguma medida o tratamento é bem-sucedido — ou seja, com bastante frequência —, conseguimos trazer de volta à luz o conteúdo dessas

13. TRAÇOS ARCAICOS E INFANTILISMO DOS SONHOS

lembranças da infância encobertas pelo esquecimento. São impressões que jamais foram esquecidas de fato, mas apenas tornaram-se inacessíveis, latentes, abrigadas no domínio do inconsciente. Pode ocorrer, todavia, de elas emergirem dali de forma espontânea, o que de fato acontece no contexto dos sonhos. O que se verifica é que a vida onírica conhece o caminho que dá acesso a essas experiências infantis latentes. Belos exemplos disso encontram-se registrados na literatura especializada, e eu próprio logrei contribuir com um deles. Certa feita, em determinado contexto, sonhei com uma pessoa que provavelmente me prestara um serviço e que eu podia ver com clareza diante de mim. Era um homem zarolho, de pouca estatura, gordo, a cabeça afundada nos ombros. Depreendi do contexto que se tratava de um médico. Por sorte, pude perguntar a minha mãe, ainda viva à época, que aparência tinha o médico de minha cidade natal, que deixei aos três anos de idade; descobri, assim, que ele era zarolho, baixinho, gordo e tinha a cabeça enfiada nos ombros; fiquei sabendo também por ocasião de que acidente, já esquecido, ele me prestara auxílio. O fato de dispor desse material esquecido dos primeiros anos da infância é, pois, outro traço arcaico do sonho.

Pois bem. Essa informação se vincula a outro dos enigmas com que deparamos até agora. Os senhores se lembram com que espanto descobrimos que os instigadores dos sonhos seriam desejos sexuais decididamente maus e dissolutos, os quais tornaram necessárias a censura e a deformação do sonho. Quando interpretamos

II OS SONHOS

um tal sonho para o sonhador, e ele próprio, como ocorre na melhor das hipóteses, não ataca nossa interpretação, é comum que nos pergunte de onde provém semelhante desejo, uma vez que ele o percebe como estranho e, conscientemente, pensa o contrário. Não precisamos hesitar em demonstrar essa origem. Tais desejos maus vêm do passado, em geral de um passado não muito distante. É possível mostrar que, embora não o sejam mais, eles já foram conhecidos e conscientes. A mulher cujo sonho significa que ela queria ver morta a filha única de dezessete anos descobre, sob nossa orientação, que de fato alimentou no passado esse desejo de morte. A filha é fruto de um casamento infeliz e logo desfeito. Quando ainda a carregava no ventre, a mãe certa vez teve um acesso de raiva motivado por uma cena áspera com o marido e pôs-se a esmurrar com violência a própria barriga, a fim de matar a criança lá dentro. Quantas mães que hoje amam seus filhos com ternura, talvez até com ternura demasiada, não os conceberam a contragosto e já não desejaram que a vida que carregavam dentro de si não se desenvolvesse? E quantas não transformaram esse desejo em diferentes ações, felizmente inofensivas? O desejo de morte contra a pessoa amada, posteriormente tão enigmático, tem sua origem, portanto, no início do relacionamento com ela.

Também ao pai cujo sonho autoriza a interpretação de que ele desejava a morte de seu primogênito querido é preciso lembrar que, no passado, esse desejo não lhe era estranho. Quando a criança ainda era um bebê, o homem, insatisfeito com sua escolha matrimonial, pen-

13. TRAÇOS ARCAICOS E INFANTILISMO DOS SONHOS

sava com frequência que, caso aquele pequeno ser, que nada significava para ele, viesse a falecer, ele teria de volta sua liberdade e faria melhor uso dela. A mesma origem se deixa comprovar para grande número de semelhantes sentimentos de ódio: são lembranças de algo que pertence ao passado, que já foi consciente e teve seu papel na vida psíquica. Os senhores se inclinarão a tirar daí a conclusão de que, não havendo mudanças similares na relação com uma pessoa, mantendo-se idêntico o significado dessa relação desde o princípio, não pode haver desejos nem sonhos como os expostos acima. Estou disposto a concordar com esse raciocínio, mas quero lembrar que não é o conteúdo literal do sonho, e sim seu significado após a interpretação, que os senhores têm de levar em conta. Pode acontecer de o sonho manifesto sobre a morte de uma pessoa amada ter apenas vestido uma máscara assustadora, significando, porém, algo bem diverso; ou pode ocorrer de a pessoa amada ser apenas um sucedâneo enganoso de outra.

Essa mesma questão, no entanto, despertará nos senhores uma outra pergunta, muito mais séria. Os senhores dirão: "Se esse desejo de morte um dia esteve presente e é confirmado pela memória, isso não constitui explicação nenhuma — como o desejo foi superado há muito tempo, ele só pode estar presente hoje no inconsciente como lembrança desprovida de todo e qualquer afeto, e não como estímulo poderoso. Nada aponta nesta última direção. Por que, então, ele é lembrado em sonho?". Na realidade, essa pergunta se justifica, mas a tentativa de esclarecê-la nos levaria demasiado longe e

II OS SONHOS

nos obrigaria a tomar partido em relação a um dos pontos mais importantes da doutrina dos sonhos. Eu, porém, me vejo obrigado a permanecer nos limites de nossa discussão e a exercer certa contenção. Preparem-se os senhores para essa restrição temporária. Contentemo-nos com a prova efetiva de que esse desejo superado é comprovadamente o causador do sonho e prossigamos com nossa investigação sobre se outros desejos maus também admitem a mesma derivação do passado.

Permaneçamos nos desejos de eliminação, que, em boa parte dos casos, podemos fazer remontar ao egoísmo irrestrito do sonhador. Com frequência é possível demonstrar o papel de tal desejo na formação do sonho. Sempre que, na vida, alguém se interpõe em nosso caminho — e isso frequentemente há de acontecer, dada a complexidade das relações hoje em dia —, o sonho logo se revela disposto a matá-lo, trate-se de pai, mãe, irmãos, cônjuge ou algo semelhante. Espantados com essa perversidade da natureza humana, por certo nossa tendência inicial não foi a de aceitar sem relutância esse resultado da interpretação dos sonhos. Uma vez, porém, apontado o passado como local onde buscar a origem desses desejos, não tardamos em descobrir o período do passado individual em que tal egoísmo e tais desejos nada mais têm de estranho, mesmo quando voltados contra aqueles mais próximos de nós. É precisamente a criança, e sobretudo naqueles primeiros anos de vida mais tarde encobertos pela amnésia, que com frequência exibe esse egoísmo em sua forma mais extrema, exibindo também claros sinais dele ou, melhor di-

13. TRAÇOS ARCAICOS E INFANTILISMO DOS SONHOS

zendo, resquícios de um tal egoísmo. A criança aprende, em primeiro lugar, a amar a si mesma; apenas mais tarde aprende também a amar os outros e a sacrificar algo de seu Eu em favor deles. Mesmo aquelas pessoas que ela parece amar desde o princípio, ela as ama somente porque precisa delas, porque delas não pode prescindir, ou seja, por motivos ditados pelo egoísmo. Mais tarde, então, o impulso amoroso aparta-se do egoísmo. Foi, de fato, *com o egoísmo que ela aprendeu a amar.*

Nesse sentido, será instrutivo comparar sua postura ante os irmãos com aquela em relação aos pais. A criança pequena não ama necessariamente seus irmãos; com frequência, é evidente que não os ama. Não resta dúvida de que os odeia como concorrentes, e é sabido como essa postura em geral continua sem interrupção por longos anos, até o amadurecimento e mesmo além. É comum que ela seja substituída por uma postura mais terna — ou, melhor dizendo, que esta última venha se sobrepor à primeira; de todo modo, a hostilidade parece ser em geral a postura mais antiga. Pode-se facilmente observá-la em crianças de dois anos e meio a quatro ou cinco anos, quando estas ganham a companhia de um irmãozinho. Na maioria das vezes, o irmão é recebido de forma bastante inamistosa. São bem comuns manifestações como: "Não gosto dele, que a cegonha o leve de volta!". Em seguida, a mais velha se vale de toda e qualquer oportunidade para rebaixar o recém--chegado, e mesmo tentativas de machucá-lo, atentados diretos, não constituem nada de inaudito. Se a diferença de idade é pequena, quando do despertar de ativi-

II OS SONHOS

dades psíquicas mais intensas, a criança mais velha já se verá diante do concorrente e se arranjará com ele. Se essa diferença é maior, é possível que o novo irmão desperte alguma simpatia por ser considerado desde o princípio um objeto interessante, uma espécie de boneco com vida; e, sobretudo nas meninas, a partir de uma diferença de oito anos ou mais, podem entrar em cena sentimentos protetores e maternais. Dizendo-o, todavia, com sinceridade, quando por trás de um sonho descobrimos o desejo da morte dos irmãos, raras vezes precisamos considerá-lo enigmático: sem esforço, seu modelo poderá ser encontrado na primeira infância ou, também com razoável frequência, nos anos posteriores de convivência.

É provável que inexista um quarto dividido por duas ou mais crianças que esteja livre de intensos conflitos entre seus ocupantes. Os motivos são a concorrência pelo amor dos pais, pela propriedade comum, pelo espaço físico disponível. Os sentimentos hostis voltam-se tanto contra os irmãos mais velhos como contra os mais novos. Creio ter sido Bernard Shaw quem disse: "Se há alguém que uma jovem dama inglesa odeia mais que sua mãe, é sua irmã mais velha". Nessa manifestação, porém, há algo que julgamos estranho. O ódio e a concorrência entre irmãos é coisa que, se necessário, poderíamos julgar compreensível, mas como podem sentimentos de ódio invadir a relação entre filha e mãe, entre genitores e filhos?

Também do ponto de vista dos filhos, essa última é certamente mais favorável. É o que demanda nos-

13. TRAÇOS ARCAICOS E INFANTILISMO DOS SONHOS

sa expectativa; julgamos bem mais repulsiva a falta de amor entre pais e filhos que entre irmãos. É como se, no primeiro caso, sacralizássemos uma coisa que, no segundo, deixamos que seja profana. Contudo, a observação cotidiana pode nos mostrar com que frequência as relações sentimentais entre pais e filhos adultos ficam distantes do ideal proposto pela sociedade, quanta hostilidade elas abrigam e poderiam expressar, não fosse pela contenção exercida pelos impulsos de respeito e ternura. Os motivos para tanto são conhecidos de todos e sua tendência é separar aqueles do mesmo sexo, a filha de sua mãe e o filho do pai. A filha encontra na mãe a autoridade que lhe restringe a vontade e se encarrega da tarefa de impor-lhe a renúncia à liberdade sexual, exigida pela sociedade; em casos particulares, encontra também a concorrente que se opõe a ser desalojada. O mesmo se repete de modo ainda mais gritante entre filho e pai. Para o filho, o pai incorpora toda a pressão social suportada a contragosto; o pai impede-lhe o acesso ao exercício da própria vontade, ao prazer sexual precoce e, no caso de bens familiares comuns, ao gozo desses bens. Tratando-se do herdeiro de um trono, a espera pela morte do pai ganha dimensões que chegam às raias do trágico. Menos ameaçado parece o relacionamento de pai e filha e de mãe e filho. Este último fornece os mais puros exemplos de inalterável ternura, não perturbada por nenhum tipo de consideração egoísta.

Por que falo dessas coisas que, afinal, parecem banais e conhecidas de todos? Porque é inequívoca a tendência a negar sua importância em nossa vida e a, com

II OS SONHOS

muito mais frequência do que isto efetivamente acontece, dar por realizado o ideal exigido pela sociedade. Mas
é melhor o psicólogo dizer a verdade do que deixar essa
tarefa a cargo dos cínicos. Seja como for, essa negação
aplica-se apenas à vida real. As obras literárias e teatrais
têm liberdade para utilizar os temas que decorrem da
perturbação desse ideal.

No caso de um grande número de seres humanos,
portanto, não temos por que nos admirar quando um
sonho revela o desejo de eliminar os pais, em especial
aquele do mesmo sexo. É lícito supormos que esse desejo também existe no estado de vigília e, por vezes, até
sob forma consciente, quando lhe é dado mascarar-se de
outra motivação, como no caso do sonhador de nosso
exemplo 3 e de sua compaixão com o sofrimento desnecessário do pai. Raras vezes a hostilidade sozinha domina essa relação; bem mais comum é que ela se oculte por
trás dos sentimentos de ternura que a reprimem e que
aguarde até que um sonho venha, por assim dizer, isolá-
-la. Aquilo que o sonho magnifica, por exibi-lo de forma
isolada, torna a encolher-se depois, quando, seguindo-
-se à interpretação, nós o inserimos no contexto da vida
(H. Sachs). Mas encontramos esse desejo onírico também em contextos em que ele não se justifica e nos quais
o adulto em estado de vigília jamais o reconheceria. A
razão para isso é que o motivo mais profundo e frequente para o afastamento, sobretudo entre pessoas do mesmo sexo, faz-se valer já desde a primeira infância.

Refiro-me à concorrência amorosa, com clara ênfase
no caráter sexual. O filho começa ainda pequeno a de-

13. TRAÇOS ARCAICOS E INFANTILISMO DOS SONHOS

senvolver particular ternura pela mãe, a qual considera sua, e a sentir o pai como o concorrente que contesta essa sua única propriedade; da mesma forma, a filha pequena vê a mãe como uma pessoa que perturba sua relação de ternura com o pai e ocupa um posto que ela própria poderia muito bem ocupar. De nossas observações, só podemos depreender como remontam aos primeiríssimos anos essas posturas a que denominamos *complexo de Édipo*, porque o mito de Édipo realiza, atenuando-os em medida insignificante, os dois desejos extremos que resultam da situação do filho: o de matar o pai e o de ter a mãe como esposa. Não pretendo afirmar que o complexo de Édipo esgote a relação dos filhos com os pais, que pode facilmente ser muito mais complicada. Ademais, esse complexo pode revelar maior ou menor força em seu desenvolvimento, e pode também experimentar uma reversão. Ele é, no entanto, um fator constante e muito importante da vida psíquica infantil; corre-se antes o risco de subestimar que o de superestimar sua influência e os desenvolvimentos dele decorrentes. De resto, as crianças que apresentam essa postura edipiana reagem com frequência a um estímulo proveniente dos pais, que, em sua escolha amorosa, muitas vezes se deixam levar pela diferença entre os sexos, de modo que o pai dá preferência à filha, ao passo que a mãe prefere o filho ou, verificando-se um esfriamento da relação matrimonial, faz dele o substituto para o objeto desvalorizado de seu amor.

Não se pode afirmar que o mundo tenha sido muito grato à pesquisa psicanalítica pela descoberta do com-

II OS SONHOS

plexo de Édipo. Pelo contrário, essa revelação despertou nos adultos a mais veemente resistência, e aqueles que perderam a oportunidade de repudiar essa relação sentimental malvista ou estigmatizada, posteriormente repararam essa dívida com reinterpretações que privaram o complexo de seu valor. Tenho a imutável convicção de que nisso não há o que repudiar ou embelezar. Precisamos habituar-nos ao fato que o próprio mito grego reconhece como um destino inelutável. É interessante notar, por outro lado, que, banido da vida, o complexo de Édipo foi entregue à literatura, posto à sua livre disposição, por assim dizer. Em um cuidadoso estudo, Otto Rank mostrou como justamente o complexo de Édipo forneceu à poesia dramática numerosos temas, elaborados mediante infindáveis modificações, atenuações e dissimulações, isto é, por meio de deformações como aquelas com as quais travamos conhecimento como obras da censura. Estamos, pois, autorizados a atribuir esse complexo de Édipo também àqueles sonhadores que tiveram a sorte de, em sua vida posterior, escapar aos conflitos com os genitores; e, em íntima conexão com ele, encontramos o que chamamos de *complexo da castração* — a reação à intimidação ou à contenção, atribuída ao pai, da atividade sexual precoce da primeira infância.

Tendo centrado nossas investigações até o momento no estudo da vida psíquica infantil, podemos nutrir a esperança de que também a origem da outra porção dos desejos oníricos proibidos — os impulsos sexuais excessivos — encontre explicação pela mesma via. Então

13. TRAÇOS ARCAICOS E INFANTILISMO DOS SONHOS

nos sentimos estimulados a estudar também o desenvolvimento da vida sexual infantil e, ao fazê-lo, descobrimos, a partir de fontes diversas, o seguinte: acima de tudo, constitui um equívoco insustentável negar que as crianças possuam vida sexual e supor que a sexualidade tenha seu início apenas na época da puberdade, com o amadurecimento dos órgãos genitais. Pelo contrário, a criança tem, desde o princípio, uma rica vida sexual, que se distingue em vários aspectos da vida sexual posterior, tida como normal. Aquilo que, na vida dos adultos, caracterizamos como "perverso" desvia-se do normal nos seguintes pontos: em primeiro lugar, pela desconsideração da barreira entre espécies (o abismo entre seres humanos e animais); em segundo, pela ultrapassagem da barreira do nojo e, em terceiro, da barreira do incesto (a proibição de buscar satisfação sexual com parentes próximos); em quarto, por avançar sobre a barreira que separa membros de um mesmo sexo e, em quinto, pela transferência do papel genital para outros órgãos e partes do corpo. Essas barreiras não se acham todas presentes desde o início, mas vão se erguendo pouco a pouco, ao longo do desenvolvimento e da educação. A criança pequena está livre delas. Ela ainda não conhece nenhum grave abismo entre seres humanos e animais; a altivez com que o homem se aparta do animal é algo que ela só adquire mais tarde. De início, ela tampouco revela possuir nojo dos excrementos, o que só lentamente e sob o peso da educação aprende a sentir. Além disso, não atribui grande importância à diferença entre os sexos: supõe, isto sim, que ambos têm a mesma conformação genital. Seus primeiros desejos sexuais e sua curiosidade, ela os dirige às pessoas mais próximas, que, por outros motivos, são também as que mais ama, ou seja, pais, irmãos e aqueles que cuidam dela. Por fim, verifica-se na criança pequena algo que mais tarde, no auge de um relacionamento amoroso, torna a irromper: o prazer, ela não espera obtê-lo apenas dos órgãos sexuais — espera, sim, que muitas outras partes do corpo se revistam da mesma sensibilidade e transmitam sensações análogas de prazer, desempenhando, assim, o papel dos órgãos genitais. Pode-se, portanto, atribuir à criança uma "perversão polimorfa"; se todos esses impulsos exibem apenas traços de atividade, isso se deve, em parte, à baixa intensidade deles, se comparada àquela que atingem na vida adulta, e, em parte, ao fato de a educação reprimir de pronto, e de forma enérgica, todas as manifestações sexuais infantis. Essa repressão tem prosseguimento, por assim dizer, na teoria, na medida em que os adultos se empenham em ignorar uma parte das manifestações sexuais infantis e, por meio da reinterpretação, despir outra parte de sua natureza sexual, até poderem negar o todo. Com frequência, as mesmas pessoas que, no quarto, esbravejam com rigor contra as travessuras sexuais das crianças defendem depois, à escrivaninha, a pureza sexual delas. Onde quer que crianças sejam deixadas à própria sorte ou se vejam sujeitas à influência da sedução, elas em geral produzem exemplos consideráveis de atividade sexual perversa. Naturalmente, os adultos têm razão em não tratar com rigor aquilo que entendem como "criancice" ou "brincadei-

13. TRAÇOS ARCAICOS E INFANTILISMO DOS SONHOS

ra"; a criança, afinal, não pode ser julgada nem por um tribunal dos costumes nem pela lei como pessoa plena e responsável. Não obstante, essas coisas existem e têm seu significado, tanto como indícios de uma constituição congênita quanto como causa e fomento de desenvolvimentos posteriores. Elas nos dão informações importantes sobre a vida sexual infantil e, assim sendo, sobre a vida sexual dos seres humanos como um todo. Quando, portanto, por trás de nossos sonhos deformados, deparamos com todos esses desejos perversos, isso significa apenas que, também nesse âmbito, o sonho logrou regressar ao estado da infância.

Ênfase particular entre esses desejos proibidos merecem aqueles de natureza incestuosa, isto é, os que têm por alvo a relação sexual com pais e irmãos. Sabem bem os senhores a repugnância que a sociedade humana sente, ou pelo menos alega sentir, por uma tal relação, e o peso que possuem as proibições a vetar essa prática. Esforços gigantescos já foram feitos para explicar esse horror ao incesto. Alguns supõem serem preocupações de ordem reprodutiva por parte da natureza que ganham representação psíquica nessa proibição, uma vez que o cruzamento consanguíneo resultaria numa piora das características raciais; outros afirmam que a convivência desde a primeira infância afastaria o desejo sexual. Nos dois casos, no entanto, a evitação do incesto estaria assegurada, o que torna incompreensível a necessidade da proibição rigorosa, a qual apontaria, antes, para a presença de um forte desejo. As investigações psicanalíticas concluíram sem sombra de dúvida que a escolha

II OS SONHOS

amorosa incestuosa é, na verdade, a primeira, a escolha regular, e que apenas mais tarde instala-se a resistência a ela, cuja origem não deve estar na psicologia individual.

Reunamos agora todo o auxílio que nosso exame aprofundado da psicologia infantil nos trouxe para a compreensão do sonho. Descobrimos não apenas que o sonho tem acesso ao material esquecido das experiências vividas na infância, mas vimos também que a vida psíquica das crianças — com todas as suas peculiaridades, seu egoísmo, sua escolha amorosa incestuosa etc. — segue existindo no sonho, ou seja, no inconsciente, e que o sonho nos reconduz toda noite a esse estágio infantil. Isso vem reforçar para nós que *o inconsciente da vida psíquica é o infantil*. Começa a diminuir, portanto, aquela estranha impressão de que o ser humano encerra muita coisa de ruim. Essa terrível maldade é simplesmente o estágio inicial, primitivo, infantil da vida psíquica, o qual podemos ver em ação na criança, mas que nela ignoramos em parte, devido a sua pequena dimensão, e em parte não tratamos com rigor, porque não exigimos das crianças padrões éticos elevados. Na medida em que o sonho regride a esse estágio, ele nos dá a impressão de ter trazido à luz o que há de mau em nós. Mas é apenas uma impressão enganosa, pela qual nos deixamos assustar. Não somos tão maus quanto nos inclinávamos a supor após interpretar os sonhos.

Se os impulsos maus dos sonhos são apenas infantilismo, um retorno aos momentos iniciais de nosso desenvolvimento ético — na medida em que o sonho, no tocante a nossos pensamentos e sentimentos, sim-

13. TRAÇOS ARCAICOS E INFANTILISMO DOS SONHOS

plesmente nos torna outra vez crianças —, então não precisamos nos envergonhar racionalmente desses sonhos maus. Sucede que o racional é somente parte da vida psíquica; muito mais se passa na psique que não é racional, e assim é que, irracionalmente, nos envergonhamos de tais sonhos. Nós os submetemos à censura onírica, sentimos vergonha e irritação quando, excepcionalmente, um desses desejos logra, ainda que deformado, penetrar em nossa consciência e nos obriga a reconhecê-lo; envergonhamo-nos por vezes dos sonhos deformados como se pudéssemos compreendê--los. Lembrem-se os senhores do veredicto indignado daquela distinta senhora sobre seu sonho, não interpretado, acerca dos "serviços amorosos". O problema, portanto, ainda não está resolvido, e é possível que, prosseguindo com o exame da maldade no sonho, cheguemos a outro juízo e a outra avaliação da natureza humana.

Como resultado de toda essa investigação, fizemos duas descobertas que, todavia, configuram apenas o início de novos enigmas, propõem novas dúvidas. A primeira é que a regressão do trabalho do sonho não é uma regressão apenas formal, é também do material. Ela não só traduz nossos pensamentos numa forma de expressão primitiva, como também reaviva as peculiaridades de nossa psique primitiva, a velha supremacia do Eu, os impulsos iniciais de nossa vida sexual e mesmo nosso velho patrimônio intelectual, se puder ser vista como tal a referência simbólica. A segunda descoberta é que todo esse elemento infantil, que um dia predominou e reinou absoluto, temos hoje de situar no inconsciente, e nossas

II OS SONHOS

concepções deste se modificam e se ampliam. O inconsciente deixa de ser uma designação para aquilo que no momento se encontra latente: ele passa a ser um reino psíquico particular, com desejos próprios, forma de expressão própria e mecanismos psíquicos que lhe são peculiares e que não vigoram em nenhuma outra parte. Contudo, os pensamentos oníricos latentes, os quais depreendemos da interpretação dos sonhos, não pertencem a esse reino; eles são, antes, de um tipo que poderíamos ter também em estado de vigília. E, no entanto, são inconscientes. Como se resolve, pois, essa contradição? Começamos a suspeitar que nisso deve se fazer uma separação. Na formação do sonho, algo que provém de nossa vida consciente e que compartilha as características desta — resíduos ou vestígios diurnos é o nome que damos a esse algo — junta-se a outra coisa proveniente daquele reino do inconsciente. O trabalho do sonho se realiza entre essas duas partes. A influência exercida sobre os resíduos diurnos pelo inconsciente que a eles se junta encerra, sem dúvida, a condição para a regressão. Essa é a descoberta mais profunda sobre a essência do sonho a que podemos chegar aqui, antes de explorar outros domínios psíquicos. Contudo, logo chegará a hora de darmos ao caráter inconsciente dos pensamentos oníricos latentes um outro nome, a fim de diferenciá-lo daquele inconsciente que pertence ao reino do infantil.

Podemos, é claro, lançar também a seguinte pergunta: o que obriga a atividade psíquica durante o sono a uma tal regressão? Por que, sem essa regressão, ela não dá conta dos estímulos psíquicos que perturbam o sono? E se, em razão da censura do sonho, ela precisa se servir do disfarce que lhe propicia a velha e agora incompreensível forma de expressão, que proveito lhe traz reanimar antigos e já superados impulsos psíquicos, desejos e traços de caráter, ou seja, a regressão material que vem se juntar à formal? A única resposta satisfatória seria dizer que apenas dessa maneira pode um sonho se formar; que, do ponto de vista dinâmico, a anulação do estímulo onírico não é possível de outra maneira. No momento, porém, não temos o direito de dar semelhante resposta.

14. A REALIZAÇÃO DE DESEJOS

Senhoras e senhores: Devo lembrar-lhes mais uma vez o caminho percorrido até agora? De que maneira, aplicando nossa técnica, deparamos com a deformação do sonho e pensamos, primeiramente, em contorná-la e ir buscar as informações decisivas sobre a natureza do sonho nos sonhos infantis? Como, a seguir, munidos dos resultados dessa investigação, atacamos diretamente a deformação do sonho e, assim espero, a superamos pouco a pouco? Agora, porém, precisamos admitir que o que encontramos em um e outro desses caminhos não coincide inteiramente. Nossa tarefa passa a ser juntar e conciliar esses dois resultados.

De um e de outro lado, veio-nos a constatação de que, em essência, o trabalho do sonho consiste na con-

II OS SONHOS

versão de pensamentos numa experiência alucinatória vivida. Como isso é possível já constitui um belo enigma, que, no entanto, é um problema da psicologia geral, motivo pelo qual não deve ocupar-nos aqui. A partir dos sonhos infantis, ficamos sabendo que o trabalho do sonho pretende, mediante a realização de um desejo, eliminar um estímulo psíquico perturbador do sono. Em relação aos sonhos deformados, não pudemos fazer nenhuma afirmação semelhante — não antes de aprender a interpretá-los. Desde o início, porém, nossa expectativa era a de poder reunir os sonhos deformados e os infantis sob um mesmo enfoque. Essa expectativa se cumpriu pela primeira vez a partir da percepção de que, na verdade, todos os sonhos são sonhos infantis: todos eles trabalham com o material infantil, com os impulsos psíquicos e os mecanismos infantis. Uma vez que consideramos resolvida a questão da deformação do sonho, precisamos agora investigar se a concepção de realização de desejos vale também para os sonhos deformados.

Há pouco, submetemos uma série de sonhos a análise, sem, no entanto, levar em consideração a realização de desejos. Estou convencido de que, ao longo dessa análise, uma pergunta há de se ter imposto aos senhores: onde está a realização de desejos que se supõe ser o objetivo do trabalho do sonho? Essa pergunta é importante; de fato, é a pergunta que nos fazem nossos críticos leigos. Como os senhores sabem, a humanidade possui uma resistência intuitiva a novidades intelectuais. Entre as manifestações dessa resistência encontra-se a imediata redução da novidade a um alcance mínimo,

14. A REALIZAÇÃO DE DESEJOS

sua compressão, de preferência, em uma palavra-chave. Para a nova doutrina do sonho, a expressão "realização de desejos" tornou-se essa palavra-chave. O leigo pergunta: onde está a realização do desejo? Imediatamente após ter ouvido que o sonho é uma tal realização de desejo, e já ao fazer a pergunta, ele a rejeita. Ocorre-lhe de pronto um sem-número de experiências oníricas próprias nas quais o sonhar se vincula a um desprazer e até mesmo uma grave angústia, razão pela qual a afirmação da doutrina psicanalítica dos sonhos lhe soa bastante improvável. É fácil para nós responder-lhe que, nos sonhos deformados, a realização do desejo não tem como ser evidente, que é necessário antes procurá-la; não há como apontá-la antes da interpretação do sonho. Sabemos também que, nesses sonhos deformados, lidamos com desejos proibidos, repudiados pela censura, desejos cuja existência é a própria causa da deformação, o motivo da intervenção por parte da censura do sonho. Mas é difícil fazer o crítico leigo entender que não se pode perguntar pela realização do desejo antes de interpretar o sonho. Ele sempre se esquecerá disso. Na verdade, sua rejeição à teoria da realização dos desejos nada mais é do que consequência da censura do sonho, um sucedâneo da rejeição dos desejos oníricos censurados e um produto dela.

É natural que também nós sintamos necessidade de explicar a nós mesmos a existência de tantos sonhos de conteúdo embaraçoso e, em particular, de sonhos de angústia. Ao fazê-lo, deparamos pela primeira vez com o problema dos afetos no sonho, o qual mereceria um

II OS SONHOS

estudo à parte, estudo este do qual infelizmente não podemos nos ocupar aqui. Se o sonho é a realização de um desejo, então sensações incômodas haveriam de ser impossíveis nele. Nisso, os críticos leigos parecem ter razão. Mas é preciso levar em conta três tipos de complicação em que os leigos não pensaram.

Em primeiro lugar, é possível que o trabalho do sonho não tenha conseguido produzir a realização plena de um desejo, de tal modo que reste ainda no sonho manifesto uma porção do afeto incômodo presente nos pensamentos oníricos. A análise precisaria mostrar, então, que esses pensamentos oníricos eram ainda muito mais incômodos que o sonho configurado a partir deles. Isso sempre conseguimos demonstrar. Admitimos, então, que o trabalho do sonho não alcançou seu objetivo, da mesma forma como sonhar que estamos bebendo não atinge o propósito de saciar a sede. Permanecemos com sede e precisamos acordar para beber água. Mas foi um sonho genuíno: não abriu mão de nada de sua essência. Cabe dizer: *ut desint vires, tamen est laudanda voluntas*.* Ao menos a intenção, claramente reconhecível, permanece louvável. Insucessos como esse não são acontecimento raro. Contribui para isso o fato de ser muito mais difícil para o trabalho do sonho alterar o sentido dos afetos que o dos conteúdos; às vezes, os afetos são muito resistentes. Ocorre, pois, de o trabalho do sonho transformar o conteúdo incômodo dos pensamentos

---

* "Embora faltem as forças, a vontade deve ser louvada" (Ovídio, *Epístolas do Ponto*, livro III, 4, 79).

14. A REALIZAÇÃO DE DESEJOS

oníricos em realização de desejo, mas de, não obstante, o afeto incômodo se impor sem ter sofrido alteração nenhuma. Nesses sonhos, o afeto não corresponde absolutamente ao conteúdo, e nossos críticos podem dizer que o sonho tanto não é realização de desejo que mesmo um conteúdo inofensivo pode, nele, ser sentido de forma incômoda. A essa observação irrefletida replicaremos que é justamente nesses sonhos que a tendência à realização do desejo se revela mais nítida, porque isolada. O erro decorre do fato de o desconhecimento das neuroses levar à crença de que conteúdo e afeto guardam relação bastante íntima, o que impede a compreensão de que um conteúdo pode ser alterado sem que se altere a correspondente manifestação do afeto.

A seguir, um segundo fator negligenciado pelo leigo, bem mais importante e de alcance mais profundo. A realização de um desejo deveria certamente resultar em prazer, mas cabe a pergunta: para quem? Naturalmente, para quem tem o desejo. É sabido, no entanto, que o sonhador possui uma relação muito especial com seus desejos: ele os reprova, censura — em suma, não gosta deles. Assim sendo, sua realização não pode lhe proporcionar prazer, mas apenas o contrário disso. A experiência mostra, então, que esse contrário aparece sob a forma da angústia, o que ainda é preciso esclarecer. Em sua relação com os desejos oníricos, portanto, o sonhador só pode ser equiparado a um somatório de duas pessoas ligadas por uma forte comunhão. Em vez de proceder a uma explicação, recorro a um conhecido conto de fada, no qual os senhores encontrarão a mesma

II OS SONHOS

situação. Uma boa fada promete realizar três desejos de um pobre casal, marido e mulher. O casal fica radiante e se propõe escolher com cautela esses três desejos. Mas, levada pelo aroma de salsichas fritas que exala da cabana ao lado, a mulher deseja algumas daquelas mesmas salsichas, que, de pronto, surgem à sua frente. O primeiro desejo foi realizado. O marido, por sua vez, fica bravo e, nesse seu rancor, deseja ver as salsichas penduradas no nariz da esposa, o que também acontece: não há agora quem seja capaz de remover dali as salsichas. Realizou-se o segundo desejo, que, no entanto, é o desejo do homem; para a mulher, a realização desse desejo é bastante desagradável. Os senhores sabem como termina o conto. Como os dois são, no fundo, uma coisa só, marido e mulher, o terceiro desejo só pode ser o de que as salsichas desapareçam do nariz da esposa. Nós poderíamos nos valer desse mesmo conto de fada em vários outros contextos; no presente caso, ele serve para ilustrar a possibilidade de que a realização do desejo de um possa conduzir ao desprazer de outro, caso os dois estejam em desacordo.

Não será difícil agora obtermos uma melhor compreensão dos sonhos de angústia. Faremos uso apenas de mais uma observação para, a seguir, nos decidir por uma hipótese para a qual apontam vários indícios. A observação é a de que os sonhos de angústia exibem muitas vezes um conteúdo que prescinde inteiramente da deformação e, por assim dizer, escapa à censura. O sonho de angústia é muitas vezes a realização desvelada de um desejo; por certo, não de um desejo aceitável,

14. A REALIZAÇÃO DE DESEJOS

e sim de um desejo condenável. Em lugar da censura, surge o desenvolvimento da angústia. Se, de um sonho infantil, se pode dizer que ele é a realização às claras de um desejo admissível, e, do sonho deformado comum, que corresponde à realização dissimulada de um desejo reprimido, para o sonho de angústia vale apenas a fórmula que o declara realização às claras de um desejo reprimido. A angústia é o sinal de que o desejo reprimido se mostrou mais forte que a censura, de que ele impôs a ela — ou estava prestes a fazê-lo — a realização desse desejo. Nós compreendemos que o que para ele é realização de desejo, para nós, que estamos do lado da censura do sonho, só pode ser motivo para sensações incômodas e para a defesa. A angústia que aparece no sonho é, se quiserem os senhores, angústia ante a força desses desejos normalmente subjugados. Por que essa defesa surge sob a forma de angústia, isso não se pode depreender apenas do estudo dos sonhos; claramente, a angústia precisa ser estudada de outros pontos de vista.

É lícito supor que o que afirmamos acerca dos sonhos não deformados de angústia valha também para aqueles sonhos que sofreram deformação parcial, assim como para todos os sonhos que nos causam desprazer e cujas sensações incômodas provavelmente correspondem a aproximações à angústia. O sonho de angústia é costumeiramente também um sonho que nos desperta; é comum interrompermos o sono antes que o desejo reprimido tenha imposto sua plena realização, apesar da censura. Nesse caso, o serviço prestado pelo sonho fracassou, mas nem por isso alterou-se a sua essência.

II OS SONHOS

Comparamos o sonho a um guarda-noturno ou a um guardião ao qual cabe proteger nosso sono de perturbações. Também ao guarda-noturno, porém, acontece de despertar os que dormem, quando ele se sente fraco demais para, sozinho, afugentar a perturbação ou o perigo. Ainda assim, logramos por vezes permanecer dormindo, mesmo quando o sonho começa a se tornar preocupante e a se voltar na direção da angústia. Dizemos a nós mesmos: "É só um sonho". E seguimos dormindo.

Quando ocorre de o desejo no sonho se ver em condições de sobrepujar a censura? A condição para isso pode ser preenchida tanto pelo próprio desejo como pela censura do sonho. O desejo pode, por razões desconhecidas, se tornar demasiado forte; mas a impressão que se tem é de que a culpa por esse deslocamento na correlação de forças cabe, o mais das vezes, à censura do sonho. Já vimos que a intensidade da atuação da censura varia caso a caso, cada elemento é tratado com um grau diferente de rigor. Gostaríamos agora de acrescentar a isso outra suposição: a de que a censura é variável e não aplica sempre o mesmo rigor a um elemento ofensivo. Se já ocorreu de ela se sentir impotente frente a um desejo onírico que ameaça surpreendê-la, em vez de se servir da deformação ela se valerá do último recurso que lhe resta: abandonar o sono mediante o desenvolvimento da angústia.

Nisso nos chama a atenção que nem sabemos ainda por que esses desejos maus e rejeitados se manifestam precisamente no período noturno e nos perturbam o sono. A resposta não pode estar senão em uma hipótese

14. A REALIZAÇÃO DE DESEJOS

que remonta à natureza do sono. Durante o dia, a dura pressão da censura pesa sobre tais desejos, em geral impossibilitando-os de se manifestar mediante qualquer ação. À noite, como todos os demais interesses da vida psíquica, essa censura se recolhe ou, no mínimo, é consideravelmente reduzida em favor do desejo único de dormir. É a essa diminuição da censura durante o período noturno que os desejos proibidos devem a possibilidade de tornar a se agitar. Doentes dos nervos que padecem de insônia nos confessam que, de início, sua insônia era deliberada: não ousavam adormecer porque tinham medo de seus sonhos, isto é, das consequências dessa diminuição da censura. Os senhores podem facilmente perceber que esse recolhimento da censura não significa nenhum descuido crasso. O sono paralisa nossa mobilidade; ainda que comecem a se agitar, nossas intenções más nada podem produzir senão um sonho, que é praticamente inofensivo, e é esse fato tranquilizador que nos lembra a observação, muito sensata, do adormecido — pertinente à noite, mas não à vida psíquica: "É só um sonho. Sonhemos, pois, e sigamos dormindo".

Quanto à terceira complicação descurada pelos leigos, se os senhores se lembram da concepção de que o sonhador que luta contra seus desejos pode ser equiparado a um somatório de duas pessoas diferentes, mas de algum modo intimamente ligadas, compreenderão também a possibilidade de a realização do desejo produzir algo que causa imenso desprazer: uma punição. Aqui, o conto dos três desejos pode mais uma vez nos ajudar na

II OS SONHOS

explicação. As salsichas fritas no prato constituem realização direta do desejo da primeira pessoa, a esposa; as salsichas no nariz dela atendem ao desejo da segunda pessoa, o marido, mas são também o castigo pelo desejo tolo expressado pela mulher. Encontraremos nas neuroses a motivação para o terceiro desejo, o único que resta no conto de fada. Tais tendências punitivas existem em grande quantidade na vida psíquica dos seres humanos; elas são bastante fortes, e pode-se atribuir a elas parte da responsabilidade pelos sonhos incômodos. Os senhores talvez objetem que, desse modo, pouco resta da tão falada realização de desejos. Mas, a um exame mais aprofundado, terão de admitir que estão errados. Diante da multiplicidade de coisas que, veremos mais adiante, o sonho poderia ser — e é, segundo muitos autores —, a solução "realização de desejos—realização da angústia—realização da punição" é bastante restrita. A isso se acrescenta o fato de a angústia ser o oposto direto do desejo, de opostos se apresentarem bastante próximos nas associações e de, no inconsciente, como vimos, ambos coincidirem. Ademais, a punição é também realização de um desejo: o desejo do outro, da pessoa que exerce a censura.

No todo, portanto, não fiz nenhuma concessão à objeção dos senhores à teoria da realização de desejos. É nossa obrigação, porém, demonstrar a presença da realização de desejos em todo e qualquer sonho deformado, uma tarefa a que não pretendemos nos furtar. Retornemos ao sonho já interpretado dos três ingressos ruins para o teatro por um florim e cinquenta, com o

14. A REALIZAÇÃO DE DESEJOS

qual já aprendemos várias coisas. Espero que os senhores ainda se lembrem dele. Uma dama, à qual o marido relata durante o dia que a amiga dela, Elise, três meses mais nova, tinha ficado noiva, sonha que foi ao teatro com seu marido. Um lado da plateia está quase vazio. O marido lhe diz que Elise e o noivo também queriam ir ao teatro, mas não puderam, porque só encontraram ingressos ruins, três por um florim e cinquenta. A mulher comenta que aquilo não teria sido nenhuma desgraça. Descobrimos que os pensamentos oníricos referem-se à irritação da dama por ter se casado tão cedo e a sua insatisfação com o marido. Podemos nos permitir a curiosidade acerca de como esses pensamentos tristes foram reelaborados para constituir a realização de um desejo e que rastros deixaram no sonho manifesto. Sabemos já que os elementos "cedo demais" e "precipitadamente" foram eliminados do sonho pela censura. A plateia vazia é uma alusão a isso. O enigmático "três por um florim e cinquenta" é-nos agora, com o auxílio do simbolismo que aprendemos a interpretar, mais compreensível.[4] Com efeito, o três significa um homem, e o elemento manifesto é de fácil tradução: ele significa comprar um marido com o dinheiro do dote ("Teria podido comprar um cem vezes melhor com o dinheiro do meu dote"). O ato de se casar é claramente substituído pela ida ao teatro. "Comprar ingressos cedo demais" figura no so-

4 Deixo de mencionar aqui outra interpretação plausível para esse três, no tocante à mulher sem filhos, porque esta análise não apresentou material para isso.

II OS SONHOS

nho em lugar de "casar-se cedo demais". Essa substituição, no entanto, é obra da realização de desejo. Nossa sonhadora nem sempre estivera tão insatisfeita com seu casamento como naquele dia, no qual recebeu a notícia do noivado da amiga. Até então, sentia orgulho de seu casamento e se julgava favorecida diante da amiga. Moças ingênuas costumam demonstrar sua alegria com o fato de, estando noivas, poderem em breve ir ao teatro para assistir a todas as peças antes proibidas, isto é, de que logo lhes será permitido ver tudo. Esse prazer de olhar, ou curiosidade, que aqui se manifesta, por certo era, de início, um prazer sexual de olhar, voltado para a vida sexual dos pais sobretudo, tendo posteriormente se transformado em forte motivação para a jovem a se casar cedo. Desse modo, a ida ao teatro torna-se um substituto alusivo evidente para o casamento. Em sua presente irritação com o casamento precoce, a jovem dama retorna, portanto, à época em que esse casamento precoce era realização de um desejo, porque satisfazia seu prazer de olhar, e, levada por esse antigo desejo, substitui o casamento pela ida ao teatro.

Podemos dizer que não escolhemos exatamente o exemplo mais confortável para demonstrar a realização de um desejo oculto. De maneira análoga procederíamos com outros sonhos deformados. Não posso fazê-lo diante dos senhores; quero apenas exprimir a convicção de que esse procedimento sempre terá êxito. Mas vou me deter um pouco mais neste ponto da teoria. A experiência me ensinou que ele é um dos mais ameaçados de toda a teoria do sonho e que está ligado a muitas

14. A REALIZAÇÃO DE DESEJOS

contradições e mal-entendidos. Além disso, os senhores talvez ainda tenham a impressão de que já retirei parte do que havia dito antes, ao afirmar que o sonho é um desejo realizado ou o contrário disso, uma angústia ou uma punição concretizada; e acharão que talvez seja uma oportunidade para arrancar-me novas concessões. Também já ouvi a objeção de que exponho coisas que me parecem evidentes de forma demasiado sucinta e, portanto, não convincente.

Quando alguém nos acompanhou até aqui na interpretação dos sonhos e aceitou tudo o que ela produziu, não é raro que se detenha diante da questão da realização de desejos e pergunte: "Admitindo-se que o sonho sempre tenha um sentido e que ele possa ser revelado por meio da técnica psicanalítica, por que é que esse sentido, a despeito de todas as evidências, precisa ser constantemente encaixado na fórmula da realização de um desejo? Por que o sentido do pensamento noturno não poderia ser tão multifacetado como o do pensamento diurno, ou seja, por que o sonho não pode corresponder ora a um desejo realizado, ora, como o senhor mesmo diz, ao contrário disso, a um temor concretizado? Ou por que ele não pode ser ainda expressão de uma intenção, uma advertência, uma reflexão com seus prós e contras, ou uma repreensão, um aviso da consciência, uma tentativa de nos preparar para uma tarefa iminente etc.? Por que sempre um desejo ou, no máximo, o contrário dele?".

Pode-se julgar que uma diferença nesse ponto não seria relevante, se há concordância em tudo mais. Já

II OS SONHOS

basta que tenhamos encontrado o sentido do sonho e os caminhos para reconhecê-lo; comparado a isso, é de menor importância que tenhamos restringido demais esse sentido. Mas não é bem assim. Aqui, um mal-entendido afeta a essência de nosso conhecimento sobre o sonho e põe em perigo seu valor para a compreensão das neuroses. Aquela espécie de condescendência tão apreciada no comércio, a "afabilidade", como a chamam, não tem lugar na prática científica, sendo antes prejudicial.

Como de costume nesses casos, minha primeira resposta ao porquê de o sonho não ter significado múltiplo, no sentido empregado acima, é: "Não sei por que não seria assim. Não teria nada contra isso. Por mim, que seja, pois". Mas um pequeno detalhe contrapõe-se a essa concepção mais ampla e confortável do sonho: na realidade, não é assim. Minha segunda resposta enfatizará que não me é estranha a hipótese de que o sonho corresponda a múltiplas formas de pensamento e operações intelectuais. Certa vez, registrei num caso clínico um sonho que se repetiu por três noites consecutivas e, depois, nunca mais retornou; expliquei-o argumentando que o sonho em questão correspondia a uma *intenção* e que, uma vez cumprida essa intenção, o sonho não precisava se repetir. Mais tarde, publiquei um sonho que correspondia a uma confissão. Como posso agora, portanto, me contradizer e afirmar que o sonho é sempre e apenas um desejo realizado?

Faço isso para não permitir um ingênuo mal-entendido que pode nos custar o fruto de todo o nosso empenho para compreender o sonho, um mal-entendido

14. A REALIZAÇÃO DE DESEJOS

que confunde o sonho com os pensamentos oníricos latentes e diz do primeiro algo que se aplica somente ao último. É correto que o sonho pode representar e ser substituído por tudo aquilo que enumeramos antes: uma intenção, uma advertência, uma reflexão, uma preparação, uma tentativa de solucionar um problema etc. Olhando atentamente, porém, os senhores vão perceber que tudo isso só vale para os pensamentos oníricos latentes, que foram transformados no sonho. Com as interpretações dos sonhos, os senhores veem que o pensamento inconsciente do ser humano é que se ocupa de intenções, preparações, reflexões etc., a partir dos quais o trabalho do sonho faz os sonhos. Caso, no momento, os senhores não estejam interessados no trabalho do sonho, mas tenham, isto sim, grande interesse no trabalho do pensamento inconsciente humano, eliminem o trabalho do sonho e digam do sonho o que é praticamente correto, que ele corresponde a uma advertência, a uma intenção e assim por diante. Na atividade psicanalítica, assim é com frequência: na maioria das vezes, esforçamo-nos por destruir a forma do sonho e inserir em seu lugar, no contexto, os pensamentos latentes de que se originou.

Incidentalmente, a partir dessa apreciação dos pensamentos oníricos latentes, vemos que todos os atos psíquicos mencionados, altamente complexos, podem ocorrer inconscientemente — um resultado grandioso e também desconcertante!

Voltando, porém, ao nosso assunto, os senhores só têm razão se tiverem claro para si mesmos que se va-

II OS SONHOS

leram de uma forma abreviada de expressão e se não acreditarem que a referida multiplicidade de sentidos deve se aplicar à essência do sonho. Quando falam em "sonho", os senhores só podem estar se referindo ou ao sonho manifesto — isto é, ao produto do trabalho do sonho — ou, no máximo, ao próprio trabalho do sonho — isto é, àquele processo psíquico que dá forma ao sonho manifesto a partir dos pensamentos oníricos latentes. Qualquer outro uso da palavra provoca uma confusão conceitual que só pode causar dano. Se, com suas afirmações, os senhores visam aos pensamentos latentes por trás dos sonhos, então digam-no diretamente, sem encobrir o problema do sonho com a formulação vaga que utilizam. Os pensamentos oníricos latentes são a matéria com a qual o trabalho do sonho transforma o sonho manifesto. Por que confundir a matéria com o trabalho que lhe dá forma? Se o fizerem, terão os senhores alguma vantagem sobre aqueles que só conhecem o produto do trabalho e não sabem explicar sua origem ou como ele é feito?

A única coisa essencial, no tocante aos sonhos, é o trabalho do sonho, que atuou sobre o material dos pensamentos. Não temos o direito de ignorá-lo na teoria, embora possamos negligenciá-lo em certas situações práticas. A observação analítica mostra, além disso, que o trabalho do sonho jamais se limita a traduzir os pensamentos na forma de expressão arcaica ou regressiva conhecida dos senhores. Ele sempre acrescenta algo que não faz parte dos pensamentos latentes do dia, mas que é o verdadeiro motor da formação do sonho.

14. A REALIZAÇÃO DE DESEJOS

Esse acréscimo imprescindível é o desejo igualmente inconsciente, para cuja realização o conteúdo onírico é remodelado. O sonho pode, portanto, ser qualquer coisa, quando os senhores levam em conta apenas os pensamentos que ele representa: advertência, intenção, preparação etc.; mas ele sempre será também a realização de um desejo inconsciente, se contemplado como resultado do trabalho do sonho. Um sonho, portanto, nunca é simplesmente uma intenção ou uma advertência, mas sempre uma intenção etc. traduzida para um modo de expressão arcaico com o auxílio de um desejo inconsciente e reconfigurada para realizar esse desejo. Uma de suas características, o da realização de um desejo, é constante; a outra pode variar; pode ser um desejo também, de modo que o sonho, com o auxílio de um desejo inconsciente, apresenta como realizado um desejo latente do dia.

Eu compreendo tudo isso muito bem, mas não sei se consegui torná-lo compreensível aos senhores. E também tenho dificuldade para lhes demonstrar isso. Por um lado, tal não é possível sem a análise cuidadosa de muitos sonhos; por outro, esse tópico, que é dos mais delicados e importantes de nossa concepção do sonho, não pode ser apresentado de forma convincente sem que eu me refira a coisas de que tratarei mais adiante. Creem os senhores que, dada a íntima correlação de todas as coisas, podemos penetrar muito profundamente na natureza de uma delas sem termos nos preocupado com outras de natureza similar? Como nada sabemos ainda dos sintomas neuróticos — os parentes mais próximos do sonho —, somos

II OS SONHOS

obrigados, também aqui, a nos contentar com o que obtivemos. Quero apenas explicar ainda um exemplo aos senhores e fazer uma nova consideração.

Retomemos aquele sonho ao qual já retornamos várias vezes, o sonho dos três ingressos para o teatro por um florim e cinquenta. Posso garantir aos senhores que, de início, escolhi esse exemplo sem nenhum propósito especial. Os pensamentos oníricos latentes já são conhecidos: a irritação da mulher pela pressa em se casar, provocada pela notícia de que somente agora a amiga ficou noiva; a subestimação do marido, a ideia de que ela poderia ter conseguido outro melhor se tivesse esperado. O desejo que transformou esses pensamentos em sonho também nos é conhecido: é o prazer de olhar, de poder ir ao teatro, muito provavelmente uma ramificação da antiga curiosidade de por fim descobrir o que acontece quando se é casado. Em crianças, é sabido, essa curiosidade se volta em geral para a vida sexual dos pais; trata-se, portanto, de um impulso instintual infantil, ou, na medida em que persiste até mais tarde, de um impulso instintual com raízes que chegam até a infância. Contudo, a notícia recebida durante o dia não ensejou o despertar desse prazer de olhar, mas apenas da irritação e do arrependimento. De início, esse impulso não fazia parte dos pensamentos oníricos latentes, e pudemos incluir o resultado da interpretação do sonho no tratamento analítico sem levá-lo em consideração. Em si, tampouco a irritação podia transformar-se em sonho. O pensamento "Foi um absurdo ter me casado tão cedo" só pôde transformar-se em sonho depois de

14. A REALIZAÇÃO DE DESEJOS

haver despertado o antigo desejo de poder ver, enfim, o que ocorre no casamento. Então esse desejo deu forma ao conteúdo do sonho, substituindo o casamento pela ida ao teatro, e essa forma foi a da realização de um desejo anterior: "Eu posso ir ao teatro e ver tudo que é proibido, mas você não pode; eu sou casada, você tem de esperar". Dessa maneira, a situação presente foi invertida, e um velho triunfo foi posto no lugar da derrota recente. Incidentalmente, a satisfação do desejo de olhar mesclou-se à satisfação do egoísmo competitivo. Essa satisfação determina o conteúdo manifesto do sonho, no qual a sonhadora está realmente sentada no interior do teatro, enquanto a amiga não conseguiu entrar. A essa situação de satisfação sobrepõem-se, na qualidade de uma modificação inapropriada e incompreensível, aquelas porções do conteúdo do sonho por trás das quais se ocultam os pensamentos oníricos latentes. A interpretação do sonho deve prescindir de tudo que serve para representar a realização do desejo, restabelecendo os penosos pensamentos oníricos latentes a partir dessas alusões.

A nova consideração que apresento é a de chamar a atenção dos senhores para os pensamentos oníricos latentes, que agora passaram a primeiro plano. Não devem se esquecer de que, em primeiro lugar, eles são inconscientes; em segundo, são inteligíveis e coerentes entre si, de maneira que podem ser entendidos como reações compreensíveis àquilo que motivou o sonho; e, em terceiro, de que podem ser equivalentes a qualquer impulso psíquico ou operação intelectual. Com mais ri-

II OS SONHOS

gor do que fiz antes, vou denominá-los *resíduos diurnos*, quer o sonhador os reconheça ou não. Vou distinguir entre resíduos diurnos e pensamentos oníricos latentes, designando como pensamentos oníricos latentes, em conformidade com nosso uso anterior, tudo o que ficamos sabendo ao interpretar um sonho, ao passo que os resíduos diurnos são apenas uma parte desses pensamentos. Nossa concepção é, pois, a de que aos resíduos diurnos veio se juntar algo que também pertencia ao inconsciente, um desejo forte, mas reprimido, e apenas esse desejo é que possibilitou a formação do sonho. A atuação desse desejo sobre os resíduos diurnos dá origem ao restante dos pensamentos oníricos latentes, àquela parte deles que já não deve parecer racional e compreensível para a vida em estado de vigília.

Para caracterizar a relação dos resíduos diurnos com o desejo inconsciente, já me servi de uma comparação que posso apenas repetir aqui. Todo empreendimento necessita de um capitalista que cubra os gastos e de um empreendedor que tenha a ideia e saiba executá-la. No caso da formação do sonho, o papel do capitalista é sempre desempenhado apenas pelo desejo inconsciente; é ele que provê a energia psíquica para a formação do sonho. O empreendedor é o resíduo diurno, que decide sobre o emprego dos fundos. É possível também que o próprio capitalista tenha a ideia e o conhecimento necessário, ou que o empreendedor disponha do capital. Isso simplifica a situação prática, mas dificulta a compreensão teórica. Na economia, sempre se decompõe essa pessoa em seus dois aspectos, o capitalista e o em-

14. A REALIZAÇÃO DE DESEJOS

preendedor, o que restabelece a situação básica da qual partiu nossa comparação. Na formação do sonho também há essas mesmas variações, que os senhores mesmos poderão imaginar.*

Não podemos avançar aqui, pois provavelmente os senhores são incomodados, já há algum tempo, por uma dúvida que merece ser ouvida. "Os resíduos diurnos", perguntarão, "são de fato inconscientes no mesmo sentido que o desejo inconsciente, que tem de juntar-se a eles para torná-los capazes de produzir um sonho?" É correta essa suspeita. Eis o ponto crucial da questão. Eles não são inconscientes no mesmo sentido. O desejo presente no sonho pertence a outro inconsciente: àquele que reconhecemos como de origem infantil, dotado de mecanismos especiais. Seria inteiramente apropriado separar essas duas modalidades de inconsciente mediante diferentes designações. Para isso, no entanto, é melhor esperar até que nos familiarizemos com o domínio dos fenômenos neuróticos. Se a noção de um inconsciente já é criticada como fantasia, o que se dirá se admitirmos que nos contentamos somente com dois?

Paremos por aqui. Mais uma vez os senhores ouviram uma exposição incompleta. Mas não é auspicioso pensar que este saber tem continuação, que será produzida por nós mesmos ou por outros depois de nós? E, quanto a nós, não aprendemos bastantes coisas novas e surpreendentes?

---

* Cf. *Interpretação dos sonhos*, cap. VII, seção C, onde essa comparação é desenvolvida.

II OS SONHOS

15. INCERTEZAS
E CRÍTICAS

Senhoras e senhores: Não vamos abandonar o domínio dos sonhos sem tratar das dúvidas e incertezas mais costumeiras que se relacionam às novidades e concepções expostas até aqui. Ouvintes atentos entre os senhores já terão reunido algum material dessa natureza.

1. Talvez tenham ficado com a impressão de que, apesar da correta observância da técnica, nosso trabalho interpretativo do sonho dá margem a tantas incertezas que se torna impossível uma tradução segura do sonho manifesto nos pensamentos oníricos latentes. Alegarão que, em primeiro lugar, nunca saberemos se determinado elemento do sonho deve ser entendido em seu significado genuíno ou como símbolo, já que as coisas empregadas como símbolo não deixam de ser elas mesmas. Mas, não havendo apoio objetivo para a decisão, a interpretação sempre ficará entregue, nesse ponto, ao arbítrio de quem interpreta o sonho. Além disso, em razão da coincidência de opostos no trabalho do sonho, permanecerá sempre indeterminado se certo elemento onírico deve ser entendido em sentido positivo ou negativo, como ele próprio ou como seu contrário. Nova oportunidade para o exercício do arbítrio por parte do intérprete. Em terceiro lugar, devido às frequentes inversões de todo tipo que ocorrem no sonho, o intérprete terá liberdade para fazer tal inversão no trecho do sonho que lhe aprouver. Por fim, os senhores mencionarão ter ouvido que raras vezes estamos seguros de que a inter-

15. INCERTEZAS E CRÍTICAS

pretação encontrada é a única possível. Corremos o risco de não considerar uma "superinterpretação" do sonho que é perfeitamente admissível. Nessas circunstâncias, concluirão os senhores, deixa-se um amplo espaço para o arbítrio do intérprete, o que parece incompatível com a certeza objetiva de seus resultados. Ou então, poderão também supor, o erro não está no sonho: as deficiências de nossa interpretação se deveriam a incorreções de nossos pressupostos e concepções.

Todo esse material dos senhores é irrepreensível, mas creio que ele não justifica a dupla conclusão de que, por um lado, a interpretação dos sonhos, como nós a realizamos, está entregue ao arbítrio e, por outro, de que as deficiências nos resultados põem em questão a justeza de nosso procedimento. Se, em vez de arbítrio, falássemos em habilidade, experiência ou capacidade de compreensão do intérprete, eu teria de concordar com os senhores. De fato, não podemos prescindir de um tal fator pessoal, sobretudo nas tarefas mais difíceis da interpretação dos sonhos. Mas não é diferente em outras áreas do trabalho científico. Não há meio de evitar que uma pessoa maneje pior do que outra determinada técnica, ou a explore melhor. De resto, o que parece arbítrio na interpretação dos símbolos, por exemplo, é eliminado pelo fato de o nexo dos pensamentos oníricos entre si, o do sonho com a vida do sonhador e toda a situação psíquica em que o sonho ocorre apontarem geralmente para uma única possibilidade interpretativa e rejeitarem como inúteis as demais. A conclusão de que as imperfeições da interpretação dos sonhos resultariam

II OS SONHOS

na incorreção de nossas postulações é invalidada pela observação de que a ambiguidade ou indeterminação do sonho revela-se, antes, uma propriedade que necessariamente se esperaria que ele tivesse.

Lembremo-nos de que já afirmamos que o trabalho do sonho realiza uma tradução dos pensamentos oníricos em um modo de expressão primitivo, análogo à escrita pictórica. Mas todos esses sistemas de expressão primitivos têm indeterminações e ambiguidades, sem que, por isso, tenhamos o direito de pôr em dúvida sua utilidade. A coincidência de opostos no trabalho do sonho, os senhores sabem, é análoga ao assim chamado "sentido antitético das palavras primitivas" que se acha nas línguas mais antigas. O linguista K. Abel (1884), a quem devemos essa consideração, pede-nos que não acreditemos que a comunicação que uma pessoa fazia a outra por intermédio de palavras tão ambivalentes era, por esse motivo, ambígua. No contexto da fala, a entonação e o gesto deviam tornar indubitável qual dos opostos o falante tinha em mente ao fazer sua comunicação. Na escrita, onde ele não está presente, o gesto era substituído pelo acréscimo de uma figura não pronunciada: por exemplo, o desenho de um homenzinho displicentemente sentado ou perfeitamente ereto, de acordo com o significado pretendido para o ambíguo *ken* da escrita hieroglífica — "fraco" ou "forte". Assim, evitava-se o mal-entendido, a despeito da ambiguidade dos sons e dos sinais.

Os antigos sistemas de expressão, como as escritas das línguas mais antigas, permitem reconhecer uma quantidade de indeterminações que não admitiríamos

15. INCERTEZAS E CRÍTICAS

em nossa escrita atual. Assim, em certas escritas semíticas escrevem-se apenas as consoantes das palavras; as vogais omitidas, cabe ao leitor inseri-las, de acordo com seu conhecimento e com o contexto. A escrita hieroglífica não procede exatamente dessa maneira, mas de modo muito semelhante, razão pela qual a pronúncia do egípcio antigo permaneceu desconhecida para nós. A escrita sagrada dos egípcios revela ainda outras indeterminações. Nelas, cabe ao arbítrio do escritor, por exemplo, decidir se deseja enfileirar as imagens da direita para a esquerda ou da esquerda para a direita. A fim de poder lê-la, é necessário ater-se à direção para a qual apontam os rostos das figuras, pássaros etc. O escritor, no entanto, podia ainda dispor os signos pictóricos na vertical e, no caso das inscrições em objetos menores, fatores como o gosto e o aproveitamento do espaço podiam ainda determinar outras modificações na sequência dos sinais. Por certo, o mais perturbador da escrita hieroglífica é que ela desconhece a separação de palavras. As imagens dispõem-se lateralmente a igual distância uma da outra, e não há como saber se uma figura pertence à palavra anterior ou à seguinte. Já na escrita cuneiforme dos persas, uma cunha oblíqua atua como "separadora de palavras".

Uma língua e escrita muito antiga, mas ainda utilizada por 400 milhões de pessoas, é a chinesa. Não creiam os senhores que entendo alguma coisa dela; instruí-me a seu respeito apenas porque esperava encontrar analogias com as indeterminações do sonho. E não me equivoquei em minha expectativa. A língua chinesa está repleta de indeterminações que poderiam até nos inspirar medo.

II OS SONHOS

Como é sabido, ela se compõe de um número de sons silábicos que são pronunciados sozinhos ou em combinações de dois sons. Um dos dialetos principais possui cerca de quatrocentos desses sons. Como seu vocabulário é estimado em aproximadamente 4 mil palavras, resulta daí que cada som tem em média dez significados diferentes — alguns menos, outros mais. Todo um número de expedientes é utilizado para escapar da ambiguidade, pois somente pelo contexto não é possível adivinhar qual dos dez significados do som silábico o falante quer transmitir ao seu interlocutor. Entre esses expedientes estão a união de duas sílabas em uma só palavra e o emprego de quatro "tons" diferentes na pronúncia das próprias sílabas. Para nossa comparação, mais interessante ainda é o fato de a língua chinesa praticamente não possuir uma gramática. Não é possível dizer se as palavras monossilábicas são substantivos, verbos ou adjetivos, e ausentes estão também as modificações pelas quais se poderia reconhecer gênero, número, caso, tempo ou modo. Trata-se, pois, de uma língua composta apenas de material bruto, por assim dizer, assim como a linguagem do nosso pensamento é decomposta em seu material bruto pelo trabalho do sonho, que se abstém de expressar as relações entre componentes. A língua chinesa deixa a cargo do interlocutor a decisão acerca de como compreender cada caso de indeterminação, decisão na qual ele é guiado pelo contexto. Anotei um exemplo de um provérbio chinês que, traduzido ao pé da letra, diz:

Pouco ver, muito admirar.

15. INCERTEZAS E CRÍTICAS

Não é difícil compreendê-lo. O provérbio pode significar "quanto menos se viu, mais se encontra para admirar" ou "muito tem a admirar aquele que pouco viu". Naturalmente, não se trata de decidir qual das duas traduções, diferentes apenas na gramática, está correta. A despeito dessas indeterminações, asseguram-nos que a língua chinesa é um excelente meio de expressão do pensamento. Portanto, a indeterminação não conduz necessariamente à ambiguidade.

Temos de admitir, porém, que a situação objetiva do sistema de expressão do sonho é bem mais desfavorável que aquela de todas essas línguas e escritas antigas. Estas, afinal, visam fundamentalmente à comunicação, isto é, foram feitas para serem sempre compreendidas, por quaisquer caminhos e meios. Esse é precisamente o caráter que escapa ao sonho. O sonho não pretende dizer nada a ninguém, não é um veículo de comunicação; ao contrário, ele quer permanecer incompreendido. Por isso mesmo, não devemos nos admirar nem nos desesperar, caso verifiquemos que nele certo número de ambiguidades e indeterminações escapam a uma decisão. A título de ganho indiscutível de nossa comparação, resta-nos apenas a percepção de que tais indeterminações, que se pretendeu utilizar como objeção à validade de nossas interpretações de sonhos, são, antes, característica regular de todos os sistemas de expressão primitivos.

Até onde vai, na realidade, a compreensibilidade do sonho é algo que só se verifica pela prática e a experiência. Ela é bastante ampla, creio, e a comparação dos resultados obtidos por analistas treinados confirma minha

II OS SONHOS

opinião. Sabe-se que o público leigo, também aquele afeito à ciência, se compraz em exibir superior ceticismo ante as dificuldades e incertezas de uma realização científica. Injustamente, acredito. Talvez nem todos os senhores saibam que uma situação parecida ocorreu na história da decifração das inscrições assírio-babilônicas. Nela, houve época em que a opinião pública esteve muito perto de declarar fantasistas os decifradores da escrita cuneiforme, e um "engodo" toda a sua pesquisa. Mas, em 1857, a Royal Asian Society fez um teste decisivo. Ela convidou quatro dos mais respeitados pesquisadores da escrita cuneiforme — Rawlinson, Hincks, Fox Talbot e Oppert — a fazer traduções independentes de uma inscrição recém-descoberta e enviá-las à Sociedade em envelope lacrado; então, após comparar as quatro leituras, declarou-as coincidentes o bastante para justificar a confiança nos resultados alcançados até ali e a esperança de novos progressos. Pouco a pouco, o escárnio dos leigos cultos teve fim, e a segurança na leitura dos documentos em escrita cuneiforme cresceu enormemente desde então.

2. Uma segunda série de dúvidas vincula-se profundamente à impressão — da qual é provável que tampouco os senhores estejam livres — de que certo número de soluções que fomos levados a propor na interpretação dos sonhos seriam forçadas, artificiais, inverossímeis, ou seja, de que pareceriam não apenas violentas, como também cômicas e até zombeteiras. Tais manifestações são tão frequentes que quero aqui escolher uma ao acaso, a última de que tomei conheci-

15. INCERTEZAS E CRÍTICAS

mento. Ouçam, pois. Há pouco tempo, na Suíça livre, um chefe de departamento perdeu seu posto em razão de seu trabalho na área psicanalítica. Tendo ele interposto recurso, um jornal de Berna trouxe a público o parecer das autoridades universitárias sobre seu caso. Desse parecer, extraio algumas frases relativas à psicanálise: "Além disso, surpreende o caráter elaborado e artificial de muitos exemplos que se encontram também no já mencionado livro do dr. Pfister, em Zurique [...]. Só pode ser mesmo espantoso que um chefe de departamento aceite sem crítica todas essas afirmações e pseudoevidências". Essas frases são apresentadas como a decisão de alguém que "julga com serenidade". Eu diria, antes, que essa serenidade, sim, é "artificial". Examinemos mais de perto essas declarações, na esperança de que alguma reflexão e algum conhecimento do assunto tampouco prejudiquem um julgamento sereno.

É verdadeiramente animador observar com que rapidez e segurança alguém é capaz de julgar uma questão delicada da mais profunda psicologia com base em suas primeiras impressões. As interpretações lhe parecem artificiais e forçadas, ou seja, não lhe agradam e, por isso, estão erradas; a interpretação em si é desprovida de valor. Nem mesmo um pensamento fugidio chega a aventar a outra possibilidade, isto é, a de que as interpretações teriam boas razões para lhe parecer assim, ao que se vincularia então a pergunta seguinte: que razões são essas?

O assunto em julgamento relaciona-se, na essência, aos resultados do deslocamento, que os senhores ficaram conhecendo como o expediente mais eficaz empregado

II OS SONHOS

pela censura do sonho. Com o auxílio do deslocamento, a censura do sonho cria as formações substitutivas a que chamamos alusões. Trata-se, contudo, de alusões não facilmente reconhecíveis como tais, cujo caminho de volta até o elemento real é difícil de encontrar e que se vinculam a esse elemento real mediante associações as mais singulares, incomuns e extrínsecas. Em todos esses casos, porém, trata-se de coisas que devem permanecer ocultas, destinadas ao encobrimento; e é isso que a censura do sonho almeja. Algo que foi escondido não se pode esperar encontrar em seu lugar, no posto que lhe cabe. Nesse aspecto, aqueles que hoje se encarregam de vigiar as fronteiras são mais inteligentes que as autoridades universitárias suíças. Em busca de documentos e anotações, eles não se contentam em examinar pastas e maletas, mas consideram a possibilidade de que espiões e contrabandistas carreguem material tão inapropriado em esconderijos os mais recônditos de sua vestimenta, ou, por exemplo, entre as solas duplas de suas botas. Se encontram aí o material escondido, então é porque a procura foi de fato forçada, mas também foi muito bem-sucedida.

Se reconhecemos como possíveis as ligações mais distantes e singulares, por vezes até de aspecto cômico ou engraçado, entre um elemento latente do sonho e seu substituto manifesto, é porque, ao fazê-lo, estamos agindo de acordo com ricas experiências adquiridas a partir de exemplos cuja resolução, em geral, não fomos nós a descobrir. Muitas vezes é impossível chegar a tais interpretações por conta própria; nenhuma

15. INCERTEZAS E CRÍTICAS

pessoa sensata poderia adivinhar a conexão existente. Ou o sonhador nos dá a tradução de pronto, mediante associação direta — o que ele pode fazer, porque foi nele que se produziu a formação substitutiva —, ou nos fornece tanto material que a solução, em vez de demandar especial perspicácia, acabará por se impor por si só. Caso o sonhador não nos auxilie de alguma dessas duas maneiras, o elemento manifesto em questão nos permanecerá para sempre incompreensível. Permitam que eu exponha aos senhores ainda outro exemplo ocorrido recentemente. Durante o tratamento, uma de minhas pacientes perdeu o pai. Desde então, ela se vale de toda e qualquer oportunidade para devolvê-lo à vida em sonhos. Num deles, o pai aparece em certo contexto, de resto desinteressante, e diz: *"São onze e quinze; são onze e meia; são quinze para o meio-dia"*. Como interpretação dessa singularidade, ocorre à paciente apenas que o pai gostava de ver os filhos adultos obedecerem pontualmente ao horário das refeições conjuntas. Isso por certo tinha a ver com o elemento do sonho, mas não permitia conclusão nenhuma quanto à origem desse elemento. Havia a suspeita, justificada pela situação do tratamento na época, de que uma revolta crítica cuidadosamente reprimida contra o amado e venerado pai tinha participação naquele sonho. Na sequência posterior de suas associações, aparentemente já distante do sonho, a sonhadora relata que, no dia anterior, muito se falara de psicologia em sua presença, e um parente havia dito: "O Ur*mensch* [homem primitivo] segue vivendo em todos nós". Agora acreditamos compreender.

II OS SONHOS

Aquilo havia dado a ela excepcional oportunidade de, mais uma vez, fazer reviver o pai falecido. No sonho, portanto, transformou-o num Uhr*mensch* [homem das horas] a dizer os quartos de hora faltantes para o horário do almoço.

Os senhores terão dificuldade em negar a semelhança desse exemplo com um chiste, e, com efeito, já aconteceu muitas vezes de se pensar que o chiste do sonhador era de quem interpretava o sonho. Existem outros exemplos em que não é fácil decidir se estamos lidando com um chiste ou um sonho. Mas os senhores se lembram de que tivemos essa mesma dúvida em relação a vários lapsos da fala, ao tratarmos dos atos falhos. Um homem relata como sonho que seu tio lhe deu um beijo, enquanto estavam os dois sentados no *auto*móvel do tio. De pronto, o sonhador acrescenta a interpretação: o sonho significa *autoerotismo* (um termo da teoria da libido que designa a satisfação sem a presença de objeto exterior). Terá o homem se permitido fazer uma brincadeira conosco e nos contado como sonho uma piada que lhe ocorrera? Não creio; ele de fato sonhou aquilo. Mas de onde vem essa espantosa semelhança? Na época, essa pergunta me afastou um tanto de meu caminho, ao me impor a necessidade de submeter o próprio chiste a um exame aprofundado. Revelou-se, no tocante à gênese do chiste, que uma linha pré-consciente de pensamento é submetida momentaneamente à elaboração inconsciente, da qual então emerge como chiste. Sob a influência do inconsciente, o pensamento sofre a atuação dos mecanismos que nele imperam — a condensação e

15. INCERTEZAS E CRÍTICAS

o deslocamento —, ou seja, daqueles mesmos processos que vimos atuar no trabalho do sonho, e é a essa característica comum que devemos atribuir a semelhança entre o chiste e o sonho, onde quer que ela se verifique. Contudo, o involuntário "chiste onírico" não nos oferece o ganho em prazer que o chiste proporciona. Por que razão, isso o estudo dos chistes poderá ensinar aos senhores. O "chiste onírico" parece uma piada ruim, não nos faz rir, deixa-nos indiferentes.

Mas nisso também seguimos os passos da antiga interpretação dos sonhos, que, à parte muitas inutilidades, nos legou vários bons exemplos de interpretações, que nós mesmos não seríamos capazes de superar. Relato agora aos senhores um importante sonho histórico, o qual, com algumas discrepâncias, Plutarco e Artemidoro de Daldi atribuem a Alexandre, o Grande. Quando o rei sitiava a cidade de Tiro (322 a.C.), defendida com obstinação, certa vez sonhou com um sátiro dançante. O intérprete de sonhos Aristandro, que integrava o exército, interpretou-lhe o sonho decompondo a palavra "sátiros" em σὰ Τύρος (tua é Tiro), garantindo, assim, que o rei triunfaria sobre a cidade. Em razão dessa interpretação, Alexandre determinou que se prosseguisse com o sítio e acabou por tomar a cidade. A interpretação, que parece artificial, revelou-se correta.

3. Posso imaginar que lhes causará particular impressão ouvir que objeções a nossa concepção do sonho são levantadas também por pessoas que, como psicanalistas, ocuparam-se mais detidamente da interpretação dos sonhos. Teria sido insólito que ninguém se apro-

II OS SONHOS

veitasse de tão rico incentivo para cometer novos erros, e assim, com o auxílio de confusões conceituais e de generalizações injustificadas, surgiram afirmações que não ficam muito a dever, em matéria de incorreção, à concepção que a medicina tem do sonho. Uma delas os senhores já conhecem. Ela afirma que o sonho se ocupa de tentativas de adaptação ao presente e da solução de tarefas futuras, seguindo, pois, uma "tendência prospectiva" (A. Maeder). Já mencionamos que essa afirmação repousa na confusão entre o sonho em si e os pensamentos oníricos latentes, ou seja, tem como premissa ignorar o trabalho do sonho. Como caracterização da atividade intelectual inconsciente, categoria à qual pertencem os pensamentos oníricos latentes, ela, por um lado, não constitui novidade e, por outro, não esgota o assunto, pois a atividade intelectual inconsciente cuida de muito mais que da preparação do futuro. Uma confusão bem pior parece estar na base da asserção de que por trás de todo sonho se acha a "cláusula da morte". Não sei bem o que essa formulação quer dizer, mas suponho que por trás dela esteja a confusão do sonho com a personalidade do sonhador.

Uma generalização injustificada, extraída de uns poucos bons exemplos, está presente na afirmação de que todo sonho admite duas interpretações: a assim chamada psicanalítica, que apresentamos aqui, e a anagógica, que ignora os impulsos instintuais e visa representar os feitos psíquicos mais elevados (H. Silberer). Tais sonhos existem, mas não se conseguirá estender essa concepção nem mesmo à maioria dos sonhos. De-

15. INCERTEZAS E CRÍTICAS

pois de tudo o que os senhores ouviram aqui, há de parecer-lhes totalmente incompreensível, ademais, a afirmação de que todos os sonhos devem ser interpretados de forma bissexual, como pontos de encontro de duas correntes a serem denominadas masculina e feminina (A. Adler). É claro que também existem sonhos assim, que, talvez os senhores descubram mais adiante, são construídos como certos sintomas histéricos. Menciono todas essas descobertas de novas características gerais do sonho a fim de alertá-los contra elas, ou ao menos não lhes deixar dúvidas sobre o que penso delas.

4. Um dia, o valor objetivo da investigação dos sonhos pareceu questionado pela observação de que pacientes submetidos a análise ajustavam o conteúdo de seus sonhos à teoria preferida de seu médico. Assim, uma parte deles sonhava sobretudo com impulsos instintuais de caráter sexual; outra, com a busca do poder; e ainda outra, até mesmo com o renascimento (W. Stekel). O peso dessa observação é minimizado pela reflexão de que os homens já sonhavam antes que houvesse um tratamento psicanalítico que pudesse guiar seus sonhos, e de que as pessoas ora em tratamento costumavam sonhar também antes dele. O que há de verdadeiro nessa novidade logo se percebe como óbvio, e também como irrelevante para a teoria do sonho. Os resíduos diurnos incitadores do sonho vêm dos fortes interesses da vida desperta. Se as palavras do médico e os estímulos que proporciona se tornam significativos para o analisando, entram na esfera dos resíduos diurnos, podem fornecer estímulos psíquicos para a formação do sonho

II OS SONHOS

tal como os outros interesses do dia, ainda pendentes e carregados de afeto; sua atuação se assemelha à dos estímulos somáticos que agem durante o sono sobre a pessoa adormecida. Como esses outros instigadores do sonho, também os pensamentos instigados pelo médico podem aparecer no conteúdo manifesto do sonho ou ter sua presença demonstrada no conteúdo latente. Sabemos, afinal, que sonhos podem ser gerados experimentalmente, ou melhor, que uma parte do material onírico pode ser introduzida no sonho. Nessa influência que exerce em seu paciente, o analista não desempenha papel diferente daquele do condutor de tal experiência, como Mourly Vold, que dispunha os membros dos participantes das experiências em determinadas posições.

Muitas vezes, é possível influenciar o *tema* do sonho, mas jamais se consegue interferir no *quê* o sonhador vai sonhar. O mecanismo do trabalho do sonho e o desejo onírico inconsciente são imunes a toda influência externa. Ao tratar dos sonhos de estímulo somático, já notamos que as singularidades e a autonomia da vida onírica se revelam no modo como o sonho reage aos estímulos corporais ou psíquicos introduzidos. Portanto, a afirmação aqui em pauta, que pretende pôr em dúvida a objetividade da pesquisa acerca do sonho, também se baseia numa confusão — aquela entre o sonho e o material onírico.

Isso, senhoras e senhores, era o que eu queria lhes dizer sobre os problemas ligados aos sonhos. Certamente adivinham que omiti muitas coisas, e que tive de tratar quase todos os pontos de forma incompleta. Isso

15. INCERTEZAS E CRÍTICAS

se deve à relação dos fenômenos oníricos com aqueles das neuroses. Estudamos o sonho como introdução à teoria das neuroses, o que certamente foi mais correto do que fazer o inverso. Mas, assim como o sonho nos prepara para a compreensão das neuroses, uma correta apreciação dele, por outro lado, pode ser obtida apenas após o conhecimento dos fenômenos neuróticos.

Não sei o que os senhores pensarão disso, mas devo lhes garantir que não lamento haver empenhado boa parte do seu interesse e do tempo de que dispomos na abordagem dos problemas do sonho. Nenhum outro objeto pode nos propiciar tão rapidamente a convicção sobre a justeza das afirmações de que depende a psicanálise. São necessários meses e até mesmo anos de trabalho árduo para mostrar que os sintomas de um caso de enfermidade neurótica possuem um sentido, servem a uma intenção e decorrem das vicissitudes da vida do enfermo. Por outro lado, algumas horas de esforço podem ser suficientes para provar que o mesmo vale para um sonho inicialmente confuso e incompreensível e, assim, para confirmar todas as premissas da psicanálise — o caráter inconsciente dos processos psíquicos, os mecanismos especiais a que eles obedecem e as forças instintuais que neles se manifestam. E, se consideramos a radical analogia entre a construção do sonho e a do sintoma neurótico e, ao mesmo tempo, a rapidez da transformação que faz do sonhador uma pessoa desperta e sensata, adquirimos a certeza de que também a neurose repousa apenas na alteração do jogo de forças entre os poderes da vida psíquica.

TERCEIRA PARTE: TEORIA GERAL DAS NEUROSES (1917)

16. PSICANÁLISE E PSIQUIATRIA

Senhoras e senhores: Alegro-me em revê-los após um ano, para darmos prosseguimento a nossas discussões. No ano passado, apresentei-lhes o tratamento dado pela psicanálise aos atos falhos e aos sonhos; neste ano, gostaria de iniciá-los no entendimento das manifestações neuróticas, que, como logo descobrirão, têm muito em comum com ambos. Mas digo-lhes, já de antemão, que desta vez não posso lhes conceder a mesma posição de antes em relação a mim. No ano passado, empenhava-me em não dar nenhum passo sem a concordância dos senhores; discuti muita coisa, submeti-me a objeções e, de fato, reconheci o "bom senso" dos senhores como instância decisiva. Agora isso não será mais possível, e por uma razão muito simples. Atos falhos e sonhos não lhes eram fenômenos desconhecidos; era possível dizer que os senhores tinham tanta experiência deles quanto eu, ou que não havia dificuldade em obterem tal experiência. Mas o âmbito das manifestações neuróticas não lhes é familiar. Como não são médicos, não possuem outra via de acesso a ele senão minhas comunicações; e de que serve o melhor juízo, se não há também familiaridade com a matéria em julgamento?

Mas não entendam este meu anúncio como se eu pretendesse dar palestras dogmáticas e requerer sua fé incondicional. Esse mal-entendido seria uma grave injustiça contra a minha pessoa. Não quero despertar convicções — quero fornecer estímulos e abalar preconceitos. Se, por desconhecer o material, os senhores não têm condições de julgar, não devem crer nem condenar. Devem escutar e permitir que o que lhes é relatado produza efeito. Não é tão fácil adquirir convicções, ou, se chegamos a elas sem fazer esforço, logo se mostram desprovidas de valor e capacidade de resistência. Direito à convicção possui apenas aquele que, assim como eu, trabalhou muitos anos no mesmo material e viveu ele próprio, repetidas vezes, as mesmas novas e surpreendentes experiências. De que servem, no campo intelectual, as convicções apressadas, as conversões fulminantes, os repúdios momentâneos? Percebem os senhores que o *coup de foudre*, o amor à primeira vista, provém de um âmbito bastante diverso, o afetivo? Nem sequer pedimos a nossos pacientes que sejam convictos ou adeptos da psicanálise. Com frequência, isso os torna suspeitos para nós. Um ceticismo benévolo é a postura que mais desejamos ver neles. Portanto, procurem também os senhores deixar que a concepção psicanalítica, juntamente com a popular ou a psiquiátrica, cresça calmamente dentro de si, até surgirem oportunidades para que elas se influenciem, se meçam uma à outra e possam, então, conciliar-se numa decisão.

Por outro lado, não pensem que aquilo que lhes apresento como a concepção psicanalítica é um sistema baseado na especulação. Decorre, isto sim, da experiência, é expressão direta da observação ou resultado da elaboração da experiência. Se essa elaboração ocorreu de forma satisfatória e justificada, é algo que se mostrará com o avanço dessa ciência; de minha parte, passadas quase

16. PSICANÁLISE E PSIQUIATRIA

duas décadas e meia e já avançado em anos, permito-
-me afirmar, sem jactância, que tais observações foram
o produto de um trabalho árduo, intenso e aprofundado.
Muitas vezes tive a impressão de que nossos oposito-
res não queriam levar em conta essa origem de nossas
afirmações, como se acreditassem que são ideias puramente subjetivas, a que outros poderiam opor o que lhes
aprouvesse. Não compreendo inteiramente essa postura. Talvez ela venha do fato de, em geral, um médico
não ter muito contato com os doentes dos nervos, de
não ouvir atentamente o que têm a dizer, de modo que
não considera a possibilidade de extrair algo de valor
de suas manifestações e, portanto, de fazer observações
aprofundadas. Prometo aos senhores que, no decorrer
de minhas palestras, pouco vou polemizar, em especial
com indivíduos. Não posso me convencer da verdade da
máxima que afirma ser o conflito o pai de todas as coisas. Creio que ela provém da sofística grega e, tal como
esta, falha por superestimar a dialética. Parece-me, ao
contrário, que a chamada polêmica científica é, de modo
geral, bastante infrutífera, além de quase sempre ser
conduzida em nível altamente pessoal. Até poucos anos
atrás, eu podia me gabar de ter entrado em uma disputa
científica de fato apenas com um pesquisador (Löwenfeld, de Munique). Terminamos ficando amigos, o que
somos até hoje. Mas nunca mais fiz isso, por não ter certeza de que o desfecho seria o mesmo.

Os senhores por certo julgarão que tal recusa em
participar de uma discussão acadêmica dá testemunho
de uma grande inacessibilidade a objeções, é sinal de

III TEORIA GERAL DAS NEUROSES

teimosia ou, como se diz no polido jargão científico, "extravagante pertinácia". O que eu gostaria de responder é que, se os senhores vierem a adquirir uma convicção com base em trabalho tão árduo, também terão o direito de se apegar a essa convicção com alguma tenacidade. Além disso, posso dizer que ao longo de meu trabalho modifiquei minhas opiniões acerca de pontos relevantes, alterei-as, substituí-as por outras, sempre, é claro, tornando pública essa mudança. E qual foi o resultado dessa sinceridade? Alguns nem sequer tomaram conhecimento dessas correções que eu próprio fiz e me criticam ainda hoje por teses que há muito tempo já não significam o mesmo para mim. Outros me censuram justamente por essas mudanças, em razão das quais me declaram de pouca confiança. Quem já mudou de opinião algumas vezes não merece crédito nenhum, porque torna evidente que pode ter se equivocado também em suas afirmações mais recentes — não é assim? Por outro lado, quem se aferra, inamovível, ao que afirmou certa vez, ou quem não se deixa demover com suficiente rapidez daquilo que declarou, é chamado de teimoso e obstinado. O que fazer diante dessas imputações contraditórias da crítica, a não ser permanecer o que se é e se comportar em concordância com o próprio juízo? Assim me decidi também eu, que não admito que me impeçam de modelar e corrigir minhas doutrinas em consonância com o que demanda o avanço de minha experiência. Em minhas descobertas fundamentais, não encontrei o que mudar até o momento e espero que tampouco venha a encontrar.

16. PSICANÁLISE E PSIQUIATRIA

Devo, portanto, expor aos senhores a concepção psicanalítica das manifestações neuróticas. Para isso, parece-me indicado estabelecer ligações com os fenômenos já tratados, tanto em razão das analogias como dos contrastes. Recorro a uma ação sintomática em que já vi muitas pessoas incorrerem nas sessões comigo. O analista não sabe bem o que fazer com aquelas pessoas que vão a seu consultório e, em quinze minutos, expõem todas as mazelas de sua vida. Nosso conhecimento mais aprofundado torna difícil para nós dizer, como qualquer outro médico: "O senhor não tem nada". E emendar o conselho: "Faça um leve tratamento hidroterápico". Perguntado sobre o que fazia com os pacientes que o procuravam, um colega nosso encolheu os ombros e respondeu: infligia-lhes uma multa de tantas coroas pelo desperdício de tempo. Portanto, não há de surpreender os senhores que, mesmo no caso de psicanalistas ocupados, a consulta não costume ser muito animada. Eu mandei trocar a porta simples que separa a sala de espera de meu consultório por portas duplas, as quais reforcei ainda com um revestimento de feltro. A intenção por trás desse expediente não tem nada de duvidosa. Com efeito, acontece muito de pessoas procedentes da sala de espera não fecharem as portas pelas quais passam; quase sempre, aliás, deixam abertas ambas as portas. Tão logo percebo essa negligência, insisto em tom inamistoso para que o paciente retorne e faça o que deixou de fazer, quer se trate de um cavalheiro elegante ou de uma dama muito bem vestida. A impressão que isso causa é a de um pedantismo ina-

III TEORIA GERAL DAS NEUROSES

propriado. Já cheguei mesmo a, vez por outra, fazer má figura com tal exigência, no caso de pessoas incapazes de tocar uma maçaneta e que apreciam ver seu acompanhante poupar-lhes de semelhante contato. Na maioria dos casos, porém, eu estava com a razão, porque uma pessoa que assim se comporta — que deixa aberta a porta que separa a sala de espera do consultório médico — pertence ao populacho e merece ser recebida com hostilidade. Não tomem partido agora, antes de ouvir o restante. É que essa negligência do paciente só ocorre se ele estava sozinho na sala de espera, tendo deixado, pois, uma sala vazia atrás de si; ela jamais acontece se, em sua espera, ele estava acompanhado de outros, de estranhos. Nesse último caso, sabe muito bem que é do seu interesse não ser ouvido enquanto fala com o médico, razão pela qual jamais se esquece de fechar cuidadosamente as duas portas.

Assim, a negligência do paciente não é condicionada de modo casual nem desprovido de sentido; ela não é desimportante, porque, como veremos, lança luz sobre a relação entre o paciente que entra no consultório e seu médico. O paciente pertence à grande massa daqueles que requerem uma autoridade mundana, dos que querem ser deslumbrados e intimidados. Talvez tenha mandado perguntar pelo telefone qual o horário mais favorável para a visita ao médico; ele se preparou para enfrentar uma multidão de pessoas em busca de ajuda, como diante de uma filial do Café Julius Meinl. Agora, porém, adentra uma sala de espera vazia e, além disso, de decoração bastante modesta, e isso o abala. Tem de fazer o médico

16. PSICANÁLISE E PSIQUIATRIA

pagar pelo respeito supérfluo que pretendia lhe dispensar, e então... abstém-se de fechar as portas entre sala de espera e consultório. Com isso, quer dizer o seguinte ao médico: "Ora, não tem ninguém aqui e é provável que, enquanto eu estiver aqui, não apareça mesmo mais ninguém". Durante a consulta se comportaria também de forma impolida e desrespeitosa, não tivesse sua arrogância sido refreada logo de início com uma reprimenda.

Nessa análise de uma pequena ação sintomática, os senhores não encontram nada que já não conhecessem: ela não é obra do acaso, mas, pelo contrário, possui uma motivação, um sentido e uma intenção; faz parte de um contexto psíquico especificável; e, na condição de um pequeno indício, dá testemunho de um processo psíquico mais importante. Acima de tudo, porém, revela que o processo assim indicado é desconhecido da consciência daquele que o realiza, uma vez que nenhum dos pacientes que deixou abertas as duas portas seria capaz de admitir que, por meio dessa negligência, pretendeu expressar seu menosprezo por minha pessoa. Vários, é provável, se lembrariam de ter se decepcionado ao entrar na sala de espera vazia, mas o vínculo entre essa impressão e a ação sintomática a seguir permaneceu desconhecido de sua consciência.

Agora acrescentemos a essa pequena análise de uma ação sintomática observações que fiz junto a um doente dos nervos. Escolho para tanto observações que trago ainda frescas na memória e que, além disso, se deixam apresentar aqui com relativa brevidade. Certo grau de minúcia é imprescindível numa exposição como a que se segue.

III TEORIA GERAL DAS NEUROSES

Um jovem oficial, que volta para casa para gozar um curto período de férias, me pede para tratar de sua sogra, a qual, vivendo em condições as mais felizes, está arruinando a própria vida e a dos seus em razão de uma ideia disparatada. Então travo conhecimento com uma bem-conservada senhora de 53 anos de idade, de natureza amigável e simples, que, sem relutância, me faz o relato a seguir. Ela vive no campo e tem um casamento dos mais felizes com o marido, que dirige uma grande fábrica. Não tem palavras suficientes para louvar o amoroso cuidado do cônjuge. Casou-se por amor há trinta anos e, desde então, jamais experimentou qualquer tristeza, briga ou motivo para ciúme. Os dois filhos estão bem casados; o marido, pai de seus filhos, movido por um senso de dever, ainda não deseja aposentar-se. Há um ano, aconteceu então o inacreditável, algo que ela própria não compreendia: recebeu uma carta anônima que acusava seu excepcional marido de ter um caso com uma jovem. Ela acreditou de pronto na carta e, desde então, acabara-se sua felicidade. Detalho a seguir o curso aproximado dos acontecimentos. Ela tinha uma empregada com a qual discutia intimidades talvez com demasiada frequência. A empregada perseguia outra moça com uma hostilidade verdadeiramente odiosa, porque esta última fora bem mais longe na vida, embora fosse de origem igual à sua. Em vez de ir trabalhar como empregada, essa segunda moça havia conseguido obter uma formação na área comercial, fora trabalhar na fábrica e, em decorrência da falta de pessoal e graças a convites dos superiores, tinha avançado para uma boa

16. PSICANÁLISE E PSIQUIATRIA

posição. Agora, morava na própria fábrica, tinha contato com todos os cavalheiros e era até chamada de senhorita. A outra, a empregada que ficara para trás na vida, naturalmente revelava-se mais do que disposta a falar mal da antiga colega de escola. Certo dia, nossa dama conversava com a empregada sobre um velho cavalheiro que ali estivera em visita, do qual se sabia que não morava com a esposa e que tinha um caso com outra mulher. A dama não sabe como aquilo foi acontecer, mas, de repente, disse: "Para mim, seria a pior coisa do mundo descobrir que o meu bom marido tem um caso". No dia seguinte, recebeu pelo correio uma carta anônima que, escrita com letra de mão disfarçada, lhe comunicava exatamente aquilo que, por assim dizer, ela conjurara. A senhora concluiu — é provável que com razão — que a carta havia sido obra da empregada má, uma vez que, como amante do marido, a carta designava justamente a senhorita que a empregada odiava. Mas, embora tenha percebido de imediato a intriga, e embora em sua cidade conhecesse exemplos suficientes do pouco crédito que aquelas denúncias mereciam, aconteceu de a referida carta abatê-la instantaneamente. Mergulhou em terrível agitação e mandou chamar de pronto o marido, a fim de lhe fazer as censuras mais veementes. O marido repeliu sorrindo a acusação e fez o melhor que havia a fazer: mandou chamar o médico da família e da fábrica, que juntou seus esforços aos dele na intenção de tranquilizar a mulher. As demais medidas tomadas foram igualmente sensatas. A empregada foi demitida, mas não a suposta rival. Desde então, a dama enferma sempre afir-

III TEORIA GERAL DAS NEUROSES

mava ter se tranquilizado no tocante à carta, em cujo conteúdo deixara de acreditar, mas nunca totalmente, nem por muito tempo. Bastava ouvir o nome da senhorita ou encontrá-la na rua para que isso desencadeasse nela novo acesso de desconfiança, dor e recriminações.

Essa é, pois, a história dessa boa senhora. Não foi preciso muito conhecimento psiquiátrico para compreender que, ao contrário de outros doentes dos nervos, ela apresentara o próprio caso de uma forma demasiado atenuada — de forma dissimulada, como dizemos — e que, na verdade, jamais superara a crença na acusação contida na carta anônima.

Que postura assume o psiquiatra ante um caso patológico dessa natureza? Já sabemos como ele se comportaria diante da ação sintomática do paciente que não fecha as portas da sala de espera. Declara-a uma casualidade desprovida de interesse psicológico e que, portanto, não lhe diz respeito. Esse comportamento, contudo, não pode ser estendido ao caso patológico da mulher ciumenta. A ação sintomática parece algo indiferente, mas o sintoma impõe-se como algo significativo. Ele se liga a um forte sofrimento subjetivo e ameaça objetivamente o convívio de uma família; é, pois, um objeto inegável do interesse psiquiátrico. De início, o psiquiatra procura caracterizá-lo mediante uma qualidade fundamental. A ideia que atormenta essa mulher não pode, em si, ser chamada de disparatada; acontece, afinal, de homens casados e mais velhos terem casos amorosos com moças mais jovens. Outra coisa, todavia, é disparatada e incompreensível. A paciente não tem motivo nenhum

16. PSICANÁLISE E PSIQUIATRIA

para acreditar que seu esposo, carinhoso e fiel, pertença a essa categoria em geral nada incomum de homens: apenas o que afirma a carta anônima. Ela sabe que aquele pedaço de papel não possui força comprobatória e tem uma explicação satisfatória para sua origem; deveria, portanto, dizer a si mesma que não tem razão nenhuma para sentir ciúme, e é o que faz, mas sofre assim mesmo, como se reconhecesse esse ciúme como plenamente justificado. A ideias dessa natureza, inacessíveis a argumentos lógicos extraídos da realidade, convencionou-se chamar de *ideias delirantes*. A boa dama sofre, portanto, de um *delírio de ciúme*. Essa é, por certo, a característica fundamental desse caso patológico.

Feitas essas primeiras constatações, nosso interesse psiquiátrico torna-se ainda mais vivo. Se uma ideia delirante não pode ser eliminada com a referência à realidade, então é provável que tampouco ela tenha origem na realidade. De onde vem, então? Ideias delirantes existem com os mais variados conteúdos. Por que, no nosso caso, esse conteúdo é justamente o ciúme? Em que pessoas formam-se ideias delirantes, ou, em particular, ideias delirantes de ciúme? Sobre isso gostaríamos de ouvir o psiquiatra, que, no entanto, nos deixará na mão. Ele só investigará um único aspecto de nossos questionamentos. Vai pesquisar a história familiar dessa mulher e, *talvez*, apresentar a seguinte resposta: ideias delirantes formam-se naquelas pessoas em cujas famílias já se verificaram repetidas vezes perturbações psíquicas semelhantes ou de outros tipos. Em outras palavras, se essa mulher desenvolveu uma ideia delirante, foi a here-

III TEORIA GERAL DAS NEUROSES

ditariedade que a predispôs a tanto. Isso, com certeza, é uma resposta, mas é tudo que queremos saber? É tudo o que contribuiu para esse caso patológico? Devemos nos contentar com a suposição de que, sendo de ciúme, e não de outra coisa, a ideia delirante que se desenvolveu, essa sua característica é indiferente, arbitrária ou inexplicável? E estamos autorizados a entender o princípio que anuncia a predominância da influência genética também no sentido negativo de que, independentemente das experiências por que passou essa psique, ela estava fadada a algum dia produzir um delírio? Os senhores quererão saber por que a psiquiatria científica não nos fornece outros esclarecimentos. Mas eu lhes respondo: é um maroto aquele que dá mais do que tem. O psiquiatra não conhece caminho que leve ao esclarecimento de um tal caso. Ele tem de se contentar com esse diagnóstico e, a despeito de uma rica experiência, com um prognóstico incerto do curso posterior da enfermidade.

Mas pode aqui a psicanálise fazer mais? Sim, pode. Espero mostrar aos senhores que, mesmo em um caso de tão difícil acesso, ela consegue revelar coisas que possibilitam uma melhor compreensão. De início, peço aos senhores que atentem para um pequenino detalhe: a paciente provocou, na verdade, a carta anônima que agora sustenta sua ideia delirante, na medida em que, dias antes, revelara à empregada intrigueira que, caso o marido tivesse um caso de amor com uma jovem moça, seria a maior infelicidade de sua vida. Com isso, deu à empregada a ideia de enviar-lhe a carta anônima. Assim, a ideia delirante ganha certa independência

16. PSICANÁLISE E PSIQUIATRIA

da carta em si: ela já estava presente antes na paciente sob a forma de temor — ou como desejo? Considerem também outros pequenos indícios produzidos em apenas duas sessões de análise. É certo que a paciente demonstrou muita reserva ao ser solicitada a relatar sua história, seus demais pensamentos, suas associações e suas lembranças. Afirmou que nada mais lhe ocorria, que já havia dito tudo e, passadas duas horas, a tentativa precisou ser de fato interrompida, porque ela anunciara que já se sentia saudável e tinha certeza de que a ideia doentia não voltaria. É claro que o disse apenas por resistência e por temer a continuação da análise. Naquelas duas horas, porém, ela havia, sim, feito observações que autorizavam certa interpretação, que a tornavam inclusive imperiosa, e essa interpretação lança uma luz muito clara sobre a gênese de seu delírio de ciúme. Ela própria nutria intensa paixão por um jovem, pelo próprio genro, em virtude de cuja insistência, aliás, ela fora me procurar como paciente. Dessa paixão ela nada sabia, ou talvez soubesse um pouco. Dada a relação de parentesco então existente, era fácil que essa inclinação amorosa se mascarasse de uma ternura inofensiva. Depois de tudo mais que descobrimos, não é difícil nos transportarmos para a vida psíquica dessa senhora respeitável e boa mãe de 53 anos. Por se tratar de coisa monstruosa, impossível, tal paixão não podia se tornar consciente; não obstante, ela seguiu existindo e exercendo forte pressão inconsciente. Alguma coisa precisava acontecer com ela, algum tipo de remédio tinha de ser encontrado, e o alívio mais à mão foi certamente proporcionado pelo mecanismo do deslocamento, que com tanta frequência tem participação no surgimento do ciúme delirante. Se não apenas a senhora de mais idade estivesse apaixonada por um jovem, mas também seu velho marido estivesse tendo um caso amoroso com uma moça, isso a libertaria da pressão que a infidelidade exerce sobre sua consciência. Assim, a fantasia da infidelidade do marido agiu como um emplastro refrescante sofre a ferida ardente. De seu próprio amor ela não tomou consciência, mas o espelhamento dele, que lhe trazia tantas vantagens, se fez nela obsessiva e delirantemente consciente. Nenhum argumento contrário a ele podia frutificar, uma vez que os argumentos se voltavam apenas contra a imagem no espelho, e não contra a imagem primordial, à qual a primeira devia sua força e que permaneceu oculta e intocável no inconsciente.

Resumamos, agora, de que maneira um breve e dificultoso empenho psicanalítico contribuiu para a compreensão desse caso patológico, pressupondo-se, é claro, que nossas investigações foram feitas corretamente, o que não posso submeter aqui ao juízo dos senhores. Em primeiro lugar, a ideia delirante já não é disparatada ou incompreensível: ela se revela plena de sentido, dotada de boa motivação e se insere no contexto de uma vivência afetiva da paciente. Em segundo lugar, ela é necessária como reação a um processo psíquico inconsciente, depreendido de outros indícios, e deve precisamente a essa relação seu caráter delirante, sua resistência a ataques lógicos e reais; é, em si, algo desejado, uma espécie de consolo. Em terceiro lugar, é

16. PSICANÁLISE E PSIQUIATRIA

a vivência por trás da enfermidade que determina sem sombra de dúvida que a ideia delirante será de ciúme, e de nenhuma outra coisa. Os senhores se lembram de que, na véspera, a senhora havia manifestado à empregada mal-intencionada que uma infidelidade do marido seria o pior que poderia lhe acontecer. Tampouco lhes terá escapado as duas importantes analogias com a ação sintomática por nós analisada, tanto no esclarecimento de seu sentido ou intenção como na relação com um elemento inconsciente.

Naturalmente, isso não responde todas as perguntas que esse caso suscitou. Trata-se, antes, de um caso patológico repleto de outros problemas, tanto daqueles para os quais ainda não houve solução como daqueles para cuja solução as circunstâncias particulares não se mostraram favoráveis. Por exemplo, por que essa senhora, que tem um casamento feliz, sucumbe a uma paixão pelo genro, e por que o alívio, que seria igualmente possível de outra maneira, se apresenta sob a forma de um tal espelhamento, de uma projeção de sua própria situação sobre o marido? Não creiam os senhores que é ocioso e leviano levantar tais perguntas. Já dispomos de bom material para dar a elas uma resposta possível. A senhora se encontra naquela idade crítica que traz consigo uma indesejada e súbita intensificação do desejo sexual feminino; isso, em si, já pode constituir explicação suficiente. Ou talvez se deva acrescentar aí o fato de, há vários anos, o bom e fiel marido não mais dispor da capacidade de desempenho sexual de que a bem conservada senhora necessita para sua satisfação.

III TEORIA GERAL DAS NEUROSES

A experiência nos mostrou que precisamente homens assim, cuja fidelidade se faz então natural, distinguem--se por uma particular ternura e por uma tolerância incomum para com os problemas nervosos da esposa. Pode também não ser indiferente o fato de o objeto dessa paixão patogênica ser justamente o jovem marido da filha. Uma forte ligação erótica com esta, que em última instância remete à constituição sexual da mãe, com frequência encontra meios de prolongar-se assim transformada. Nesse contexto, talvez eu possa lembrar aos senhores que a relação entre sogra e genro sempre foi tida pelos seres humanos como particularmente delicada, tendo constituído tabu e ensejado poderosas proibições e "evitamentos" entre povos primitivos.[1] É comum que, tanto no aspecto positivo como no negativo, ela ultrapasse a medida do culturalmente desejável. Qual desses três fatores atuou em nosso caso, ou se houve aí um acúmulo de todos eles, isso não sei dizer, mas apenas porque não me foi permitido avançar além da segunda sessão na análise do caso.

Noto agora, senhores, que falei de coisas para as quais seu entendimento ainda não está preparado. Fiz isso para proceder à comparação entre psiquiatria e psicanálise. Mas uma coisa posso perguntar desde já: os senhores perceberam alguma contradição entre as duas? A psiquiatria não aplica os meios técnicos da psicanálise; ela prescinde de vincular o que quer que seja ao conteúdo da ideia delirante e, apontando para a hereditariedade,

1 Cf. *Totem e tabu* [1912-3].

16. PSICANÁLISE E PSIQUIATRIA

nos fornece uma etiologia bastante genérica e distante, em vez de primeiramente indicar as causas mais específicas e próximas. Há aí, contudo, uma contradição, uma oposição? Não se trata, antes, de uma complementação? O fator hereditário contradiz o significado da vivência ou, ao contrário, ambos se juntam da forma mais eficaz? Os senhores concordarão em que não há, na essência do trabalho psiquiátrico, nada que poderia se opor à pesquisa psicanalítica. Logo, são os psiquiatras que se opõem à psicanálise, e não a psiquiatria. A psicanálise está para a psiquiatria assim como a histologia para a anatomia; uma estuda a forma exterior dos órgãos, ao passo que a outra se dedica ao estudo de sua constituição a partir dos tecidos e células. Não se pode conceber uma contradição entre estudos que dão continuidade um ao outro. Os senhores sabem que hoje a anatomia é considerada a base de uma medicina científica, mas houve época em que era proibida de dissecar cadáveres a fim de conhecer a constituição interior do corpo humano; da mesma forma, hoje parece malvisto que se pratique a psicanálise com o intuito de investigar o mecanismo interno da vida psíquica. É de prever que uma época não muito distante nos trará a percepção de que uma psiquiatria dotada de profundidade científica é impossível sem um bom conhecimento dos processos mais profundos, inconscientes, que se desenvolvem na vida psíquica.

Talvez a tão combatida psicanálise tenha amigos, entre os senhores, que gostariam de vê-la justificada também sob outro aspecto: o terapêutico. Sabe-se que a nossa terapia psiquiátrica, até o momento, não foi capaz

III TEORIA GERAL DAS NEUROSES

de exercer influência sobre as ideias delirantes. Poderá fazê-lo a psicanálise, graças à compreensão que adquiriu desses sintomas? Não, meus senhores, não pode; contra esse mal, ela é tão impotente quanto qualquer outra terapia — pelo menos até agora. Conseguimos entender o que se passou no doente, mas não temos como fazer que o próprio doente o compreenda. Já disse que não pude avançar além dos primeiros passos na análise das ideias delirantes. Pretenderão os senhores afirmar que, por ter permanecido infrutífera, a análise desses casos é condenável? Não creio. Temos o direito, e até mesmo o dever, de levar adiante a pesquisa sem nos importar com sua utilidade imediata. No fim — não sabemos onde e quando —, cada porção adicional do saber se transformará em capacidade, também em capacidade terapêutica. Se, no tocante a todas as outras formas de adoecimento nervoso e psíquico, a psicanálise se mostrasse tão infrutífera como no caso das ideias delirantes, ainda assim ela estaria plenamente justificada como meio insubstituível de investigação científica. É verdade que então não poderíamos praticá-la: o material humano com o qual aprendemos — que vive, tem vontade própria e necessita de motivos para colaborar nesse trabalho — nos voltaria as costas. Por isso, permitam-me concluir hoje dizendo que há amplos grupos de perturbações nervosas em que efetivamente se deu a transformação de nosso melhor entendimento em capacidade terapêutica, e que, nessas enfermidades de difícil acesso por outros meios, obtemos, em determinadas condições, êxitos que nada ficam a dever a outros sucessos no campo da medicina interna.

17. O SENTIDO
DOS SINTOMAS

Senhoras e senhores: Em minha palestra anterior, expliquei-lhes que a psiquiatria clínica pouco se preocupa com a forma de manifestação e o conteúdo do sintoma, mas que justamente nisso intervém a psicanálise, cuja primeira constatação é de que o sintoma possui um sentido e guarda relação com as vivências do enfermo. O sentido dos sintomas neuróticos foi desvendado pela primeira vez por Josef Breuer, mediante o estudo e a feliz resolução de um caso de histeria que ficou célebre (1880-2). É correto que, de forma independente, também Pierre Janet produziu a mesma comprovação; pertence ao pesquisador francês, aliás, a primazia na literatura científica, uma vez que Breuer só publicou suas observações uma década mais tarde (1893-5), na época de sua colaboração comigo. De resto, pode ser algo indiferente a procedência da descoberta, porque os senhores sabem que toda descoberta é feita mais de uma vez, e que nenhuma é feita de uma vez só. O sucesso, de todo modo, não caminha lado a lado com o mérito; a América não deve seu nome a Colombo. Antes de Breuer e Janet, o grande psiquiatra Leuret expressou a opinião de que mesmo os delírios dos doentes mentais haveriam de ter um sentido reconhecível, se soubéssemos traduzi-los. Confesso que durante longo tempo tive em altíssima conta o mérito de P. Janet no esclarecimento dos sintomas neuróticos, porque ele os compreendia como *idées inconscientes* que dominavam os enfermos.

III TEORIA GERAL DAS NEUROSES

Mas Janet passou a se manifestar com excessiva reserva, como se quisesse admitir que o inconsciente nada mais representava para ele que um expediente, um modo de dizer, *une façon de parler*, não pensando nele como algo real. Desde então, não mais compreendo suas explanações; apenas acho que ele empanou desnecessariamente seu grande mérito.

Portanto, os sintomas neuróticos têm seu sentido, tal como os atos falhos e os sonhos, e, como estes, guardam também relação com a vida das pessoas que os exibem. Eu gostaria apenas de, com alguns exemplos, aproximar os senhores dessa importante descoberta. Só posso afirmar que é assim em todos os casos; não posso comprová-lo. Todo aquele que sair em busca de experiência própria se convencerá disso. Por determinados motivos, no entanto, não vou extrair meus exemplos de casos de histeria, mas de outra neurose muitíssimo curiosa e, no fundo, bastante próxima dela, a respeito da qual vou dizer-lhes algumas palavras introdutórias. Essa neurose, a chamada neurose obsessiva, não é tão popular quanto a histeria, já conhecida de longa data; ela tampouco é, se posso me exprimir assim, tão estridente, comportando-se mais como um assunto particular do doente: renuncia quase por completo a manifestações físicas e cria todos os seus sintomas no âmbito do psíquico. A neurose obsessiva e a histeria são as formas de adoecimento neurótico em cujo estudo a psicanálise se baseou inicialmente, e em cujo tratamento nossa terapia tem seus triunfos. Mas a neurose obsessiva, em que não se vê aquele enigmático salto do psíquico ao físico,

17. O SENTIDO DOS SINTOMAS

na verdade tornou-se para nós, graças ao empenho psicanalítico, mais transparente e familiar do que a histeria, e percebemos que ela mostra de maneira bem mais acentuada certas características extremas da neurose.

A neurose obsessiva se manifesta quando os doentes são tomados por pensamentos nos quais eles próprios não têm nenhum interesse, quando sentem impulsos que lhes parecem muito estranhos e são levados a ações cuja execução não lhes propicia nenhum prazer, mas que é impossível deixarem de fazer. Os pensamentos (imagens obsessivas) podem ser absurdos em si, ou apenas indiferentes para o indivíduo; com frequência, são ridículos e, na totalidade dos casos, o ponto de partida de uma atividade mental fatigante, que exaure o enfermo e à qual ele só se dedica muito a contragosto. Contra a própria vontade, ele se vê obrigado a refletir e especular como se estivesse ante a tarefa mais importante de sua vida. Os impulsos que sente podem também causar uma impressão infantil e absurda, mas, na maioria dos casos, encerram conteúdo dos mais terríveis, como tentações à prática de graves crimes, o que faz com que o doente não apenas os renegue como estranhos, mas também, horrorizado, fuja deles e se proteja de sua execução mediante proibições, renúncias e restrições à própria liberdade. No entanto, eles nunca se concretizam, nem mesmo uma única vez; o resultado é, sempre, a vitória da fuga e da cautela. O que o doente de fato realiza, as chamadas ações obsessivas, são coisas bastante inofensivas e por certo insignificantes, em geral repetições, ornamentações cerimoniosas de atividades do dia

III TEORIA GERAL DAS NEUROSES

a dia mediante as quais, porém, esses afazeres necessários — ir dormir, lavar-se, fazer a toalete, ir passear — se tornam tarefas altamente trabalhosas e quase impossíveis. Nas formas e nos casos individuais da neurose obsessiva, as ideias doentias, os impulsos e as ações não se misturam na mesma proporção; a regra é, isto sim, que um ou outro desses fatores domine o quadro, dando à enfermidade o seu nome, mas o denominador comum de todas essas formas é inconfundível.

É certamente uma doença louca. Creio que nem a mais extravagante fantasia psiquiátrica conseguiria construir algo desse tipo, e, se não pudéssemos encontrá-la todos os dias, não acreditaríamos facilmente na sua existência. Mas não pensem que ajudarão o paciente em alguma coisa ao tentar convencê-lo a mudar de atitude, a não entreter pensamentos tão bobos e ocupar-se de algo sensato em vez de suas tolices. Isso é o que ele próprio gostaria de fazer, porque tem toda a clareza acerca da situação, compartilha o juízo dos senhores a respeito dos sintomas obsessivos, até os mostra aos senhores. Só não tem como evitá-los; aquilo que se transforma em ação na neurose obsessiva é sustentado por uma energia que provavelmente não tem paralelo na vida psíquica normal. O neurótico obsessivo pode apenas deslocar, trocar, substituir uma ideia tola por outra que de algum modo é mais atenuada, proceder de uma cautela ou proibição a outra, realizar um cerimonial em lugar de outro. Ele pode deslocar a obsessão, mas não eliminá-la. A possibilidade do deslocamento de todos os sintomas para algo bastante diverso de sua configuração original é uma ca-

17. O SENTIDO DOS SINTOMAS

racterística central de sua enfermidade; além disso, chama a atenção em seu estado a acentuada separação que exibem os opostos (polaridades) que perpassam a vida psíquica. Ao lado das obsessões de conteúdo positivo e negativo, impõe-se também, no âmbito intelectual, uma dúvida que gradualmente corrói até mesmo aquilo que habitualmente se tem por certo. O quadro geral caminha para uma indecisão, uma falta de energia e uma restrição da liberdade crescentes. E, no entanto, o neurótico obsessivo é, em sua origem, um caráter bastante enérgico, muitas vezes de extraordinária obstinação e, em regra, possuidor de dotes intelectuais acima da média. Na maioria dos casos, alcançou um desenvolvimento ético elevado, mostra-se mais do que consciencioso e uma pessoa mais correta do que o habitual. Os senhores bem podem imaginar que será necessário realizar ainda um belo trabalho, até que tenhamos conseguido nos situar minimamente em meio a todo esse conjunto contraditório de características próprias e de sintomas. No momento, nada almejamos senão poder compreender e interpretar alguns dos sintomas dessa enfermidade.

Tendo em vista nossas discussões anteriores, talvez os senhores queiram saber como a psiquiatria atual se comporta em relação aos problemas da neurose obsessiva. No entanto, esse é um capítulo pobre. A psiquiatria dá nomes às diversas obsessões, e nada mais diz a seu respeito. Por outro lado, enfatiza que os portadores de tais sintomas são "degenerados". Isso não satisfaz; é, na verdade, um juízo de valor, uma condenação, em vez de explicação. Devemos pensar, então, que pessoas desse

III TEORIA GERAL DAS NEUROSES

tipo apresentariam toda sorte de singularidades. De fato, acreditamos, sim, que as pessoas que desenvolvem tais sintomas hão de ser, por natureza, um tanto diferentes das demais. Gostaríamos, no entanto, de perguntar: são elas mais "degeneradas" que os outros doentes dos nervos, como os histéricos ou os acometidos de psicoses? De novo, evidentemente a caracterização é demasiado genérica. Pode-se mesmo questionar se ela é justificada, quando se sabe que sintomas assim aparecem também em pessoas notáveis, dotadas de capacidade de desempenho elevada e significativa para o público em geral. Graças à sua própria discrição pessoal e à mendacidade de suas biografias, de hábito descobrimos pouco acerca da intimidade de nossas grandes figuras modelares, mas acontece de uma delas ser um fanático pela verdade, como Émile Zola, e aí ouvimos dele próprio o quanto sofreu a vida inteira com seus hábitos obsessivos singulares.

A psiquiatria criou aí o expediente de falar em *dégénérés superieurs*. Ótimo, mas, graças à psicanálise, ficamos sabendo que se pode eliminar de forma duradoura esses sintomas obsessivos singulares e outros males, assim como fazemos no caso das pessoas não degeneradas. Eu próprio já logrei fazê-lo várias vezes.

Quero apenas comunicar aos senhores dois exemplos de análise de um sintoma obsessivo: o primeiro, proveniente de observação antiga, mas que eu não seria capaz de substituir por outra melhor; o segundo, bem mais recente. Restrinjo-me a esse pequeno número de exemplos porque, ao relatá-los, será necessário que nos estendamos, que contemplemos todos os detalhes.

17. O SENTIDO DOS SINTOMAS

Uma senhora de quase trinta anos de idade, que sofria de severa manifestação obsessiva e a quem eu talvez tivesse podido ajudar, se um maldoso acaso não houvesse arruinado meu trabalho — talvez eu ainda lhes conte o que se passou —, realizava, entre outras, a seguinte e curiosa ação obsessiva, muitas vezes ao dia. Ela ia de seu quarto ao quarto vizinho, postava-se ali em local determinado, junto da mesa que se erguia no centro do cômodo, tocava a sineta para chamar a criada, confiava-lhe uma tarefa qualquer, ou mesmo a dispensava sem nada solicitar, e voltava, por fim, a seu quarto. Não se tratava de sintoma patológico grave, é verdade, mas por certo suficiente para atiçar a curiosidade. A explicação foi encontrada da maneira mais irreparável e irrepreensível, sem nenhuma contribuição por parte do médico. De resto, nem sei como poderia ter chegado a uma suposição qualquer sobre o sentido daquela ação obsessiva ou a uma indicação de como interpretá-la. Toda vez que perguntava à enferma: "Por que a senhora faz isso? Que sentido tem?", ela me respondia: "Não sei". Um dia, porém, depois de eu ter conseguido resolver uma grande questão de princípios com que ela lutava, a resposta lhe veio de súbito, e ela me relatou o que havia de pertinente àquela ação obsessiva. Mais de dez anos antes, havia se casado com um homem muito mais velho, o qual, na noite de núpcias, se revelara impotente. Naquela noite, ele caminhara inúmeras vezes de seu quarto ao dela, a fim de repetir a tentativa, mas sempre sem sucesso. Pela manhã, ele dissera irritado: "Vou sentir vergonha da criada, quando ela vier arrumar a cama".

III TEORIA GERAL DAS NEUROSES

Em seguida, apanhou um frasco de tinta vermelha, que por acaso se encontrava no quarto, e verteu seu conteúdo no lençol, mas não em um ponto em que seria de se esperar encontrar semelhante mancha. De início, não entendi o que aquela lembrança podia ter a ver com a ação obsessiva em questão, porque só identifiquei coincidências nas idas e vindas de um quarto a outro e na presença da criada. Então a paciente me conduziu até a mesa do quarto ao lado e me fez ver uma grande mancha na toalha que revestia o tampo. Explicou-me também que se posicionava em relação à mesa de tal maneira que a criada, uma vez convocada, não tivesse como não ver a tal mancha. Agora a relação íntima entre a cena posterior à noite de núpcias e a presente ação obsessiva não deixava dúvidas, mas restavam outras coisas a serem compreendidas.

Fica claro, acima de tudo, que a paciente se identifica com seu marido; afinal, ela o representa, na medida em que seu caminhar de um quarto a outro o imita. Devemos então admitir, a fim de manter essa equivalência, que ela substitui cama e lençol por mesa e toalha. Isso pareceria arbitrário, mas não foi em vão que estudamos o simbolismo dos sonhos. Nesses, é também muito frequente encontrarmos uma mesa que deve ser interpretada como cama. Mesa e cama, juntas, representam o casamento; é fácil, pois, que uma seja substituída pela outra.

A prova de que a ação obsessiva possui um sentido já estaria dada; ela parece uma representação, uma repetição daquela cena significativa. Mas não precisamos nos deter nessa aparência. Se examinarmos as duas situações

17. O SENTIDO DOS SINTOMAS

em maior profundidade, é provável que encontremos a chave para algo mais: para a intenção da ação obsessiva. Seu cerne está, evidentemente, na convocação da criada, a quem a mulher exibe a mancha, em contradição com aquela afirmação do marido: "Vou sentir vergonha da criada". Ele, portanto — em cujo papel se encontra a esposa —, não sente vergonha da criada: a mancha está, assim, no lugar correto. Vemos, portanto, que a mulher não apenas repete a cena, mas também lhe dá continuidade e a corrige, torna-a certa. Com isso, corrige também aquilo que, na noite de núpcias, lhe foi tão penoso, tornando necessário o recurso ao frasco de tinta: a impotência. Assim, a ação obsessiva diz: "Não, não é verdade. Ele não precisou sentir vergonha da criada, não era impotente". À maneira de um sonho, a ação obsessiva apresenta, em uma ação presente, esse desejo como realizado. Ela serve ao propósito de elevar o homem acima de seu infortúnio de então.

Concorda com isso tudo o mais que eu poderia contar aos senhores acerca dessa mulher. Ou, melhor dizendo: tudo o mais que sabemos dela nos mostra o caminho para essa interpretação da ação obsessiva em si incompreensível. Há anos, essa senhora vive separada e se debate com a intenção de se separar judicialmente do marido. Nem de longe, porém, está livre dele. Vê-se obrigada a permanecer-lhe fiel e se recolhe por completo do mundo, para não cair em tentação. Em sua fantasia, ela o perdoa e engrandece. O segredo mais profundo de sua enfermidade é que, por meio dela, essa senhora protege o marido da maledicência, justifica o

III TEORIA GERAL DAS NEUROSES

fato de morar separada dele e lhe possibilita uma confortável vida solitária. Assim, a análise de uma inofensiva ação obsessiva nos conduz por via direta ao cerne mais íntimo de um caso patológico, ao mesmo tempo em que nos revela uma porção nada desprezível do segredo da própria neurose obsessiva. Vamos nos deter um pouco mais nesse exemplo, pois ele reúne condições que não podemos exigir normalmente de todos os casos. Nele, a interpretação do sintoma foi encontrada de súbito, sem qualquer orientação ou interferência do analista, e ela decorreu da relação com uma experiência vivida não, como de costume, em um período esquecido da infância, e sim na vida adulta da enferma, que a conservou indelével na lembrança. Todas as objeções que a crítica costuma em geral dirigir contra nossas interpretações de sintomas não se aplicam a esse caso em especial. Infelizmente, nem sempre as condições nos são tão favoráveis.

Mais uma coisa. Não chamou a atenção dos senhores de que modo essa ação obsessiva insignificante conduziu-nos à intimidade da paciente? Para uma mulher, não pode haver coisa mais íntima a relatar do que a história de sua noite de núpcias. Há de ser coincidência desprovida de maior importância o fato de termos chegado à intimidade da vida sexual? É possível, decerto, que isso seja apenas consequência da escolha que fiz desta vez. Não julguemos a questão com pressa demasiada. Em vez disso, passemos ao exemplo seguinte, que é de um tipo bem diferente, um modelo de um gênero muito comum: o cerimonial que precede o sono.

17. O SENTIDO DOS SINTOMAS

Uma moça de dezenove anos, bem constituída e inteligente, filha única de pais que ela supera em cultura e vivacidade intelectual, foi uma criança travessa e petulante, tendo se transformado no curso de anos mais recentes, sem nenhuma interferência externa visível, em uma doente dos nervos. Bastante suscetível a se irritar com a mãe, está sempre insatisfeita, deprimida, tende à indecisão e à dúvida e, por fim, confessa já não ser capaz de ir sozinha a praças e ruas maiores. Não vamos nos ocupar grandemente de seu complicado estado patológico, que reclama no mínimo dois diagnósticos — agorafobia e neurose obsessiva —, e sim nos deter no fato de que essa moça desenvolveu também todo um cerimonial a ser cumprido na hora de ir dormir, um cerimonial que acarreta sofrimento a seus pais. Em certo sentido, pode-se dizer que toda pessoa normal realiza seu cerimonial na hora de dormir, ou que conta com o estabelecimento de certas condições cuja ausência a impede de adormecer; impomos à transição do estado de vigília para o sono certas formas que repetimos toda noite da mesma maneira. Mas tudo que condiciona o sono de uma pessoa saudável possui explicação racional; se as circunstâncias externas tornam necessária alguma mudança, a adaptação a ela se dá com facilidade e sem perda de tempo. O cerimonial patológico, no entanto, é inflexível; ele é capaz de se impor a um custo altíssimo, de se revestir de uma justificativa perfeitamente racional e, a um exame superficial, parece afastar-se da normalidade apenas por certo cuidado exagerado. Visto mais de perto, porém, dá a perceber que esse seu revestimento não convence, que suas demandas abrangem medidas muito além da justificativa racional, bem como outras que a contrariam diretamente. Nossa paciente alega, como motivo para seus cuidados noturnos, o fato de precisar de silêncio para poder dormir e de, portanto, ter de eliminar todas as fontes de ruído. Com essa intenção, ela faz duas coisas: interrompe o funcionamento do grande relógio que tem em seu quarto, retira todos os demais relógios, não suportando nem mesmo seu minúsculo relógio de pulso sobre o criado-mudo; reúne sobre a escrivaninha vasos com flores e vasos em geral, de maneira que não possam cair e se quebrar durante a noite, perturbando-lhe o sono. Ela sabe que tais medidas encontram justificativa apenas aparente em sua lei do silêncio. O tique-taque do relógio de pulso seria inaudível, ainda que ele permanecesse sobre o criado-mudo, e nós todos sabemos por experiência própria que o tique-taque constante dos pêndulos de um relógio de parede não perturba o sono, mas produz, antes, o efeito de um sonífero. Ela admite também que o receio de que, deixados em seus devidos lugares, vasos de flores e de plantas poderiam cair e se quebrar durante a noite é algo sem probabilidade. Outras medidas pertinentes ao cerimonial de nossa paciente não se apoiam nessa lei do silêncio. A exigência, por exemplo, de que a porta que separa seu quarto do quarto dos pais permaneça semiaberta, do que ela se assegura inserindo objetos diversos no vão da referida porta, parece, pelo contrário, ativar uma fonte de ruídos perturbadores. As principais medidas, porém, dizem respeito a sua própria cama. O travesseiro maior não pode tocar

17. O SENTIDO DOS SINTOMAS

a madeira do espaldar da cama; o menor, sobre o qual ela pousa a cabeça, precisa ser disposto sobre o maior de modo a formar um losango; então ela deita a cabeça, exatamente sobre a diagonal maior do losango. O edredom de penas (a que chamamos *Duchent* na Áustria) precisa ser sacudido de forma a ficar bem alto nos pés, uma elevação que, depois, ela jamais deixa de afofar para melhor distribuí-la.

Permitam-me ignorar os demais pormenores, com frequência detalhes minúsculos, desse cerimonial; eles não nos ensinariam nada de novo e nos afastariam demasiado de nosso propósito. Atentem os senhores, porém, para o fato de que nada disso se realiza perfeitamente. É constante a preocupação com possíveis imperfeições; tudo precisa ser verificado, repetido; a dúvida marca ora uma, ora outra das medidas de verificação, e o resultado é que uma ou duas horas se passam ao longo das quais a moça não consegue dormir nem permite que os pais, intimidados, o façam.

A análise desses tormentos não transcorreu com a mesma facilidade encontrada na ação obsessiva da paciente anterior. Precisei sugerir à moça alusões e interpretações, a cada vez refutadas com um decidido "não", ou então recebidas com dúvida desdenhosa. Mas a essa primeira reação negativa seguiu-se um período no qual a paciente se ocupou de considerar ela própria as possibilidades apresentadas, estabelecendo um conjunto de associações com elas, recuperando lembranças, fazendo conexões, até aceitar todas as interpretações como resultado de seu próprio trabalho. Enquanto fazia isso, ela

III TEORIA GERAL DAS NEUROSES

foi deixando de tomar suas medidas obsessivas e, antes ainda do final do tratamento, já abrira mão por completo de executar todo aquele cerimonial. É preciso que os senhores saibam também que o trabalho analítico, da forma como nós o realizamos hoje, não contempla o trabalho continuado em um sintoma isolado até que o tenhamos esclarecido. Somos, antes, obrigados a volta e meia abandonar um tema, na certeza de que outras conexões nos conduzirão de volta a ele. A interpretação de um sintoma que vou agora comunicar aos senhores constitui-se, portanto, de uma síntese de resultados cuja obtenção, interrompida por outros trabalhos, estendeu-se por semanas e meses.

Pouco a pouco, nossa paciente compreende que foi na qualidade de símbolo da genitália feminina que ela baniu o relógio de seus preparativos para a noite. O relógio, ao qual em geral atribuímos também outros significados simbólicos, adquiriu aqui o papel genital graças a sua relação com processos periódicos e intervalos regulares. Mulheres se gabam da regularidade de sua menstruação comparando-a a um relógio. A angústia de nossa paciente, todavia, se voltava com particular ênfase contra o tique-taque do relógio, que poderia perturbar seu sono. O tique-taque do relógio deve ser equiparado ao pulsar do clitóris quando da excitação sexual. De fato, essa sensação, que então lhe é embaraçosa, já a acordara repetidas vezes, e agora esse medo da ereção se manifesta na regra de que todo relógio em funcionamento deve ser afastado durante a noite. Vasos de flores e de plantas em geral são também, como todo

17. O SENTIDO DOS SINTOMAS

recipiente, símbolos femininos. O cuidado para que não caiam e se quebrem durante a noite não deixa, portanto, de ter um sentido. Nós conhecemos o costume bastante disseminado da quebra de recipientes ou pratos por ocasião de noivados. Cada um dos homens presentes se apropria de um fragmento, o que pode ser entendido como renúncia a suas pretensões à noiva, numa regulação matrimonial anterior à monogamia. No tocante a essa parte do seu cerimonial, a paciente contribuiu também com uma lembrança e várias associações. Quando criança, ela certa vez caíra com um recipiente de vidro ou barro na mão, cortara um dedo e sangrara profusamente. Ao crescer e tomar conhecimento dos fatos da vida sexual, estabeleceu-se nela o temor ante a ideia de não sangrar na noite de núpcias e, portanto, de não se mostrar virgem. Suas precauções relativas à possível quebra dos vasos significam, pois, um repúdio de todo o complexo relacionado à virgindade e ao sangramento quando da primeira relação sexual — ou seja, um repúdio tanto da angústia de sangrar como daquela contrária, a de não sangrar. Com a prevenção de eventuais ruídos, como alegava ela, tais medidas guardavam apenas uma relação longínqua.

O sentido central de todo esse seu cerimonial, a paciente acabou por revelar certo dia em que, de súbito, compreendeu a norma segundo a qual seu travesseiro não podia tocar a cabeceira da cama. O travesseiro sempre fora para ela, segundo ela própria admitiu, uma mulher, ao passo que a cabeceira ereta de madeira era um homem. O que ela queria, portanto — e de forma mágica, permitimo-nos acrescentar —, era separar homem de mulher, isto é, apartar os pais, não deixar que consumassem sua relação conjugal. Em anos passados, anteriores à instituição de seu cerimonial, ela buscara atingir esse mesmo objetivo de maneira mais direta. Fingindo sentir medo ou explorando uma tendência ao medo, ela não permitia que a porta que ligava o quarto dos pais ao seu fosse fechada. Era uma regra que ainda vigorava em seu cerimonial atual. Dessa forma, ela criava uma oportunidade para se pôr à escuta dos pais, expediente que lhe rendeu uma insônia que durou meses. Não satisfeita com tal perturbação impingida aos pais, ela vez por outra conseguia também permissão para dormir na cama deles, entre o pai e a mãe. "Travesseiro" e "cabeceira de madeira" efetivamente não podiam então se encontrar. Por fim, quando já estava tão crescida que lhe era fisicamente incômodo deitar-se na cama entre os pais, ela conseguiu ainda que a mãe trocasse de lugar com ela, abrindo mão do próprio posto ao lado do marido. Essa situação com certeza serviu de ponto de partida para fantasias cuja repercussão se faz sentir em seu cerimonial.

Se o travesseiro era uma mulher, sacudir o edredom até que todas as penas se acumulassem nos pés, criando ali um inchaço, tinha também um sentido: significava engravidar a mulher. Mas ela não perdia a oportunidade de acabar com aquela gravidez, porque vivera durante anos com receio de que a atividade sexual dos pais tivesse por consequência outro filho, presenteando-a com um concorrente. Por outro lado, se o travesseiro

17. O SENTIDO DOS SINTOMAS

maior era uma mulher, a mãe, o menor só podia representar a filha. Por que esse travesseiro precisava formar um losango com o maior, e por que a cabeça da paciente tinha de repousar precisamente sobre a linha da diagonal maior? Não foi difícil lembrar a ela que o losango era o emblema, encontrado nos muros, simbolizando o órgão sexual feminino aberto. Assim, ela própria representava o papel do homem, do pai, com sua cabeça a substituir o membro masculino (cf. o simbolismo da cabeça na castração).

Coisas chocantes, dirão os senhores, assombravam a mente dessa moça virgem. Eu admito, mas não se esqueçam de que não inventei essas coisas, apenas as interpretei. Um cerimonial desses antes de dormir é também singular, e os senhores não deixarão de perceber a correspondência entre o cerimonial e as fantasias reveladas pela interpretação. Mais importante, porém, é notarem que no cerimonial não se sedimenta uma só fantasia, mas bom número delas, e, no entanto, em algum lugar têm seu ponto nodal. E também que as prescrições do cerimonial reproduzem os desejos sexuais ora positiva, ora negativamente, servindo em parte como representação, em parte como defesa contra eles.

Poderíamos extrair ainda mais coisas da análise desse cerimonial, caso estabelecêssemos a vinculação correta dele com os demais sintomas da enferma. Nosso caminho, porém, não nos conduz nessa direção. Indico aos senhores apenas que a moça em questão é presa de uma ligação erótica com o pai que data da mais tenra infância. Talvez por isso ela se comporte de forma tão

III TEORIA GERAL DAS NEUROSES

inamistosa em relação à mãe. Não podemos ignorar que, mais uma vez, a análise de um sintoma nos levou à vida sexual da enferma. Talvez nos espantemos cada vez menos com isso, à medida que adquirimos compreensão cada vez maior do sentido e da intenção dos sintomas neuróticos.

Portanto, mostrei aos senhores, em dois exemplos escolhidos, que os sintomas neuróticos, tanto quanto os atos falhos e os sonhos, possuem um sentido e guardam íntima relação com a vivência dos pacientes. Posso acalentar a esperança de que os senhores, com base em dois exemplos, acreditem nessa afirmação de suma importância? Não. Mas podem os senhores exigir que eu prossiga lhes dando exemplos até que se declarem convencidos? Também não, porque, dado o nível de detalhamento com que trato cada caso, eu precisaria dedicar um semestre inteiro de cinco horas semanais a esse único tópico da teoria das neuroses. Contento-me, assim, em dar aos senhores apenas uma amostra a sustentar minha afirmação, remetendo-os, de resto, às comunicações disponíveis na literatura científica: às clássicas interpretações de sintomas no primeiro caso de Breuer (histeria), aos esclarecimentos surpreendentes de sintomas bastante obscuros na chamada *dementia praecox*, de autoria de C. G. Jung, na época em que esse pesquisador era apenas psicanalista e ainda não se pretendia profeta, e a todos os trabalhos que desde então povoam nossas revistas. Neste exato momento, não há carência entre nós de tais investigações. A análise, a interpretação e a tradução dos sintomas neuróticos atraiu os psi-

17. O SENTIDO DOS SINTOMAS

canalistas de tal maneira que, de início, eles passaram a negligenciar os demais problemas da neurose.

Quem fizer esse esforço ficará impressionado com a riqueza do material comprobatório. Mas deparará também com uma dificuldade. Como vimos, o sentido de um sintoma guarda relação com as vivências do doente. Quanto mais individualizada a construção do sintoma, tanto maior será nossa esperança de estabelecer tal relação. A tarefa que se coloca, portanto, é a de encontrar, para uma ideia sem sentido e uma ação despropositada, aquela situação passada em relação à qual essa ideia se justifica e a ação revela propósito pertinente. A ação obsessiva de nossa paciente que corria para a mesa e ralhava com a criada é um modelo desse tipo de sintoma. Mas existem, e são muito frequentes, sintomas de natureza bem diversa. É preciso denominá-los sintomas "típicos" da enfermidade; eles são mais ou menos iguais em todos os casos; neles desaparecem as diferenças individuais, ou pelo menos elas se reduzem de tal maneira que se torna difícil juntá-las à vivência individual do doente e relacioná-las com situações específicas vividas por ele. Voltemos nosso olhar mais uma vez para a neurose obsessiva. Já o cerimonial do sono de nossa segunda paciente tem, em si, muito de típico, mas ele possui também traços individuais suficientes para possibilitar a chamada interpretação *histórica*. Todos aqueles que padecem de neurose, contudo, apresentam a tendência a se repetir, a ritmar afazeres e isolá-los de outros. A maioria deles se lava um número exagerado de vezes. Os doentes que sofrem de agorafobia (topofobia, claustrofobia), que já não

III TEORIA GERAL DAS NEUROSES

incluímos entre as neuroses obsessivas, mas designamos como histeria de angústia — exibem um quadro clínico que muitas vezes repete com exaustiva monotonia os mesmos traços. Eles temem espaços fechados, grandes praças abertas, ruas ou alamedas compridas. Sentem-se protegidos quando acompanhados por conhecidos ou quando seguidos por um carro etc. Sobre esse pano de fundo homogêneo, porém, cada doente isolado exibe condições individuais — humores, por assim dizer — que se contradizem a cada caso. Alguns temem apenas ruas estreitas; outros, ruas largas; alguns só conseguem caminhar por ruas em que há pouca gente; outros, apenas por ruas em que há muita gente. Também a histeria, a despeito da riqueza em traços individuais que revela, é abundante em sintomas comuns, típicos, que parecem resistir a uma fácil remissão histórica. Não se esqueçam de que são esses sintomas típicos que nos orientam na definição do diagnóstico. Se, em um caso de histeria, logramos remontar um sintoma típico a uma vivência ou uma cadeia de vivências similares — por exemplo, um vomitar histérico a uma série de impressões de nojo —, ficamos confusos se a análise nos mostra, em outro caso de vômito, uma série inteiramente diversa de vivências supostamente atuantes. Logo parece que todos os histéricos precisariam, por razões desconhecidas, manifestar vômitos, e os motivos históricos depreendidos pela análise seriam apenas pretextos utilizados por essa necessidade interior, quando eles porventura se apresentam.

De modo que rapidamente chegamos à triste percepção de que sim, podemos esclarecer de forma satis-

17. O SENTIDO DOS SINTOMAS

fatória o sentido de cada sintoma neurótico individual, mas nossa arte nos abandona quando se trata dos sintomas típicos, bem mais frequentes. Acrescente-se a isso o fato de que nem sequer apresentei ainda aos senhores todas as dificuldades que se verificam na busca coerente da interpretação histórica de um sintoma. E não pretendo fazê-lo, pois, se é minha intenção não embelezar ou ocultar nada, tampouco devo desorientá-los e confundi-los já no início de nosso estudo. É certo que apenas começamos a compreender o significado dos sintomas, mas nosso desejo é reter o conhecimento adquirido e avançar passo a passo rumo ao domínio do que ainda não entendemos. Com a seguinte reflexão busco oferecer um consolo aos senhores: não há por que supor a existência de uma diferença fundamental entre um tipo e outro de sintoma. Se os sintomas individuais dependem tão claramente das vivências do doente, resta a possibilidade de que os sintomas típicos remontem a vivências específicas, típicas em si mesmas e comuns a todos. Outros traços recorrentes na neurose podem constituir reações gerais que são impostas aos doentes pela natureza da alteração patológica, como as repetições e as dúvidas da neurose obsessiva. Em suma, não há razão para o desânimo prematuro; logo veremos o que é possível apurar.

Também no estudo dos sonhos deparamos com uma dificuldade muito parecida. Não pude lidar com ela em nossas discussões anteriores sobre o sonho. O conteúdo manifesto dos sonhos é também altamente diverso em sua individualidade, e mostramos em detalhes o que a análise depreende desse conteúdo. Contudo, há sonhos que às vezes chamamos igualmente de "típicos", sonhos de conteúdo uniforme, que todas as pessoas têm e que opõem as mesmas dificuldades à interpretação. Trata-se daqueles sonhos em que estamos caindo, voando, flutuando, nadando, sonhos em que nos vemos inibidos ou nus e outros sonhos de angústia, os quais, dependendo do sonhador, resultam em uma ou outra interpretação, sem que encontremos uma explicação para sua monotonia e sua ocorrência típica. Também no caso desses sonhos, observamos um pano de fundo comum animado por variáveis individuais, e é provável que também eles, sem coação, mediante a ampliação de nosso entendimento, se deixem inserir na compreensão da vida onírica que adquirimos a partir dos outros sonhos.

18. A FIXAÇÃO NO TRAUMA, O INCONSCIENTE

Senhoras e senhores: Na última vez, eu lhes disse que deveríamos continuar nosso trabalho a partir de nossas descobertas, não de nossas dúvidas. Ainda não mencionamos duas das mais interessantes conclusões decorrentes das duas análises apresentadas como modelos.

Vejamos a primeira delas. A impressão que nos dão as duas pacientes é a de que teriam se *fixado* em determinada porção de seu passado, não saberiam como se libertar disso e estariam, portanto, afastadas do presente e do futuro. Estão confinadas em sua doença, tal

18. A FIXAÇÃO NO TRAUMA, O INCONSCIENTE

como antigamente as pessoas costumavam recolher-se a um mosteiro para suportar um difícil destino. Para nossa primeira paciente, o casamento efetivamente desfeito com o marido é que causa esse infortúnio. Através dos sintomas ela dá prosseguimento ao processo com o marido; aprendemos a compreender as vozes que o defendem, desculpam, elevam e se queixam de havê-lo perdido. Apesar de jovem e desejável para outros homens, ela toma todas as precauções reais e imaginárias (mágicas) para conservar a fidelidade a ele. Não se mostra aos olhos de desconhecidos e negligencia a própria aparência; não consegue se levantar com rapidez da poltrona onde está, recusa-se a assinar o próprio nome e não é capaz de presentear ninguém, pelo motivo de que ninguém deve obter alguma coisa dela.

No caso da segunda paciente, a jovem, é uma ligação erótica com o pai, estabelecida nos anos anteriores à puberdade, que lhe produz efeito semelhante na vida. Também ela tira daí a conclusão de que não pode se casar enquanto estiver tão doente. É lícito imaginar que ficou tão doente para não ter de se casar e, assim, permanecer ao lado do pai.

Não podemos nos furtar à pergunta: como, de que maneira e por força de quais motivos uma pessoa assume postura tão singular e tão desvantajosa diante da vida? Pressupondo que tal comportamento seja uma característica geral da neurose, e não uma peculiaridade dessas duas enfermas. Na realidade, é mesmo um traço geral, de grande importância prática, de toda neurose. A primeira paciente histérica de Breuer estava, de forma semelhan-

III TEORIA GERAL DAS NEUROSES

te, fixada no tempo em que cuidava do pai gravemente doente. Desde então, a despeito de ter se restabelecido, em certo sentido ela se apartou da vida; permaneceu saudável e capaz, mas desviou-se do destino normal das mulheres.* Por intermédio da análise, podemos inferir que cada um de nossos doentes se transportou de volta a certo período de seu passado nos sintomas de sua enfermidade e pelas consequências deles. Na maioria dos casos, escolheu para isso uma fase remota da vida, um período da infância e até mesmo, embora talvez pareça ridículo, sua existência quando criança de peito.

A analogia mais próxima desse comportamento de nossos doentes oferecem as enfermidades que hoje a guerra faz surgir com frequência, as chamadas neuroses traumáticas. Por certo, casos assim já existiam antes da guerra, seguindo-se a desastres de trem e a outros terríveis perigos mortais. No fundo, as neuroses traumáticas não são o mesmo que as neuroses espontâneas que costumamos examinar e tratar analiticamente; ainda não logramos submetê-las a nossas concepções, e espero ter oportunidade de deixar claro aos senhores o porquê dessa limitação. Mas em um ponto podemos destacar uma concordância total: as neuroses traumáticas dão nítidos sinais de que, em sua base, está uma fixação no momento do acidente traumático. Nos sonhos, os que

---

* Trata-se do célebre caso de "Anna O.", apresentado em *Estudos sobre a histeria* (1893-5); cf. os estudos críticos de M. Borch--Jacobsen, *Secrets d'Anna O.* (ed. inglesa: *Remembering Anna O.*, 1996) e *Les patients de Freud* (2011).

18. A FIXAÇÃO NO TRAUMA, O INCONSCIENTE

dela sofrem revivem regularmente a situação traumática; nos casos em que ocorrem ataques histéricos passíveis de análise, o que se descobre é que a esse ataque corresponde a completa transposição do doente para aquela situação. É como se esses doentes jamais tivessem superado a situação traumática, ou seja, como se essa tarefa ainda se apresentasse diante deles, atual e intacta, e nós tomamos essa concepção muito seriamente: ela nos mostra o caminho para uma consideração dos processos psíquicos a que podemos chamar de *econômica*. Com efeito, a expressão "traumática" não tem outro sentido que não esse, econômico. Chamamos assim uma vivência que, em curto espaço de tempo, traz para a vida psíquica um tal incremento de estímulos que sua resolução ou elaboração não é possível da forma costumeira, disso resultando inevitavelmente perturbações duradouras no funcionamento da energia.

Essa analogia nos leva a caracterizar como traumáticas também as vivências em que nossos doentes dos nervos parecem ter se fixado. Isso nos proporcionaria uma condição simples para o adoecimento neurótico. A neurose equivaleria a um adoecimento traumático e nasceria da incapacidade de dar conta de uma vivência carregada de um afeto muito intenso. Assim dizia, de fato, a primeira formulação em que Breuer e eu (1893-5) prestávamos conta de nossas observações em termos teóricos. Um caso como o de nossa primeira paciente — a jovem que se separou do marido — harmoniza-se muito bem por essa concepção. Ela não superou a não consumação de seu casamento e ficou presa a esse trauma. Mas

III TEORIA GERAL DAS NEUROSES

já nosso segundo caso — o da moça com fixação no pai — nos mostra que tal formulação não é suficientemente abrangente. Por um lado, tal paixão da garotinha pelo pai é algo tão corriqueiro e tão frequentemente superado que a designação "traumático" perderia todo o seu valor; por outro, a história da enferma nos ensina que essa primeira fixação erótica aconteceu aparentemente sem causar dano, reaparecendo apenas vários anos depois, em meio aos sintomas da neurose obsessiva. Portanto, nisso prevemos complicações, um maior número de condições para o adoecimento, mas suspeitamos também que a abordagem que considera o trauma não precisa ser abandonada como errônea; ela deverá ser incluída e subordinada a alguma outra.

Aqui interrompemos de novo o caminho que tomamos. No momento ele não nos conduz adiante, e temos muitas outras coisas a aprender, antes de poder prossegui-lo corretamente. Acerca do tema da fixação em determinado período do passado, observemos ainda que esse fenômeno ultrapassa em muito os domínios da neurose. Toda neurose contém uma tal fixação, mas nem toda fixação conduz à neurose, coincide com ela ou se produz a partir dela. Um exemplo modelar de fixação afetiva no passado é o luto, que envolve o mais completo afastamento do presente e do futuro. Mas mesmo o juízo de um leigo diferencia nitidamente o luto da neurose. Por outro lado, existem neuroses que podem ser caracterizadas como uma forma patológica do luto.

Ocorre também de pessoas serem de tal forma paralisadas por um acontecimento traumático, que abala

18. A FIXAÇÃO NO TRAUMA, O INCONSCIENTE

os fundamentos de sua vida, que perdem todo interesse no presente e no futuro, mantendo-se numa duradoura ocupação psíquica com o passado. Esses desafortunados, todavia, não se tornam necessariamente neuróticos. Portanto, não superestimemos esse traço em particular na caracterização da neurose, por mais regular e significativo que ele seja.

Passemos agora ao segundo resultado de nossas análises, ao qual não precisaremos acrescentar nenhuma restrição. Falando de nossa primeira paciente, informamos sobre o ato obsessivo carente de sentido que ela realizava e a lembrança íntima que relatou a propósito desse ato; depois examinamos a relação entre essas duas coisas e percebemos, a partir dessa, a intenção do ato obsessivo. Contudo, deixamos inteiramente de lado um fator que merece toda a nossa atenção. Enquanto repetia seu ato obsessivo, a paciente não sabia de sua vinculação com aquela vivência passada. A conexão entre os dois permanecia-lhe oculta, e ela tinha de responder, de forma veraz, que não sabia que impulsos a levavam a praticar semelhante ação. Posteriormente, sob a influência do trabalho terapêutico, aconteceu que ela subitamente encontrou e pôde comunicar essa conexão. Mas ainda ignorava a intenção com que realizava a ação obsessiva, ou seja, a intenção de corrigir um trecho doloroso de seu passado e pôr num plano mais alto o marido que amava. Foram necessários muito tempo e bastante empenho até ela compreender e me confessar que só podia ter sido essa, e nenhuma outra, a força motriz da ação obsessiva.

III TEORIA GERAL DAS NEUROSES

Tomados conjuntamente, o vínculo com a cena após a infeliz noite de núpcias e o afetuoso motivo da paciente resultam no que chamamos "sentido" da ação obsessiva. Mas tal sentido permaneceu-lhe desconhecido nas duas direções, "de onde" e "para quê", enquanto ela executava a ação. Ou seja, nela atuavam processos psíquicos cujo efeito era ação obsessiva; no estado psíquico normal ela percebia esse efeito, mas as precondições psíquicas desse efeito não chegavam ao conhecimento de sua consciência. Ela se comportou da mesma forma que o indivíduo hipnotizado a quem Bernheim incumbiu de abrir um guarda-chuva cinco minutos após despertar na enfermaria de um hospital, e que realizou essa tarefa após despertar, mas não sabia dizer por que motivo o havia feito. São fatos como esse que temos em vista quando falamos da existência de *processos psíquicos inconscientes*. Podemos desafiar quem quer que seja a prestar contas dele de uma maneira cientificamente mais correta, e, então, abandonaremos de bom grado a suposição de tais processos. Até lá, contudo, vamos nos ater a essa suposição, tendo de rechaçar como incompreensível, e com um resignado sacudir de ombros, se alguém objetar que aqui o inconsciente nada significaria de real em termos científicos, que seria um expediente, *une façon de parler*. Algo irreal a produzir efeitos tão palpáveis e reais como uma ação obsessiva!

No fundo, a situação que encontramos em nossa segunda paciente é a mesma. Ela criou a regra segundo a qual o travesseiro não podia tocar a cabeceira da cama e tem de obedecer a essa regra, mas não sabe de onde

18. A FIXAÇÃO NO TRAUMA, O INCONSCIENTE

procede, o que significa e a que deve seu poder. Se ela própria a vê com indiferença ou se lhe opõe resistência, se se enfurece contra ela, se pretende infringi-la — nada disso importa quanto a seu cumprimento. É preciso obedecer, e em vão ela se pergunta por quê. Nesses sintomas da neurose obsessiva, nessas ideias e impulsos que surgem não se sabe de onde, comportam-se de maneira resistente a toda influência da vida psíquica de resto normal, dando ao próprio doente a impressão de serem hóspedes poderosos oriundos de um mundo estranho, imortais que se intrometeram no torvelinho dos mortais — nisso, pois, é necessário reconhecer que se encontra a indicação mais nítida de um domínio especial, apartado do restante da vida psíquica. Isso leva, por um caminho inequívoco, à convicção da existência do inconsciente na psique, e é precisamente por isso que a psiquiatria clínica, que só conhece uma psicologia da consciência, não sabe o que fazer com eles, a não ser declará-los sinais de um modo particular de degeneração. Naturalmente, as ideias e impulsos obsessivos não são, eles próprios, inconscientes, assim como tampouco a execução das ações obsessivas escapa à percepção consciente. Não teriam se tornado sintomas, se não houvessem penetrado a consciência. Mas suas precondições psíquicas, que descortinamos pela análise, os contextos em que os encaixamos através da interpretação, são inconscientes, pelo menos até que, por meio do trabalho analítico, nós os tornamos conscientes para o enfermo.

Considerem, ademais, que o estado de coisas que verificamos em nossos dois casos se confirma em relação a

III TEORIA GERAL DAS NEUROSES

todos os sintomas de todas as enfermidades neuróticas, que sempre e em toda parte o sentido dos sintomas é desconhecido do doente, que a análise demonstra com regularidade serem esses sintomas derivados de processos inconscientes, mas que podem se tornar conscientes sob diversas condições favoráveis — e, tendo considerado tudo isso, os senhores compreenderão que, na psicanálise, não podemos prescindir do elemento psíquico inconsciente e que estamos habituados a operar com ele como sendo algo palpável aos sentidos. Mas talvez entendam também que, nessa matéria, pouca capacidade de julgar têm aqueles que conhecem o inconsciente apenas como conceito, que jamais conduziram uma análise, interpretaram sonhos ou encontraram sentido e intenção nos sintomas neuróticos. Dizendo-o mais uma vez, em vista de nossos propósitos: a possibilidade de conferir sentido aos sintomas neuróticos por meio da interpretação analítica é prova inabalável da existência — ou, se preferirem, da necessidade da suposição — de processos psíquicos inconscientes

Mas isso não é tudo. Graças a uma segunda descoberta de Breuer, que me parece até mais substancial, e em que não teve colaboradores, ficamos sabendo ainda mais sobre a relação entre o inconsciente e os sintomas neuróticos. Não apenas que o sentido dos sintomas é, via de regra, inconsciente, mas também que há uma relação inseparável entre essa inconsciência e a possibilidade de existência dos sintomas. Os senhores logo me compreenderão. Acompanho Breuer na afirmação de que, toda vez que deparamos com um sintoma, estamos

18. A FIXAÇÃO NO TRAUMA, O INCONSCIENTE

autorizados a concluir pela presença no doente de certos processos inconscientes que contêm o sentido desse sintoma. Para que o sintoma ocorra, no entanto, é necessário também que esse sentido seja inconsciente. Sintomas não são formados de processos conscientes; tão logo os processos inconscientes em questão se tornam conscientes, o sintoma só pode desaparecer. De súbito, os senhores percebem aí uma porta de acesso para a terapia, um caminho para fazer com que sintomas desapareçam. Seguindo esse caminho, Breuer de fato restabeleceu sua paciente histérica, isto é, libertou-a de seus sintomas. Encontrou uma técnica capaz de levar à consciência os processos inconscientes da paciente que continham o sentido do sintoma, e os sintomas desapareceram.

Essa descoberta de Breuer não resultou de uma especulação, e sim da observação bem-sucedida, possibilitada pela cooperação da enferma. Os senhores não devem agora se atormentar para entendê-la, buscando remontar essa descoberta a algo já conhecido; cabe, sim, reconhecer aí um fato novo, fundamental, com a ajuda do qual muitas outras coisas se tornam explicáveis. Permitam-me, assim, repetir a mesma coisa em outras palavras.

A formação do sintoma é um substituto para alguma outra coisa que não ocorreu. Normalmente, certos processos psíquicos teriam se desenvolvido a ponto de a consciência ter notícia deles. Isso não aconteceu; o sintoma se originou dos processos interrompidos, perturbados de algum modo, que deveriam permanecer inconscientes. Ocorreu, então, algo assim como uma tro-

III TEORIA GERAL DAS NEUROSES

ca; quando consegue desfazê-la, a terapia dos sintomas neuróticos realiza sua tarefa.

A descoberta de Breuer constitui ainda hoje a base da terapia psicanalítica. A tese de que os sintomas desaparecem quando suas precondições inconscientes são tornadas conscientes foi confirmada por toda pesquisa subsequente, embora deparemos com as mais notáveis e inesperadas complicações ao tentar pô-la em prática. Nossa terapia atua transformando o inconsciente em consciente e só tem efeito na medida em que pode levar a cabo essa transformação.

Faço agora uma pequena digressão, a fim de que os senhores não incorram no perigo de imaginar que é bastante fácil esse trabalho terapêutico. Segundo nossas explanações até o momento, a neurose seria consequência de uma espécie de ignorância, de não saber de processos psíquicos acerca dos quais deveríamos saber. Teríamos aí uma forte aproximação com conhecidas doutrinas socráticas, segundo as quais até mesmo os vícios repousariam sobre a ignorância. Em geral, o médico experimentado na análise poderá adivinhar com muita facilidade que impulsos psíquicos permaneceram inconscientes para o paciente. Não lhe deveria ser difícil, então, restabelecer o doente comunicando-lhe esse saber e libertando-o de sua própria ignorância. Pelo menos uma parte do sentido inconsciente dos sintomas teria, desse modo, fácil resolução; mas da outra parte, da conexão dos sintomas com as vivências do doente, o médico não tem como saber muito, porque desconhece tais vivências: precisa esperar até que o doente as recor-

18. A FIXAÇÃO NO TRAUMA, O INCONSCIENTE

de e relate. Também para isso, porém, haveria em muitos casos um substitutivo. Podemos nos informar acerca dessas vivências com parentes da pessoa enferma, os quais muitas vezes estarão aptos a identificar entre elas as de atuação traumática e talvez possam até mesmo relatar vivências de que o doente nada sabe, porque as teve nos primeiros anos de vida. Reunindo esses dois procedimentos, teríamos a perspectiva de corrigir em pouco tempo e sem grande esforço a ignorância patogênica do doente.

Oxalá fosse assim! Tivemos experiências, nesse campo, para as quais não estávamos preparados no início. Há saberes e saberes, ou seja, diversos tipos de saber, e eles não se equivalem do ponto de vista psicológico. *Il y a* [Existem] *fagots et fagots*, lê-se numa passagem de Molière.* O saber do médico não é o mesmo do doente, nem pode surtir os mesmos efeitos. Quando o médico, mediante uma comunicação, transmite seu saber ao doente, isso não tem nenhuma consequência. Não, seria incorreto dizê-lo dessa forma. A consequência não é a eliminação dos sintomas, e sim outra: a de pôr em marcha a análise, e seus primeiros indícios são, muitas vezes, manifestações de desacordo do paciente. O doente fica sabendo alguma coisa que até então não sabia — o sentido de seu sintoma — e, no entanto, sabe-o tão pouco quanto antes. Assim, descobrimos que há mais de um tipo de ignorância. Certo aprofundamento

---

* Significa, em linguagem figurada, que nenhum feixe de lenha (*fagot*) é igual ao outro; da peça *Le médecin malgré lui*, ato I, cena 5.

III TEORIA GERAL DAS NEUROSES

de nossos conhecimentos psicológicos se faz necessário para que possamos mostrar no que consistem as diferenças. Mas permanece correta a nossa tese de que os sintomas desaparecem a partir do saber acerca de seu sentido. Basta acrescentarmos que esse saber deve se basear em alguma modificação interior do doente, que pode ser provocada apenas por um trabalho psíquico com uma meta determinada. Estamos aqui diante de problemas que logo serão reunidos numa *dinâmica* da formação de sintomas.

Caros senhores! Tenho agora de lhes fazer uma pergunta: o que lhes digo é demasiado obscuro e complicado? Não os confundo retirando ou restringindo tantas vezes o que disse, iniciando linhas de pensamento e abandonando-as em seguida? Se assim for, lamento. Tenho forte aversão por simplificações feitas à custa da fidelidade à verdade, e não me desgosta se receberam uma impressão plena da multiplicidade e complexidade de nosso objeto; penso também que não faz mal se eu lhes disser mais, sobre cada ponto, do que podem aproveitar no momento. Sei bem que, em pensamento, todo ouvinte ou leitor ajusta, abrevia, simplifica o que foi apresentado, dele extraindo o que deseja guardar. Até certa medida, sem dúvida é correto que, quanto maior a sobra, maior ainda era a abundância. Permitam-me esperar que, a despeito de todo o acessório, os senhores tenham apreendido com clareza o essencial do que eu disse, ou seja, minhas formulações sobre o sentido dos sintomas, sobre o inconsciente e sobre a relação entre ambos. Os senhores decerto compreenderam também

18. A FIXAÇÃO NO TRAUMA, O INCONSCIENTE

que nossos próximos esforços caminharão em duas direções: trataremos de descobrir, em primeiro lugar, como as pessoas adoecem, como chegam a essa atitude diante da vida que caracteriza a neurose, o que configura um problema clínico; e, em segundo lugar, como os sintomas patológicos se desenvolvem a partir das condições que dão origem à neurose, o que é um problema da dinâmica psíquica. Também para esses dois problemas há de haver, em alguma parte, um ponto de encontro.

Hoje não pretendo avançar mais em minha exposição, mas, como nosso tempo ainda não acabou, penso em chamar a atenção dos senhores para outra característica de nossas duas análises, a qual, de novo, só mais adiante poderemos tratar de forma plena. Refiro-me às lacunas de memória ou amnésias. Os senhores ouviram de mim que a tarefa do tratamento psicanalítico pode ser expressa na fórmula: converter em consciente todo elemento patogênico inconsciente. Agora talvez se espantem ao saber que essa fórmula pode ser substituída por outra: preencher todas as lacunas na memória do doente, eliminar suas amnésias. O resultado seria o mesmo. Às amnésias do neurótico atribui-se, pois, relação importante com o surgimento de seus sintomas. Se, porém, os senhores tomarem em consideração o caso de nossa primeira análise, não julgarão justificada essa avaliação da amnésia. A enferma não se esqueceu da cena à qual se vincula sua ação obsessiva: pelo contrário, ela a mantém viva na memória. Ademais, nenhum outro esquecimento está em jogo no surgimento desse sintoma. Menos nítida, mas de modo geral análoga, é

III TEORIA GERAL DAS NEUROSES

a situação referente a nossa segunda paciente, a moça do cerimonial obsessivo. Com efeito, tampouco ela se esqueceu de seu comportamento na primeira infância: a insistência em manter aberta a porta entre o seu quarto e o quarto dos pais, e o fato de ter expulsado a mãe de seu lugar no leito matrimonial. Disso tudo ela se lembra com muita clareza, ainda que hesitante e a contragosto. A única coisa que podemos considerar notável é que, mesmo ao executar inúmeras vezes sua ação obsessiva, a primeira paciente não se tenha dado conta *uma só vez* da semelhança com a vivência após a noite de núpcias, e que essa lembrança tampouco tenha aparecido depois que ela foi diretamente solicitada a investigar a motivação do ato obsessivo. O mesmo vale para a moça, caso em que, ademais, o cerimonial e seus pretextos se referem a uma mesma situação, repetida noite após noite. Nos dois casos não há uma verdadeira amnésia, uma perda da memória, mas foi rompido um nexo que deveria levar à reprodução, ao ressurgimento na memória.

Uma tal perturbação da memória já basta para a neurose obsessiva; na histeria, é diferente. Esta última neurose caracteriza-se, na maioria das vezes, por amnésias colossais. Na análise de cada sintoma de histeria, somos conduzidos, via de regra, a uma cadeia de impressões de toda a vida, que, ao retornar, são expressamente caracterizadas como esquecidas. Essa cadeia remonta, por um lado, aos primeiríssimos anos de existência, de tal forma que a amnésia histérica pode ser reconhecida como prolongamento imediato daquela amnésia infantil que oculta das pessoas normais o iní-

18. A FIXAÇÃO NO TRAUMA, O INCONSCIENTE

cio de sua vida psíquica. Por outro lado, descobrimos com espanto que também as experiências mais recentes vividas pelo doente podem sucumbir ao esquecimento, e em particular as ocasiões em que a doença irrompeu ou se intensificou são corroídas, quando não engolidas por completo, pela amnésia. De modo geral, do quadro completo de uma tal lembrança recente, detalhes importantes desapareceram ou foram substituídos por falsificações da memória. Chega mesmo a acontecer, de novo com regularidade, de, pouco antes da conclusão de uma análise, surgirem certas lembranças de algo recém-vivido que lograram permanecer ocultas até esse momento, deixando lacunas sensíveis no contexto.

Tais danos à capacidade da memória são, como disse, características da histeria, na qual aparecem, também como sintomas, estados (ataques histéricos) que não deixam necessariamente pistas na memória. Se na neurose obsessiva é diferente, os senhores podem inferir daí que essas amnésias são uma característica psicológica da alteração histérica, e não um traço geral das neuroses em si. O significado dessa diferença é restringido pela observação que segue. No "sentido" de um sintoma reunimos duas coisas: sua procedência e sua destinação ou motivação, ou seja, as impressões e vivências que o acarretaram e o propósito a que serve. A procedência de um sintoma se reduz, pois, a impressões vindas de fora, que já foram conscientes no passado, mas que o esquecimento pode ter tornado inconscientes. Mas a destinação de um sintoma, sua tendência, é sempre um processo endopsíquico, que pode haver se tor-

III TEORIA GERAL DAS NEUROSES

nado consciente no início ou pode também jamais tê-lo sido, tendo permanecido desde sempre no inconsciente. Assim, não é muito importante se a amnésia tomou conta também da procedência, das vivências em que baseia o sintoma, como ocorre na histeria; é a destinação do sintoma, sua tendência, que pode ter sido inconsciente desde o princípio, que fundamenta sua dependência do inconsciente, na neurose obsessiva em não menor grau que na histeria.

Com essa ênfase dada ao inconsciente na vida psíquica despertamos, todavia, os espíritos mais malignos da crítica contra a psicanálise. Não se admirem nem creiam os senhores que a resistência contra nós se deve à compreensível dificuldade do inconsciente ou à relativa inacessibilidade das experiências que o demonstram. Creio que essa resistência é de origem mais profunda. No decorrer dos tempos, a humanidade teve de tolerar dois grandes insultos a seu ingênuo amor-próprio, por parte da ciência. O primeiro, quando descobriu que nossa Terra não é o centro do universo, e sim uma ínfima partícula de um sistema cósmico cuja grandeza mal se pode imaginar. Essa afronta se liga, para nós, ao nome de Copérnico, embora já a ciência alexandrina tivesse anunciado coisa semelhante. O segundo, quando a pesquisa biológica aniquilou a suposta prerrogativa humana na criação, remetendo a descendência dos homens ao reino animal e apontando o caráter indelével de sua natureza animalesca. Essa reavaliação ocorreu em nossos dias sob a influência de Darwin, Wallace e de seus predecessores, não sem enfrentar a mais veemente oposição dos contemporâneos. O terceiro e mais sensível insulto, no entanto, a mania de grandeza humana deve sofrer da pesquisa psicológica atual, que busca provar ao Eu que ele não é nem mesmo senhor de sua própria casa, mas tem de satisfazer-se com parcas notícias do que se passa inconscientemente na sua psique. Nós, psicanalistas, não fomos os primeiros nem os únicos a exortar ao autoexame, mas parece que cabe a nós defendê-lo com a máxima insistência e sustentá-lo com material empírico ao alcance de todos. Daí a revolta geral contra a nossa ciência, a ausência de toda e qualquer civilidade acadêmica e o fato de a oposição desfazer-se de todos os freios da lógica imparcial; além disso, tivemos de perturbar a paz deste mundo de outra forma ainda, como os senhores logo saberão.

19. RESISTÊNCIA E REPRESSÃO

Senhoras e senhores: Para avançarmos na compreensão das neuroses, necessitamos de novas observações tiradas da experiência. Trataremos agora de duas delas, ambas muito curiosas e, na época em que foram feitas, bastante surpreendentes. É verdade que os senhores já estão preparados para elas, em virtude de nossas discussões do ano passado.

Vejamos a primeira. Quando nos pomos a restabelecer um doente, a libertá-lo dos sintomas que o afligem, ele nos oferece uma resistência veemente, tenaz,

III TEORIA GERAL DAS NEUROSES

que persiste por toda a duração do tratamento. Esse é um fato tão singular que não podemos esperar que tenha muito crédito. É melhor nada dizer sobre isso aos parentes do doente, pois eles sempre acham que se trata de uma desculpa para justificar a longa duração ou o fracasso do tratamento. O doente produz todos os fenômenos ligados a essa resistência sem reconhecê-la como tal, e já constitui um grande sucesso se o levamos a adotar esse entendimento e contar com essa resistência. Pensem os senhores: o doente, que sofre tanto com seus sintomas e tanto faz sofrer com eles as pessoas próximas; que se dispõe a tantos sacrifícios para se libertar deles, dispendendo tempo, dinheiro, esforço e autossuperação, esse doente, no interesse de sua condição enferma, se oporia àquele que o ajuda. Como deve parecer improvável essa afirmação! E, no entanto, assim é, e quando nos apontam essa improbabilidade, só precisamos responder que se trata de uma situação que tem suas analogias: todo aquele que, sofrendo de uma dor de dente insuportável, vai ao dentista, terá querido segurar o braço que aproxima o alicate do dente doente.

A resistência dos doentes é bastante variada, extremamente refinada e muitas vezes difícil de reconhecer; é proteiforme nas suas manifestações. O médico tem de ser desconfiado, permanecendo em guarda contra ela. Na terapia psicanalítica utilizamos a técnica que os senhores já conhecem, proveniente da interpretação dos sonhos. Fazemos com que o doente se ponha em um estado de tranquila auto-observação, sem refletir, e nos informe tudo o que então lhe ocorre de percepções in-

19. RESISTÊNCIA E REPRESSÃO

teriores — sentimentos, pensamentos, lembranças —, na sequência mesmo em que vão surgindo nele. Nós o advertimos também, expressamente, para que não ceda a nenhum motivo que o leve a fazer uma escolha ou exclusão dentre suas associações, seja por tratar-se de coisa *muito desagradável* ou *indiscreta* para ser expressa ou de algo *muito insignificante*, *não pertinente* ao assunto ou *absurdo*, que não seria necessário relatar. Recomendamos que siga apenas a superfície de sua consciência, que abra mão de toda e qualquer crítica ao que encontrar, e lhe confidenciamos que o sucesso do tratamento — e sobretudo sua duração — dependerá da escrupulosidade com que ele seguir essa regra técnica fundamental da análise. Sabemos, afinal, pela técnica da interpretação dos sonhos, que justamente as associações contra as quais se erguem dúvidas e objeções são, via de regra, as que contêm o material que conduz ao desvendamento do inconsciente.

Estabelecendo essa regra técnica fundamental, conseguimos, em primeiro lugar, que ela se torne o alvo do ataque da resistência. O doente busca, de todas as maneiras, libertar-se do que ela determina. Ora ele afirma que nada lhe ocorre, ora que são tantos os pensamentos que lhe vêm à mente que ele não consegue apreender nenhum. Em seguida, percebemos, com aborrecido espanto, que ele cedeu a uma e outra objeção crítica; isso ele nos revela por meio das longas pausas que aparecem em sua fala. Confessa, então, que há coisas que ele realmente não pode dizer, de que sente vergonha, e permite que essa motivação prevaleça sobre sua promessa. Ou

III TEORIA GERAL DAS NEUROSES

que lhe ocorreu algo, mas relativo a outra pessoa, e não a si próprio, e, por isso, ele o excluiu de sua comunicação. Ou ainda que o que acaba de lhe ocorrer é, na verdade, irrelevante, tolo e absurdo demais; por certo, eu não posso ter querido dizer que ele se entregasse a pensamentos de tal ordem. E assim prossegue o paciente em incontáveis variações, e precisamos lhe explicar que "dizer tudo" significa de fato "dizer tudo".

É raro depararmos com um doente que não busque reservar alguma região para si próprio, a fim de impedir que o tratamento tenha acesso a ela em particular. Um deles, que eu só podia considerar dos mais inteligentes, silenciou durante semanas sobre um relacionamento amoroso e, chamado a explicar a infração da regra sagrada, defendeu-se argumentando acreditar que aquela história em particular era assunto pessoal. Naturalmente, o tratamento analítico não admite semelhante direito de asilo. Seria como, em uma cidade como Viena, proibir em caráter excepcional que prisões sejam efetuadas numa praça como o Hoher Markt ou na catedral de Santo Estevão e, depois, esforçar-se para capturar determinado malfeitor. Ele jamais será encontrado em outra parte que não em seu local de asilo. Uma vez, decidi abrir uma exceção a um homem para cujo trabalho isso era objetivamente muito importante, já que seu juramento profissional o impedia de relatar certas coisas a terceiros. Ele ficou satisfeito com o resultado; eu, não. Decidi jamais repetir a tentativa em tais condições.

Neuróticos obsessivos são excepcionais em tornar quase inutilizável a regra técnica, aplicando-lhe sua

19. RESISTÊNCIA E REPRESSÃO

enorme escrupulosidade e suas dúvidas. Pacientes que sofrem de histeria de angústia conseguem, às vezes, segui-la *ad absurdum*, fazendo associações tão distanciadas daquilo que se busca que o ganho para a análise é nenhum. Mas não pretendo introduzir os senhores no manejo dessas dificuldades técnicas. Basta dizer que, de forma resoluta e persistente, conseguimos enfim arrancar da resistência certa medida de obediência à regra técnica fundamental, e logo a resistência passa para outra região. Surge como resistência intelectual, põe-se a combater com argumentos, apodera-se das dificuldades e improbabilidades que o pensamento normal, mas não treinado, encontra nas teorias psicanalíticas. Então ouvimos, de uma só voz, todas as críticas e objeções que na literatura científica são feitas em coro ao nosso redor. É por isso que, de tudo que nos gritam lá de fora, nada nos soa desconhecido. É uma verdadeira tempestade em copo d'água. Mas o paciente é acessível à conversa; ele quer muito nos fazer ensiná-lo, instruí-lo, contestá-lo, remetê-lo à literatura em que poderá prosseguir a instrução. Está disposto a se tornar um adepto da psicanálise, mas sob a condição de que a análise o poupe. Nós, contudo, reconhecemos nessa ânsia de saber uma tentativa de nos desviar de nossas tarefas especiais, e a rejeitamos. Do neurótico obsessivo há que esperar uma técnica de resistência especial. Com frequência, ele deixa que a análise siga seu curso de forma desimpedida, a fim de que ela possa sempre lançar uma luz cada vez mais clara sobre os enigmas de sua patologia, até que por fim nos espantamos com o fato de a esse esclareci-

III TEORIA GERAL DAS NEUROSES

mento não corresponder nenhuma diminuição dos sintomas. Então descobrimos que a resistência recolheu-se à dúvida da neurose obsessiva, posição a partir da qual agora nos desafia, e com sucesso. O doente diz a si mesmo algo como: "Tudo isso é muito bom e interessante. Quero ir adiante. Se fosse verdade, mudaria bastante minha doença. Mas não acredito nem um pouco que seja verdade e, enquanto eu não acreditar, não diz respeito à minha doença". Essa atitude pode persistir por um longo tempo, até que enfim nos aproximamos daquela posição de recolhimento e irrompe, então, a luta decisiva.

As resistências intelectuais não são as piores; permanecemos sempre superiores em relação a elas. Mas paciente também sabe, permanecendo no âmbito da análise, produzir resistências cuja superação está entre nossas tarefas técnicas mais difíceis. Em vez de se lembrar, ele repete posturas e sentimentos de sua vida que, mediante a chamada "transferência", podem ser usadas como resistência contra o médico e o tratamento. Tratando-se de um homem, ele em regra extrai esse material de seu relacionamento com o próprio pai, em cujo lugar põe o médico, opondo, assim, resistências provindas de seu desejo de autonomia pessoal e de juízo, de sua ambição, cuja meta primeira foi igualar-se ao pai ou superá-lo, de sua má vontade em arcar pela segunda vez na vida com o fardo da gratidão. Aqui e ali, tem-se a impressão de que, no doente, a intenção de desencaminhar o médico, de fazê-lo sentir sua própria impotência, de triunfar sobre ele, substitui por completo a intenção melhor de pôr fim à doença. As mulheres são mestras em, para fins de

19. RESISTÊNCIA E REPRESSÃO

resistência, explorar uma transferência de caráter terno e erótico para a figura do médico. Tendo essa afeição atingido certo patamar, extingue-se todo o interesse pela situação presente do tratamento; todas as obrigações com as quais, ao iniciá-lo, elas se comprometeram, e tanto o ciúme, jamais ausente, como a amargura pela rejeição inevitável, ainda que demonstrada de forma cuidadosa, servirão para arruinar o entendimento pessoal com o médico e, assim, eliminar uma das mais poderosas forças motrizes da análise.

As resistências desse tipo não devem ser condenadas unilateralmente. Elas encerram tamanha quantidade do material mais importante proveniente do passado do doente e a trazem de volta de maneira tão convincente que se transformam nos melhores suportes para a análise, se uma técnica hábil souber lhes dar o rumo adequado. Notável é apenas que esse material esteja, de início, sempre a serviço da resistência, exibindo sua fachada hostil ao tratamento. Pode-se dizer também que são propriedades de caráter, posturas do Eu mobilizadas para o combate às modificações almejadas. Descobre-se aí como essas propriedades de caráter se formaram em conexão com os requisitos da neurose e em reação às pretensões desta; e identificam-se traços desse caráter que em geral não se evidenciam — ou não nessa proporção — e que podemos designar como latentes. Os senhores não devem ter a impressão de que é como se, no surgimento dessas resistências, divisássemos um perigo imprevisto para a atuação da análise. Não, sabemos que tais resistências precisam se manifestar; fi-

III TEORIA GERAL DAS NEUROSES

camos insatisfeitos apenas quando não as provocamos com nitidez suficiente nem as podemos demonstrar para o doente. De fato, compreendemos, por fim, que a superação dessas resistências constitui a operação essencial da análise e aquela porção de nosso trabalho capaz de nos garantir que conseguimos alguma coisa em relação ao doente.

Considerem, além disso, que ele se aproveita de toda casualidade ocorrida durante o tratamento como uma perturbação; cada acontecimento externo capaz de desviar a atenção, cada manifestação de uma autoridade de seu círculo hostil à análise, qualquer adoecimento orgânico fortuito ou complicador da neurose e até mesmo toda melhora de seu estado — tudo isso o doente utiliza como motivo para relaxar seu empenho. Tendo considerado isso, os senhores obtêm uma ideia aproximada, ainda incompleta, dos meios à disposição da resistência, meios que toda análise combate enquanto se desenvolve. Dei a esse ponto tratamento tão detalhado porque devo comunicar aos senhores que essa nossa experiência com a resistência dos neuróticos à eliminação de seus sintomas tornou-se o fundamento de nossa concepção dinâmica das neuroses. Originalmente, Breuer e eu praticamos a psicoterapia recorrendo à hipnose. A primeira paciente de Breuer foi tratada o tempo todo sob influência hipnótica. De início, eu o segui nessa prática. Confesso que o trabalho então era mais fácil, mais agradável e realizado em tempo bem menor. Os resultados, porém, eram instáveis e impermanentes, razão pela qual deixei enfim de empregar a hipnose. E compreen-

19. RESISTÊNCIA E REPRESSÃO

di que uma percepção aprofundada da dinâmica dessas afecções não era possível enquanto a empregasse. O estado hipnótico sabia subtrair da percepção do médico precisamente a resistência. Ele a empurrava para trás, liberava certa área para o trabalho analítico e o continha, então, nas fronteiras dessa mesma área, de maneira a tornar-se impenetrável; algo parecido com o que faz a dúvida na neurose obsessiva. Por esse motivo pude afirmar que a verdadeira psicanálise teve início com a renúncia ao auxílio da hipnose.

Mas, se a constatação da resistência tornou-se tão importante, devemos deixar espaço para, cautelosamente, questionar se não somos demasiado levianos na suposição de resistências. Talvez haja de fato casos de neurose em que as associações falham por outros motivos. Talvez os argumentos contrários a nossos pressupostos mereçam realmente que lhes apreciemos o conteúdo, e nesse caso cometemos uma injustiça ao descartar tão confortavelmente como resistência a crítica intelectual que nos dirigem os analisandos. Pois, meus senhores, não chegamos a nosso juízo levianamente. Tivemos oportunidade de observar cada um desses pacientes críticos no surgimento e após o desaparecimento de uma resistência. Sim, porque a resistência varia continuamente sua intensidade no curso de um tratamento. Ela sempre se intensifica quando nos aproximamos de um tema novo, atinge seu auge no ponto culminante da elaboração desse tema e, depois, torna a cair com sua resolução. De resto, a não ser que incorramos em particular inabilidade técnica, nunca temos de lidar com

III TEORIA GERAL DAS NEUROSES

a extensão total da resistência que um paciente pode oferecer. Pudemos nos convencer de que, no curso da análise, o mesmo paciente abandona e torna a assumir sua postura crítica inúmeras vezes. Quando estamos a ponto de levar a sua consciência uma porção particularmente dolorosa de material inconsciente, ele se mostra crítico ao extremo; se, antes, compreendera e aceitara muitas coisas, agora é como se essas aquisições tivessem sido removidas; nesse seu anseio por uma oposição a qualquer preço, ele chega mesmo a nos transmitir a impressão de um deficiente afetivo. Se logramos ajudá--lo na superação dessa nova resistência, ele recupera sua compreensão e seu entendimento. Sua crítica, portanto, não é uma função autônoma, a ser respeitada por si só, e sim um serviçal de suas posturas afetivas, sob a direção de sua própria resistência. Se não gosta de algo, ele pode contestá-lo com muita perspicácia, parecendo, assim, bastante crítico; mas se, ao contrário, alguma coisa lhe convém, ele pode se mostrar bastante crédulo em relação a ela. Talvez nós não sejamos muito diferentes disso; talvez o analisando exiba com tanta nitidez essa dependência do intelecto da vida afetiva apenas porque, na análise, nós o colocamos em grande dificuldade.

De que maneira podemos, então, explicar por que o doente luta tão energicamente contra a remoção de seus sintomas e o restabelecimento da normalidade no curso de seus processos psíquicos? Dizemos a nós mesmos que percebemos aí forças poderosas a se opor a qualquer mudança de estado; devem ser as mesmas que, antes, impuseram esse estado. Na formação do sintoma deve

19. RESISTÊNCIA E REPRESSÃO

ter ocorrido algo que agora, com base em nossa experiência na resolução do sintoma, podemos reconstruir. Sabemos já, pelas observações de Breuer, que a existência do sintoma tem por pressuposto que algum processo psíquico não foi levado a cabo dentro da normalidade, de modo a poder se tornar consciente. O sintoma é um substituto para aquilo que não ocorreu. Sabemos agora onde situar a atuação da força que supusemos. Uma veemente oposição deve ter se erguido contra o avanço do processo psíquico questionável rumo à consciência, razão pela qual ele permaneceu inconsciente. E, sendo inconsciente, teve poder para formar um sintoma. Durante o tratamento analítico, essa mesma oposição se dá novamente contra o esforço de conduzir o inconsciente ao consciente. Isso é o que sentimos como resistência. O processo patogênico que nos é demonstrado pela resistência leva o nome de *repressão*.

Sobre esse processo da repressão temos de formar ideias mais precisas. Ele é a precondição para a formação do sintoma, mas é também algo único, com o qual nada que conhecemos se parece. Se tomamos como modelo um impulso, um processo psíquico que se empenha por tornar-se ação, sabemos que ele pode ser alvo de um rechaço a que chamamos rejeição ou condenação. Isso lhe retira a energia de que ele dispõe, tornando-o impotente; mas ele pode persistir sob a forma de lembrança. Todo o processo de decisão a seu respeito transcorre com o conhecimento do Eu. Algo bem diferente se dá quando imaginamos esse mesmo impulso sujeito à repressão. Nesse caso, ele conservaria sua energia e dele não restaria lembrança nenhuma; além disso, o processo da repressão se efetuaria sem ser percebido pelo Eu. Essa comparação, portanto, não nos aproxima da natureza da repressão.

Vou expor aos senhores as únicas concepções teóricas que se mostraram úteis na conformação mais específica do conceito de repressão. Para tanto, é necessário sobretudo que avancemos do significado puramente descritivo para o significado sistemático da palavra "inconsciente", isto é, que nos decidamos por considerar o caráter consciente ou inconsciente de um processo psíquico apenas uma das propriedades desse processo, e não necessariamente uma propriedade inequívoca. Se um tal processo permaneceu inconsciente, talvez esse afastamento da consciência seja apenas um sinal do destino que ele experimentou, e não o destino em si. A fim de ilustrar esse destino, suponhamos que todo processo psíquico — mais adiante, será necessário admitir aqui uma exceção — exista primeiramente em um estágio ou fase inconsciente e que apenas a partir desta se transforme em consciente, assim como uma fotografia é, de início, um negativo que, depois, mediante sua transformação em positivo, resulta em uma imagem. Nem todo negativo, porém, precisa transformar-se em positivo, assim como tampouco é necessário que todo processo psíquico inconsciente se converta em consciente. Mais vantajoso será nos expressarmos da seguinte maneira: cada processo pertence, em primeiro lugar, ao sistema psíquico do inconsciente, podendo, sob determinadas circunstâncias, passar para o sistema do consciente.

19. RESISTÊNCIA E REPRESSÃO

A ideia mais crua desses sistemas — a espacial — é a mais confortável para nós. Equiparemos, pois, o sistema do inconsciente a uma grande antecâmara, na qual, como entes individuais, se agitam os impulsos psíquicos. A essa antecâmara liga-se outro cômodo, mais apertado, uma espécie de sala na qual se encontra também a consciência. Mas, na soleira da porta entre os dois espaços, um guarda cumpre seu dever de inspecionar cada impulso, censurá-lo e não deixar que adentre a sala, caso não lhe agrade. Os senhores veem de imediato que a diferença é pequena entre o guarda rechaçar um impulso ainda diante da porta ou expulsá-lo da sala, depois de ele já ter entrado. É apenas uma questão de seu grau de vigilância e de o guarda reconhecer o impulso a tempo. Atermo-nos a essa imagem nos permitirá expandir nossa nomenclatura. Os impulsos na antecâmara do inconsciente escapam ao olhar da consciência, que, afinal, se encontra no cômodo ao lado: de início, eles têm de permanecer inconscientes. Uma vez tendo avançado até a soleira da porta, onde o guarda os rechaçou, eles são incapazes de alcançar a consciência; dizemos que foram *reprimidos*. Contudo, os impulsos que o guarda deixou passar tampouco se tornam necessariamente conscientes; isso eles só podem ser quando logram atrair para si os olhares da consciência. Temos, portanto, boas razões para chamar esse segundo cômodo de sistema do *pré-consciente*. O tornar-se consciente mantém seu sentido puramente descritivo. O destino da repressão para um determinado impulso, no entanto, consiste em que o guarda não o deixa passar do sistema

III TEORIA GERAL DAS NEUROSES

do inconsciente para o do pré-consciente. É o mesmo guarda que encontramos sob a forma de resistência, quando, mediante o tratamento analítico, buscamos anular a repressão.

Sei bem que os senhores dirão dessas concepções que elas são cruas e fantasiosas, absolutamente inadmissíveis numa exposição científica. Sei que são cruas; mais até, sabemos que são incorretas e, se não estamos muito enganados, temos já à mão um substituto melhor para elas. Se, ainda assim, elas seguirão parecendo tão fantasiosas aos senhores, não sei dizer. Por enquanto, elas nos prestam o mesmo auxílio daquele homenzinho de Ampère a nadar na corrente elétrica: não devemos desprezá-las enquanto forem úteis à compreensão de nossas observações. Mas gostaria de assegurar aos senhores que essas suposições cruas — as dos dois aposentos, do guarda na soleira da porta que separa um do outro e da consciência como espectadora no fundo do segundo aposento — devem ser aproximações bastante avançadas ao estado de coisas real. E gostaria também de ouvir dos senhores a admissão de que as nossas designações — *inconsciente*, *pré-consciente*, *consciente* — são bem menos prejudiciais e mais fáceis de justificar do que outras, sugeridas ou em uso, como *sub*consciente, *para*consciente, *intra*consciente e outras.

Por isso, mais importante para mim será os senhores me advertirem que uma tal organização do aparato psíquico, como a que propusemos aqui para explicar os sintomas neuróticos, tem de possuir validade geral e fornecer também informação sobre o funcionamento normal

19. RESISTÊNCIA E REPRESSÃO

da psique. Nisso, naturalmente, os senhores têm razão. Neste momento não podemos seguir os desdobramentos dessa conclusão, mas nosso interesse na psicologia da formação do sintoma há de experimentar um aumento extraordinário se houver a perspectiva de, mediante o estudo das condições patológicas, obter esclarecimento sobre a vida psíquica normal, tão bem encoberta.

De resto, não percebem os senhores em que se assenta nossa postulação dos dois sistemas, da relação que possuem entre si e com o consciente? O guarda entre o inconsciente e o pré-consciente não é senão a *censura*, aquela a que, como vimos, está sujeita a configuração tomada pelo sonho manifesto. Os resíduos diurnos, em que reconhecemos os instigadores do sonho, são material pré-consciente que, no sono noturno, sofreu a influência de desejos inconscientes e reprimidos, em conjunto com os quais e graças a cuja energia logrou formar o sonho latente. Sob o domínio do sistema inconsciente, esse material foi elaborado — mediante condensação e deslocamento — de uma forma desconhecida ou apenas excepcionalmente admissível na vida psíquica normal, isto é, no sistema pré-consciente. Essa diferença na forma de trabalho tornou-se para nós característica de ambos os sistemas; a relação do pré--consciente com a consciência serviu-nos apenas como indicação de que pertence a um dos dois sistemas. Pois o sonho não é mais um fenômeno patológico; dada a condição do sono, ele pode se manifestar em toda e qualquer pessoa saudável. A suposição acerca da estrutura do aparato psíquico que nos permite compreender

III TEORIA GERAL DAS NEUROSES

tanto a formação do sonho como a dos sintomas neuróticos tem direito indiscutível a ser levada em consideração também para a vida psíquica normal.

Isso é tudo o que temos a dizer sobre a repressão neste momento. Mas ela é apenas a precondição para a formação do sintoma. Sabemos que este é um substituto de algo que foi impedido pela repressão. Mas da repressão até o entendimento dessa formação substitutiva há ainda um longo caminho. Desse outro lado do problema, surgem questões vinculadas à nossa constatação da repressão: que tipos de impulsos psíquicos estão sujeitos à repressão, que forças a impõem e por que motivos? A esse respeito, dispomos apenas de uma coisa até o momento: quando da investigação da resistência, dissemos que ela parte de forças do Eu, de traços de caráter conhecidos e latentes. São eles, pois, que se ocupam da repressão, ou no mínimo têm participação nela. Tudo o mais ainda nos é desconhecido.

Daqui em diante, vem em nosso auxílio a segunda das observações tiradas da experiência, mencionadas no início. A partir da análise, podemos dizer, de forma geral, qual a intenção do sintoma neurótico. Tampouco isso será novidade para os senhores. Já o demonstrei à luz de dois casos de neurose. Mas, realmente, o que são dois casos? Os senhores têm o direito de exigir que isso lhes seja demonstrado duzentas vezes, um sem-número de vezes. O problema é que não posso fazê-lo. Mais uma vez, deve entrar aqui a experiência própria, ou a crença, que nisso pode se valer do testemunho unânime de todos os psicanalistas.

19. RESISTÊNCIA E REPRESSÃO

Os senhores se lembram de que, nos dois casos cujos sintomas submetemos a investigação aprofundada, a análise nos introduziu na intimidade da vida sexual dos pacientes. No primeiro caso também reconhecemos com particular nitidez a intenção ou tendência do sintoma investigado; no segundo, talvez essa intenção estivesse algo encoberta por um fator a ser mencionado mais adiante. Pois bem: o que vimos nesses dois exemplos é o mesmo que nos mostrariam todos os outros casos submetidos a análise. Ela sempre nos conduziria às experiências e desejos sexuais dos doentes, e constataríamos, então, que seus sintomas servem à mesma intenção. A intenção que assim se dá a conhecer é a satisfação de desejos sexuais; os sintomas servem à satisfação sexual dos doentes, são um sucedâneo para essa satisfação, que lhes falta na vida.

Pensem na ação obsessiva de nossa primeira paciente. A mulher sente a falta do marido a quem ama intensamente e com o qual não pode compartilhar a vida, em razão das deficiências e fraquezas dele. Ela precisa permanecer fiel a ele, não pode pôr outro em seu lugar. O sintoma obsessivo lhe dá aquilo pelo qual ela anseia, eleva o marido, nega e corrige suas fraquezas e, acima de tudo, a impotência. No fundo, esse sintoma é a realização de um desejo, como no sonho, e, mais do que isso, a realização erótica de um desejo, o que o sonho nem sempre é. De nossa segunda paciente, os senhores puderam ao menos depreender que seu cerimonial pretende impedir ou retardar o relacionamento sexual dos pais, para que dele não resulte outro filho. Por certo, terão adivinhado também que o cerimonial pretende, no fundo, colocá-la no lugar da mãe. De novo, portanto, eliminação de perturbações na satisfação sexual e realização dos próprios desejos sexuais. Sobre a complicação insinuada, logo falaremos.

Meus senhores, eu gostaria de evitar a necessidade de, posteriormente, restringir a validez universal dessas afirmações, razão pela qual chamo a atenção de todos para o fato de que tudo o que digo sobre repressão, formação de sintoma e significado do sintoma ter sido extraído de três formas de neurose — a histeria de angústia, a histeria de conversão e a neurose obsessiva —, só valendo, em princípio, para essas formas. Essas três afecções, que costumamos agrupar como *neuroses de transferência*, circunscrevem também o âmbito em que a terapia psicanalítica pode atuar. As outras neuroses não foram tão bem estudadas pela psicanálise; em relação a um grupo delas, a impossibilidade de exercer influência terapêutica constituiu decerto um motivo para a negligência. Não se esqueçam de que a psicanálise ainda é uma ciência muito jovem, que demanda muito empenho e tempo para a preparação e que, não faz muito tempo, era praticada por uma só pessoa. Contudo, em toda parte estamos em vias de avançar na compreensão dessas outras afecções que não constituem neuroses de transferência. Espero poder ainda apresentar aos senhores as ampliações que nossas hipóteses e nossos resultados experimentaram na adequação a esse novo material, e espero também poder mostrar-lhes que esses novos estudos não levaram a contradições, e sim ao estabelecimento de unidades

19. RESISTÊNCIA E REPRESSÃO

mais altas. Se tudo o que aqui foi dito se aplica às três neuroses de transferência, permitam-me agora acentuar o valor dos sintomas com uma nova informação. Com efeito, uma investigação comparativa sobre os ensejos para o adoecimento leva a um resultado que pode ser expresso na seguinte fórmula: essas pessoas adoecem por algum tipo de *frustração*, quando a realidade as priva da satisfação de seus desejos sexuais. Os senhores percebem como essas duas conclusões se harmonizam. Os sintomas devem ser propriamente entendidos, portanto, como satisfação substitutiva para o que faltou na vida.

Sem dúvida, pode-se fazer ainda todo tipo de objeção à tese de que os sintomas neuróticos são satisfações substitutivas de caráter sexual. Duas delas pretendo discutir ainda hoje. Se os senhores mesmos submeterem à investigação analítica um número maior de neuróticos, talvez me digam, balançando a cabeça, que isso não se aplica de forma nenhuma a uma série de casos, que neles os sintomas mais parecem abrigar a intenção contrária e excluir ou anular a satisfação sexual. Não vou refutar a correção da interpretação dos senhores. Os fatos psicanalíticos costumam ser mais complicados do que gostaríamos. Fossem eles tão simples, talvez não precisássemos da psicanálise para trazê-los à luz. Na verdade, já alguns traços do cerimonial de nossa segunda paciente dão a perceber esse caráter ascético, hostil à satisfação sexual, como quando, por exemplo, ela afasta os relógios, o que tem por sentido mágico evitar ereções noturnas, ou quando deseja impedir que os vasos caiam e se quebrem, o que equivale a uma prote-

III TEORIA GERAL DAS NEUROSES

ção de sua virgindade. Em outros casos de cerimoniais semelhantes que pude analisar, esse caráter negativo revelou-se bem mais pronunciado; o cerimonial podia consistir inteiramente em medidas defensivas voltadas contra lembranças e tentações sexuais. Contudo, já tivemos muitas vezes oportunidade de aprender que, na psicanálise, opostos não implicam nenhuma contradição. Poderíamos expandir nossa afirmação acrescentando que os sintomas não têm por intenção nem uma satisfação sexual nem qualquer defesa contra ela; de resto, e de maneira geral, predomina na histeria o caráter positivo, de realização do desejo, enquanto na neurose obsessiva a predominância é do caráter negativo e ascético. Se os sintomas podem servir tanto à satisfação sexual como a seu oposto, essa dualidade ou polaridade encontra excelente fundamentação em uma parte de seu mecanismo que ainda não pudemos mencionar. Eles são, como veremos mais adiante, produtos de um compromisso decorrente da interferência de duas aspirações opostas, e representam tanto o reprimido como o repressor que cooperaram para o seu surgimento. A representação pode, então, resultar mais favorável a um lado ou a outro; raro é, no entanto, que alguma influência não se faça sentir. Na maioria dos casos de histeria, as duas intenções são encontradas no mesmo sintoma. Na neurose obsessiva, elas com frequência se apartam. O sintoma apresenta, então, dois tempos: ele consiste em duas ações sucessivas que se anulam uma à outra.

Uma segunda objeção não pode ser respondida com a mesma facilidade. Ao examinar uma série maior de interpretações de sintomas, é provável que, de início, os senhores julguem identificar neles uma expansão do conceito de satisfação substitutiva até seus limites extremos. Não deixarão de enfatizar que esses sintomas nada oferecem em termos de satisfação real e que, com muita frequência, eles se limitam ao avivamento de uma sensação ou à representação de uma fantasia oriunda de um complexo sexual. Notarão, ademais, que a suposta satisfação sexual muitas vezes exibe um caráter infantil e indigno, aproximando-se talvez de um ato masturbatório ou lembrando maus vícios, de que as crianças já foram proibidas e desacostumadas. Além disso, os senhores manifestarão seu espanto com o fato de se entender como satisfação sexual o que talvez devesse ser descrito como satisfação de prazeres que só poderiam ser chamados de cruéis, terríveis, até mesmo contrários à natureza. Sobre este último ponto, meus senhores, não chegaremos a um acordo até que tenhamos submetido a vida sexual humana a rigorosa investigação, na qual decidamos o que é lícito chamar de "sexual".

20. A VIDA SEXUAL HUMANA

Senhoras e senhores: Seria de acreditar que não há dúvidas quanto ao que todos entendem por "sexual". Antes de tudo, o sexual é o indecoroso, aquilo de que não se deve falar. Contaram-me que, certa vez, os alunos de um famoso psiquiatra se deram ao trabalho de tentar

III TEORIA GERAL DAS NEUROSES

convencer o mestre de que os sintomas de pessoas histéricas apresentam com frequência conteúdos sexuais. Com esse propósito, levaram-no ao leito de uma histérica cujos acessos imitavam inequivocamente um parto. Mas ele refutou, afirmando: "Bem, não há nada de sexual em um parto". Claro, um parto não precisa ser indecoroso em todas as circunstâncias.

Noto que os senhores se ressentem de eu brincar com coisas tão sérias. Mas não se trata inteiramente de uma brincadeira. Falando com seriedade, não é fácil definir que conteúdo tem a palavra "sexual". A única definição acertada seria dizer, talvez, que ela se refere a tudo o que guarda relação com a diferença entre os sexos, mas os senhores julgarão essa definição aborrecida e demasiado abrangente. Se os senhores centrarem essa definição no ato sexual, talvez digam que sexual é tudo o que, visando à obtenção de prazer, se ocupa do corpo, em especial dos órgãos sexuais do sexo oposto, e, em última instância, almeja a união dos órgãos genitais e a execução do ato sexual. Nesse caso, porém, não terão se afastado muito da equiparação do sexual ao indecoroso, e o parto realmente não pertencerá ao âmbito do sexual. Se, por outro lado, os senhores fizerem da função da reprodução o cerne da sexualidade, correm o risco de excluir bom número de coisas que não visam à reprodução e, no entanto, certamente são de cunho sexual, como a masturbação ou mesmo o beijo. Seja como for, já estamos preparados para o fato de tentativas de definição sempre conduzirem a dificuldades; renunciemos, precisamente nesse caso, a fazer melhor. Podemos imaginar que, no desenvolvimento do

20. A VIDA SEXUAL HUMANA

termo "sexual", ocorreu algo que, na boa expressão de H. Silberer, resultou em um "erro de sobreposição". De modo geral, não carecemos de orientação sobre aquilo que as pessoas chamam de "sexual".

Dizer que "sexual" é algo que reúne e leva em conta a oposição entre os sexos, a obtenção de prazer, a função reprodutora e o caráter indecoroso a ser mantido em segredo é quanto basta para todas as necessidades práticas da vida. Mas não é o suficiente para a ciência. E isso porque, mediante investigações cuidadosas, possibilitadas decerto apenas por uma autossuperação disposta a sacrifícios, travamos contato com grupos de indivíduos cuja "vida sexual" difere da maneira mais notável do quadro habitual da média das pessoas. Parte desses "perversos" aboliu, por assim dizer, a oposição entre os sexos. Somente pessoas do mesmo sexo são capazes de excitar seus desejos sexuais; os demais, e sobretudo os órgãos sexuais destes, não constituem objetos sexuais para eles, e, em casos extremos, lhes causam repulsa. Com isso, é claro, essas pessoas renunciaram a toda e qualquer participação na reprodução. Nós as chamamos homossexuais ou invertidos. São mulheres e homens em geral — mas não sempre — de cultura imaculada, altamente desenvolvidos tanto no aspecto intelectual como no ético, mas marcados por esse seu desvio fatal. Pela boca de seus porta-vozes científicos, eles se dizem uma variedade particular da espécie humana, um "terceiro sexo" com os mesmos direitos dos outros dois. Talvez tenhamos oportunidade de submeter suas reivindicações a um exame crítico. Naturalmente, eles não cons-

III TEORIA GERAL DAS NEUROSES

tituem uma "elite" da espécie humana, ao contrário do que gostariam de afirmar; entre eles há no mínimo tantos indivíduos de pouco valor ou serventia quanto entre as pessoas de outra natureza sexual.

Esses perversos procedem com seu objeto sexual mais ou menos da mesma forma que os normais com o deles. Mas há também uma longa série de anormais cuja atividade sexual se distancia cada vez mais daquilo que parece desejável a um ser humano sensato. Em sua multiplicidade e singularidade, eles só são comparáveis às grotescas deformações que P. Bruegel pintou em *A tentação de Santo Antônio*, ou aos deuses e crentes esquecidos que G. Flaubert faz desfilar em longa procissão, ante os olhos de seu devoto penitente.[*] Sua miscelânea clama por alguma espécie de ordem, para não nos confundir os sentidos. Nós os dividimos entre aqueles em que o objeto sexual se modificou, como nos homossexuais, e aqueles em que o que sofreu alteração foi sobretudo a meta sexual. Ao primeiro grupo pertencem os que renunciaram à união dos genitais e em que, em um dos parceiros, o órgão genital é substituído por outra parte ou região do corpo durante o ato sexual; eles não tomam conhecimento das insuficiências do aparato orgânico nem do estorvo representado pelo nojo. (Boca ou ânus em lugar da vagina.) Seguem-se outros, que continuam se valendo do órgão genital, mas não por suas funções sexuais, e sim por outras, das quais ele toma parte por

---

[*] Em *La tentation de Saint Antoine*, parte v da versão final. Flaubert se inspirou no quadro homônimo de Bruegel.

20. A VIDA SEXUAL HUMANA

motivos anatômicos ou de proximidade. Neles percebemos que as funções de excreção, segregadas como impróprias durante a educação da criança, permanecem capazes de atrair todo o interesse sexual. Há outros que abriram mão por completo do órgão genital como objeto desejado, substituindo-o por outra parte do corpo: o seio da mulher, o pé, a trança do cabelo. Prosseguindo, há também aqueles para os quais outra parte do corpo nada significa, mas cujos desejos são plenamente realizados por uma peça do vestuário, um sapato, uma roupa íntima; são os fetichistas. Mais adiante no cortejo, encontramos pessoas que, embora demandem o objeto inteiro, fazem exigências bastante específicas, estranhas ou terríveis, para que possam desfrutá-lo, inclusive a de que ele se torne um cadáver indefeso, havendo mesmo os que, usando de violência criminosa, o transformam em tal. Mas basta desse tipo de horrores!

O segundo grupo é liderado por aqueles perversos que definiram como meta de seus desejos sexuais o que, em geral, constitui apenas ação introdutória e preparatória. Anseiam, pois, por olhar e tocar a outra pessoa, observá-la enquanto ela desempenha funções íntimas ou desnudar partes do próprio corpo que deveriam permanecer encobertas, na sombria esperança de que a mesma contrapartida as recompense. Seguem-se a esses os enigmáticos sádicos, cujo empenho amoroso não conhece outra meta senão infligir dor e tormento a seu objeto, desde a humilhação insinuada até os danos físicos graves; e, como numa espécie de equilíbrio, sua contrapartida, os masoquistas, cujo único prazer é em

III TEORIA GERAL DAS NEUROSES

sofrer todo tipo de humilhação e tormento da parte de seu objeto amado, seja de forma simbólica ou real. Em outros ainda, várias dessas condições anormais se reúnem e se cruzam. Por fim, somos levados a descobrir que cada um desses grupos existe sob duas formas: ao lado daqueles que buscam sua satisfação sexual na realidade, há os que se contentam em apenas imaginar essa satisfação, os que não necessitam de um objeto verdadeiro, mas são capazes de substituí-lo pela fantasia.

Não pode haver a menor dúvida de que em semelhantes loucuras, singularidades e horrores consiste de fato a atividade sexual dessas pessoas. Não apenas elas assim a entendem e percebem a relação de substituição; também nós temos de admitir que tais ações desempenham na vida delas o mesmo papel que a satisfação sexual normal tem na nossa; para isso elas fazem os mesmos sacrifícios, com frequência enormes, e tanto no quadro mais geral como no mais fino detalhe é possível estudar onde essas anormalidades se apoiam no normal e onde dele se afastam. Não terá escapado aos senhores que voltou a aparecer aqui o caráter de indecência que se prende à atividade sexual; na maioria dos casos, porém, ele se intensificou a ponto de ser vergonhoso.

Pois bem, minhas senhoras e meus senhores, como nos posicionamos ante essas modalidades incomuns de satisfação sexual? É evidente que a indignação, a expressão de nossa aversão pessoal e a garantia de que não partilhamos esses apetites não resolvem nada. Não é a isso que somos solicitados. No fim, trata-se de um campo de fenômenos como outro qualquer. Também seria

20. A VIDA SEXUAL HUMANA

fácil rechaçar a evasiva reprovadora de afirmar que esses são apenas casos raros e curiosos. Ao contrário, estamos lidando com fenômenos bastante frequentes e amplamente disseminados. Se, todavia, nos disserem que eles não precisam abalar nossas concepções sobre a vida sexual, porque todos, sem exceção, representam aberrações e deslizes do instinto sexual, então caberá uma resposta séria. Se não entendemos essas configurações patológicas da sexualidade nem podemos conciliá-las com a vida sexual normal, é porque tampouco entendemos a sexualidade normal. Em suma, um esclarecimento teórico pleno sobre a existência dessas chamadas perversões e de sua conexão com a chamada sexualidade normal é uma tarefa imperiosa.

Para tanto, uma percepção e duas novas observações virão em nosso auxílio. A primeira, nós a devemos a Iwan Bloch; ela corrige a noção de todas essas perversões como "sinais de degeneração", ao demonstrar que esses desvios da meta sexual, esses afrouxamentos da relação com o objeto sexual ocorreram desde sempre, em todas as épocas conhecidas e em todos os povos, dos mais primitivos aos de mais elevada civilização, e ocasionalmente gozaram de tolerância e reconhecimento geral. As duas observações a que me referi provêm da investigação psicanalítica dos neuróticos; elas influirão de maneira decisiva em nossa compreensão das perversões sexuais.

Dissemos que os sintomas neuróticos constituem satisfações substitutivas de caráter sexual, e já indiquei aos senhores que a confirmação dessa tese mediante a

III TEORIA GERAL DAS NEUROSES

análise dos sintomas depara com várias dificuldades. Com efeito, ela só se justifica se, em nosso entendimento de "satisfação sexual", levarmos em conta também as chamadas necessidades sexuais perversas, pois uma interpretação de sintomas desse tipo nos aparece com surpreendente frequência. A reivindicação de excepcionalidade dos homossexuais ou invertidos cai por terra quando descobrimos que há impulsos homossexuais em cada neurótico, e que boa parte de seus sintomas dá expressão a essa inversão latente. Os que se denominam homossexuais são, de fato, apenas os invertidos conscientes e manifestos, e seu número é insignificante, se comparado ao dos homossexuais latentes. Vemo-nos obrigados a considerar a escolha do objeto de mesmo sexo como uma divergência* que se dá com regularidade na vida amorosa, e aprendemos cada vez mais a atribuir-lhe elevada importância. Certamente isso não anula as diferenças entre a homossexualidade manifesta e o comportamento normal; seu significado prático persiste, mas seu valor teórico se reduz extraordinariamente. No caso de certa afecção, a paranoia, que já não podemos incluir entre as neuroses de transferência, supomos até mesmo que nasce regularmente da tentativa de defesa contra impulsos homossexuais bastante fortes. Talvez os senhores ainda se lembrem de que, em seu ato obsessivo, uma de nossas pacientes desempenhava o papel de um homem (seu próprio marido abandonado); em mulheres neuróticas, é muito comum tal produção

---

* No original, *Abzweigung*: literalmente, "ramificação".

20. A VIDA SEXUAL HUMANA

de sintomas em que personificam um homem. Se, em si, isso não pode ser considerado homossexualidade, está relacionado com os pressupostos para ela.

Como os senhores provavelmente sabem, a neurose histérica pode produzir sintomas em todos os sistemas e, dessa maneira, perturbar todas as funções orgânicas. A análise mostra que se manifestam aí todos os chamados impulsos perversos, que pretendem substituir o genital por outros órgãos. Estes se comportam, então, como substitutos dos órgãos genitais. A própria sintomatologia da histeria nos levou à concepção de que, à parte seu papel funcional, devemos atribuir aos órgãos do corpo também uma importância sexual, erógena, e que o cumprimento daquele primeiro papel é perturbado quando este último lhes faz demandas em excesso. Inúmeras sensações e inervações que se nos apresentam como sintomas da histeria — em órgãos que aparentemente nada têm a ver com a sexualidade — revelam-nos, assim, sua natureza: são realizações de impulsos sexuais perversos, nas quais outros órgãos tomaram para si a importância dos órgãos genitais. Também vemos em que grande medida os órgãos de que nos servimos para nos alimentar e excretar podem se tornar portadores da excitação sexual. É, pois, a mesma coisa que nos mostraram as perversões; nestas, porém, nós o percebemos sem esforço e de forma inequívoca, enquanto na histeria somos obrigados a, primeiramente, fazer o rodeio da interpretação do sintoma e, depois, em vez de atribuir os impulsos sexuais perversos à consciência, situá-los no inconsciente dos indivíduos.

III TEORIA GERAL DAS NEUROSES

Dos muitos quadros sintomáticos em que figura a neurose obsessiva, os mais importantes revelam-se provocados pela pressão de impulsos sexuais sádicos bastante fortes, isto é, impulsos perversos em sua meta, e os sintomas, como convém à estrutura de uma neurose obsessiva, servem sobretudo para defender-se de tais desejos, ou expressam a luta entre satisfação e defesa. Mas também a satisfação não se sai mal; por vias indiretas ela consegue se apresentar no comportamento dos doentes e se volta de preferência contra eles próprios, torna-os atormentadores de si mesmos. Outras formas de neurose, que podemos chamar "cismadoras", correspondem a uma sexualização excessiva de atos que, em geral, se inserem como preparativos no caminho para a satisfação sexual normal — a vontade de ver, tocar, pesquisar. Isso explica a grande importância do medo do toque e da mania de se lavar. Uma proporção enorme dos atos obsessivos remonta à masturbação, sendo repetição e modificação dela, e é sabido que a masturbação, embora ato único e uniforme, acompanha as mais diversas formas de fantasia sexual.

Não me custaria muito expor-lhes mais profundamente as relações entre perversão e neurose, mas creio que o que foi dito já basta para o nosso propósito. Todavia, depois desses esclarecimentos acerca do significado dos sintomas, precisamos nos resguardar de uma superestimação da frequência e da intensidade das tendências perversas dos seres humanos. Os senhores já ouviram aqui que a frustração da satisfação sexual normal pode conduzir ao adoecimento neurótico. Havendo essa frus-

20. A VIDA SEXUAL HUMANA

tração real, a necessidade se lança aos caminhos anormais da excitação sexual. Mais adiante, os senhores poderão ver como isso se dá. De todo modo, compreendam que, em razão de tal represamento *"colateral"*, os impulsos perversos hão de parecer mais intensos do que seriam se nenhum impedimento real se houvesse contraposto à satisfação sexual normal. Influência semelhante, aliás, devemos reconhecer também no que toca às perversões manifestas. Em muitos casos, elas são provocadas ou ativadas em razão das dificuldades demasiado grandes impostas à satisfação normal do impulso sexual, seja em decorrência de circunstâncias passageiras ou de instituições sociais duradouras. Em outros casos, porém, as tendências perversas independem de tais condições favoráveis e constituem, para o indivíduo, a modalidade normal de vida sexual, por assim dizer.

É possível que, no momento, os senhores tenham a impressão de termos antes confundido que esclarecido a relação entre a sexualidade normal e a perversa. Atenham-se, porém, à seguinte reflexão: se é correto que a maior dificuldade ou a privação de uma satisfação sexual normal põe à mostra tendências perversas que as pessoas não exibiriam de outra forma, então é necessário supormos que essas mesmas pessoas têm algo que vai ao encontro das perversões — ou, se os senhores preferirem, que as perversões estejam presentes nelas de forma latente. Chegamos, assim, à segunda novidade que eu havia anunciado aos senhores. A saber: a investigação psicanalítica viu-se obrigada a atentar também

III TEORIA GERAL DAS NEUROSES

também para a vida sexual da criança, pelo fato de que, na análise dos sintomas, lembranças e associações remetiam regularmente aos primeiros anos da infância. O que assim revelamos foi confirmado ponto a ponto pela observação direta de crianças. Resultou daí a conclusão de que todas as tendências a perversões têm raiz na infância, de que as crianças possuem predisposição para elas e as praticam, na proporção de sua imaturidade; em suma, de que a sexualidade perversa nada mais é que a sexualidade infantil magnificada e decomposta em seus impulsos separados.

Agora os senhores verão as perversões sob outra luz e não mais deixarão de perceber sua conexão com a vida sexual humana, mas à custa de que surpresa e de que penosas incongruências para a sua sensibilidade! Sem dúvida, primeiramente se inclinarão a contestar tudo isso, o fato de as crianças terem algo que podemos designar como sexualidade, a justeza de nossas observações e justificativa de encontrar no comportamento infantil algum parentesco com o que, mais tarde, será condenado como perversão. Permitam, então, que eu antes lhes esclareça os motivos de sua resistência, para depois apresentar-lhes todas as nossas observações. Que as crianças não tenham vida sexual — que não se excitem, não tenham necessidades e uma espécie de satisfação —, mas só venham a desenvolvê-la de súbito entre os doze e os catorze anos, seria biologicamente (sem considerar todas as nossas observações) tão improvável, e mesmo absurdo, como elas terem vindo ao mundo sem órgãos genitais, que só brotariam por volta

20. A VIDA SEXUAL HUMANA

da puberdade. O que nelas desperta por essa época é a função reprodutora, que se serve, para seus fins, de um material físico e psíquico já existente. Os senhores cometem o erro de confundir sexualidade com reprodução, o que lhes barra o caminho para o entendimento da sexualidade, das perversões e das neuroses. Trata-se, porém, de um erro tendencioso. Curiosamente, ele tem sua fonte no fato de também os senhores terem sido crianças e, como tais, haverem se submetido à influência da educação. Com efeito, quando o instinto sexual irrompe como ímpeto reprodutivo, é necessário que a sociedade tenha entre suas tarefas educativas mais importantes a de domá-lo, restringi-lo, submetê-lo a uma vontade individual que seja idêntica ao mandato social. Além disso, ela tem interesse em postergar o desenvolvimento pleno desse instinto até que a criança tenha alcançado certo patamar de maturidade intelectual, uma vez que, com a irrupção plena do instinto sexual, praticamente tem fim a educabilidade. Não fosse assim, o instinto romperia todos os diques e arrastaria em sua torrente a obra penosamente edificada da civilização. A tarefa de domá-lo nunca é fácil; ela é ora insuficiente, ora demasiada. A motivação da sociedade humana é, em última instância, uma motivação econômica: como ela não dispõe de gêneros alimentícios suficientes para a manutenção de seus membros sem que eles precisem trabalhar, é necessário limitar o número desses membros e desviar sua energia da atividade sexual para o trabalho. Trata-se, desde sempre, dos primórdios até os dias atuais, daquilo que a vida impõe como necessidade.

III TEORIA GERAL DAS NEUROSES

A experiência deve ter mostrado aos educadores que a tarefa de guiar a vontade sexual da nova geração só pode ser realizada com o exercício bastante precoce da influência, aquele que não espera pela tempestade da puberdade, mas intervém já na vida sexual da criança, que prepara a tormenta posterior. Com essa intenção, são proibidas ou estragadas quase todas as práticas sexuais infantis; a meta que se impõe é configurar a vida da criança como assexuada, o que, ao longo do tempo, resultou por fim na crença de que ela é de fato assexuada, algo que a ciência, então, proclama como doutrina. A fim de que crença e intenção não se contradigam, o que se faz então é ignorar as práticas sexuais da criança — um feito nada desprezível — ou, no caso da ciência, dar-se por satisfeito com outra concepção dela. A criança é tida como pura, inocente, e quem a descreve de outro modo pode ser denunciado como sacrílego infame, inimigo dos sentimentos ternos e sagrados da humanidade.

As próprias crianças, porém, são as únicas que não participam dessas convenções, fazendo valer seus direitos animalescos com toda a ingenuidade e demonstrando a todo momento que o caminho rumo à pureza ainda está por ser percorrido. O curioso é que aqueles que negam a sexualidade infantil nem por isso relaxam em seu esforço educativo, mas, isto sim, perseguem com o máximo rigor as manifestações daquilo que renegam e intitulam "maus hábitos infantis". De elevado interesse teórico é também que o período da vida que mais gritantemente contradiz a noção da infância assexuada — o que se estende até os cinco ou seis anos de idade

20. A VIDA SEXUAL HUMANA

— seja, depois, na maioria das pessoas, recoberto pelo véu de uma amnésia que apenas a exploração analítica é capaz de rasgar, mas que, antes disso, já se revelou permeável para a formação de alguns sonhos.

Quero agora expor aos senhores o que se pode perceber com mais clareza na vida sexual da criança. Permitam-me também introduzir aqui, a bem da exposição que se segue, o conceito de *libido*. A libido, de maneira análoga à *fome*, designa a força com que o instinto se manifesta — nesse caso o sexual, assim como, no caso da fome, o de alimentação. Outros conceitos, como os de excitação sexual e satisfação, não necessitam de explicação. Que as práticas sexuais dos lactentes demandem o trabalho mais árduo de interpretação, os senhores poderão compreender com facilidade, ou, provavelmente, utilizar como objeção. Essas interpretações, baseadas em investigações analíticas, resultam da busca retrospectiva do sintoma, aquela que, partindo do próprio sintoma, recua no tempo até sua origem. No lactente, os primeiros impulsos da sexualidade mostram-se apoiados em outras funções importantes para a vida. Seu principal interesse, como os senhores sabem, está voltado para a alimentação; quando, saciado, ele adormece junto ao peito da mãe, o lactente exibe uma expressão de bem-aventurada satisfação, a mesma que, mais tarde, se repetirá em seguida à experiência do orgasmo sexual. Isso seria muito pouco para embasar uma conclusão. Contudo, observamos também que o lactente quer repetir essa ação de se alimentar sem, com isso, demandar mais alimento; não é, pois, a fome que

III TEORIA GERAL DAS NEUROSES

o estimula a fazê-lo. Dizemos que ele chupa ou suga, e o fato de, ao fazer isso, ele tornar a adormecer com uma expressão de bem-aventurança nos mostra que a ação de *sugar* em si lhe trouxe satisfação. Como se sabe, logo ele não adormecerá sem ter, antes, praticado essa ação de sugar. Um velho pediatra de Budapeste, dr. Lindner, foi o primeiro a afirmar a natureza sexual dessa atividade. Aqueles que cuidam de uma criança — e que, portanto, não tencionam tomar partido teórico no assunto — parecem entender dessa mesma maneira o ato de sugar. Não têm dúvida de que ele serve apenas à obtenção de prazer, contam-no entre os "maus hábitos" da criança e, mediante constrangimentos, a obrigam a renunciar a esse costume, caso ela não queira fazê-lo por si só. Descobrimos, portanto, que o lactente executa ações que não têm outro propósito senão a obtenção de prazer. Acreditamos que ele experimenta esse prazer pela primeira vez ao se alimentar, mas que logo aprende a dissociá-lo da alimentação. Só podemos relacionar essa obtenção de prazer à excitação da região da boca e dos lábios, partes do corpo a que chamamos, então, *zonas erógenas*, e o prazer alcançado no ato de sugar, nós o caracterizamos como *sexual*. Se temos ou não o direito de chamá-lo assim, isso certamente ainda vamos precisar discutir.

Se o lactente pudesse se manifestar, ele sem dúvida reconheceria o ato de mamar no peito da mãe como o mais importante de sua vida. E ele não está errado, já que, com esse ato, satisfaz de uma só vez suas duas grandes necessidades vitais. Então aprendemos com a

20. A VIDA SEXUAL HUMANA

psicanálise, e não sem espanto, em que grande medida o significado psíquico desse ato perdura para toda a vida. Mamar no peito da mãe torna-se o ponto de partida de toda a vida sexual, o modelo inalcançado para toda satisfação sexual posterior, aquele ao qual, em momentos de necessidade, a fantasia retorna com frequência. Trata-se de um ato que inclui o peito materno como o primeiro objeto do instinto sexual; sou incapaz de transmitir-lhes uma ideia da importância que esse primeiro objeto possui na busca posterior de outros, que efeitos profundos ele, em suas transformações e substituições, produz mesmo nas regiões mais remotas de nossa vida psíquica. Mas inicialmente o bebê abre mão dele, substituindo-o por outra parte do corpo em seu ato de sugar. A criança passa a sugar o polegar ou a própria língua. Na obtenção de prazer, ela se faz, portanto, independente da aprovação do mundo exterior e, além disso, intensifica esse prazer mediante a excitação de uma segunda região do corpo. As zonas erógenas não são, todas elas, igualmente generosas; por isso, constitui experiência importante quando, como relata Lindner, o lactente, ao procurar em seu próprio corpo, descobre a particular excitabilidade de seus órgãos genitais, encontrando aí o caminho que conduz do ato de sugar à masturbação.

Mediante a apreciação desse ato de sugar, já tomamos conhecimento de duas características decisivas da sexualidade infantil. Ela surge associada à satisfação das grandes necessidades orgânicas e se comporta de forma *autoerótica*, isto é, a criança procura e encontra seus ob-

III TEORIA GERAL DAS NEUROSES

jetos no próprio corpo. Aquilo que o ato de se alimentar mostrou com grande nitidez se repete parcialmente com a excreção. Inferimos que o lactente tem sensações prazerosas ao esvaziar a bexiga e o intestino, e que ele logo organiza essas ações de modo a que elas, mediante a correspondente excitação da zona erógena da membrana mucosa, lhe proporcionem o máximo prazer possível. Nesse ponto, como explicou sutilmente Lou Andreas-Salomé, o mundo exterior lhe aparece pela primeira vez como poder inibidor, hostil à sua aspiração de prazer, dando-lhe um vislumbre de futuras batalhas exteriores e interiores. Ele não deve excretar no momento que lhe aprouver, e sim naquele determinado por outras pessoas. A fim de convencê-lo a renunciar a essas fontes de prazer, dizem-lhe que tudo que se refere a essas funções é indecoroso e deve ser mantido em segredo. Pela primeira vez, deve trocar prazer por dignidade social. Sua própria relação com os excrementos, porém, é, desde o princípio, de natureza bem diferente. O lactente não sente nojo de suas fezes, ele as estima como parte de seu corpo, da qual não quer se separar e de que se vale como primeiro "presente" para pessoas de quem gosta muito. Mesmo depois de a educação ter alcançado seu intento de afastá-lo dessas inclinações, a valorização dos excrementos tem continuidade no apreço pelo "presente" e pelo "dinheiro". Seus feitos ao urinar, por outro lado, ele parece encará-los com especial orgulho.

Bem sei que os senhores já desejavam ter me interrompido há tempos, para gritar: "Basta dessas monstruosidades! Então a defecação há de ser uma fonte de

20. A VIDA SEXUAL HUMANA

satisfação do prazer sexual que já o lactente explora? Os excrementos, substância valiosa, e o ânus, uma espécie de órgão genital? Não acreditamos em nada disso, mas entendemos por que pediatras e pedagogos querem distância da psicanálise e de suas conclusões!". Não, meus senhores. Os senhores apenas se esqueceram de que minha intenção era expor-lhes os fatos da vida sexual infantil associados aos das perversões sexuais. Por que não haveriam de saber que o ânus realmente, nas relações sexuais de grande número de adultos, tanto homossexuais como heterossexuais, assume o papel da vagina? E que há muitos indivíduos nos quais, ao longo de toda a vida, a defecação provoca a sensação do prazer sexual e que não a descrevem como tão desprezível? No que se refere ao interesse pelo ato da defecação e ao prazer de observar outra pessoa realizá-lo, disso os senhores podem obter confirmação com as próprias crianças, quando um pouco mais velhas e já capazes de comunicá-lo. Contanto, naturalmente, que essas crianças não tenham sofrido intimidação sistemática, porque então compreendem que devem se calar a esse respeito. E, no tocante às demais coisas em que os senhores não querem acreditar, eu os remeto aos resultados da análise e da observação direta de crianças e lhes digo que é realmente uma arte não ver essas coisas todas ou vê-las de outra maneira. Se o parentesco da sexualidade infantil com as perversões sexuais lhes chama particularmente a atenção, nada tenho contra isso. Ele é óbvio, na verdade; se a criança tem de fato uma vida sexual, ela só poderá ser de tipo perverso, pois, excetuando uns poucos

III TEORIA GERAL DAS NEUROSES

e obscuros indícios, falta-lhe o que torna a sexualidade uma função reprodutora. Por outro lado, é característica comum a todas as perversões o fato de elas terem renunciado à meta da reprodução. Uma prática sexual é justamente chamada de pervertida quando, tendo renunciado ao propósito reprodutivo, persegue a obtenção de prazer como meta autônoma. Os senhores compreendem, pois, que a ruptura e o momento de transição no desenvolvimento da vida sexual reside em sua subordinação aos propósitos da reprodução. Tudo que precede esse momento, assim como tudo que se furta a ele e serve apenas à obtenção de prazer, recebe a designação nada honrosa de "pervertido" e é, como tal, proscrito.

Permitam-me, então, dar prosseguimento a meu sucinto quadro da sexualidade infantil. O que falei acerca de dois sistemas de órgãos [de alimentação e excreção], eu poderia complementar levando em conta os demais. A vida sexual da criança se esgota nas atividades de uma série de instintos parciais que, independentemente um do outro, buscam obter prazer em parte no próprio corpo, em parte já no objeto exterior. Entre os órgãos, a genitália se destaca rapidamente; há pessoas nas quais a obtenção de prazer com seu próprio órgão genital, sem o auxílio de outra genitália ou objeto, se estende sem interrupção desde a masturbação do lactente até a masturbação por necessidade* da época da puberdade, prosseguindo ainda por tempo indeterminado. De resto, o

---

* "Masturbação por necessidade": no original, *Notonanie*, composto de *Not*, "necessidade, premência, apuro", e *Onanie*, "masturbação".

20. A VIDA SEXUAL HUMANA

tema da masturbação não admitiria discussão tão breve: trata-se de um assunto que demanda consideração de muitos ângulos.

A despeito de minha inclinação a abreviar ainda mais o tema, restam algumas coisas a dizer sobre a *pesquisa sexual* por parte da criança. Ela caracteriza muito bem a sexualidade infantil e é muito importante para a sintomatologia das neuroses. A pesquisa sexual infantil começa bem cedo, às vezes antes do terceiro ano de vida. Ela não parte da diferença entre os sexos, que nada significa para as crianças, uma vez que elas — ao menos os garotos — atribuem o órgão genital masculino a ambos os sexos. Quando o menino faz a descoberta da vagina, seja na irmãzinha ou em alguma parceira de brincadeiras, ele busca, em primeiro lugar, negar o que lhe dizem seus próprios sentidos, porque não pode imaginar um ser humano semelhante a ele desprovido da parte que lhe é tão valiosa. Mais tarde, assusta-se com a possibilidade que lhe é apresentada, e possíveis ameaças anteriores, decorrentes da ocupação muito intensa com seu pequeno membro, surtem agora seu efeito. Ele se vê sob o domínio do complexo da castração, cuja configuração exerce grande influência sobre a formação de seu caráter, se ele permanece saudável, sobre sua neurose, se ele adoece, e sobre suas resistências, se ele se submete a tratamento analítico. Sobre a menina pequena, sabemos que ela se sente grandemente desfavorecida pela ausência de um pênis grande e visível, que inveja o menino por possuí-lo e que por esse motivo, em essência, desenvolve o desejo de ser homem, desejo este que, mais

III TEORIA GERAL DAS NEUROSES

tarde, é retomado na neurose que pode surgir em decorrência de algum percalço em seu papel feminino. O clitóris da menina, aliás, desempenha na idade infantil exatamente o mesmo papel do pênis: ele é o portador de uma especial excitabilidade, o ponto no qual a satisfação autoerótica é obtida. Na transformação da menina em mulher, muito depende de essa sensibilidade ser transferida, a tempo e integralmente, do clitóris para a vagina. Nos casos da assim chamada anestesia sexual feminina, o clitóris mantém obstinadamente essa sensibilidade.

O interesse sexual da criança se volta, antes de mais nada, para a questão de onde vêm as crianças, a mesma que está na base da pergunta feita pela Esfinge de Tebas,* e, na maioria dos casos, é despertada pelo temor egoísta que se segue à chegada de um irmão ou irmã. Com muito mais frequência do que pensamos, a resposta pronta dada às crianças, segundo a qual elas são trazidas pela cegonha, é recebida com incredulidade até por crianças pequenas. A sensação de que os adultos escondem a verdade contribui muito para o isolamento da criança e para o desenvolvimento de sua autonomia. Mas essa questão, ela não tem condições de resolver por si mesma. A constituição sexual não desenvolvida impõe certas barreiras a sua capacidade de conhecimento. Ela supõe, primeiramente, que as crianças vêm de algo especial que os adultos consomem ao se alimentar, e não sabe que apenas as mulheres podem ter bebês. Mais tarde, dá-se conta de sua limitação e desiste de ver na

---

* No mito de Édipo.

20. A VIDA SEXUAL HUMANA

comida a origem das crianças, explicação que se conserva nos contos infantis. Já um pouco maior, a criança logo nota que o pai deve desempenhar algum papel na chegada dos bebês, mas não tem como saber que papel é esse. Se, por acaso, ela testemunha algum ato sexual, o que vê nele é uma tentativa de sujeição, uma briga, a má compreensão sádica do coito. De início, porém, não vincula o ato a um futuro bebê. Mesmo quando descobre vestígios de sangue na cama ou na roupa íntima da mãe, a criança os toma como prova de algum ferimento infligido pelo pai. Em anos posteriores, ela por certo passa a desconfiar que o membro sexual masculino tem parte decisiva no surgimento das crianças, mas não atribui a esse órgão outra função que não a de urinar.

Desde o princípio, as crianças são unânimes na crença de que o nascimento de um bebê só pode se dar pelo intestino, que a criança, portanto, surge como uma porção de excrementos. Essa teoria só é abandonada após a depreciação dos interesses anais, quando a substitui a suposição de que o umbigo se abre ou de que a região do peito, entre as duas mamas, seria o local de nascimento do novo bebê. Dessa maneira, a criança vai, em sua investigação, se aproximando do conhecimento dos fatos sexuais, ou então, graças a sua ignorância, passa confusa ao largo deles, até que, geralmente nos anos que antecedem a puberdade, toma conhecimento de uma explicação habitualmente depreciativa e incompleta, que não raro produz efeitos traumáticos.

Certamente os senhores terão ouvido que o conceito de sexual experimenta uma expansão imprópria na psicanálise, com o propósito de sustentar as teses da causação sexual das neuroses e do significado sexual dos sintomas. Podem agora julgar se é injustificada essa expansão. Expandimos o conceito de sexualidade apenas para que ele possa abranger também a vida sexual dos pervertidos e das crianças. Ou seja, devolvemos a ele sua amplitude correta. Aquilo que, fora da psicanálise, é chamado sexualidade refere-se apenas a uma vida sexual restrita, a serviço da reprodução e denominada normal.

21. O DESENVOLVIMENTO DA LIBIDO E AS ORGANIZAÇÕES SEXUAIS

Meus senhores: Tenho a impressão de que não consegui explicar de forma convincente a importância das perversões para nosso conceito de sexualidade. Gostaria, pois, de melhorar e complementar essa exposição, na medida de minhas possibilidades.

Não que apenas as perversões nos teriam obrigado a modificar o conceito de sexualidade, que nos rendeu oposição tão veemente. O estudo da sexualidade infantil contribuiu ainda mais para isso, e a concordância dos dois tornou-se decisiva para nós. Contudo, por mais que as manifestações da sexualidade infantil possam ser inequívocas nos anos finais da infância, elas parecem dissipar-se em algo indeterminado nos primeiros anos de vida. Quem se recusa a atentar para a história de seu desenvolvimento e para o contexto analítico refutará seu

21. O DESENVOLVIMENTO DA LIBIDO E AS ORGANIZAÇÕES SEXUAIS

caráter sexual, atribuindo-lhe algum outro caráter indiferenciado. Não se esqueçam de que, no momento, não possuímos um traço aceito por todos que possa caracterizar a natureza de um processo como sexual, a não ser aquele mesmo parentesco com a função reprodutora que já precisamos rejeitar como insuficiente. Os critérios biológicos, como as periodicidades de 23 e 28 dias propostas por W. Fließ, são ainda bastante discutíveis; as singularidades químicas que nos é lícito supor existirem nos processos sexuais ainda aguardam sua descoberta. As perversões sexuais dos adultos, pelo contrário, são palpáveis e inequívocas. Como já o demonstra sua designação aceita por todos, elas se inserem sem sombra de dúvida no âmbito da sexualidade. Quer elas sejam chamadas de sinais de degeneração ou de outro nome qualquer, ninguém teve ainda a coragem de classificá-las de outra maneira que não como fenômenos da vida sexual. São elas que nos dão o direito de afirmar que sexualidade e reprodução não coincidem, pois é óbvio que as perversões sexuais não têm a reprodução como meta.

Vejo aí um paralelo não destituído de interesse. Embora "consciente" e "psíquico" signifiquem a mesma coisa para a maioria das pessoas, fomos obrigados a expandir o conceito de "psíquico", a fim de reconhecer a existência de algo psíquico que não é consciente. Algo muito parecido acontece quando outros declaram idênticos o "sexual" e o "pertinente à reprodução" (ou o "genital", se os senhores preferem dizê-lo de forma resumida), ao passo que nós não pudemos deixar de admitir a existência de um "sexual" que não é "genital" e

III TEORIA GERAL DAS NEUROSES

que nada tem a ver com a reprodução. Trata-se de uma semelhança apenas formal, mas não desprovida de fundamentação mais profunda.

Se, contudo, a existência das perversões sexuais constitui argumento tão concludente nessa questão, por que esse argumento não surtiu efeito há muito tempo e encerrou o assunto? Eu realmente não sei dizer. A mim, isso parece se dever ao fato de que há, sobre as perversões sexuais, uma proscrição que extrapola para a teoria e impede até mesmo sua consideração científica. É como se ninguém pudesse se esquecer de que elas são não apenas repugnantes, mas monstruosas e perigosas também; como se as pessoas as considerassem sedutoras e, no fundo, precisassem conter uma inveja secreta daqueles que as desfrutam, uma inveja como a confessada pelo landgrave punidor, na célebre paródia de *Tannhäuser*:

No monte de Vênus, esqueceu-se da honra e do dever!
— Estranho que isso não aconteça conosco.*

Na verdade, os pervertidos são, isto sim, pobres-diabos que pagam um preço bastante alto pela satisfação duramente obtida.

O que torna a prática da perversão tão inequivocamente sexual, a despeito da estranheza que causam seu

---

* Paródia de *Tannhäuser*, de Wagner, feita pelo comediógrafo austríaco Johann Nestroy (1801-62); "landgrave" (*Landgraf*) era o título de alguns nobres alemães.

21. O DESENVOLVIMENTO DA LIBIDO E AS ORGANIZAÇÕES SEXUAIS

objeto e suas metas, é a circunstância de o ato da sua satisfação terminar, na maioria dos casos, no orgasmo pleno e na emissão dos produtos genitais. Isso, naturalmente, é apenas a consequência de se tratar de pessoas adultas; na criança, o orgasmo e a excreção genital dificilmente são possíveis, sendo substituídos por indícios que, mais uma vez, não podem ser claramente reconhecidos como sexuais.

Devo fazer ainda um acréscimo, a fim de completar a consideração das perversões sexuais. Por mais mal-afamadas que sejam, por mais que as contrastemos com a prática sexual normal, a observação mostra facilmente que raras vezes um ou outro traço de perversão não está presente na vida sexual das pessoas normais. Já o beijo pode postular a condição de um ato de perversão, uma vez que consiste não na união das genitálias, mas de duas zonas erógenas bucais. Não obstante, ninguém o condena como pervertido; pelo contrário, ele é admitido nos palcos teatrais como sugestão atenuada do ato sexual. Justamente o beijo, porém, pode facilmente transformar-se em perversão plena, quando é tão intenso que, de imediato, seguem-se descarga genital e orgasmo, o que não é tão raro. De resto, pode-se descobrir que, para uma determinada pessoa, tocar e observar o objeto são condições imprescindíveis para o prazer sexual, enquanto outra, no auge da excitação sexual, belisca ou morde; ou que amantes nem sempre atingem o máximo da excitação mediante os órgãos genitais, e sim com o auxílio de alguma outra parte do corpo de seu objeto; e assim por diante, numa variedade de esco-

III TEORIA GERAL DAS NEUROSES

lhas. Não tem sentido excluir das fileiras dos normais e contar entre os pervertidos as pessoas que revelam alguns desses traços; o que se percebe com nitidez cada vez maior é, antes, que o essencial das perversões não está na transgressão da meta sexual, na substituição dos órgãos genitais e nem mesmo na variação do objeto, e sim apenas na exclusividade com que acontecem tais desvios, os quais põem de lado a função reprodutora do ato sexual. Quando as ações pervertidas se integram na produção do ato sexual normal, seja como ações preparatórias ou como contribuições intensificadoras dele, elas, na verdade, deixam de ser perversões. É claro que fatos desse tipo diminuem bastante a distância que separa a sexualidade normal da perversa. Resulta naturalmente daí que a sexualidade normal nasce de algo que já existia antes e descarta certos traços desse material preexistente como inutilizáveis, ao passo que congrega outros com o propósito de sujeitá-los a uma nova meta: a da reprodução.

Antes de nos valermos de nossos conhecimentos das perversões para, com pressupostos já esclarecidos, nos lançarmos ao aprofundamento de nosso estudo da sexualidade infantil, é necessário que eu chame a atenção dos senhores para uma diferença importante entre as duas sexualidades. A sexualidade perversa é, em regra, extremamente centralizada; toda ação converge para uma meta e, na maioria dos casos, para uma única meta; um instinto parcial tem a primazia, e ele é ou o único verificável ou sujeitou ao seu os demais propósitos. Nesse aspecto, a única diferença entre as sexualidades

21. O DESENVOLVIMENTO DA LIBIDO E AS ORGANIZAÇÕES SEXUAIS

perversa e normal é que são outros os instintos parciais dominantes e, com eles, as metas sexuais. Tanto uma como a outra constitui, por assim dizer, uma tirania bem organizada; a diferença é que, em cada uma delas, uma família diferente tomou o poder. Já a sexualidade infantil, de modo geral, não apresenta tal centralização e organização; seus instintos parciais têm direitos iguais e cada um deles se lança por conta própria à conquista do prazer. Tanto a falta como a presença da centralização combinam naturalmente com o fato de ambas, a sexualidade perversa e a normal, terem sua origem na sexualidade infantil. De resto, há também casos de sexualidade perversa que possuem muito mais semelhança com a infantil, na medida em que neles, independentemente uns dos outros, numerosos instintos parciais e suas metas se impuseram, ou, melhor dizendo, tiveram continuidade. Nesses casos, é mais correto falar em infantilismo da vida sexual do que em perversão.

Assim preparados, podemos agora passar à discussão de uma sugestão de que por certo não haverão de nos poupar. Alguém poderá nos dizer: "Por que o senhor insiste em já chamar de sexualidade o que, de acordo com seu próprio testemunho, são manifestações indeterminadas da infância, as quais apenas mais tarde se tornam sexuais? Por que não se contentar com a descrição fisiológica e dizer simplesmente que, no lactente, já observamos atividades, como o sugar ou a retenção de excrementos, as quais nos mostram que ele busca o *prazer do órgão*? Desse modo, o senhor teria evitado a postulação, ofensiva a todo sentimento, de uma vida se-

III TEORIA GERAL DAS NEUROSES

xual até mesmo para a criança mais pequenina". Pois, meus senhores, eu não tenho absolutamente nada a opor ao prazer do órgão; sei que o prazer máximo da união sexual também é apenas um prazer do órgão vinculado à atividade dos genitais. Mas sabem os senhores me dizer quando foi que esse prazer do órgão, originalmente indiferente, adquiriu o caráter sexual que ele indubitavelmente exibe em fases posteriores do desenvolvimento? Sabemos mais acerca do "prazer do órgão" do que sobre a sexualidade? Os senhores me dirão que o caráter sexual é acrescentado justamente quando os genitais começam a desempenhar seu papel; sexual e genital se correspondem. E recusarão até mesmo a objeção levantada pelas perversões, argumentando que a maioria delas visa, sim, ao orgasmo genital, ainda que por caminhos outros que não a união dos genitais. De fato, os senhores se põem em uma posição bem melhor ao riscar das características do sexual a relação com a reprodução, tornada insustentável pelas perversões, e substituí-la pela atividade genital. Aí, porém, nossas posições já não se revelam tão distantes: o que temos é simplesmente a contraposição dos órgãos genitais a todos os outros órgãos. Mas como reagem os senhores às muitas experiências a lhes mostrar que, na obtenção de prazer, os genitais podem ser representados por outros órgãos, como acontece no beijo normal, nas práticas perversas dos sibaritas e na sintomatologia da histeria? No caso dessa neurose, é bastante comum que fenômenos estimulantes, sensações, inervações e mesmo os processos da ereção — os quais têm por sede os genitais — sejam

21. O DESENVOLVIMENTO DA LIBIDO E AS ORGANIZAÇÕES SEXUAIS

deslocados para regiões distantes do corpo (para a cabeça e o rosto, por exemplo). De tal modo persuadidos de que não têm onde se apegar para sua caracterização do que é sexual, os senhores provavelmente terão que se resolver a seguir meu exemplo e estender a designação "sexual" também para aquelas práticas da primeira infância que buscam o prazer do órgão.

Permitam-me agora complementar minha justificativa com duas outras ponderações. Como os senhores sabem, chamamos de sexuais as atividades prazerosas dúbias e indeterminadas da primeiríssima infância, pois a elas nos conduz a análise, que, partindo dos sintomas, passa por material de caráter inequivocamente sexual. Nem por isso é forçoso, admito, que essas práticas sejam sexuais. Mas considerem o senhores um caso análogo. Imaginem que não tivéssemos como observar o desenvolvimento de duas plantas dicotiledôneas, a macieira e a fava, a partir de suas sementes, mas que, em ambos os casos, nos fosse possível reconstruir esse desenvolvimento de trás para a frente, do espécime já constituído até o primeiro germe, dotado de dois cotilédones. Os dois cotilédones parecem não exibir diferença nenhuma, são ambos do mesmíssimo tipo. Devo inferir daí que eles são efetivamente idênticos e que a diferença entre maçã e fava só aparece mais tarde nas plantas? Ou, do ponto de vista biológico, será mais correto dizer que essa diferença já está presente no germe, embora eu não possa identificá-la nos cotilédones? Pois é isso que fazemos ao chamar de sexual o prazer que se apresenta nas práticas do lactente. Se todo e qualquer

III TEORIA GERAL DAS NEUROSES

prazer do órgão pode ser chamado de sexual ou se, ao lado do sexual, há outro prazer que não merece esse epíteto, isso eu não posso discutir aqui. Sei muito pouco acerca do prazer do órgão e de seus requisitos e, dado o caráter retrocedente da análise, não posso me admirar se, no final, deparar com fatores que não é possível determinar por agora.

E mais. Ainda que os senhores possam me convencer de que o melhor é avaliar as práticas dos lactentes como não sexuais, muito pouco terão contribuído para aquilo que desejam afirmar, ou seja, a pureza sexual da criança. E isso porque, já a partir do terceiro ano de idade, a vida sexual da criança subtrai-se a todas essas dúvidas. Por volta dessa época, os genitais começam a se fazer notar, seguindo-se um período talvez regular de masturbação infantil, isto é, de satisfação genital. As manifestações psíquicas e sociais da vida sexual não têm mais por que passar despercebidas. A escolha do objeto, a ternura por pessoas específicas, a decisão por um dos dois sexos, o ciúme — tudo isso pode ser constatado pela observação imparcial, e já o foi independentemente da psicanálise e em época anterior a ela, além de poder constatá-lo todo e qualquer observador disposto a vê-lo. Os senhores objetarão que não puseram em dúvida o despertar precoce da afeição, e sim seu caráter "sexual". Esconder esse caráter é algo que as crianças de três a oito anos já aprenderam a fazer, mas, se os senhores prestarem atenção, poderão coletar provas suficientes das intenções "sensuais" dessa afeição, e o que lhes escapar, as explorações analíticas poderão prover sem

21. O DESENVOLVIMENTO DA LIBIDO E AS ORGANIZAÇÕES SEXUAIS

esforço e em abundância. As metas sexuais desse período da vida estão intimamente ligadas à pesquisa sexual de então, da qual lhes dei algumas amostras. O caráter perverso de algumas dessas metas vincula-se, é claro, à imaturidade da constituição da criança, que ainda não descobriu a cópula como meta.

Do sexto ao oitavo ano de vida em diante, aproximadamente, nota-se uma paralisação e um recuo no desenvolvimento sexual, fenômeno que, nos casos culturalmente mais favoráveis, ganha o nome de período de latência. O período de latência pode também não ocorrer; não é imperativo que ele acarrete uma total interrupção da atividade e dos interesses sexuais. A maioria das experiências e dos impulsos psíquicos vividos anteriormente à instauração desse período de latência mergulha então na amnésia infantil, o já mencionado esquecimento que recobre nossos primeiros anos de vida e os torna alheios a nós. Toda psicanálise propõe-se como tarefa trazer de volta à memória esse período esquecido da vida. É difícil escapar à suposição de que o início de nossa vida sexual, nele contido, fornece o motivo para esse esquecimento e este é, portanto, resultado da repressão.

A partir do terceiro ano de vida, a vida sexual da criança apresenta muitas semelhanças com a do adulto. Ela se diferencia desta última, como já sabemos, pela falta de uma organização fixa sob o primado dos genitais, pelos inevitáveis traços de perversão e, naturalmente, pela intensidade bem menor de toda a tendência. Mas aquelas que são, para a teoria, as fases mais interessantes do desenvolvimento sexual — ou do desenvolvimento da libido, como preferimos dizer — são as que antecedem esse momento. Esse desenvolvimento se dá de forma tão rápida que a observação direta provavelmente jamais conseguiria reter suas imagens fugidias. Apenas com a ajuda da investigação psicanalítica das neuroses tornou-se possível discernir fases ainda mais remotas do desenvolvimento da libido. Sem dúvida, elas não são mais que construções, mas, ao lidar com a prática da psicanálise, os senhores descobrirão que se trata de construções necessárias e proveitosas. Logo compreenderão como sucede que nisso a patologia chegue a nos revelar condições que nos passariam despercebidas num objeto normal.

Podemos agora, portanto, indicar como se configura a vida sexual da criança antes do estabelecimento do primado dos genitais, primado este cuja preparação acontece na primeira época da infância, anteriormente ao período de latência, e que se organiza continuamente a partir da puberdade. Nesses primeiros tempos, vigora uma espécie de organização frouxa, a que chamaremos *pré-genital*. Em primeiro plano, nessa fase, não se encontram os instintos parciais genitais, e sim os *sádicos* e os *anais*. A oposição entre *masculino* e *feminino* ainda não desempenha aí papel nenhum; seu lugar é ocupado pela oposição entre *ativo* e *passivo*, que se pode caracterizar como precursora da polaridade sexual e que, mais tarde, se funde a ela. Examinada do ponto de vista da fase genital, o que nos parece masculino nesse momento revela-se expressão de um impulso de apoderamento que facilmente descamba para a crueldade. Tendências

21. O DESENVOLVIMENTO DA LIBIDO E AS ORGANIZAÇÕES SEXUAIS

de meta passiva ligam-se à zona erógena do ânus, bastante importante nessa época. Os instintos de ver e de saber atuam fortemente; o órgão genital, na verdade, só toma parte na vida sexual em seu papel de órgão excretor da urina. Aos instintos parciais dessa fase não faltam objetos, mas eles não convergem necessariamente para um único objeto. A organização sádico-anal é o estágio preliminar mais próximo da fase do primado do genital. Um estudo mais aprofundado mostra quanto dela se preserva na configuração posterior e definitiva, e de que maneiras seus instintos parciais se veem obrigados a incorporar-se à nova organização genital. Um olhar além dessa fase sádico-anal do desenvolvimento da libido nos fornece a visão de um estágio organizatório ainda mais primitivo, no qual o papel principal é desempenhado pela zona erógena da boca. Os senhores podem bem imaginar que a ela pertence a prática sexual do sugar e podem, assim, admirar a capacidade de compreensão dos antigos egípcios, cuja arte representa a criança com o dedo na boca, como faz também com o deus Hórus. Há pouco tempo, Abraham informou sobre os traços que essa fase oral primitiva deixa na vida sexual posterior.

Meus senhores, posso imaginar que esta exposição sobre as organizações sexuais os tenha sobrecarregado mais do que instruído. Talvez eu tenha novamente me excedido nos detalhes. Mas sejam pacientes: o que ouviram lhes será mais valioso em sua aplicação futura. Por enquanto, atenham-se à noção de que a vida sexual — ou, como dizemos, a função libidinal — não surge como

III TEORIA GERAL DAS NEUROSES

algo pronto e acabado e tampouco segue desenvolvendo-
-se da mesma forma como se apresenta, mas passa por
uma série de fases sucessivas que não se assemelham
umas às outras, cumprindo, assim, um desenvolvimento
várias vezes repetido, como o da lagarta que se transforma em borboleta. Um ponto decisivo desse desenvolvimento é a subordinação de todos os instintos sexuais
parciais ao primado dos genitais e, com isso, a sujeição
da sexualidade à função reprodutora. Antes, o que se tem
é uma vida sexual confusa, por assim dizer, caracterizada por uma atividade autônoma dos instintos parciais
em busca do prazer do órgão. Essa anarquia é atenuada
pelas organizações "pré-genitais" nascentes: em primeiro lugar, a fase sádico-anal e, antes dela, a oral, talvez a
mais primitiva de todas. Além disso, verificam-se os diversos processos de que ainda possuímos conhecimento
inexato e que conduzem de um estágio organizacional ao
seguinte, mais elevado. Em uma próxima oportunidade,
descobriremos que significado tem para a compreensão
das neuroses o fato de a libido percorrer um caminho tão
longo e cheio de interrupções.

Hoje, trataremos ainda de outra faceta desse desenvolvimento, qual seja, a relação dos instintos sexuais
parciais com o objeto. Ou melhor, lançaremos um rápido olhar panorâmico sobre esse desenvolvimento para,
então, nos determos um pouco mais em uma consequência tardia dele. Alguns componentes do instinto sexual
possuem, portanto, seu objeto desde o início, ao qual
se aferram; esse é o caso do impulso de apoderamento
(sadismo) e dos instintos de ver e de saber. Outros, cla-

21. O DESENVOLVIMENTO DA LIBIDO E AS ORGANIZAÇÕES SEXUAIS

ramente vinculados a determinadas zonas erógenas do corpo, só de início têm um objeto, enquanto se apoiam nas funções não sexuais, objeto que abandonam ao se desprender dessas funções. Assim, o primeiro objeto do componente oral do instinto sexual é o seio materno, que satisfaz a necessidade de alimentação do lactente. No ato de sugar, o componente erótico que é igualmente satisfeito se faz autônomo, abandona o objeto exterior e o substitui por um local do próprio corpo. O instinto oral se torna *autoerótico*, como autoeróticos são, desde o início, os instintos anais e os demais instintos erógenos. O desenvolvimento ulterior possui dois objetivos, para dizê-lo da forma mais concisa possível: em primeiro lugar, abandonar o autoerotismo, trocar novamente o objeto do próprio corpo por um objeto exterior; em segundo lugar, unificar os diversos objetos dos instintos, substituindo-os por um único objeto. Isso, é claro, só é possível se esse objeto único for um corpo em sua totalidade, semelhante ao corpo do próprio indivíduo. Além disso, esse desenvolvimento não pode se dar sem que certo número de impulsos instintuais autoeróticos sejam considerados inúteis e, portanto, abandonados.

Os processos envolvidos na busca do objeto são bastante complexos, e até agora não tiveram uma exposição abrangente. Enfatizemos, para nossos propósitos, que, caso esse processo alcance algum tipo de desfecho nos anos da infância que precedem o período de latência, o objeto encontrado se revelará quase idêntico ao primeiro objeto do instinto do prazer oral, obtido apoiando-se no instinto de nutrição. Ele será, quando não o seio ma-

III TEORIA GERAL DAS NEUROSES

terno, a própria mãe. Dizemos que a mãe é o primeiro objeto de *amor*. Falamos em amor quando trazemos para o primeiro plano o lado psíquico das tendências sexuais, rechaçando, ou esquecendo momentaneamente, as demandas instintuais subjacentes, as físicas ou "sensuais". Por volta da mesma época em que a mãe se torna objeto de amor, já teve início na criança o trabalho psíquico da repressão, que lhe oculta o conhecimento de uma parte de suas metas sexuais. A essa escolha da mãe como objeto de amor vincula-se então tudo aquilo que, sob a designação "complexo de Édipo", acabou adquirindo tanta importância na explicação psicanalítica das neuroses e, possivelmente, granjeou para a psicanálise parte significativa da resistência contra ela.

Ouçam um pequeno episódio acontecido no curso da presente guerra. Um dos mais aplicados discípulos da psicanálise encontra-se no fronte alemão, em alguma parte da Polônia, na condição de médico. Ali, ele desperta a atenção dos colegas pelo fato de, ocasionalmente, lograr exercer inesperada influência sobre um doente. Perguntado a esse respeito, ele confessa valer-se dos meios da psicanálise e declara-se disposto a compartilhar seu conhecimento com os colegas. Toda noite, então, os médicos da corporação, colegas e superiores, passam a se reunir para ouvir os ensinamentos secretos da análise. Por um tempo, tudo vai bem, mas, depois de o palestrante falar a seus ouvintes sobre o complexo de Édipo, um superior se levanta e declara não acreditar naquilo: era uma pouca-vergonha dizer coisas daquela natureza a homens corajosos que lutam pela pátria e a

21. O DESENVOLVIMENTO DA LIBIDO E AS ORGANIZAÇÕES SEXUAIS

pais de família, razão pela qual proibia a continuidade das palestras. Foi, de fato, o fim delas. O analista pediu para ser transferido para outro local do fronte. Creio, porém, que as coisas vão mal quando a vitória alemã requer tal "organização" da ciência, e que a ciência alemã não suportará bem uma organização desse tipo.

Os senhores certamente estarão ansiosos de saber o que contém esse terrível complexo de Édipo. O nome já lhes diz. Todos conhecem a lenda grega do rei Édipo, fadado a matar o pai e se casar com a mãe; ele faz de tudo para escapar à sentença do oráculo e, por fim, pune a si mesmo com a cegueira ao descobrir que, de fato, cometeu ambos aqueles crimes sem saber. Espero que muitos dos senhores tenham experimentado pessoalmente o efeito comovente da tragédia na qual Sófocles trata desse assunto. A obra do dramaturgo ateniense mostra o desvendamento paulatino do ato perpetrado por Édipo já há muito tempo, e ela o faz por meio de uma investigação postergada com arte e sempre reavivada por novos indícios. Nesse aspecto, ela possui certa semelhança com o curso de uma psicanálise. No transcorrer do diálogo, ocorre de a obnubilada mãe-esposa, Jocasta, se opor ao prosseguimento da investigação. Ela invoca o fato de, em sonho, muitos homens dormirem com a própria mãe, mas acrescenta que sonhos merecem pouca atenção. Nós, porém, não prestamos pouca atenção aos sonhos, sobretudo a sonhos típicos — aqueles que muitos têm —, nem duvidamos que o sonho mencionado por Jocasta esteja em íntima relação com o conteúdo estranho e assustador da lenda.

III TEORIA GERAL DAS NEUROSES

É de admirar que a tragédia de Sófocles não provoque no ouvinte indignada rejeição, semelhante àquela de nosso simplório médico militar, e bem mais justificada. Isso porque, no fundo, trata-se de uma peça imoral, que anula a responsabilidade ética do homem, mostra poderes divinos como mandantes de um crime e apresenta a impotência dos impulsos morais humanos que se insurgem contra esse crime. Seria fácil acreditar que o conteúdo da lenda pretende ser uma acusação contra os deuses e o destino, e nas mãos de Eurípides, crítico e incompatibilizado com os deuses, ele provavelmente teria resultado em tal incriminação. Mas semelhante uso é impensável, tratando-se de um crente como Sófocles. Uma pia sutileza o ajuda a vencer a dificuldade: curvar-se à vontade dos deuses, ainda que eles ordenem um ato criminoso, seria a moralidade suprema. Não posso crer que essa moral esteja entre os pontos fortes da tragédia de Sófocles, mas ela não tem importância para o efeito da obra. O espectador não reage a ela, e sim ao conteúdo e sentido oculto da lenda. Ele reage como se, por meio da autoanálise, tivesse reconhecido em si próprio o complexo de Édipo e desmascarado a vontade divina e o oráculo como disfarces enaltecidos de seu próprio inconsciente; como se fosse obrigado a recordar o desejo de eliminar o pai e, em lugar dele, tomar a mãe como esposa, e se horrorizar com esse desejo. E compreende a voz do poeta como se lhe dissesse: "Tu te revoltas em vão contra a tua responsabilidade, e proclamas o que fizeste contra tais intenções criminosas. Mas és, sim, culpado, pois não foste capaz de aniquilá-las: elas permanecem

21. O DESENVOLVIMENTO DA LIBIDO E AS ORGANIZAÇÕES SEXUAIS

ainda, inconscientes, dentro de ti". E aí está a verdade psicológica. Ainda que o homem reprima seus impulsos maus, banindo-os para o inconsciente, e queira então dizer que não é responsável por eles, ele é obrigado a sentir essa responsabilidade na forma de um sentimento de culpa cujo fundamento desconhece.

É indubitável que podemos ver no complexo de Édipo uma das fontes mais importantes da consciência culpada que tanto atormenta os neuróticos. E digo mais: em um estudo sobre os primórdios da religião e da moralidade humanas, que publiquei em 1913 com o título *Totem e tabu*, aventei a hipótese de que talvez a humanidade como um todo tenha adquirido sua consciência de culpa — fonte última da religião e da moralidade — no princípio de sua história, com o complexo de Édipo. Gostaria de dizer mais a esse respeito, mas é melhor que não o faça. Uma vez abordado, é difícil interromper esse tema, e precisamos retornar à psicologia individual.

O que, portanto, a observação direta da criança na época da escolha do objeto, anteriormente ao período de latência, leva a perceber do complexo de Édipo? Bem, vê-se com facilidade que o garotinho quer a mãe apenas para si, que sente a presença paterna como perturbadora, que se irrita quando o pai se permite demonstrar ternura a ela e que manifesta satisfação quando ele está viajando ou ausente. Com frequência, o menino dá expressão verbal a seus sentimentos e promete à mãe que vai se casar com ela. Poder-se-ia argumentar que isso é pouco em comparação com os atos de Édipo, mas, na verdade, é o bastante e, de forma embrionária, a mes-

III TEORIA GERAL DAS NEUROSES

ma coisa. Muitas vezes, a observação é obscurecida pelo fato de a mesma criança, em outras ocasiões, demonstrar também grande ternura para com o pai; mas tais posturas emocionais contraditórias — ou, melhor dizendo, *ambivalentes* —, que, em um adulto, conduziriam a um conflito, convivem muito bem na criança por um longo período de tempo, assim como, mais tarde, encontram lugar permanente, lado a lado, no inconsciente. Outra objeção seria a de que o comportamento do menino decorreria de motivações egoístas e não constituiria, portanto, justificativa para a postulação de um complexo erótico. A mãe cuida de todas as necessidades do filho, a quem, por isso mesmo, interessa que ela não cuide de mais ninguém. Também isso está correto, mas logo fica claro que nessa situação, assim como em situações semelhantes, o interesse egoísta oferece apenas o apoio ao qual se vincula a aspiração erótica. Se o menino exibe a mais desvelada curiosidade sexual em relação à mãe; se, à noite, exige dormir do lado dela; se insiste em estar presente quando ela faz sua toalete ou mesmo realiza tentativas de sedução, como tantas vezes a mãe pode constatar e relatar com um sorriso, então a natureza erótica do vínculo com a mãe está estabelecida acima de qualquer dúvida. Não se pode esquecer que a mãe dedica os mesmos cuidados à filha, sem, contudo, produzir nela o mesmo efeito, e que o pai, com bastante frequência, compete com a mãe nos cuidados que dedica ao menino, sem, no entanto, lograr tornar-se para ele tão importante como a mãe. Em suma, nenhuma crítica pode eliminar desse quadro o fator da preferência se-

21. O DESENVOLVIMENTO DA LIBIDO E AS ORGANIZAÇÕES SEXUAIS

xual. Do ponto de vista do interesse egoísta, não seria inteligente da parte do menino preferir ter a seu serviço apenas uma pessoa, em vez de duas.

Como os senhores podem perceber, descrevi apenas a relação do menino com o pai e a mãe. No caso da menina, essa relação é muito parecida, ressalvadas as necessárias diferenças. O apego terno ao pai, a necessidade de afastar a mãe como supérflua e tomar seu lugar, certo coquetismo a operar já com os meios da futura feminilidade, tudo isso reveste a menina de uma graça que nos faz esquecer a seriedade e as eventuais graves consequências por trás dessa situação infantil. Não nos esqueçamos de acrescentar que, com frequência, são os próprios pais que exercem influência decisiva no despertar da postura edipiana, na medida em que também eles seguem o que lhes dita a atração sexual; sendo diversos os filhos, a ternura paterna privilegia claramente a filha, ao passo que a materna dá preferência ao menino. Contudo, a natureza espontânea do complexo de Édipo infantil não se deixa abalar seriamente nem mesmo por esse fator. O complexo de Édipo expande-se para um complexo familiar quando outras crianças se juntam a esse quadro. Apoiando-se outra vez no sentimento egoísta do dano sofrido, ele faz com que novos irmãos sejam recebidos com antipatia e, em desejo, eliminados sem o menor escrúpulo. Em geral, as crianças dão expressão verbal antes a esses sentimentos de ódio do que àqueles originados pelo complexo envolvendo os pais. Se um tal desejo se realiza e a morte logo leva o irmão indesejado, a análise posterior pode nos mostrar

III TEORIA GERAL DAS NEUROSES

a grande importância que essa morte vivida teve para a criança, para o que nem é necessário que tal experiência tenha se fixado em sua memória. A criança relegada a segundo plano e quase isolada pela mãe quando do nascimento de outro filho dificilmente lhe perdoa esse rebaixamento; instalam-se nela sentimentos que, em adultos, caracterizaríamos como de grande amargura, os quais acabam por se tornar a base para um duradouro estranhamento. Já mencionamos que a pesquisa sexual, com todas as suas consequências, costuma se relacionar a essa vivência da infância. Com o crescimento desses irmãos, a postura em relação a eles sofre as mais significativas alterações. O garoto pode transformar a irmã em objeto de amor, em substituição à mãe infiel; e, entre diversos irmãos a cortejar a irmãzinha mais nova, estabelece-se já na infância uma rivalidade hostil, situação tão importante em sua vida posterior. A menina, por sua vez, encontra no irmão mais velho um substituto para o pai, que já não lhe dedica o carinho de antes, ou adota uma irmã mais nova como substituta para o filho que, em vão, desejou ter com o pai.

Coisas assim, e muitas outras de natureza semelhante, é o que lhes revela a observação direta das crianças e a consideração de suas lembranças infantis, preservadas com clareza e não influenciadas pela análise. Disso tudo, os senhores tirarão, entre outras, a conclusão de que a posição de uma criança dentro de uma sequência de filhos é fator extremamente importante na conformação de sua vida posterior, fator este que deve ser considerado em toda e qualquer história de vida. E, mais

21. O DESENVOLVIMENTO DA LIBIDO E AS ORGANIZAÇÕES SEXUAIS

importante ainda: diante desses esclarecimentos, cuja obtenção não demanda nenhum esforço, os senhores não poderão se lembrar senão com um sorriso das explicações da ciência para a proibição do incesto. Quanta invencionice não contêm! O convívio desde a infância seria o responsável por desviar a propensão sexual de um membro de uma família por outro do sexo oposto; ou, afirmam elas ainda, uma tendência biológica a evitar o cruzamento consanguíneo teria encontrado na aversão ao incesto sua representação psíquica! Esquecem-se essas explicações de que não precisaríamos de nenhuma proibição inexorável, legal ou moral, caso dispuséssemos de fato de barreiras naturais e confiáveis à tentação do incesto. A verdade está no contrário. A primeira escolha objetal do ser humano é, em regra, incestuosa, voltando-se, no caso do homem, para mãe e irmã, e a mais severa proibição é necessária para impedir que essa propensão infantil atuante se torne realidade. Nos povos primitivos ainda em existência nos dias de hoje, os povos selvagens, as proibições do incesto são ainda mais rigorosas que as nossas; em um trabalho brilhante, Theodor Reik mostrou há pouco tempo que o significado daqueles ritos da puberdade dos selvagens que representam um renascimento é a busca da eliminação da ligação incestuosa do menino com a mãe e de sua reconciliação com o pai.

A mitologia ensina que o incesto, supostamente tão execrado pelos homens, é direito concedido sem qualquer hesitação aos deuses. Por meio dessas histórias da Antiguidade, os senhores ficam sabendo que o casa-

III TEORIA GERAL DAS NEUROSES

mento incestuoso com a irmã era preceito sagrado para a pessoa do soberano (como entre os antigos faraós ou os incas, no Peru). Trata-se, portanto, de um privilégio negado à população comum.

O incesto com a mãe é um dos crimes de Édipo; o parricídio é o outro. Menciono apenas de passagem que esses são também os dois grandes crimes condenados pela primeira instituição sociorreligiosa conhecida pelos seres humanos: o totemismo. Passemos agora da observação direta da criança para a investigação analítica do adulto acometido pela neurose. Que contribuição dá a análise para o maior conhecimento do complexo de Édipo? Pode-se dizê-lo de forma breve: ela o mostra como ele é descrito na lenda; mostra que todo neurótico foi, ele próprio, um Édipo ou que — o que dá no mesmo — em sua reação ao complexo ele se transformou em um Hamlet. Naturalmente, a apresentação analítica do complexo de Édipo é uma amplificação e uma versão mais grosseira do esboço infantil. O ódio ao pai, o desejo de morte em relação a ele, já não são timidamente insinuados; a ternura para com a mãe admite o objetivo de possuí-la como mulher. Podemos de fato atribuir esses impulsos afetivos claros e extremos àqueles anos tenros da infância, ou será que a análise nos engana, introduzindo um novo fator? Não é difícil identificar o fator novo. Toda vez que alguém relata algo pertencente ao passado, mesmo que se trate de um historiador, precisamos levar em consideração aquilo que, inadvertidamente, ele retirou do presente ou de alguma época intermediária e transferiu para aquele passado,

21. O DESENVOLVIMENTO DA LIBIDO E AS ORGANIZAÇÕES SEXUAIS

terminando, assim, por falseá-lo. No caso do neurótico, torna-se mesmo questionável que essa transferência tenha de fato ocorrido sem nenhuma intenção; mais adiante, tomaremos conhecimento dos motivos que a ensejam e teremos, então, de avaliar com imparcialidade esse "fantasiar retrospectivo" do passado remoto. Descobrimos também, com facilidade, que o ódio ao pai é intensificado por uma série de razões advindas de épocas e circunstâncias posteriores, e que os desejos sexuais voltados para a mãe são moldados em formas que só podiam ser ainda alheias à criança. Mas seria um esforço vão pretender explicar todo o complexo de Édipo mediante esse fantasiar retrospectivo e vinculá-lo a épocas posteriores. Permanecem o núcleo infantil e parte maior ou menor de seus acessórios, como é confirmado pela observação direta da criança.

O fato clínico que se nos apresenta por trás da forma do complexo de Édipo, constatada analiticamente, é da mais elevada importância prática. Ficamos sabendo que na época da puberdade, quando o instinto sexual pela primeira vez faz suas demandas com força plena, os velhos objetos familiares e incestuosos são retomados e, de novo, investidos de libido. A escolha objetal infantil foi apenas um prelúdio débil, mas balizador, da escolha realizada na puberdade. Nesta, processos emocionais bastante intensos se desenrolam na direção do complexo de Édipo ou em reação a ele, mas, tendo suas premissas se tornado insuportáveis, trata-se de processos que, em grande parte, permanecem forçosamente alheios à consciência. Dessa época em diante, o indivíduo tem de se

III TEORIA GERAL DAS NEUROSES

dedicar à grande tarefa de apartar-se dos pais; somente depois de realizada essa tarefa poderá ele deixar de ser criança para tornar-se membro da comunidade social. Para o filho, isso consiste em desprender da mãe seus desejos libidinosos, a fim de empregá-los na escolha de um objeto real e exterior, e em reconciliar-se com o pai, caso lhe tenha permanecido hostil, ou em se libertar da pressão exercida por ele, caso o resultado da rebelião infantil contra ele tenha sido a submissão. Essas tarefas precisam ser cumpridas por todos, e digno de nota é quão raramente elas são realizadas de forma exitosa e ideal, ou seja, corretamente, tanto do ponto de vista psicológico como do social. Fato é que os neuróticos jamais logram cumpri-las; o filho permanece a vida toda curvado à autoridade paterna e não consegue transferir sua libido para um objeto sexual exterior. Modificada a relação, a mesma sorte pode ser também a da filha. Nesse sentido, o complexo de Édipo é considerado, com razão, o núcleo das neuroses.

Os senhores podem bem imaginar como passei superficialmente por uma série de importantes considerações, tanto práticas como teóricas, vinculadas ao complexo de Édipo. Tampouco abordarei suas variações e sua possível reversão. De suas repercussões mais distantes, quero apenas mencionar que o complexo de Édipo se revelou altamente determinante na produção poética. Em um livro de muitos méritos, Otto Rank mostrou que dramaturgos de todas as épocas extraíram a matéria para seus dramas sobretudo dos complexos de Édipo e do incesto, assim como de suas variações e dissimulações.

21. O DESENVOLVIMENTO DA LIBIDO E AS ORGANIZAÇÕES SEXUAIS

Tampouco posso deixar de mencionar que, em época muito anterior à psicanálise, os dois desejos criminosos presentes no complexo de Édipo já foram reconhecidos como os veros representantes da vida instintual desenfreada. Entre os escritos do enciclopedista Diderot, encontra-se um famoso diálogo, *Le neveu de Rameau* [O sobrinho de Rameau], traduzido para o alemão por ninguém menos que Goethe. Nele, os senhores podem ler esta frase notável: *Si le petit sauvage était abandonné à lui-même, qu'il conservât toute son imbécillité et qu'il réunît au peu de raison de l'enfant au berceau la violence des passions de l'homme de trente ans, il tordrait le col à son père et coucherait avec sa mère* [Se o pequeno selvagem fosse abandonado a si mesmo, conservando toda a sua imbecilidade e juntando à pouca razão da criança de berço a violência das paixões de um homem de trinta anos, ele torceria o pescoço do pai e dormiria com a mãe].

Não posso, todavia, deixar de considerar outra coisa. Não será em vão que a mãe-esposa de Édipo nos recordou os sonhos. Os senhores ainda se lembram do resultado de nossas análises, de que os desejos formadores dos sonhos são, com frequência, de natureza perversa e incestuosa, ou revelam hostilidade insuspeitada contra parentes próximos e queridos? Não esclarecemos, naquele momento, de onde se originam esses impulsos maus. Agora os senhores mesmos podem dizê-lo. São alocações da libido e investimentos de objeto que remontam à primeira infância, há muito abandonados na vida consciente, mas que se mostram ainda presentes durante a noite e, em certo sentido, atuantes. Como,

III TEORIA GERAL DAS NEUROSES

porém, todas as pessoas, e não apenas os neuróticos, têm sonhos perversos, incestuosos e assassinos, é lícito concluirmos que também aqueles que são hoje normais cumpriram um desenvolvimento que passou pelas perversões e pelos investimentos de objeto do complexo de Édipo; que esse é, pois, o caminho do desenvolvimento normal; e que os neuróticos apenas exibem, em versão ampliada e mais grosseira, aquilo que a análise dos sonhos revela também nas pessoas saudáveis. E esse é um dos motivos pelos quais fizemos o estudo dos sonhos preceder o dos sintomas neuróticos.

22. CONSIDERAÇÕES SOBRE DESENVOLVIMENTO E REGRESSÃO. ETIOLOGIA

Senhoras e senhores: Vimos que a função da libido percorre extenso desenvolvimento até poder entrar a serviço da reprodução, no modo que é chamado normal. Eu gostaria de expor-lhes agora o significado que tem esse fato na causação das neuroses.

Creio estarmos de acordo com as doutrinas da patologia geral, ao supormos que tal desenvolvimento traz consigo dois perigos: primeiro, o da *inibição* e, em segundo lugar, o da *regressão*. Ou seja, considerando-se a tendência geral à variação dos processos biológicos, há de acontecer de nem todas as fases preparatórias correrem igualmente bem e serem superadas completamente; partes da função ficarão retidas de forma duradoura

450

22. CONSIDERAÇÕES SOBRE DESENVOLVIMENTO E REGRESSÃO. ETIOLOGIA

nesses estágios iniciais, e o quadro geral do desenvolvimento sofrerá certa medida de inibição.

Procuremos em outras áreas analogias para esses processos. Quando um povo inteiro abandona sua terra em busca de nova morada, como muitas vezes aconteceu em períodos anteriores da história da humanidade, ele certamente não chega completo ao novo lugar. Desconsiderando-se perdas outras, há de ter acontecido com regularidade de pequenos agrupamentos ou associações de migrantes se haverem detido ao longo do caminho, estabelecendo-se nessas paradas, enquanto a grande massa restante seguia em frente. Ou, valendo--me de uma comparação mais próxima, os senhores sabem que, nos mamíferos superiores, as glândulas sexuais masculinas, originalmente localizadas no fundo da cavidade abdominal, iniciam uma migração em certo momento de sua vida intrauterina que as situa quase diretamente sob a pele da extremidade da pélvis. Como consequência dessa migração, descobrimos em certo número de indivíduos machos que, desse par de órgãos, um deles permaneceu na cavidade pélvica ou encontrou abrigo permanente no chamado canal inguinal, pelo qual ambos tiveram de passar em sua migração — ou, então, que esse canal permaneceu aberto, quando o normal é que ele se feche, uma vez concluída a mudança de local das glândulas sexuais.

Quando, ainda como jovem estudante, fiz meu primeiro trabalho científico sob a orientação de von Brücke, ocupei-me da origem das raízes nervosas posteriores da medula espinhal de um pequeno peixe, de

III TEORIA GERAL DAS NEUROSES

conformação ainda bastante arcaica. Descobri que as fibras nervosas daquelas raízes provinham de grandes células situadas no corno posterior da matéria cinzenta, o que já não ocorre em outros vertebrados. Logo depois, porém, descobri que, exteriormente à matéria cinzenta, tais células nervosas distribuíam-se por todo o percurso até o chamado gânglio espinhal da raiz posterior, o que me levou à conclusão de que as células dessas massas de gânglios haviam migrado da medula espinhal pelas raízes dos nervos. Isso, aliás, é o que nos mostra a história evolutiva; naquele pequeno peixe, porém, todo o percurso migratório podia ser reconhecido por meio das células que haviam ficado para trás. Se os senhores se aprofundarem nessas comparações, não terão dificuldade para identificar seus pontos fracos. Por isso, melhor é fazermos uma afirmação direta: julgamos possível que certas porções de toda e qualquer tendência sexual tenham ficado pelo caminho, permanecendo em estágios anteriores de desenvolvimento, ainda que outras porções possam ter alcançado sua meta final. Os senhores veem que imaginamos cada uma dessas tendências como um fluxo contínuo, que teve início no princípio da vida e que nós, artificialmente, por assim dizer, decompomos em fases separadas e subsequentes. A impressão que os senhores têm de que essas noções necessitariam de uma melhor clarificação é correta, mas semelhante tentativa nos desviaria demasiado de nosso caminho. Estabeleçamos, pois, que tal permanência de uma tendência parcial em um estágio anterior é o que chamamos de *fixação* (do instinto).

22. CONSIDERAÇÕES SOBRE DESENVOLVIMENTO E REGRESSÃO. ETIOLOGIA

O segundo perigo de um desenvolvimento por estágios está no fato de também as porções que lograram avançar poderem facilmente, em um movimento retrógrado, retornar a um dos estágios anteriores, o que chamamos de *regressão*. A tendência se verá levada a essa regressão quando o exercício de sua função — ou seja, o alcance de sua meta de satisfação — depara com fortes impedimentos externos, na sua forma posterior ou mais desenvolvida. É natural supormos que fixação e regressão não são independentes uma da outra. Quanto mais fortes as fixações no caminho do desenvolvimento, tanto mais a função evitará as dificuldades externas mediante regressão a essas fixações, e tanto menos capaz de resistência se revelará a função desenvolvida diante de impedimentos externos a barrar-lhe o caminho. Considerem que, se um povo em movimento deixa grandes divisões pelo caminho, ao longo das estações de sua migração, será natural que aqueles que seguiram adiante retornem a tais estações, caso sejam derrotados ou deparem com um inimigo demasiado forte; o perigo da derrota será, porém, tanto maior quanto maior o número daqueles deixados para trás no curso da migração.

É importante para o entendimento das neuroses que os senhores tenham sempre em vista essa relação entre fixação e regressão. Isso lhes dará um ponto de apoio seguro nas questões relativas à causação das neuroses, à sua etiologia, que logo abordaremos.

Antes, porém, detenhamo-nos um pouco mais na regressão. Em consonância com aquilo que os senhores aprenderam acerca do desenvolvimento da função da li-

III TEORIA GERAL DAS NEUROSES

bido, é lícito que esperem encontrar dois tipos de regressão: o retorno àqueles primeiros objetos, investidos de libido e sabidamente de natureza incestuosa; e o retorno de toda a organização sexual a estágios anteriores. Esses dois tipos ocorrem nas neuroses de transferência e desempenham papel importante em seu mecanismo. Em especial o retorno aos primeiros objetos incestuosos da libido é um traço que, nos neuróticos, se repete com exaustiva regularidade. Muito mais se poderia dizer acerca das regressões da libido, se levássemos em consideração outro grupo de neuroses — as chamadas neuroses narcisistas —, o que, no momento, não é nossa intenção. Essas afecções, no entanto, nos dão informações sobre outros processos de desenvolvimento da função da libido, ainda não mencionados aqui, e nos mostram novos tipos de regressão. Creio, porém, que devo agora, antes de mais nada, advertir os senhores para que não confundam *regressão* com *repressão*, cabendo-me, pois, ajudá-los no esclarecimento das relações existentes entre esses dois processos. A repressão, como os senhores se lembram, é aquele processo pelo qual um ato apto a se tornar consciente — que pertence ao sistema *Pcs* — é tornado inconsciente, ou seja, é empurrado de volta ao sistema *Ics*. Também chamamos de repressão o que ocorre quando o ato psíquico inconsciente nem sequer é admitido no vizinho sistema pré-consciente, e sim rechaçado no limiar deste pela censura. O conceito da repressão não guarda, portanto, nenhuma relação com a sexualidade — guardem bem isso, por favor. Ele designa um processo puramente psicológico, mais bem caracterizado se o chamarmos de *topológico*.

22. CONSIDERAÇÕES SOBRE DESENVOLVIMENTO E REGRESSÃO. ETIOLOGIA

O que queremos dizer com isso é que está vinculado às regiões psíquicas que supomos, ou, se dispensarmos essa tosca noção auxiliar, à construção do aparelho psíquico a partir de sistemas psíquicos separados.

Pela via da comparação proposta, damo-nos conta de que a palavra "regressão" não foi até aqui utilizada em seu significado geral, e sim numa acepção bastante especial. Se os senhores atribuírem a ela seu significado mais geral — o do retorno de um estágio superior a outro, inferior, do desenvolvimento —, também a repressão estará subordinada a ela, uma vez que a repressão pode ser igualmente descrita como retorno a um estágio anterior e mais profundo do desenvolvimento de um ato psíquico. Para nós, todavia, não importa esse movimento para trás, uma vez que chamamos repressão também, no sentido *dinâmico*, quando um ato psíquico é retido no estágio mais baixo do inconsciente. Repressão é, portanto, um conceito topológico-dinâmico, ao passo que regressão é puramente descritivo. O que, porém, até o momento chamamos de regressão e relacionamos à fixação diz respeito apenas ao retorno da libido a estações anteriores de seu desenvolvimento, algo essencialmente diferente e independente do de repressão. Tampouco podemos caracterizar a regressão da libido como um processo puramente psíquico, e não sabemos que localização atribuir a ela no aparelho psíquico. Ainda que ela exerça a mais poderosa influência na vida psíquica, seu fator mais saliente é o orgânico.

Discussões como essas, meus senhores, devem soar um tanto áridas. Voltemo-nos para a clínica, a fim de

III TEORIA GERAL DAS NEUROSES

encontrar usos mais expressivos para elas. Como sabem, a histeria e a neurose obsessiva são os dois representantes principais do grupo das neuroses de transferência. Embora a histeria apresente uma regressão da libido aos objetos sexuais primários e incestuosos, e o faça com grande regularidade, nela não há regressão a um estágio anterior da organização sexual. Em compensação, cabe à repressão o papel principal no mecanismo da histeria. Se me for permitido completar com uma construção [teórica] o nosso atual conhecimento seguro sobre essa neurose, eu descreveria a questão da seguinte forma: a unificação dos instintos parciais sob o primado dos genitais se completou, mas seus resultados deparam com a resistência do sistema pré-consciente, vinculado à consciência. Assim, a organização genital vale para o inconsciente, mas não igualmente para o pré-consciente, e essa rejeição por parte do pré-consciente produz um quadro que exibe certas semelhanças com o estado anterior ao primado dos genitais. Mas ele é algo inteiramente diferente, afinal.

Das duas regressões da libido, a que mais chama a atenção é a do retorno a uma fase anterior da organização sexual. Como, porém, ela não ocorre na histeria — e toda a nossa concepção das neuroses encontra-se ainda em vasta medida sob a influência do estudo da histeria, que precedeu os demais —, o significado da regressão da libido só se tornou claro, para nós, muito depois do da repressão. Estejamos preparados para o fato de que nossos pontos de vista experimentarão ainda outras ampliações e reavaliações, quando pudermos

22. CONSIDERAÇÕES SOBRE DESENVOLVIMENTO E REGRESSÃO. ETIOLOGIA

incluir em nossas considerações, além da histeria e da neurose obsessiva, as outras neuroses, as narcisistas.

Na neurose obsessiva, pelo contrário, a regressão da libido ao estágio preliminar da organização sádico-anal é o que chama mais a atenção, e o fato decisivo para o que os sintomas manifestam. O impulso amoroso é obrigado, então, a mascarar-se de impulso sádico. A ideia obsessiva "eu gostaria de te matar" nada mais significa, no fundo, que "eu gostaria de desfrutar do amor em ti", se despojada de certos acréscimos que não são casuais, mas imprescindíveis. Considerem, além disso, que simultaneamente houve uma regressão objetal, de forma que tais impulsos se dirigem apenas às pessoas que nos são próximas e queridas, e poderão ter uma ideia do horror que essas ideias obsessivas despertam no doente, assim como da estranheza com que surgem para a percepção consciente. Mas também a repressão constitui parte significativa do mecanismo dessas neuroses, o que, porém, não é fácil expor numa introdução breve como a nossa. Regressão da libido sem repressão jamais resultaria em neurose, e sim em perversão. Nisso notam os senhores que a repressão é o processo mais peculiar à neurose, e o que melhor a caracteriza. Talvez eu venha a ter oportunidade de lhes dizer o que sabemos sobre o mecanismo das perversões, e todos poderão ver, então, que também aí nada é tão simples como gostaríamos de "construir".

Meus senhores, penso que as explicações que acabaram de ouvir acerca da fixação e da regressão lhes parecerão mais aceitáveis se as tomarem como preparação

III TEORIA GERAL DAS NEUROSES

para o estudo da etiologia das neuroses. A esse respeito, fiz-lhes uma única afirmação, a saber: que as pessoas se tornam neuróticas quando privadas da possibilidade de satisfazer sua libido — adoecem, pois, em virtude da "frustração", como me exprimi — e que seus sintomas são os substitutos da satisfação frustrada. É claro que isso não significa que toda frustração da satisfação libidinal torna neurótico aquele que a sofre, mas apenas que, em todos os casos de neurose examinados, o fator da frustração era demonstrável. Portanto, essa tese não é reversível. Os senhores terão compreendido também que a afirmação acima não pretende desvendar todo o segredo da etiologia das neuroses, mas apenas enfatizar uma precondição importante e indispensável.

É difícil saber se, para dar prosseguimento à discussão dessa tese, devemos nos voltar para a natureza da frustração ou para a singularidade daquele a quem ela atinge. É muito raro que a frustração seja completa e absoluta; para ter efeito patogênico, é necessário que ela atinja aquele tipo único de satisfação que a pessoa deseja, o único de que ela é capaz. Em geral, há muitos caminhos que possibilitam suportar a privação da satisfação libidinosa sem que se adoeça por causa dela. Acima de tudo, conhecemos pessoas capazes de absorver tal privação sem consequências danosas. Elas não são felizes, o anseio as atormenta, mas não adoecem. Além disso, temos de levar em consideração que precisamente os impulsos sexuais apresentam extraordinária *plasticidade*, se posso dizê-lo dessa maneira. Um pode substituir o outro ou assumir sua intensidade; se a satis-

22. CONSIDERAÇÕES SOBRE DESENVOLVIMENTO E REGRESSÃO. ETIOLOGIA

fação de um deles é frustrada pela realidade, a de outro pode proporcionar plena compensação. Eles se relacionam entre si como uma rede de canais intercomunicantes cheios de líquido, e isso a despeito de sua submissão ao primado dos genitais, o que não é tão fácil de conciliar numa representação. Além disso, os impulsos parciais da sexualidade, assim como a tendência sexual que deles resulta, exibem grande capacidade de mudar de objeto, de substituir um objeto por outro, ou seja, trocá-lo por algum que seja mais facilmente alcançável. Essas mobilidade e disposição de acolher um sucedâneo hão de contrariar poderosamente o efeito patogênico da frustração. Entre esses processos que protegem contra o adoecimento em virtude da privação, um em particular ganhou especial importância cultural. Nele, a aspiração sexual abre mão de sua meta voltada para o prazer parcial ou para o desejo de reprodução em favor de outra, geneticamente relacionada com a anterior, mas que já não pode ser chamada de sexual, e sim de social. Chamamos a esse processo de "sublimação", submetendo-nos à avaliação geral que situa metas sociais acima das sexuais, fundamentalmente egoístas. A sublimação é, incidentalmente, apenas um caso especial do apoio das tendências em outras, não sexuais. Ainda falaremos dela em outro contexto.

Os senhores terão a impressão de que, graças a todos esses meios que possibilitam suportá-la, a privação é reduzida à insignificância. Mas não, ela mantém seu poder patogênico. Em geral, os meios contrários não são suficientes. O montante de libido insatisfeita que os seres

III TEORIA GERAL DAS NEUROSES

humanos podem medianamente suportar é limitado. A plasticidade ou livre mobilidade da libido não é plenamente conservada em todas as pessoas, e a sublimação só consegue dar conta de determinada fração da libido, aparte o fato de muitas pessoas serem contempladas com uma capacidade apenas reduzida de sublimação. A mais importante dessas limitações é evidentemente a da mobilidade da libido, uma vez que ela torna a satisfação do indivíduo dependente da obtenção de um número bastante reduzido de metas e objetos. Basta lembrar que um desenvolvimento incompleto da libido deixa para trás numerosas e, eventualmente, variadas fixações libidinais em fases anteriores da organização e da busca objetal, em sua maioria incapazes de real satisfação, e os senhores reconhecerão na fixação libidinal o segundo fator poderoso a causar o adoecimento, juntamente com a frustração. De maneira abreviada e esquemática, os senhores podem dizer que a fixação libidinal representa o fator interno predisponente, e a frustração, o fator acidental, externo, na etiologia das neuroses.

Aproveito aqui a oportunidade para adverti-los a não tomar partido em uma disputa inteiramente supérflua. Na atividade científica, é comum tomar uma parte da verdade, situá-la no lugar do todo e, em prol dessa parte, combater o restante, que não é menos verdadeiro. Dessa maneira, várias orientações já divergiram do movimento psicanalítico. Uma delas reconhece apenas os instintos egoístas e renega os sexuais; outra considera apenas a influência das tarefas reais da vida, mas ignora o passado do indivíduo, e assim por diante. Também

22. CONSIDERAÇÕES SOBRE DESENVOLVIMENTO E REGRESSÃO. ETIOLOGIA

aqui há agora o ensejo para semelhante oposição e controvérsia: são as neuroses enfermidades *exógenas* ou *endógenas*, a consequência inevitável de certa constituição ou o produto de determinadas experiências vitais danosas (traumáticas)? Em particular, são provocadas pela fixação libidinal (e pelo restante da constituição sexual) ou pela pressão da frustração? A mim, esse dilema não parece mais sábio do que outro que eu poderia lhes propor: a criança é gerada pelo pai ou concebida pela mãe? As duas condições são igualmente imprescindíveis, responderão os senhores com razão. Na causação da neurose, a relação não é exatamente a mesma, mas é muito parecida. Tratando-se do exame de suas causas, os casos de adoecimento neurótico dispõem-se numa série, no interior da qual os dois fatores — constituição sexual e vivências, ou, se quiserem, fixação libidinal e frustração — encontram-se representados de maneira que, crescendo a participação de um deles, a do outro diminui. Nas duas pontas dessa série estão os casos extremos, dos quais os senhores podem afirmar com convicção: o que quer que tenham vivido e por mais que a vida tenha cuidado de poupá-las, essas pessoas teriam adoecido de qualquer maneira, em virtude do desenvolvimento singular de sua libido. Na outra ponta estão os casos em que os senhores teriam de julgar o contrário: essas pessoas com certeza teriam escapado da doença, se a vida não as tivesse posto nessa ou naquela situação. Nos demais casos do interior da série, um grau maior ou menor de pré-disposição da constituição sexual se junta a um grau menor ou maior de exigências danosas

III TEORIA GERAL DAS NEUROSES

colocadas pela vida. A constituição sexual dessas pessoas não as teria tornado neuróticas se elas não tivessem passado por tais vivências; e essas não teriam produzido efeito traumático se as condições da libido tivessem sido outras. Nessa série, eu talvez possa atribuir peso algo maior para a pré-disposição e seus fatores, mas também essa atribuição depende de até onde os senhores estão inclinados a estender as fronteiras da doença nervosa.

Meus senhores, eu lhes sugiro caracterizar séries assim como *séries* complementares, e quero já avisá-los de que teremos oportunidade de estabelecer outras séries semelhantes.

A tenacidade com que a libido se prende a determinadas orientações e objetos — sua *viscosidade*, por assim dizer — parece-nos um fator autônomo, variável de indivíduo para indivíduo, cujos determinantes desconhecemos por completo e cujo significado para a etiologia das neuroses não mais subestimaremos. Tampouco devemos superestimar, porém, a intimidade dessa relação. Uma "viscosidade" similar da libido ocorre também — por razões desconhecidas e sob numerosas condições — nas pessoas normais e é considerada fator determinante naqueles que, em certo sentido, são o oposto dos neuróticos: os pervertidos. Já em época anterior à psicanálise sabia-se (Binet) que muitas vezes, na anamnese dos pervertidos, é encontrada uma impressão bastante precoce de orientação instintual ou escolha objetal anormal, à qual a libido da pessoa se prendeu por toda a vida. Com frequência, não se sabe o que tornou essa impressão capaz de exercer atração tão intensa sobre a libido. Vou

22. CONSIDERAÇÕES SOBRE DESENVOLVIMENTO E REGRESSÃO. ETIOLOGIA

lhes relatar um caso desse tipo que eu mesmo observei. Um homem, para o qual hoje os genitais e demais atrativos da mulher nada significam e a quem somente um pé, calçado e de determinado formato, é capaz de excitar de maneira irresistível, lembra-se de uma experiência vivida aos seis anos de idade, que foi decisiva para a fixação de sua libido. Ele estava sentado em um banco ao lado da professora particular com a qual tinhas aulas de inglês. Naquele dia, a professora, uma senhorita já de alguma idade, seca, nada bonita, com olhos de um azul-pálido e nariz arrebitado, estava com o pé machucado, razão pela qual o havia calçado com uma pantufa de veludo e agora, com a perna esticada, repousava-o sobre uma poltrona; a perna em si encontrava-se coberta com a máxima decência. O pé magro e cheio de nervos, como o da professora de outrora, tornou-se então, depois de uma tímida tentativa de prática sexual normal na puberdade, seu único objeto sexual; seu arrebatamento não conhecia resistência se, ao pé, se associavam outras características reminiscentes da professora de inglês. Essa fixação da libido, no entanto, não fez dele um neurótico, e sim um pervertido — um fetichista do pé, como dizemos. Os senhores podem ver, portanto, que, embora a fixação desmesurada e, ademais, precoce da libido seja imprescindível para a causação da neurose, sua esfera de atuação ultrapassa em muito o âmbito das neuroses. Mas também essa condição, por si só, é tão pouco decisiva quanto a frustração, mencionada anteriormente.

O problema da causação das neuroses parece complicar-se, portanto. De fato, a investigação psicanalítica nos dá a conhecer um outro fator, não considerado em nossa série etiológica e que reconhecemos melhor naqueles casos em que o bem-estar do indivíduo é de súbito perturbado pelo adoecimento neurótico. Nessas pessoas, encontramos regularmente sinais de uma disputa entre desejos ou, como costumamos dizer, de um *conflito* psíquico. Uma parte da personalidade representa certos desejos, enquanto a outra se volta contra eles e os rechaça. Sem esse conflito, não há neurose. Isso não nos pareceria nada de especial. Os senhores sabem que nossa vida psíquica é movida por incessantes conflitos, que cabe a nós resolver. Sem dúvida, condições especiais precisam ser preenchidas para que tal conflito se torne patogênico. Devemos perguntar que condições são essas, entre quais poderes psíquicos se desenvolvem tais conflitos patogênicos, que relação com os demais fatores causadores da neurose tem esse conflito.

Espero ser capaz de lhes dar respostas satisfatórias para essas perguntas, ainda que elas sejam breves e esquemáticas. O conflito é provocado pela frustração, pois a libido, privada de sua satisfação, é levada a buscar outros objetos e caminhos. Ele tem por condição o fato de esses caminhos e objetos suscitarem desgosto em uma parte da personalidade, o que resulta em um veto que primeiramente impossibilita o novo modo de satisfação. Parte daí o caminho que conduz à formação do sintoma, que acompanharemos mais adiante. As tendências libidinais repelidas conseguem se impor por caminhos indiretos, mas não sem levar em conta a objeção, através de certas desfigurações e atenuações. Os

22. CONSIDERAÇÕES SOBRE DESENVOLVIMENTO E REGRESSÃO. ETIOLOGIA

desvios tomados são os caminhos da formação do sintoma; os sintomas são a satisfação nova ou substitutiva, que se tornou necessária devido à frustração.

Pode-se também expressar adequadamente o significado do conflito psíquico dizendo que à frustração *exterior* deve-se somar, para que tenha efeito patogênico, a frustração *interior*. Frustrações exterior e interior referem-se, naturalmente, a diversos caminhos e objetos. A frustração exterior retira uma possibilidade de satisfação; a interior deseja excluir outra possibilidade, e em torno desta irrompe, então, o conflito. Dou preferência a essa forma de expressão, porque ela tem um teor oculto: aponta para a probabilidade de que os impedimentos internos, na pré-história do desenvolvimento humano, tenham se originado de obstáculos externos reais.

Mas quais são os poderes de que parte a objeção à tendência libidinal, qual o outro partido no conflito patogênico? Dizendo-o de forma bastante genérica, são as forças instintuais não sexuais. Nós as reunimos sob a designação "instintos do Eu". A psicanálise das neuroses de transferência não nos dá acesso a eles, que nos permita decompô-los; no máximo, deles tomamos conhecimento, em alguma medida, através das resistências que se opõem à análise. O conflito patogênico é, pois, um conflito entre os instintos do Eu e os instintos sexuais. Em toda uma série de casos, é como se ele pudesse também ser um conflito entre diversas tendências puramente sexuais; mas isso, no fundo, significa a mesma coisa, uma vez que, das duas tendências sexuais em conflito, uma sempre é conforme ao Eu, por assim di-

III TEORIA GERAL DAS NEUROSES

zer, enquanto a outra requer que ele se defenda. Permanece, portanto, um conflito entre o Eu e a sexualidade.

Meus senhores! Com muita frequência, quando a psicanálise afirmou que um evento psíquico era obra dos instintos sexuais, foi-lhe apontado, numa postura de irritada defesa, que o ser humano não consiste apenas de sexo, que na vida psíquica há também instintos e interesses não sexuais, que não é possível derivar "tudo" da sexualidade e assim por diante. Ora, é uma grande alegria estar de acordo com os adversários ao menos uma vez. A psicanálise jamais se esqueceu de que também existem forças instintuais não sexuais; ela se construiu com base na clara separação entre os instintos sexuais e os instintos do Eu e, ante todas as objeções, sempre afirmou que as neuroses têm sua origem no conflito entre o Eu e a sexualidade, e não que provêm da sexualidade. Ao examinar o papel dos instintos sexuais na enfermidade e na vida, ela não tem nenhum motivo concebível para negar a existência ou a importância dos instintos do Eu. Apenas foi seu destino ocupar-se principalmente dos instintos sexuais, porque as neuroses de transferência os tornaram mais rapidamente acessíveis à compreensão e porque lhe coube, assim, estudar o que outros haviam negligenciado.

Também não é correto afirmar que a psicanálise não se ocupou da parte não sexual da personalidade. Precisamente a separação entre Eu e sexualidade nos permitiu ver com particular clareza que também os instintos do Eu passam por um importante desenvolvimento, que não é nem totalmente independente do da libido nem

22. CONSIDERAÇÕES SOBRE DESENVOLVIMENTO E REGRESSÃO. ETIOLOGIA

desprovido de efeito contrário a ela. Não obstante, sabemos muito menos acerca do desenvolvimento do Eu que sobre o da libido, e isso porque apenas o estudo das neuroses narcisistas promete uma compreensão do edifício do Eu. Mas já temos uma notável tentativa, por parte de Ferenczi, de reconstruir teoricamente os estágios de desenvolvimento do Eu, e em pelo menos dois pontos logramos obter sólidas bases para a avaliação desse desenvolvimento. Não acreditamos que os interesses libidinais de uma pessoa estejam, já de início, em oposição a seus interesses de autoconservação; a cada estágio, isto sim, o Eu se esforçará para permanecer em harmonia com sua organização sexual daquele tempo e enquadrar-se nela. É provável que a sucessão das diferentes fases no desenvolvimento da libido obedeçam a um programa predeterminado, mas não se pode descartar a possibilidade de o Eu exercer influência nesse processo, e seria lícito prever a existência de certo paralelismo, de certa equivalência entre as fases de desenvolvimento do Eu e da libido; a perturbação de tal equivalência poderia mesmo constituir um fator patogênico. Uma importante consideração para nós seria, então, examinar como se comporta o Eu quando sua libido deixa para trás, em algum ponto de seu desenvolvimento, uma forte fixação. Ele pode admiti-la e se tornar, assim, em medida correspondente, perverso ou — o que significa a mesma coisa — infantil. Mas ele pode também se comportar de forma contrária a essa fixação libidinal, caso em que o Eu sofre uma *repressão* onde a libido experimentou uma *fixação*.

III TEORIA GERAL DAS NEUROSES

Chegamos, assim, ao conhecimento de que o terceiro fator da etiologia das neuroses, a *propensão ao conflito*, depende do desenvolvimento tanto do Eu como da libido. Completou-se, portanto, nossa percepção daquilo que causa as neuroses: em primeiro lugar, como precondição mais geral, a frustração; em segundo, a fixação da libido, que a impele em determinadas direções; e, em terceiro, a propensão ao conflito do desenvolvimento do Eu, que rejeitou tais impulsos libidinais. A questão não é, pois, tão confusa e impenetrável como deve ter parecido aos senhores no curso de minhas explicações. E, no entanto, logo veremos que o assunto não está encerrado. Precisamos ainda acrescentar um elemento novo e dar prosseguimento à análise de outro, já conhecido.

A fim de demonstrar aos senhores a influência do desenvolvimento do Eu na construção do conflito — e, portanto, na causação das neuroses —, eu gostaria de lhes apresentar um exemplo que, embora fictício, em nenhum ponto se distancia da realidade. Apoiando-me no título de uma farsa de Nestroy, quero designá-lo como "No térreo e no primeiro andar". No térreo mora o zelador; no primeiro andar, o dono do prédio, um homem rico e nobre. Os dois têm filhas mulheres, e vamos supor que, sem qualquer vigilância, seja permitido à filha pequena do dono da casa brincar com a filha do proletário. Não é difícil, pois, acontecer de as brincadeiras das duas crianças assumirem um caráter impertinente, ou seja, sexual, e que elas venham a brincar de "papai e mamãe", observando uma à outra em seus afazeres íntimos e estimulando-se nos genitais. A filha do zelador, que,

22. CONSIDERAÇÕES SOBRE DESENVOLVIMENTO E REGRESSÃO. ETIOLOGIA

a despeito dos cinco ou seis anos de idade, já pôde observar algo da sexualidade dos adultos, pode assumir o papel da sedutora. Mesmo que não se estendam por muito tempo, essas experiências bastam para ativar certos impulsos sexuais nas duas crianças, os quais, ainda que as brincadeiras conjuntas não mais aconteçam, seguem se manifestando ao longo de alguns anos por meio da masturbação. Terminam aqui as vivências em comum; o resultado final para as duas crianças será bem diferente. A filha do zelador seguirá se masturbando até, talvez, sua primeira menstruação, depois abandonando essa prática sem dificuldade; poucos anos mais tarde, encontrará um amor, talvez tenha um filho; seguirá este ou aquele caminho na vida, talvez venha a se tornar uma artista famosa e, por fim, uma aristocrata. É provável que seu destino venha a ser menos brilhante, mas, de todo modo, ela viverá sua vida livre de neuroses, sem que o exercício precoce da sexualidade venha a lhe causar dano nenhum. Algo diferente se dará com a menina do dono do prédio. Esta, ainda criança, será acometida do sentimento precoce de que fez alguma coisa errada e, em pouco tempo, talvez em seguida a uma dura batalha, abandonará a satisfação propiciada pela masturbação; carregará consigo, porém, um sentimento de opressão. Quando, nos anos da mocidade, já estiver em condições de aprender algo sobre as relações sexuais humanas, ela as repudiará com inexplicável repugnância e preferirá permanecer ignorante. É provável que ela se veja agora sujeita a um renovado e incontrolável ímpeto masturbatório, do qual não ousará queixar-se. Na época em que,

III TEORIA GERAL DAS NEUROSES

como mulher, deverá se interessar por um homem, irromperá nela a neurose, que lhe privará do casamento e da esperança na vida. Se, mediante a análise, adquirirmos compreensão dessa neurose, veremos que essa moça bem-educada, inteligente e de elevadas aspirações reprimiu por completo seus impulsos sexuais, mas que esses, inconscientes para ela, permaneceram presos àquelas parcas vivências com a amiguinha de infância.

A diversidade dos dois destinos, não obstante a experiência comum, deve-se ao fato de o Eu ter, em um caso, experimentado um desenvolvimento que, no outro, não se verificou. À filha do zelador, a atividade sexual parece, mais tarde, tão natural e inofensiva como havia sido na infância. A filha do senhorio, por sua vez, sofreu a influência da educação e aceitou suas exigências. A partir das incitações que lhe ofereceram, seu Eu construiu ideais de pureza e ascetismo femininos com os quais a prática sexual não se coaduna; sua formação intelectual diminuiu seu interesse pelo papel feminino ao qual está destinada. Em virtude desse maior desenvolvimento moral e intelectual de seu Eu, ela entrou em conflito com as exigências de sua sexualidade.

Hoje, quero ainda me deter em um segundo ponto do desenvolvimento do Eu, tanto em razão de certas perspectivas mais amplas como porque isso é apropriado para justificar a separação entre os instintos do Eu e os instintos sexuais, uma separação que nos é cara, mas que não é evidente. Na apreciação desses desenvolvimentos, do Eu e da libido, devemos enfatizar um aspecto que até o momento não foi tratado com muita frequência. No

22. CONSIDERAÇÕES SOBRE DESENVOLVIMENTO E REGRESSÃO. ETIOLOGIA

fundo, esses dois desenvolvimentos constituem heranças, repetições abreviadas do desenvolvimento que toda a humanidade experimentou desde seus primórdios e ao longo de um vasto período de tempo. No desenvolvimento da libido, penso, vê-se claramente essa origem *filogenética*. Lembrem-se os senhores de que numa classe de animais o aparelho genital apresenta íntima relação com a boca, ao passo que, em outra, não é possível diferenciá-lo do aparelho excretor e, em outra ainda, ele está vinculado aos órgãos motores — fatos que os senhores acharão descritos de forma atraente no valioso livro de W. Bölsche.* Entre os animais, vemos todos os tipos de perversão petrificados na organização sexual, por assim dizer. Já no ser humano, esse aspecto filogenético é em parte encoberto pelo fato de o que é herdado, no fundo, voltar a ser adquirido no desenvolvimento individual, provavelmente porque ainda persistem, e seguem atuando sobre cada um, as mesmas condições que naquele tempo levaram à sua aquisição. Eu diria que naquele tempo elas atuaram criativamente, mas agora agem provocadoramente. Além disso, é indubitável que em cada um de nós o curso desse desenvolvimento prescrito pode ser perturbado e alterado por influências exteriores recentes. Mas nós conhecemos o poder que impôs semelhante desenvolvimento à humanidade, e que ainda hoje pressiona na mesma direção; é, de novo, a frustração ditada pela realidade, ou, se quisermos chamá-la por

---

* *Das Liebesleben in der Natur* [A vida amorosa na natureza], 2 vols., Jena, 1911-3.

III TEORIA GERAL DAS NEUROSES

seu nome correto e grandioso, a *necessidade* que domina a vida: a Άνάγκη [*Ananke*]. Ela foi uma educadora severa e fez muita coisa de nós. Os neuróticos estão entre as crianças em que tal severidade teve consequências ruins, mas esse é o risco de toda educação. — De resto, essa consideração da necessidade vital como motor do desenvolvimento não deve nos predispor contra a importância das "tendências internas de desenvolvimento", caso estas se verifiquem.

É digno de nota que os instintos sexuais e de autoconservação não se comportem da mesma maneira diante da necessidade real. É mais fácil educar os instintos de autoconservação e tudo o que se relaciona a eles. Esses instintos aprendem logo cedo a se sujeitar à necessidade e organizar seus desenvolvimentos segundo as diretivas da realidade. Isso é compreensível, pois não têm outro modo de conseguir os objetos de que necessitam, e sem esses objetos o indivíduo só pode perecer. Os instintos sexuais são mais difíceis de educar, pois inicialmente não conhecem a necessidade de um objeto. Como, à maneira de parasitas, por assim dizer, eles se apoiam nas outras funções corporais e se satisfazem autoeroticamente no próprio corpo, furtam-se de início à influência educativa da necessidade real, e mantêm essa característica de obstinação, de impermeabilidade à influência (isso que chamamos "falta de juízo") na maioria das pessoas, em algum aspecto, ao longo de toda a vida. Em geral, a educabilidade de um jovem termina quando suas necessidades sexuais despertam de forma plena e definitiva. Os educadores sabem disso e agem

22. CONSIDERAÇÕES SOBRE DESENVOLVIMENTO E REGRESSÃO. ETIOLOGIA

de acordo com esse saber. Mas talvez os resultados da psicanálise os levem a situar o impacto maior da educação nos primeiros anos da infância, a partir da amamentação. Com frequência, aos quatro ou cinco anos de idade o pequeno ser humano está pronto, e depois apenas evidencia gradualmente o que já traz dentro de si.

A fim de apreciar o pleno significado da diferença apontada entre os dois grupos de instintos, temos de retroceder bastante e retomar uma daquelas considerações que são adequadamente chamadas de *econômicas* [cf. conferência 18]. Adentramos, assim, uma das áreas mais importantes, mas infelizmente mais obscuras também, da psicanálise. Começamos por perguntar se é possível identificar uma intenção principal no trabalho de nosso aparato psíquico e, em uma primeira abordagem, respondemos que essa intenção é a obtenção de prazer. Ao que parece, toda a nossa atividade psíquica está voltada para obter o prazer e evitar o desprazer, é automaticamente regulada pelo *princípio do prazer*. Por certo, gostaríamos muitíssimo de saber quais as condições para o surgimento do prazer e do desprazer, mas justamente isso nos escapa. O que podemos afirmar a esse respeito é que o prazer se vincula *de alguma forma* à diminuição, redução ou à extinção do montante de estímulos presente no aparato psíquico, enquanto o desprazer está ligado à sua elevação. A investigação do mais intenso prazer ao alcance do ser humano — o da consumação do ato sexual — deixa pouca dúvida quanto a isso. Como, nesses processos relacionados ao prazer, a questão é o que sucede com as *quantidades* de excitação ou energia psí-

III TEORIA GERAL DAS NEUROSES

quica, chamamos de *econômicas* as considerações dessa natureza. Notamos que a tarefa e a operação do aparelho psíquico também podem ser descritas de outra forma, mais genérica, que não acentua a obtenção de prazer. Podemos dizer que o aparato psíquico serve à intenção de dominar e resolver os montantes de estímulo, as magnitudes de excitação que lhe chegam de fora e de dentro. No caso dos instintos sexuais, é bastante evidente que, tanto no início como no fim de seu desenvolvimento, eles trabalham para a obtenção de prazer; essa função original eles conservam inalterada. Inicialmente, também os outros instintos, os do Eu, procuram a mesma coisa. Mas, sob a influência da mestra Necessidade, eles logo aprendem a substituir o princípio do prazer por uma modificação. Para os instintos do Eu, a tarefa de evitar o desprazer é quase tão valiosa como a da obtenção de prazer; o Eu descobre que terá inevitavelmente de renunciar à satisfação imediata, de postergar a obtenção de prazer, de suportar alguma medida de desprazer e abrir mão por completo de certas fontes de prazer. Educado dessa maneira, o Eu se torna "ajuizado" e não mais se deixa dominar pelo princípio do prazer; em vez disso, obedece ao *princípio da realidade*, o qual, no fundo, também busca obter prazer, mas um prazer assegurado pela consideração da realidade, ainda que se trate de um prazer adiado e diminuído.

A passagem do princípio do prazer ao princípio da realidade é um dos progressos mais importantes no desenvolvimento do Eu. Já sabemos que os instintos sexuais só tardiamente e a contragosto colaboram para esse desenvolvimento, e, mais adiante, trataremos das consequências que tem, para o ser humano, o fato de sua sexualidade se contentar com uma relação tão frouxa com a realidade exterior. Agora, para terminar, uma última observação pertinente ao assunto. Se o Eu humano possui, como a libido, uma história evolutiva, os senhores não ficarão surpresos de ouvir que também existem "regressões do Eu", e por certo desejarão saber que papel esse retorno do Eu a fases anteriores do desenvolvimento pode ter nos adoecimentos neuróticos.

23. OS CAMINHOS DA FORMAÇÃO DE SINTOMAS

Senhoras e senhores: Para o leigo, os sintomas constituem a essência da enfermidade, e a cura é, para ele, a eliminação dos sintomas. Para o médico, importa diferenciar os sintomas da doença, e a remoção dos sintomas, afirma ele, ainda não é a cura da doença. Eliminados os sintomas, porém, o que resta de palpável na doença é apenas a capacidade de formar novos sintomas. Por isso, vamos adotar no momento a posição do leigo e considerar que a averiguação dos sintomas equivale à compreensão da doença.

Os sintomas — e referimo-nos aqui, naturalmente, aos sintomas psíquicos (ou psicogênicos) e à doença psíquica — são atos prejudiciais à vida como um todo, ou pelo menos inúteis, dos quais frequentemente a pessoa se queixa como algo indesejado e que traz sofrimento

III TEORIA GERAL DAS NEUROSES

ou desprazer. O principal dano que causam é o custo psíquico que envolvem, além daquele necessário para combatê-lo. Havendo pródiga formação de sintomas, esses dois custos podem resultar num extraordinário empobrecimento da energia psíquica disponível e, assim, numa paralisação do enfermo, no tocante às tarefas importantes de sua vida. Como esse resultado depende sobretudo da *quantidade* de energia requerida, os senhores perceberão com facilidade que "estar doente" é, na essência, um conceito prático. Mas se os senhores adotarem um ponto de vista teórico e não levarem em conta essas quantidades, poderão facilmente dizer que *todos* nós somos doentes, ou seja, neuróticos, pois as condições para a formação de sintomas se verificam também nas pessoas normais.

Já sabemos que os sintomas neuróticos resultam de um conflito que surge em torno de uma nova maneira de satisfação da libido. As duas forças que divergiram tornam a se encontrar no sintoma, reconciliam-se, por assim dizer, mediante compromisso da formação do sintoma. Por isso o sintoma é tão resistente; ele é sustentado por ambos os lados. Sabemos também que uma das partes do conflito é a libido insatisfeita, rechaçada pela realidade, que agora tem de buscar outros caminhos para sua satisfação. Se a libido se dispõe a aceitar outro objeto no lugar daquele que lhe foi recusado e, ainda assim, a realidade permanece irredutível, então a libido será enfim obrigada a encetar o caminho da regressão e procurar satisfação em uma das organizações já superadas ou por um dos objetos anteriormente

23. OS CAMINHOS DA FORMAÇÃO DE SINTOMAS

abandonados. Para o caminho da regressão a libido é atraída pela fixação que deixou para trás, nesses pontos de seu desenvolvimento.

Então o caminho da perversão se separa nitidamente daquele da neurose. Se as regressões não despertam a oposição do Eu, tampouco há neurose, e a libido alcança alguma satisfação real, embora não mais normal. Mas se o Eu — que dispõe não apenas da consciência, mas também dos acessos à inervação motora e, portanto, à realização das tendências psíquicas — não está de acordo com essas regressões, instaura-se o conflito. A libido é como que barrada e precisa fugir para algum lugar onde possa dar vazão à energia investida, conforme a exigência do princípio do prazer. Tem de subtrair-se ao Eu. Tal escapatória lhe é permitida pelas fixações no caminho de seu desenvolvimento, que agora ela segue regressivamente; trata-se daquelas mesmas fixações contra as quais o Eu, outrora, se protegera mediante repressões. Nesse fluxo inverso, investindo essas posições reprimidas, a libido se subtrai ao Eu e suas leis, mas renuncia também a toda educação adquirida sob a influência desse Eu. Enquanto a satisfação lhe acenava, ela era dócil, mas, sob a dupla pressão das frustrações exterior e interior, ela se torna rebelde e se lembra de tempos passados e melhores. Tal é seu caráter, fundamentalmente imutável. As ideias às quais a libido agora transfere sua energia, sob a forma de investimento, pertencem ao sistema do inconsciente e estão sujeitas aos processos possíveis neste, em particular à condensação e ao deslocamento. Com isso, estabelecem-se condições idênticas àquelas vigentes na formação dos sonhos. Assim como o sonho completado no inconsciente, que é a realização de uma fantasia inconsciente, depara com alguma atividade (pré-)consciente que exerce atividade de censura e, uma vez acomodada, permite a formação de um sonho manifesto como compromisso, também o representante da libido no inconsciente precisa levar em conta o poder do Eu pré-consciente. A oposição que foi erguida contra ele no Eu o persegue como "contrainvestimento" e o obriga a escolher uma expressão que possa, ao mesmo tempo, tornar-se expressão da própria oposição. Surge assim o sintoma, como derivado bastante desfigurado da realização de desejo inconsciente libidinal, uma ambiguidade engenhosamente escolhida, com dois significados mutuamente contraditórios. Mas nesse último aspecto se pode perceber uma diferença entre as formações do sonho e do sintoma, uma vez que, na formação do sonho, a intenção pré-consciente visa unicamente preservar o sono, não permitir que penetre na consciência nada que possa perturbá-lo; ela não insiste, contudo, em dizer um categórico "não" ao impulso inconsciente. Pode ser tolerante, porque a situação de alguém adormecido é menos ameaçada. Por si só, o sono bloqueia a saída para a realidade.

Como veem, a escapada da libido, nas condições do conflito, é possibilitada pela presença das fixações. O investimento regressivo dessas fixações permite contornar a repressão e leva a uma descarga — ou satisfação — da libido, na qual as condições do compromisso precisam ser mantidas. Através do rodeio pelo inconsciente

23. OS CAMINHOS DA FORMAÇÃO DE SINTOMAS

e pelas antigas fixações, a libido consegue enfim avançar rumo a uma satisfação real que, no entanto, é extremamente limitada e já quase irreconhecível. Permitam-me acrescentar duas observações sobre esse resultado final. Em primeiro lugar, atentem para a estreita vinculação que aí revelam, por um lado, a libido e o inconsciente e, por outro, o Eu, a consciência e a realidade, embora já no início não estejam unidos. E observem também que tudo que foi e que será dito aqui se refere apenas à formação dos sintomas na neurose histérica.

Onde, então, a libido encontra as fixações de que necessita para romper as repressões? Nas práticas e vivências da sexualidade infantil, nas tendências parciais abandonadas e nos objetos da infância que foram deixados para trás. É para eles, pois, que a libido retorna. O significado dessa época infantil é duplo: por um lado, nela se mostram pela primeira vez as orientações instintuais que a criança traz consigo em sua predisposição inata; por outro, influências exteriores, vivências acidentais despertam e ativam nela outros instintos seus. Creio não haver dúvida de que temos o direito de postular essa bipartição. Sobre a manifestação da predisposição inata não pesa nenhuma objeção crítica, mas a experiência analítica nos obriga a supor que vivências puramente acidentais da infância podem deixar fixações da libido. Não vejo nisso qualquer dificuldade teórica. As predisposições constitucionais também são, certamente, efeitos remotos das vivências de antepassados, também foram adquiridas um dia; sem tal aquisição não haveria hereditariedade. Será concebível que essa

III TEORIA GERAL DAS NEUROSES

aquisição, que conduz à herança transmitida, acabe justamente na geração por nós considerada? O significado das vivências infantis não deveria, como sói acontecer, ser inteiramente negligenciado em prol da importância daquelas dos antepassados e da maturidade do indivíduo; pelo contrário, devem ter atenção especial. Elas são prenhes de consequências, pois se dão em épocas de desenvolvimento incompleto, e precisamente essa circunstância as torna capazes de produzir efeito traumático. Os trabalhos de Roux e de outros sobre a mecânica do desenvolvimento mostraram-nos que uma picada de agulha em um germe embrionário em pleno processo de divisão celular tem por consequência uma severa perturbação do desenvolvimento. Essa mesma lesão, se infligida a uma larva ou a um animal plenamente constituído, seria suportada sem provocar nenhum dano.

A fixação libidinal do adulto, que introduzimos na equação etiológica das neuroses representando o fator constitucional, decompõe-se agora para nós em dois outros fatores: na constituição herdada e na predisposição adquirida na primeira infância. Sabemos que uma representação esquemática tem a simpatia dos que aprendem. Então vamos resumir essas relações num esquema:

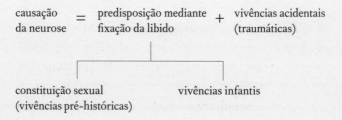

23. OS CAMINHOS DA FORMAÇÃO DE SINTOMAS

A constituição sexual hereditária nos oferece uma grande variedade de predisposições, de acordo com a força particular desse ou daquele instinto parcial, por si só ou em associação com outros instintos parciais. Juntamente com o fator das vivências infantis, a constituição sexual forma uma "série complementar" muito semelhante àquela que vimos anteriormente, composta da disposição e das vivências acidentais do adulto. Aqui como lá, encontram-se os mesmos casos extremos e as mesmas relações entre os fatores presentes. É natural, pois, levantar a seguinte questão: será que as regressões mais evidentes da libido, aquelas a estágios anteriores da organização sexual, não são condicionadas preponderantemente pelo fator hereditário constitucional? Será melhor, porém, adiar a resposta a essa pergunta até podermos considerar uma série maior de formas de adoecimento neurótico.

No momento, detenhamo-nos no fato de que a investigação analítica mostra a vinculação da libido dos neuróticos com as vivências sexuais da infância. A essas vivências, portanto, ela empresta uma aparência de enorme importância, tanto para a vida como para o adoecimento das pessoas. No que diz respeito ao trabalho terapêutico, essas vivências preservam intacta sua importância. Se abstraímos da tarefa terapêutica, no entanto, vemo-nos ante o perigo de um mal-entendido que poderia nos levar a orientar a vida muito unilateralmente conforme a situação neurótica. Afinal, é necessário que descontemos dessa importância das vivências infantis o fato de a libido ter retornado a elas em

III TEORIA GERAL DAS NEUROSES

um movimento *regressivo*, depois de ter sido expulsa de suas posições posteriores. Então é natural a conclusão contrária, ou seja, a de que, a seu tempo, as vivências libidinais não possuíam importância nenhuma: elas a adquiriram somente a partir da regressão. Lembrem-se de que já tomamos posição acerca de tal alternativa na discussão do complexo de Édipo.

Também dessa vez a decisão não será difícil. A observação de que o investimento libidinal — e, portanto, o significado patogênico — das vivências infantis é intensificado em grande medida pela regressão da libido é, sem dúvida, correta, mas, se tomada como a única decisiva, ela poderia conduzir a um equívoco. É preciso atentar para outras ponderações. Em primeiro lugar, a observação põe acima de qualquer dúvida que as vivências infantis têm seu significado particular e já o evidenciam na infância. Também existem neuroses infantis, em que o fator do retrocesso temporal é, necessariamente, bastante reduzido, quando não inexistente, se o adoecimento é consequência imediata das vivências traumáticas. O estudo das neuroses infantis nos guarda de perigosos mal-entendidos no tocante às neuroses dos adultos, da mesma forma como os sonhos das crianças nos forneceram a chave para a compreensão dos sonhos dos adultos. As neuroses infantis são bastante frequentes, muito mais frequentes do que se pensa. Em geral, elas passam despercebidas, tomadas que são como sinais de maldade ou mau hábito e refreadas pelas autoridades responsáveis pelas crianças. Mas é fácil reconhecê-las até mesmo mais tarde, com um olhar retrospectivo. Na

23. OS CAMINHOS DA FORMAÇÃO DE SINTOMAS

maioria das vezes, aparecem sob a forma de uma *histeria de angústia*. O que isso significa, descobriremos em outra oportunidade. Quando, em anos posteriores, a neurose irrompe, em geral a análise a desvenda como continuação imediata daquela doença infantil que se formou talvez de forma velada ou apenas sugerida. Mas, como eu disse, há casos em que esse adoecimento nervoso infantil se prolonga sem qualquer interrupção em uma condição doentia para toda a vida. Poucos são os exemplos de neurose infantil que pudemos analisar na própria criança — isto é, em seu estado presente; com frequência bem maior, tivemos de nos contentar com um doente em idade madura que nos permitiu examinar posteriormente sua neurose infantil, quando pudemos fazer certas correções e tomar algumas precauções.

Em segundo lugar, é necessário dizer que seria incompreensível a libido regressar regularmente à época infantil, se nesse passado nada houvesse a exercer atração sobre ela. A fixação que supomos existir em pontos específicos do curso do desenvolvimento só tem sentido se a fazemos consistir em determinado montante de energia libidinal. Por fim, posso dizer aos senhores que aqui, à semelhança das séries que estudamos anteriormente, também se verifica uma relação de complementaridade entre intensidade e significado patogênico das experiências vividas tanto na infância como mais tarde. Há casos em que todo o peso da causação recai sobre as vivências sexuais da infância, em que essas impressões produzem seguramente um efeito traumático e que não necessitam de nenhum outro suporte senão o que lhes

III TEORIA GERAL DAS NEUROSES

provê a constituição sexual média e seu caráter inacabado. Em outros casos, a ênfase recai inteiramente sobre os conflitos posteriores, e a importância dada às lembranças infantis parece obra apenas da regressão. Temos, portanto, os extremos da "inibição do desenvolvimento" e da "regressão" e, entre um e outro, toda uma gama de atuação conjunta desses dois fatores.

Essas circunstâncias são de algum interesse para a pedagogia que se propõe a prevenir as neuroses mediante a intervenção precoce no desenvolvimento sexual da criança. Quando se volta a atenção preponderantemente para as vivências sexuais infantis, acredita-se ter feito tudo para a profilaxia dos adoecimentos nervosos, na medida em que se tratou de adiar esse desenvolvimento e de poupar a criança de semelhantes experiências. Sabemos, no entanto, que as condições para a causação das neuroses são mais complicadas que isso e que, em seu conjunto, elas não se deixam influenciar pela consideração de um único fator. Proteger com rigor a criança é de pouca valia, devido à impotência dessa proteção em relação ao fator constitucional. Além disso, essa proteção é mais difícil de pôr em prática do que imaginam os educadores e traz consigo dois novos perigos que não podem ser subestimados: o de que ela seja demasiado bem-sucedida, isto é, de que favoreça uma repressão exagerada e danosa para o ulterior desenvolvimento da criança; e o de que torne a criança indefesa ante a esperada investida das demandas sexuais da puberdade. É, pois, questionável em que medida a profilaxia infantil pode ser vantajosa; talvez uma postura diferente dian-

23. OS CAMINHOS DA FORMAÇÃO DE SINTOMAS

te da situação imediata ofereça uma melhor abordagem para a prevenção das neuroses.

Voltemos agora aos sintomas. Eles produzem, portanto, um substituto para a satisfação frustrada, mediante a regressão da libido a épocas passadas; a isso se liga inseparavelmente o retorno a estágios de desenvolvimento anteriores da escolha objetal ou da organização sexual. Dissemos antes que o neurótico se prende a algum ponto de seu passado; sabemos agora que se trata de um período desse passado no qual sua libido não carecia de satisfação, em que ele era feliz. O neurótico vasculha a própria vida até encontrar uma tal época, ainda que, para encontrá-la, precise recuar até seu período de amamentação, como ele o recorda ou como o imagina a partir de sugestões posteriores. De algum modo, o sintoma repete essa modalidade infantil de satisfação, deformada pela censura decorrente do conflito, em regra transformada numa sensação de sofrimento e misturada a elementos extraídos daquilo que ensejou o adoecimento. Há muito de estranho nesse tipo de satisfação que o sintoma propicia. Não nos referimos ao fato de essa satisfação não ser reconhecível como tal por aquele que a sente; este percebe a suposta satisfação antes como sofrimento, do qual se queixa. Essa metamorfose está ligada ao conflito psíquico sob cuja pressão o sintoma foi levado a se formar. O que outrora trouxe satisfação ao indivíduo, hoje desperta-lhe resistência ou aversão. Nós conhecemos um modelo trivial, mas instrutivo, para essa mudança de sentido. A mesma criança que mamou com avidez o leite do seio materno

III TEORIA GERAL DAS NEUROSES

costuma, alguns anos mais tarde, manifestar má vontade ante o consumo de leite, algo que a educação tem dificuldade em superar. Essa má vontade intensifica-se até a repugnância, quando o leite, ou a bebida ao qual ele se mescla, se reveste de uma película de nata. Talvez não se possa descartar a noção de que essa película evoca a lembrança do seio materno, tão desejado outrora. Contudo, entre esse passado e o presente situa-se a experiência do desmame, de efeito traumático.

Mas há ainda outra coisa que faz com que os sintomas nos pareçam estranhos e, como meios de satisfação libidinal, incompreensíveis. Eles não nos lembram em nada aquilo que costumamos entender por satisfação. Na maioria dos casos, desconsideram o objeto e, assim, abandonam o vínculo com a realidade exterior. Entendemos isso como consequência de seu afastamento do princípio da realidade e do retorno ao princípio do prazer. Mas trata-se também de um retorno a uma espécie de autoerotismo expandido, como aquele que proporcionou ao instinto sexual suas primeiras satisfações. Em lugar de uma modificação do mundo exterior, os sintomas apresentam uma modificação corporal, isto é, uma ação interna em vez de externa, uma adaptação em lugar de uma ação, o que, por sua vez, corresponde a uma regressão altamente significativa do ponto de vista filogenético. Isso, nós só lograremos entender em conexão com uma novidade sobre a formação dos sintomas que ainda vamos conhecer a partir das investigações analíticas. E lembremo-nos de que, na formação dos sintomas, colaboram os mesmos processos do inconsciente que atuam

23. OS CAMINHOS DA FORMAÇÃO DE SINTOMAS

na formação dos sonhos: a condensação e o deslocamento. Como o sonho, o sintoma apresenta como realizada uma satisfação; trata-se de uma satisfação à maneira infantil, mas que, por intermédio de uma condensação extrema, pode ser comprimida em uma única sensação ou inervação e, pela via de um extremo deslocamento, pode se restringir a um pequeno detalhe de todo o complexo libidinal. Não admira, pois, que muitas vezes tenhamos dificuldades em reconhecer no sintoma a satisfação libidinal conjecturada e sempre confirmada.

Anunciei aos senhores que tínhamos ainda algo novo a aprender, e é, de fato, algo surpreendente e desconcertante. Como sabem, a partir da análise dos sintomas tomamos conhecimento das vivências infantis em que a libido se fixou e de que são constituídos os sintomas. Pois a surpresa reside no fato de essas cenas infantis nem sempre se revelarem verdadeiras. Com efeito, na maioria dos casos, elas não são verdadeiras e, aqui ou ali, encontram-se mesmo em direta contradição com a verdade histórica. Os senhores percebem que esse achado se presta como nenhum outro a desacreditar a análise que conduziu a semelhante resultado ou os doentes em cujas declarações se baseia a análise e toda a compreensão das neuroses. Além disso, há aí outro elemento muito desconcertante. Se as vivências infantis que a análise traz à luz fossem sempre verdadeiras, teríamos a sensação de nos mover por terreno seguro; se fossem regularmente falseadas e se revelassem como invenções, fantasias dos doentes, precisaríamos abandonar esse terreno instável e buscar salvação em outro.

III TEORIA GERAL DAS NEUROSES

O que se verifica, no entanto, não é nem uma coisa nem outra. Na realidade, pode-se demonstrar que as lembranças infantis construídas ou lembradas em análise são, algumas vezes, indubitavelmente falsas, outras vezes, absolutamente verdadeiras e, outras ainda — ou na maioria das vezes —, uma mescla de lembranças verdadeiras e falsas. Os sintomas são, portanto, ora representação de vivências ocorridas de fato, às quais cabe atribuir influência na fixação da libido, ora representação das fantasias do doente, naturalmente inadequadas para um papel etiológico. É difícil orientar-se aí. Um primeiro ponto de apoio nós encontramos talvez em uma descoberta semelhante, isto é, a de que as lembranças infantis conscientes que as pessoas carregam desde sempre e apresentam em toda análise podem, também elas, ter sido falsificadas ou, no mínimo, constituir abundante mescla de verdadeiro e falso. Comprovar sua incorreção raras vezes oferece dificuldades, o que pelo menos nos dá a tranquilidade de saber que a culpa por essa inesperada decepção não cabe à análise, e sim, de algum modo, aos doentes.

Após alguma reflexão, compreendemos facilmente o que tanto nos confunde nessa situação: é o menosprezo da realidade, a negligência da diferença entre ela e a fantasia. Ficamos tentados a nos ofender com o fato de o doente nos ter relatado histórias inventadas. A realidade nos parece enormemente afastada da invenção, e tem, entre nós, uma avaliação bem diferente. De resto, esse é também o ponto de vista que o doente assume em seu pensamento normal. Mas, quando ele apresenta o ma-

23. OS CAMINHOS DA FORMAÇÃO DE SINTOMAS

terial que, subjacente aos sintomas, conduz às situações de desejo que modelam as lembranças infantis, ficamos em dúvida, inicialmente, se esse material corresponde à realidade ou se é produto da fantasia. Mais tarde, certas indicações nos possibilitam tomar essa decisão, e nos vemos ante a tarefa de informá-la ao paciente. Isso não ocorre sem dificuldades. Se logo de início lhe dizemos que ele está para revelar as fantasias com que encobriu sua história infantil — como fazem os povos ao cobrir de lendas a sua pré-história esquecida —, notamos que o interesse do paciente em prosseguir no tema cai subitamente, de forma indesejável. Também ele quer tomar conhecimento de realidades e desdenha toda e qualquer "invenção". Mas se, até a conclusão dessa parte do trabalho, nós o deixamos acreditar que nos ocupamos da exploração de acontecimentos reais de sua infância, corremos o risco de que, mais tarde, ele nos acuse de ter cometido um erro e ria de nossa aparente credulidade. Equiparar fantasia e realidade, sem de início nos preocuparmos se as vivências infantis a serem esclarecidas são uma coisa ou outra, constitui uma proposta que o doente precisará de um longo tempo para assimilar. E, no entanto, essa é claramente a única postura correta ante tais produções psíquicas. Também elas têm uma espécie de realidade; é e permanece sendo fato, afinal, que essas fantasias foram criadas pelo próprio doente, e seu significado para a neurose não se faz menor por ele não as ter vivido no âmbito da realidade. Se não se apresentam dotadas de realidade *material*, essas fantasias decerto revelam realidade *psíquica*, e pouco a pouco

III TEORIA GERAL DAS NEUROSES

aprendemos que, *no mundo das neuroses, a realidade psíquica é a decisiva.*

Entre os acontecimentos que surgem na história infantil dos neuróticos e que parecem nunca faltar, alguns têm importância especial, e por isso os julgo merecedores de destaque em relação aos demais. Enumero-os como exemplos modelares do gênero: a observação dos pais durante o ato sexual, a sedução por parte de um adulto e a ameaça de castração. Seria um equívoco supor que eles jamais adquirem realidade material; pelo contrário, a investigação posterior junto a parentes mais velhos a comprova muitas vezes claramente. Não é raro, por exemplo, que o menino que começa a brincar travessamente com seu membro, ainda sem saber que deve ocultar tal atividade, seja ameaçado por seus pais ou responsáveis de ter o membro ou a mão pecadora arrancado. Perguntados a esse respeito, os pais com frequência admitem que, por meio dessa intimidação, acreditavam estar fazendo algo apropriado. Muitas pessoas conservam uma lembrança correta e consciente dessa ameaça, sobretudo se ela foi feita em anos posteriores. Se é a mãe ou alguma outra pessoa do sexo feminino quem faz a ameaça, ela costuma atribuir sua execução ao pai ou ao médico. No famoso *Struwwelpeter* [João Felpudo], de autoria do pediatra Hoffmann, de Frankfurt — que deve sua popularidade precisamente à compreensão que exibe dos complexos sexuais e outros da infância —, os senhores encontram a castração atenuada; ela é substituída pela perda do polegar, como castigo pelo ato obstinado de chupar o dedo. É, porém,

23. OS CAMINHOS DA FORMAÇÃO DE SINTOMAS

altamente improvável que a ameaça de castração seja feita às crianças com a frequência com que figura nas análises dos neuróticos. Contentamo-nos com o entendimento de que a criança compõe essa ameaça em sua fantasia, tendo por base sugestões, o conhecimento de que a satisfação autoerótica é proibida, e sob a impressão causada pelo descobrimento da genitália feminina. Tampouco se pode excluir a possibilidade de a criança pequena, à qual ainda não se atribui a capacidade de compreender ou lembrar, vir a ser testemunha de um ato sexual praticado pelos pais ou por outros adultos, mesmo em lares não proletários, e não se deve supor que, a posteriori, ela não seja capaz de compreender o que viu e reagir à impressão causada. Quando, todavia, o ato é descrito com uma riqueza de detalhes que teria sido difícil observar, ou quando, como acontece com grande frequência, ele revela ter sido praticado por trás, *more ferarum* [à maneira dos animais], resta pouca dúvida de que tal fantasia se apoia na observação do ato sexual entre animais (cães), e que é motivada pelo insatisfeito prazer de observar que a criança sente na puberdade. O feito máximo desse gênero é, então, a fantasia da observação do coito dos pais quando ainda nos encontramos no ventre materno. Interesse particular desperta também a fantasia da sedução, porque, com muita frequência, ela não constitui fantasia, e sim lembrança real. Mas, felizmente, essa realidade não é tão frequente quanto fez parecer inicialmente o resultado das análises. A sedução por parte de crianças mais velhas ou de mesma idade é, de todo modo, mais comum

III TEORIA GERAL DAS NEUROSES

do que a realizada por adultos; se, no caso das meninas que alegam ter ocorrido algo semelhante em sua infância, o pai figura regularmente como o sedutor, não há dúvida quanto à natureza fantástica da acusação e ao motivo que levou a ela. Com a fantasia da sedução, quando ela não ocorreu, a criança em geral oculta o período autoerótico de sua atividade sexual. Ela se poupa, assim, da vergonha pela masturbação, recuando para uma época anterior a fantasia com o objeto desejado. Mas não creiam os senhores que o abuso da criança por parte de seu parente mais próximo do sexo masculino pertença apenas ao reino da fantasia. A maioria dos analistas já terá tratado de casos em que relações dessa natureza foram reais e puderam ser indubitavelmente constatadas; no entanto, ocorreram mais tarde e foram transpostas para anos anteriores da infância.

A impressão que se tem é de que tais acontecimentos infantis são, de alguma maneira, necessários, de que são integrantes essenciais da neurose. Quando se acham na realidade, muito bem; quando a realidade não os fornece, são produzidos a partir de sugestões e complementados pela fantasia. O resultado é o mesmo, e até hoje não logramos estabelecer nenhuma diferença em suas consequências, quer a maior contribuição para esses acontecimentos tenha vindo da fantasia ou da realidade. De novo, tem-se aqui apenas uma daquelas relações de complementaridade já tantas vezes mencionadas; é, porém, a mais estranha daquelas de que tomamos conhecimento. De onde vem a necessidade dessas fantasias e o material para elas? Não pode haver dúvida

23. OS CAMINHOS DA FORMAÇÃO DE SINTOMAS

acerca das fontes instintuais, mas resta explicar por que são criadas sempre as mesmas fantasias de igual conteúdo. Tenho uma resposta pronta para isso, mas sei que ela lhes parecerá ousada. O que penso é que essas *fantasias primordiais* — como desejo chamá-las, a essas e algumas outras também — são patrimônio filogenético. Nelas, o indivíduo vai além de suas vivências pessoais e recorre àquelas de tempos primordiais, onde suas próprias vivências se tenham mostrado muito rudimentares. Parece-me bem possível que tudo o que nos é hoje relatado em análise — a sedução da criança, a excitação sexual inflamada pela observação da relação sexual dos pais, a ameaça de castração (ou, antes, a castração) — tenha sido realidade nos primórdios da família humana, e que a fantasia da criança simplesmente preenche as lacunas na verdade individual com a verdade pré-histórica. Repetidas vezes chegamos à suspeita de que a psicologia das neuroses nos preservou mais antiguidades do desenvolvimento humano do que outras fontes.

Meus senhores, as coisas ora discutidas nos fazem examinar mais detidamente a gênese e a significação da atividade intelectual a que chamamos "fantasia". Os senhores sabem que ela goza da elevada estima de todos, sem que tenhamos clareza sobre o lugar que ocupa na vida psíquica. O que posso lhes dizer a esse respeito é o que segue. Como todos sabem, o Eu humano é educado, por influência da necessidade exterior, para lentamente apreciar a realidade e seguir o princípio da realidade, e nisso tem de renunciar, temporária ou permanentemente, a vários objetos e metas de seu anseio por prazer — não

III TEORIA GERAL DAS NEUROSES

apenas do prazer sexual. O ser humano, contudo, sempre teve dificuldade em renunciar ao prazer; não consegue fazê-lo sem alguma espécie de compensação. Por isso, reservou para si uma atividade psíquica na qual concede a todas as fontes e vias abandonadas da obtenção de prazer uma nova vida, uma forma de existência na qual se veem livres das demandas da realidade e daquilo a que chamamos "prova de realidade". Todo anseio logo alcança a forma de uma ideia de realização [de que foi realizado]; não há dúvida de que deter-se na realização da fantasia traz consigo uma satisfação, embora isso não turve o conhecimento de que não é a realidade. Na atividade fantasiosa, portanto, o homem segue gozando da liberdade frente a toda pressão exterior, liberdade a que, na realidade, renunciou há muito tempo. Ele consegue ser, alternadamente, um animal de prazer e, de novo, uma criatura sensata. A parca satisfação que logra extrair da realidade não lhe é suficiente. "Sem construções auxiliares não é possível", disse, certa vez, Theodor Fontane. A criação do reino psíquico da fantasia encontra sua perfeita contrapartida na instituição de "áreas de proteção" e "reservas naturais", onde as demandas da agricultura, do trânsito e da indústria ameaçam modificar rapidamente o semblante original da Terra e torná-lo irreconhecível. A reserva natural conserva o velho estado que em geral, lamentavelmente, foi sacrificado à necessidade. Nela, tudo pode vicejar e crescer como bem entende, até o que é inútil, mesmo o que é daninho. Uma tal "área de proteção", subtraída ao princípio da realidade, é também o reino psíquico da fantasia.

23. OS CAMINHOS DA FORMAÇÃO DE SINTOMAS

Suas produções mais conhecidas são os chamados "sonhos diurnos",* que já conhecemos, satisfações imaginadas de desejos ambiciosos, megalomaníacos, eróticos, que tanto mais crescem quanto mais a realidade solicita moderação ou paciência. Nesses sonhos diurnos mostra-se inequivocamente a natureza da felicidade fantasiosa, a obtenção de prazer faz-se de novo independente da aprovação da realidade. Sabemos que eles são o núcleo e modelo dos sonhos noturnos. Estes, no fundo, não são outra coisa do que sonhos diurnos, tornados utilizáveis em razão da liberdade noturna dos impulsos instintuais, desfigurados pela forma noturna da atividade psíquica. Já nos familiarizamos com a ideia de que tampouco o sonho diurno é necessariamente consciente, de que também existem sonhos diurnos inconscientes. Estes constituem a fonte não apenas dos sonhos noturnos, mas também dos sintomas neuróticos.

O que exponho a seguir deixará claro para os senhores a importância da fantasia na formação dos sintomas. Dissemos que, no caso da frustração, a libido investe regressivamente as posições por ela abandonadas, mas às quais certos montantes dela permaneceram ligados. Não vamos retirar ou corrigir isso, mas temos de inserir um elo intermediário. Como a libido encontra seu caminho para esses locais de fixação? Ora, os objetos e os rumos abandonados da libido não foram abandonados em todos os sentidos. Eles, ou derivados deles,

---

* No original, *Tagträume*, que também pode ser traduzido por "devaneios".

III TEORIA GERAL DAS NEUROSES

permanecem retidos com certa intensidade nas ideias fantasiosas. A libido só precisa, pois, retornar às fantasias para, a partir delas, encontrar aberto o caminho para todas as fixações reprimidas. Essas fantasias gozam de certa tolerância; por maiores que sejam os contrastes, nenhum conflito irrompe entre elas e o Eu enquanto for mantida certa condição. Trata-se de uma condição *quantitativa*, que agora, com o refluxo da libido para as fantasias, é perturbada. Esse acréscimo eleva de tal forma o investimento energético das fantasias que elas se tornam exigentes e desenvolvem um ímpeto na direção de sua realização. Isso, contudo, torna inevitável o conflito entre elas e o Eu. Tenham sido anteriormente pré-conscientes ou conscientes, agora estão sujeitas à repressão por parte do Eu e são entregues à atração por parte do inconsciente. Desde essas fantasias agora inconscientes, a libido vai em busca das origens delas no inconsciente, de volta a seus próprios locais de fixação.

O recuo da libido à fantasia é um estágio intermediário no caminho para a formação do sintoma, que merece designação especial. C. G. Jung cunhou para ele um nome apropriado, *introversão*, ao qual, porém, atribuiu também outro significado, de maneira inoportuna. Desejamos estabelecer que introversão designa o afastamento da libido das possibilidades de satisfação real e o superinvestimento das fantasias toleradas até então como inofensivas. Um introvertido ainda não é um neurótico, mas se encontra numa situação instável; ele desenvolverá sintomas no próximo deslocamento de forças, a não ser que encontre outras saídas para sua li-

23. OS CAMINHOS DA FORMAÇÃO DE SINTOMAS

bido represada. O caráter irreal da satisfação neurótica e a negligência da distinção entre fantasia e realidade, por outro lado, já se encontram determinados pela permanência no estágio da introversão.

Os senhores certamente notaram que nessas últimas discussões introduzi um novo fator na estrutura do encadeamento etiológico, a saber: a quantidade, a grandeza das energias a serem consideradas. Esse fator precisamos levar em conta em toda parte. Uma análise puramente qualitativa das condições etiológicas não nos basta. Ou, para dizê-lo de outra maneira, uma concepção meramente *dinâmica* desses processos psíquicos é insuficiente; o ponto de vista *econômico* é igualmente necessário. Temos de afirmar que o conflito entre duas tendências não irrompe antes que certas intensidades de investimento sejam alcançadas, ainda que as condições ligadas ao conteúdo estejam presentes há muito tempo. Da mesma forma, o significado patogênico dos fatores constitucionais depende do quanto *mais* de um instinto parcial que de outro se acha na predisposição herdada; pode-se inclusive imaginar que as predisposições de todas as pessoas sejam qualitativamente iguais, diferenciando-se apenas por essas condições quantitativas. O fator quantitativo não é menos decisivo para a capacidade de resistência ao adoecimento neurótico. É uma questão de *qual montante* de libido não empregada uma pessoa é capaz de conservar em suspensão, e de *que fração* de sua libido ela é capaz de desviar do sexual para as metas da sublimação. A meta final da atividade psíquica, meta que pode ser descrita qualitativamente

III TEORIA GERAL DAS NEUROSES

como busca da obtenção de prazer e evitação do desprazer, apresenta-se para a consideração econômica como a tarefa de dominar as grandezas de excitação (quantidades de estímulo) que atuam no aparelho psíquico e impedir o seu represamento, que gera o desprazer.

Isso era, pois, o que eu queria lhes dizer sobre a formação dos sintomas nas neuroses. Mas não deixo de mais uma vez enfatizar: tudo o que disse aqui se refere apenas à formação de sintomas na histeria. Já na neurose obsessiva há muita coisa diferente, embora o fundamental se mantenha. Os contrainvestimentos que se opõem às exigências instintuais, dos quais falamos também no caso da histeria, passam a primeiro plano na neurose obsessiva e dominam o quadro clínico por meio das chamadas "formações reativas". Divergências semelhantes, e outras mais, de alcance ainda maior, nós descobrimos nas outras neuroses, em que as investigações sobre os mecanismos de formação de sintomas ainda não se acham concluídas em nenhum aspecto.

Antes de dispensá-los, eu gostaria de solicitar um pouco mais sua atenção para um lado da vida da fantasia que merece o interesse de todos. Existe um caminho de volta da fantasia para a realidade, e esse caminho é a arte. O artista também é, em gérmen, um introvertido que não se acha muito longe da neurose. É impelido por enormes necessidades instintuais, gostaria de conquistar honras, poder, riqueza, glória e o amor das mulheres. Faltam-lhe, porém, os meios para alcançar tais satisfações. Por isso ele se afasta da realidade, como qualquer outro insatisfeito, e transfere todo o seu interesse, inclu-

23. OS CAMINHOS DA FORMAÇÃO DE SINTOMAS

sive sua libido, para as formações que encerram desejos em sua vida da fantasia, das quais parte um caminho que pode levar à neurose. Muitas coisas precisam convergir para que esse não seja o resultado de seu desenvolvimento; sabe-se com que frequência os artistas sofrem uma inibição parcial de sua capacidade de desempenho devido às neuroses. Provavelmente sua constituição encerra forte capacidade para a sublimação e alguma frouxidão nas repressões decisivas para um conflito. Mas ele acha o caminho de volta à realidade da maneira seguinte. Certamente ele não é o único que tem uma vida da fantasia. O reino intermediário da fantasia conta com a aprovação geral dos homens, e todo aquele que sofre privações espera dele mitigação e consolo. Para os não artistas, contudo, o ganho de prazer obtido das fontes da fantasia é muito limitado. A inexorabilidade de suas repressões os obriga a contentar-se com os parcos sonhos diurnos que podem se tornar conscientes. Quando alguém é um verdadeiro artista, dispõe de mais do que isso. Em primeiro lugar, é capaz de elaborar seus sonhos diurnos de forma a perderem o que é muito pessoal e que desagrada os estranhos, tornando possível que outros também os desfrutem. Sabe também atenuá-los a ponto de não revelarem facilmente sua origem de fontes malvistas. Além disso, tem o poder enigmático de conformar certo material até que este se torne imagem fiel de sua fantasia, e sabe vincular tamanha obtenção de prazer a essa representação de sua fantasia inconsciente que, ao menos temporariamente, as repressões são sobrepujadas e canceladas por ela. Sendo capaz de

III TEORIA GERAL DAS NEUROSES

tudo isso, ele possibilita que os outros extraiam novamente alívio e consolo de suas próprias fontes de prazer inconscientes que se tornaram inacessíveis, obtendo sua gratidão e admiração e assim chegando, *através* de sua fantasia, ao que antes alcançava apenas *em* sua fantasia: honras, poder e o amor das mulheres.

24. O ESTADO NEURÓTICO COMUM

Senhoras e senhores: Depois de, em nossas últimas discussões, termos realizado parte tão difícil de nosso trabalho, abandono temporariamente o assunto de nossas palestras e me volto para os senhores.

Pois sei que estão insatisfeitos. Imaginaram de outra forma uma "introdução à psicanálise". Esperavam escutar exemplos cheios de vida, e não teoria. Dizem-me os senhores que, quando lhes expus a analogia "No térreo e no primeiro andar", compreenderam algo sobre a causação das neuroses, mas que eu deveria lhes ter passado observações reais, e não histórias inventadas. Ou que, quando inicialmente lhes relatei dois sintomas — oxalá não tenham sido inventados também — e descrevi a solução e a relação deles com a vida dos doentes, ficou claro para os senhores o "sentido" dos sintomas; esperavam, pois, que eu prosseguisse da mesma forma. Em vez disso, ofereci-lhes extensas teorias, difíceis de apreender e jamais completas, às quais sempre se juntavam coisas novas; trabalhei com conceitos que ainda

24. O ESTADO NEURÓTICO COMUM

não lhes havia apresentado, passei da exposição descritiva à concepção dinâmica, e desta à que chamei "econômica"; tornei difícil compreender quais termos técnicos empregados tinham o mesmo significado, alternando-os apenas por razões de sonoridade; fiz surgir diante dos senhores concepções abrangentes como as dos princípios do prazer e da realidade e da herança filogenética; e, em vez de introduzi-los em uma matéria, fiz apenas desfilar ante os seus olhos algo que se distanciou cada vez mais dos senhores.

Por que não comecei minha introdução à teoria das neuroses com aquilo que os senhores próprios conhecem dos distúrbios neuróticos e que há tempos despertou seu interesse? Com a singularidade das pessoas nervosas, com suas reações incompreensíveis ao contato humano e às influências exteriores, com sua irritabilidade, sua imprevisibilidade e sua inépcia? "Por que o senhor não procedeu passo a passo, desde a compreensão das formas mais simples e cotidianas até os problemas dos fenômenos enigmáticos e extremos dos distúrbios neuróticos?"

Sim, meus senhores, não posso deixar de lhes dar razão. Não estou enamorado da minha arte expositiva a ponto de atribuir particular atratividade a cada uma de suas imperfeições. Creio, também eu, que teria sido mais vantajoso para os senhores se eu tivesse procedido de outra forma — era, aliás, minha intenção. Mas nem sempre conseguimos pôr em prática nossas intenções sensatas. No próprio assunto há sempre algo que nos comanda e nos desvia de nossas intenções iniciais. Mesmo uma tarefa tão modesta como ordenar um material bem

III TEORIA GERAL DAS NEUROSES

conhecido não se sujeita inteiramente ao arbítrio do autor; ela se cumpre como bem entende, e tudo que podemos fazer é nos perguntar, posteriormente, por que seu cumprimento resultou dessa maneira e não de outra.

Uma das razões para isso, provavelmente, é que o título "Introdução à psicanálise" já não se aplica a este segmento, que deve tratar das neuroses. A introdução à psicanálise compreende o estudo dos atos falhos e do sonho; a teoria das neuroses já é a própria psicanálise. Não acredito que, em tão pouco tempo, eu poderia dar a conhecer aos senhores o conteúdo da teoria das neuroses de outra forma que não essa, tão concentrada. Tratava-se de expor, em sua conexão, o sentido e a importância dos sintomas, as condições externas e internas e o mecanismo da formação desses sintomas. Foi o que tentei fazer; está aí, basicamente, o núcleo daquilo que a psicanálise tem hoje a ensinar. Nessa exposição, muito precisava ser dito sobre a libido e seu desenvolvimento, e também alguma coisa sobre o Eu. Para as premissas de nossa técnica, para as grandes concepções do inconsciente e da repressão (ou resistência), os senhores já haviam sido preparados pela introdução. Numa das conferências seguintes, descobrirão também a partir de que pontos o trabalho psicanalítico tem sua continuidade orgânica. Por enquanto, não ocultei dos senhores que todas as nossas descobertas decorrem do estudo de um único grupo de afecções nervosas: as chamadas neuroses de transferência. O mecanismo da formação dos sintomas, cheguei a investigá-lo apenas no tocante à histeria. Ainda que os senhores não tenham adquirido

24. O ESTADO NEURÓTICO COMUM

um conhecimento sólido nem fixado cada detalhe, espero ao menos que tenham obtido uma ideia dos meios com os quais a psicanálise trabalha, das questões de que ela trata e dos resultados alcançados.

Atribuí aos senhores o desejo de que eu tivesse começado a apresentação das neuroses pela conduta das pessoas neuróticas, pela descrição da maneira como elas sofrem com sua neurose, de como se defendem dela e de como se arranjam com ela. Esse é, por certo, um assunto interessante e que merece ser conhecido, além de não muito difícil de tratar, mas começar por ele não é um procedimento livre de inconvenientes. Corre-se o risco de, dessa forma, não se descobrir a existência do inconsciente e de, por esse caminho, não se perceber a importância da libido, julgando-se, assim, toda a situação a partir do modo como ela se apresenta ao Eu dos doentes dos nervos. É óbvio, porém, que esse Eu não é uma instância confiável e imparcial. Afinal, o Eu é o poder que nega o inconsciente e que o reduziu à condição de reprimido; como, pois, confiar em que ele possa fazer justiça a esse inconsciente? Nesse reprimido se acham, acima de tudo, as demandas rejeitadas da sexualidade; é evidente que jamais poderemos depreender das concepções do Eu a extensão e o significado de tais demandas. A partir do momento em que a concepção da repressão se torna clara para nós, ficamos advertidos de que não devemos instaurar uma das partes em conflito — e menos ainda a vitoriosa — como o juiz da contenda. Estaremos, pois, avisados de que as declarações do Eu só poderão nos desorientar. A se dar crédito a ele, o

III TEORIA GERAL DAS NEUROSES

Eu esteve ativo em todos os momentos, desejou para si e criou ele próprio os sintomas que apresenta. Sabemos, no entanto, que ele tem de se conformar com boa dose de passividade, a qual, então, deseja ocultar e embelezar. Mas nem sempre ele ousa fazer semelhante tentativa. Nos sintomas da neurose obsessiva, é obrigado a reconhecer que algo estranho se contrapôs a ele, algo de que apenas com muito esforço consegue se defender.

Quem não se deixa deter por tal advertência e toma por moeda verdadeira as falsificações do Eu, esse encontra facilidade e escapa de todas as resistências que se contrapõem à ênfase psicanalítica no inconsciente, na sexualidade e na passividade do Eu. Poderá, assim, como Alfred Adler, afirmar que o "caráter neurótico" é a causa — e não a consequência — da neurose, mas não terá condições de explicar um único detalhe da formação dos sintomas ou um único sonho.

Os senhores perguntarão: "Não seria possível fazer justiça à participação do Eu no estado neurótico e na formação de sintomas sem negligenciar grosseiramente os fatores desvendados pela psicanálise?". E eu respondo: claro que deve ser possível e assim ocorrerá um dia; mas não é a tendência do trabalho psicanalítico principiar desse ponto. Pode-se prever quando essa tarefa se apresentará à psicanálise. Há neuroses em que a participação do Eu é bem mais intensa do que naquelas que estudamos até agora. Nós as chamamos de neuroses "narcísicas". A elaboração analítica dessas afecções nos permitirá avaliar a participação do Eu no adoecimento neurótico de forma imparcial e mais confiável.

24. O ESTADO NEURÓTICO COMUM

Todavia, uma das relações do Eu com sua neurose salta aos olhos de tal forma que ela pode bem merecer consideração desde o princípio. Tal relação não parece estar ausente em nenhum caso, mas pode ser reconhecida com a máxima nitidez em uma afecção que, mesmo hoje, ainda estamos distantes de compreender: a *neurose traumática*. É preciso que os senhores saibam que, na causação e no mecanismo de todas as formas possíveis de neurose, atuam sempre os mesmos fatores; o que ocorre é que cabe ora a um, ora a outro a importância maior na formação do sintoma. É como numa trupe de atores, em que cada qual tem sua especialidade: o herói, o confidente, o intrigante etc. Cada um deles escolherá a peça que mais beneficia seu papel específico. Desse modo, as fantasias que se convertem em sintomas são evidentes sobretudo na histeria; os contrainvestimentos ou formações reativas do Eu dominam o quadro na neurose obsessiva; aquilo a que, no sonho, demos o nome de *elaboração secundária* ganha, como delírio, proeminência na paranoia, e assim por diante.

Assim, nas neuroses traumáticas, em especial naquelas ocasionadas pelos horrores da guerra, surge-nos inequivocamente um motivo egoísta por parte do Eu, buscando proteção e vantagem — motivo que não é capaz de, sozinho, criar a doença, mas que lhe dá aprovação e a mantém, uma vez que ela se tenha produzido. Esse motivo pretende proteger o Eu daqueles perigos cuja ameaça ensejou o adoecimento, e não permitirá a cura até que a repetição de tais perigos não mais pareça possível, ou até que obtenha uma compensação pelo perigo enfrentado.

III TEORIA GERAL DAS NEUROSES

Em todos os outros casos, contudo, o Eu demonstra o mesmo interesse no surgimento e na persistência da neurose. Já dissemos que também o sintoma é sustentado pelo Eu, pois tem um lado que oferece satisfação à tendência repressora desse Eu. Além disso, a resolução do conflito por meio da formação do sintoma é o resultado mais cômodo e mais conveniente para o princípio do prazer; sem dúvida, ele poupa o Eu de um grande trabalho interior, sentido como penoso. Há mesmo casos em que o próprio médico é levado a admitir que a neurose, como resultado do conflito, representa a solução mais inofensiva e socialmente suportável. Não se espantem, portanto, se os senhores ouvirem que o médico por vezes toma o partido da enfermidade que combate. Não lhe cabe, no enfrentamento de todas as situações da vida, restringir-se ao papel do fanático pela saúde; ele sabe que, no mundo, não existe apenas a infelicidade provocada pela neurose, mas também sofrimento real, irremovível, e que a necessidade de um ser humano pode requerer o sacrifício da própria saúde; assim, o médico descobre também que, mediante tal sacrifício de um indivíduo, pode-se frequentemente impedir que um infortúnio imensurável se abata sobre tantos outros. Se pudemos dizer que, diante de um conflito, o neurótico sempre busca *refúgio na doença*, temos de reconhecer que em muitos casos essa fuga é plenamente justificada, e o médico que percebeu esse estado de coisas se retirará em silêncio, pleno de consideração para com o enfermo.

Mas não consideremos esses casos excepcionais no restante de nossa discussão. Em circunstâncias normais,

24. O ESTADO NEURÓTICO COMUM

o que percebemos é que, desviando-se rumo à neurose, o Eu obtém certo ganho interior, o *benefício da doença*.* A ele vem se associar, em várias situações da vida, uma vantagem exterior palpável, que se pode estimar como maior ou menor na realidade. Vejam o caso mais frequente dessa natureza. Uma mulher que é cruamente maltratada pelo marido, e por ele explorada sem nenhum escrúpulo, geralmente encontra a saída na neurose, quando sua constituição assim o permite, quando é muito covarde ou muito ética para secretamente buscar consolo em outro homem, quando não é forte o bastante para contrariar todos os impedimentos exteriores e se separar dele, quando não vê perspectiva de se manter sozinha ou de conquistar para si um homem melhor e quando, além disso, acha-se ainda vinculada sexualmente a esse marido brutal. A doença se torna, então, sua arma na luta contra a força superior do homem, uma arma que ela pode utilizar para sua defesa e da qual pode abusar para sua vingança. Sobre a doença ela pode se queixar, mas provavelmente não poderia se queixar do casamento. No médico ela encontra ajuda; obriga o marido, normalmente inconsiderado, a poupá-la, a dispender dinheiro com ela, a lhe permitir que se ausente de casa e, assim, que se livre por algum tempo da opressão matrimonial. Quando tal benefício exterior ou acidental da doença é elevado e não encontra substituto real, os senhores não poderão avaliar como grande a possibilidade de a terapia exercer influência sobre a neurose.

* No original, *Krankheitsgewinn*, literalmente "ganho da doença".

III TEORIA GERAL DAS NEUROSES

Os senhores argumentarão que o que acabo de dizer acerca do benefício da doença depõe inteiramente a favor da concepção que eu mesmo havia rejeitado, isto é, a de que o próprio Eu deseja e cria a neurose. Devagar, meus senhores. Talvez esse benefício signifique apenas que o Eu tolera a neurose que, afinal, não pode evitar, e que faz dela o melhor proveito possível, se algum proveito é possível obter daí. Esse é apenas um lado da questão e, aliás, o lado agradável. Enquanto a neurose trouxer vantagens, o Eu estará de acordo com ela; mas a neurose não possui apenas vantagens. Em regra, logo se revela que o Eu fez um mau negócio ao se meter com ela. Pagou muito caro por um alívio para o conflito, e os sofrimentos ligados aos sintomas são talvez um substituto equivalente aos tormentos do conflito, mas provavelmente implicam um aumento no desprazer. O Eu gostaria de se livrar desse desprazer causado pelos sintomas, mas não quer abrir mão do benefício da doença, e isso ele não consegue. Verifica-se, então, que o Eu não era tão ativo quanto pensava, e isso é um fato que devemos guardar.

Meus senhores, ao lidar com neuróticos na condição de médicos, logo abandonarão a expectativa de que aqueles que mais se queixam e reclamam de sua doença são os mais dispostos a receber ajuda e os que menos resistência opõem a ela. O que acontece é, antes, o contrário. Mas, por certo, terão facilidade para compreender que tudo o que contribui para o benefício da doença intensifica a resistência da repressão e aumenta a dificuldade terapêutica. Sobre a porção do benefício

24. O ESTADO NEURÓTICO COMUM

da doença que nasce com o sintoma, por assim dizer, temos ainda algo a acrescentar, que se verifica mais tarde. Quando uma organização psíquica como a doença persiste por um tempo maior, ela acaba se comportando como um ser autônomo; manifesta algo como um instinto de autoconservação, constrói uma espécie de *modus vivendi* entre ela e outras partes da vida psíquica — mesmo aquelas que, no fundo, lhe são hostis —, e é difícil que não surjam oportunidades nas quais ela volte a se mostrar útil e proveitosa, adquirindo uma *função secundária*, por assim dizer, que confere força renovada à sua existência. Em vez de um exemplo vindo oriundo da patologia, considerem os senhores uma óbvia ilustração extraída da vida cotidiana. Um trabalhador capaz, que ganha seu pão de cada dia, sofre um acidente em seu trabalho e se torna um inválido; trabalhar, ele agora já não pode, mas, com o tempo, passa a receber uma pequena pensão por invalidez e aprende a tirar proveito de sua mutilação na condição de mendigo. Sua nova existência, por pior que tenha se tornado, assenta-se agora precisamente naquilo que pôs fim à sua existência anterior. Se puderem corrigir sua deformidade, os senhores o estarão de início privando de sua subsistência; a pergunta que se coloca é se ele ainda é capaz de retomar seu antigo ofício. Aquilo que, na neurose, corresponde a uma tal utilização secundária da enfermidade, nós podemos juntar, como um benefício *secundário*, àquele benefício primário da doença.

De modo geral, todavia, eu gostaria de dizer aos senhores que não subestimem o significado prático desse

III TEORIA GERAL DAS NEUROSES

benefício da doença, nem permitam que ele os impressione do ponto de vista teórico. À parte aquelas primeiras exceções que já admitimos, esse benefício sempre nos recorda os exemplos "da inteligência dos animais" que Oberländer* ilustrou nas *Fliegende Blätter*. Um árabe montado em seu camelo segue por uma trilha estreita entalhada na parede íngreme de uma montanha. Em uma curva do caminho, ele se vê de súbito diante de um leão, pronto a dar o bote. O árabe não vê saída: de um lado, a parede vertical; de outro, o abismo; retorno ou fuga são impossíveis; está perdido, julga. O animal, porém, avalia a situação de outra forma. Com o árabe montado no lombo, ele salta para o abismo, e o leão fica a ver navios. Em regra, o auxílio prestado pela neurose não traz melhor resultado para o doente. É possível que venha daí o fato de a resolução de um conflito pela formação de sintoma constituir um processo automático que não pode se mostrar à altura das demandas da vida e no qual o ser humano deixa de utilizar suas forças melhores e mais elevadas. Se houvesse escolha, seria preferível sucumbir em luta honrada contra o destino.

Mas, senhores, devo-lhes ainda uma exposição dos demais motivos pelos quais, em minha apresentação da doutrina das neuroses, não parti do estado neurótico comum. Talvez os senhores pensem que não o fiz porque teria, então, maior dificuldade para demonstrar a causação sexual das neuroses. Estariam enganados, porém. Nas neuroses de transferência, é preciso antes

---

* Adolf Oberländer (1845-1923) era um conhecido cartunista.

24. O ESTADO NEURÓTICO COMUM

trabalhar a interpretação dos sintomas, a fim de chegar a essa compreensão. No caso das formas comuns das chamadas *neuroses atuais*, a importância etiológica da vida sexual é um fato puro e simples, que se apresenta por si só à observação. Deparei com ele há mais de vinte anos, quando, um dia, me perguntei por que, ao examinar doentes dos nervos, suas atividades sexuais eram excluídas regularmente de toda consideração. Na época, sacrifiquei minha popularidade com os pacientes por causa dessa investigação, mas, depois de breve empenho, pude formular a tese de que na vida sexual normal não existe neurose — referia-me à neurose atual. Sem dúvida, essa tese passa facilmente ao largo das diferenças individuais entre as pessoas, além de padecer da imprecisão inerente ao juízo do que vem a ser "normal", mas que ainda conserva seu valor para uma orientação mais geral. Naquele tempo, cheguei mesmo a estabelecer relações específicas entre certas formas de neurose e determinadas práticas sexuais nocivas, e não duvido que minhas observações se repetissem hoje, caso os doentes me oferecessem material semelhante. Com bastante frequência, verifiquei que um homem que se contentava com certo tipo de satisfação sexual incompleta — a masturbação, por exemplo — padecia de determinada forma de neurose atual, e que essa neurose prontamente dava lugar a outra, caso ele trocasse seu regime sexual por outro igualmente repreensível. Podia, assim, depreender da mudança no estado do doente a variação ocorrida em sua vida sexual. Aprendi também, por essa época, a insistir nas minhas suposições até superar

III TEORIA GERAL DAS NEUROSES

a insinceridade dos pacientes e obrigá-los à confirmação delas. É fato que, depois disso, eles prefeririam procurar outros médicos, não tão ávidos de informação acerca de sua vida sexual.

Tampouco pude deixar de perceber que as causas do adoecimento nem sempre apontavam para a vida sexual. Um doente podia, de fato, ter adoecido em consequência de uma prática sexual danosa; outro, porém, em razão de ter perdido sua fortuna ou de ter passado por uma doença orgânica extenuante. A explicação para essa variedade veio mais tarde, quando adquirimos a compreensão das conjecturadas relações entre o Eu e a libido, e ela se revelou tanto mais satisfatória quanto mais profunda se fez tal compreensão. Uma pessoa só adoece de neurose quando seu Eu perde a capacidade de acomodar de alguma maneira a libido. Quanto mais forte o Eu, mais fácil lhe será o cumprimento dessa tarefa; toda debilidade do Eu, qualquer que seja a causa, há de produzir o mesmo efeito que uma intensificação desmedida da demanda da libido e, assim, possibilitar o adoecimento neurótico. Eu e libido possuem também outras relações, mais íntimas, as quais, no entanto, ainda não surgiram no horizonte que ora consideramos e que, por isso, não busco explicar aqui. Essencial e esclarecedor para nós permanece o fato de que, em todos os casos — independentemente do caminho que conduziu ao adoecimento —, os sintomas da neurose são sustentados pela libido e, assim, dão testemunho do uso anormal dela.

Agora, porém, devo chamar a atenção dos senhores para a diferença decisiva entre os sintomas das neuro-

24. O ESTADO NEURÓTICO COMUM

ses atuais e aqueles das neuroses psíquicas, das quais o primeiro grupo, o das neuroses de transferência, tanto nos ocupou até agora. Em ambos os casos, os sintomas vêm da libido, constituindo, portanto, usos anormais dela, satisfação substitutiva. Mas os sintomas das neuroses atuais — pressão no interior da cabeça, sensação de dor, irritabilidade em um órgão, enfraquecimento ou impedimento de uma função — não têm um "sentido", um significado psíquico. Eles não apenas se manifestam sobretudo no corpo, como sucede com os sintomas histéricos, por exemplo, como são também processos inteiramente físicos, em cujo surgimento não atuam os complicados mecanismos psíquicos de que tomamos conhecimento. São, de fato, aquilo que por tanto tempo se acreditou que eram os sintomas psiconeuróticos. Como podem, então, corresponder a aplicações da libido, que conhecemos como uma força que atua na psique? Isso, meus senhores, é muito fácil. Permitam-me recordar uma das primeiras objeções levantadas contra a psicanálise. Dizia-se que ela buscava uma teoria puramente psicológica dos fenômenos neuróticos e que o fazia em vão, porque teorias psicológicas jamais poderiam explicar uma enfermidade. As pessoas preferiam esquecer que a função sexual não é coisa puramente psíquica, assim como tampouco meramente somática. Ela influencia tanto a vida do corpo como a da psique. Se, nos sintomas das psiconeuroses, vimos manifestações de distúrbios na atuação psíquica da função sexual, não nos espantará descobrir nas neuroses atuais consequências somáticas diretas dos distúrbios sexuais.

III TEORIA GERAL DAS NEUROSES

Para a compreensão desses, a clínica médica nos fornece valioso indício, que já foi levado em conta por pesquisadores diversos. Tanto nos detalhes de sua sintomatologia como na peculiaridade de influenciar todos os sistemas de órgãos e todas as funções, as neuroses "atuais" manifestam inequívoca semelhança com os estados patológicos decorrentes da influência crônica de substâncias tóxicas estranhas e da súbita retirada delas, ou seja, com as intoxicações e os estados de abstinência. Esses dois grupos de afecções se aproximam ainda mais pela mediação de estados que também aprendemos a relacionar com o efeito produzido por substâncias tóxicas, como a doença de Basedow, mas, nesse caso, não por toxinas estranhas introduzidas no corpo, e sim por aquelas produzidas pelo próprio metabolismo. O que quero dizer é que, diante dessas analogias, não podemos deixar de ver as neuroses como consequências de perturbações em um "metabolismo sexual", seja porque essas toxinas são produzidas em quantidade maior do que aquela com a qual uma pessoa é capaz de lidar ou porque circunstâncias internas, e mesmo psíquicas, estão prejudicando a utilização correta dessas substâncias. Desde sempre a psique popular rendeu tributo a suposições desse tipo sobre a natureza do desejo sexual; ela chama o amor de "embriaguez" e atribui a "poções do amor" o nascimento da paixão, com o que, de certo modo, desloca seu agente para o exterior. Esta poderia ser, para nós, uma oportunidade de lembrar as zonas erógenas e a afirmação de que a excitação sexual pode ter origem nos mais diversos órgãos. De resto,

24. O ESTADO NEURÓTICO COMUM

porém, a expressão "metabolismo sexual", ou "química da sexualidade", é, do nosso ponto de vista, desprovida de conteúdo; nada sabemos a seu respeito e não podemos sequer nos decidir se devemos supor a existência de duas substâncias sexuais — às quais chamaríamos, então, de "masculina" e "feminina" — ou nos contentar com *uma única* toxina sexual, na qual nos caberia identificar a portadora de todos os efeitos estimulantes da libido.* O edifício que erguemos da teoria psicanalítica é, na realidade, uma superestrutura, que um dia deverá ser assentado sobre o seu fundamento orgânico; mas este ainda não conhecemos.

Como ciência, a psicanálise não se caracteriza pela matéria de que trata, e sim pela técnica com que trabalha. Pode-se aplicá-la tanto à história da civilização, ao estudo da religião e da mitologia como à teoria das neuroses, sem com isso violentar sua natureza. Ela não faz nem pretende fazer outra coisa que não seja desvendar o inconsciente na vida psíquica. Os problemas das neuroses atuais, cujos sintomas decorrem provavelmente de dano tóxico direto, não oferecem nenhum ponto de acesso à psicanálise; ela pouco pode fazer para aclará-los, cabendo-lhe, pois, deixar essa tarefa à pesquisa médico-biológica. Talvez os senhores compreendam agora por que não escolhi outra ordem para a minha exposição. Tivesse eu prometido uma "introdução à teoria

---

* James Strachey observa, numa nota, que Freud rejeitaria claramente essa noção nas *Novas conferências introdutórias à psicanálise* (1933, conferência 33).

III TEORIA GERAL DAS NEUROSES

das neuroses", sem dúvida o caminho correto teria sido partir das formas simples das neuroses atuais rumo aos adoecimentos psíquicos, mais complexos, decorrentes da perturbação da libido. Quanto às primeiras, eu precisaria reunir tudo que aprendemos, ou acreditamos saber, de diversas fontes; e, no caso das psiconeuroses, a psicanálise trataria, então, de elucidá-las, na qualidade de instrumento técnico mais importante para isso. Contudo, o que pretendi fazer e anunciei foi uma "introdução à psicanálise"; para mim, era mais importante que os senhores adquirissem uma ideia da psicanálise do que certos conhecimentos acerca das neuroses, razão pela qual eu não podia pôr em primeiro plano as neuroses atuais, infrutíferas no que concerne à psicanálise. Creio, de resto, ter feito a escolha mais proveitosa para os senhores, pois, graças ao alcance de suas premissas e a suas conexões abrangentes, a psicanálise merece um lugar no interesse de toda pessoa culta; já a teoria das neuroses é um capítulo entre outros da medicina.

De todo modo, os senhores abrigarão a justa expectativa de que dediquemos alguma atenção também às neuroses atuais. A íntima conexão clínica que elas têm com as psiconeuroses já nos obriga a fazê-lo. Então devo lhes comunicar que diferenciamos três formas puras de neurose atual: a *neurastenia*, a *neurose de angústia* e a *hipocondria*. Mesmo essa afirmação não se acha livre de objeções. É verdade que esses termos são empregados, mas seu conteúdo é indefinido e oscilante. Há médicos que resistem a toda distinção no confuso mundo dos fenômenos neuróticos, a qualquer destaque de enti-

24. O ESTADO NEURÓTICO COMUM

dades clínicas ou doenças particulares, e que não reconhecem nem mesmo a separação entre neuroses atuais e psíquicas. Parece-me que vão longe demais e que não tomaram o caminho que leva adiante. Ocasionalmente, as formas de neurose mencionadas ocorrem de maneira pura; mais frequente é, no entanto, que se misturem entre si e com uma afecção psiconeurótica. Esse fato não precisa nos levar a abrir mão da separação entre elas. Pensem na diferença entre o estudo dos minerais e o das pedras na mineralogia. Os minerais são descritos em sua individualidade, decerto com base no fato de que, como cristais, apresentam-se amiúde claramente apartados de seu entorno. As pedras consistem em misturas de minerais que, com certeza, não se juntaram por acaso, mas em consequência das condições de seu surgimento. Na teoria das neuroses, compreendemos ainda muito pouco sobre o curso de seu desenvolvimento para podermos criar algo semelhante à petrologia. Mas, sem dúvida, estamos corretos se primeiramente isolamos da massa as entidades clínicas que podemos reconhecer, comparáveis aos minerais.

Uma relação digna de nota entre os sintomas das neuroses atuais e das psiconeuroses oferece-nos outra importante contribuição para o estudo da formação dos sintomas nestas últimas. O sintoma da neurose atual é, com frequência, o núcleo e estágio preliminar do sintoma psiconeurótico. Uma relação desse tipo pode ser observada da maneira mais nítida entre a neurastenia e a neurose de transferência a que se dá o nome de "histeria de conversão", entre a neurose de angústia e a his-

III TEORIA GERAL DAS NEUROSES

teria de angústia, mas também entre a hipocondria e aquelas formas que mais adiante serão mencionadas sob os nomes de parafrenia (*dementia praecox* e paranoia). Tomemos como exemplo o caso de uma dor de cabeça ou dor lombar histéricas. A análise nos mostra que, mediante condensação e deslocamento, ela se tornou sucedâneo da satisfação para toda uma série de fantasias ou lembranças libidinais. Mas essa dor também já foi real, outrora foi um sintoma diretamente tóxico-sexual, expressão física de uma excitação libidinal. Não pretendemos, de modo algum, afirmar que todos os sintomas histéricos possuem tal núcleo, mas o fato é que esse é frequentemente o caso e que todas as influências que a excitação libidinal exercem sobre o corpo — normais ou patológicas — têm preferência na formação dos sintomas da histeria. Elas desempenham o papel do grão de areia que o molusco envolve em camadas de madrepérola. Da mesma forma, os sinais passageiros de excitação que acompanham o ato sexual são empregados pela psiconeurose como o material mais conveniente e apropriado para a formação de sintomas.

Semelhante processo oferece particular interesse diagnóstico e terapêutico. Não é raro suceder em pessoas predispostas à neurose, mas que não têm uma neurose evidente, que uma alteração física de natureza patológica — uma inflamação, digamos, ou algum ferimento — põe em marcha o trabalho da formação do sintoma, que, então, transforma rapidamente o sintoma que lhe é dado pela realidade em representante de todas as fantasias inconscientes que se acham à espreita de um meio de expressão do qual se apoderem. Em um caso assim, o médico tomará ora um, ora outro caminho terapêutico: ou desejará eliminar o fundamento orgânico, sem se preocupar com sua estridente elaboração neurótica, ou combaterá a neurose surgida oportunamente e dará pouca atenção ao seu ensejo orgânico. O sucesso provará a correção ou incorreção de uma ou de outra abordagem; dificilmente podemos estabelecer prescrições gerais para esses casos mistos.

25. A ANGÚSTIA

Senhoras e senhores: Com certeza terão percebido o que falei sobre o estado neurótico em geral, na conferência anterior, como a mais incompleta e insuficiente de minhas exposições. Sei disso, e creio que nada os terá surpreendido mais do que a ausência de qualquer menção à angústia; é dela, afinal, que se queixa a maioria dos neuróticos, que a caracterizam como seu padecimento mais terrível, e a angústia pode realmente alcançar neles uma enorme intensidade e ter por consequência as medidas mais desvairadas. Nisso, ao menos, não quis ser sucinto com os senhores; pelo contrário, minha intenção era enfocar com ênfase particular o problema da angústia nos neuróticos, discutindo-o detalhadamente com os senhores.

Não necessito apresentar-lhes a angústia em si; cada um de nós já experimentou essa sensação ou, melhor dizendo, esse estado afetivo. Mas acho que ninguém ja-

III TEORIA GERAL DAS NEUROSES

mais se perguntou com bastante seriedade por que justamente os neuróticos sentem angústia de modo mais frequente e mais intenso do que as outras pessoas. Talvez porque considerem óbvia a resposta; afinal, as palavras *nervös* [nervoso, neurótico] e *ängstlich* [angustiado] são, habitualmente, empregadas uma em lugar da outra, como se significassem a mesma coisa. Mas não é correto fazê-lo; há pessoas angustiadas que, de resto, não são nada neuróticas, assim como há neuróticos que sofrem de variados sintomas, entre os quais, contudo, a tendência à angústia não está presente.

Seja como for, é certo que o problema da angústia configura um ponto nodal para o qual convergem questões as mais diversas e importantes, um enigma cuja solução haverá de lançar luz abundante sobre o conjunto de nossa vida psíquica. Não vou afirmar que posso oferecer-lhes essa solução, mas os senhores por certo hão de esperar que a psicanálise aborde também esse tema diferentemente do modo como o fazem as escolas de medicina. Nelas, o interesse se volta sobretudo para os caminhos anatômicos pelos quais o estado de angústia se produz. Explicam que, com a estimulação da *medulla oblongata*, o doente descobre que sofre de uma neurose do *nervus vagus*. A *medulla oblongata* é, de fato, um tema sério e interessante. Lembro-me muito bem de quanto tempo dediquei a seu estudo, anos atrás. Hoje, no entanto, devo dizer que não conheço nada que pudesse ser mais inútil ao entendimento psicológico da angústia do que o conhecimento da via nervosa percorrida por suas excitações.

25. A ANGÚSTIA

No começo, é possível abordar a angústia por um bom tempo sem dar atenção aos estados neuróticos. Os senhores me entenderão perfeitamente se eu caracterizar essa angústia como *realista*, por oposição à *neurótica*. A angústia realista nos parece bastante racional e compreensível. Diremos que é uma reação à percepção de um perigo externo, ou seja, de um dano esperado, previsto; está vinculada ao reflexo da fuga, e é lícito considerá-la manifestação do instinto de autoconservação. Em que ocasiões, ou seja, ante quais objetos e em que situações essa angústia surge, isso, é claro, depende em grande parte do estado de nosso saber e de nosso sentimento de poder frente ao mundo exterior. Julgamos inteiramente compreensível que o selvagem sinta medo de um canhão e que um eclipse o angustie, ao passo que, sob as mesmas circunstâncias, o homem branco, capaz de manejar a arma e de prever o eclipse do sol, permanece livre de angústia. Outras vezes, é justamente o maior saber que favorece a angústia, porque permite antever o perigo. Assim, o selvagem se assustará com pegadas na mata que nada informam ao insciente, mas lhe denunciam a proximidade de um animal feroz; e um navegante experiente contemplará com horror uma nuvenzinha que parece inofensiva ao passageiro, mas lhe anuncia a aproximação de um furacão.

Refletindo melhor, temos de admitir que o juízo acerca da angústia realista — o de que ela é racional e adequada — necessita de rigorosa revisão. O único comportamento adequado ante a ameaça de um perigo seria, com efeito, avaliar calmamente as próprias forças

III TEORIA GERAL DAS NEUROSES

em comparação com o tamanho da ameaça e, então, decidir que alternativa oferece maior perspectiva de um bom desfecho: se a fuga, a defesa ou mesmo o ataque. Mas nesse contexto não há lugar para a angústia; tudo o que ocorre sucederia de toda forma, e provavelmente de melhor maneira, se a angústia não se desenvolvesse. Os senhores veem, portanto, que, em intensidade demasiada, a angústia se revela extremamente inadequada, pois paralisa toda ação, inclusive a fuga. De hábito, a reação ao perigo consiste em uma mescla de afeto de angústia e ação defensiva. O animal assustado se angustia e foge, mas o adequado nisso é a "fuga", não o "angustiar-se".

Portanto, sentimo-nos tentados a afirmar que o desenvolvimento da angústia jamais é adequado. Decompor com mais cuidado a situação angustiante talvez nos ajude a obter uma melhor compreensão do assunto. A primeira coisa que verificamos nela é a prontidão diante do perigo, a qual se manifesta em maior atenção sensorial e tensão motora. Essa prontidão expectante deve ser reconhecida como vantajosa; de fato, sua ausência poderia ser responsável por sérias consequências. Dela advém, por um lado, a ação motora — de início, a fuga; em um estágio mais elevado, a defesa ativa — e, de outro, aquilo que sentimos como o estado de angústia. Quanto mais o desenvolvimento da angústia se reduz a mero estágio inicial, a um sinal, tanto mais imperturbada essa prontidão se converte em ação, e tanto mais adequado se configura todo o curso de eventos. Portanto, adequado naquilo a que chamamos angústia parece-me ser a prontidão, e inadequado o seu desenvolvimento.

25. A ANGÚSTIA

Evito aqui aprofundar-me na questão de saber se a linguagem corrente designa a mesma coisa ou coisas claramente diferentes com as palavras *Angst* [angústia ou medo], *Furcht* [temor] e *Schreck* [terror]. Apenas acho que "angústia" se refere ao estado, não considerando o objeto, ao passo que "temor" chama a atenção precisamente para o objeto. "Terror", por outro lado, parece ter um sentido especial, o de realçar o efeito de um perigo que não é recebido com a prontidão da angústia. Pode-se dizer, assim, que o homem se protege do terror por meio da angústia.

Uma certa ambiguidade e indefinição no uso da palavra "angústia" não terá escapado aos senhores. Na maioria das vezes, entende-se por angústia o estado subjetivo em que ficamos graças à percepção do "desenvolvimento da angústia", e chama-se a isso um afeto. Mas o que é um afeto, no sentido dinâmico do termo? De todo modo, é algo composto. Um afeto compreende, em primeiro lugar, determinadas inervações motoras ou descargas; em segundo, certas sensações de dois tipos distintos: as percepções das ações motoras ocorridas e as sensações diretas de prazer e desprazer que dão o tom, como se diz, ao afeto. Não acredito, porém, que com essa enumeração cheguemos à essência do afeto. Em alguns afetos, acreditamos enxergar mais fundo e reconhecer que o núcleo que sustenta o conjunto é a repetição de determinada vivência cheia de significado. Ela poderia ser apenas alguma impressão bastante precoce e de natureza muito geral, que deve ser situada não na pré-história do indivíduo, mas na da espécie. Para

III TEORIA GERAL DAS NEUROSES

dizê-lo de forma mais compreensível: o estado afetivo seria construído como um ataque histérico, seria, como esse, o precipitado de uma reminiscência. O ataque histérico é comparável, portanto, a um afeto individual recém-formado, e o afeto normal, à expressão de uma histeria geral que se tornou herança.

Não suponham os senhores que aquilo que eu disse sobre os afetos é patrimônio reconhecido da psicologia normal. Pelo contrário, são concepções que brotaram do terreno da psicanálise e somente nele se acham em casa. O que os senhores podem aprender sobre os afetos na psicologia — a teoria de James-Lange, por exemplo — é para nós, psicanalistas, algo incompreensível e que nem podemos discutir. Tampouco entendemos que nosso saber nessa área esteja assegurado; trata-se de uma primeira tentativa de nos orientarmos nesse terreno obscuro. Prossigo, pois, com minha exposição. No caso do afeto de angústia, acreditamos saber que impressão precoce ele repete. Acreditamos que se trata do *ato do nascimento*, no qual se dá aquele agrupamento de sensações de desprazer, impulsos de descarga e sensações corporais que se tornou para nós o modelo do efeito gerado por um perigo de vida e que, desde então, repetimos sob a forma do estado de angústia. No aumento enorme da estimulação verificado outrora, devido à interrupção da renovação do sangue (da respiração interna), encontra-se a causa da vivência da angústia; a primeira angústia foi, portanto, uma angústia tóxica. O substantivo *Angst* [angústia] — *angustiae*, aperto [em latim] — enfatiza o estreitamento da respiração, pre-

25. A ANGÚSTIA

sente então como consequência da situação real e hoje reproduzido quase regularmente no afeto. Reconheceremos também como bastante significativo o fato de aquele primeiro estado de angústia ter decorrido da separação da mãe. Por certo, estamos convencidos de que a disposição de repetir aquele primeiro estado de angústia foi tão incorporada ao organismo por uma série de incontáveis gerações que nenhum indivíduo logra escapar ao afeto de angústia, ainda que, como o lendário Macduff, ele tenha sido "arrancado prematuramente do ventre da mãe", isto é, que não tenha experimentado o ato do nascimento. O que se tornou o modelo do estado de angústia para os outros animais, os não mamíferos, isso não sabemos dizer. De resto, tampouco sabemos que complexo de sensações equivale, nessas criaturas, à nossa angústia.

Interessará aos senhores ouvir como alguém pode chegar a tal ideia — a de que o ato do nascimento é a fonte e o modelo do afeto da angústia. É mínimo o papel desempenhado aí pela especulação; o que fiz foi tomar um empréstimo do ingênuo pensamento popular. Há muitos anos, ainda como jovens médicos de hospital, estávamos sentados à mesa do almoço no restaurante quando um assistente da obstetrícia se pôs a contar histórias engraçadas ocorridas na recém-acontecida prova das parteiras. Perguntaram a uma candidata o que significava a presença de mecônio (excremento) no líquido do parto, ao que ela de pronto respondeu: "Significa que o bebê está com medo". Riram muito dela, e foi reprovada. Em silêncio, porém, tomei o partido da candidata

III TEORIA GERAL DAS NEUROSES

e comecei a desconfiar que aquela pobre mulher do povo havia candidamente revelado um nexo importante.

Passemos agora à angústia neurótica. Que novas formas e relações nos mostra a angústia nos neuróticos? Nisso há muito a relatar. Em primeiro lugar, encontramos um estado de angústia generalizado, uma, digamos, angústia flutuante, pronta a se apegar a todo e qualquer conteúdo vagamente apropriado, uma angústia que influencia o juízo, que seleciona expectativas, à espreita de uma oportunidade para justificar-se. A esse estado damos o nome de "angústia expectante" ou "expectativa angustiada". Pessoas que sofrem desse tipo de angústia preveem sempre a concretização da possibilidade mais terrível, interpretam todo acaso como sinal de alguma desgraça, exploram toda incerteza no pior sentido. Essa tendência a esperar desgraças é um traço de caráter de muitas pessoas que, em geral, não poderíamos caracterizar como doentes; são chamadas de muito angustiadas ou pessimistas. Mas uma notável medida de angústia expectante é, em regra, parte integrante de uma afecção nervosa que chamei de *neurose de angústia* e que incluo entre as neuroses atuais.

Em contraposição à que acabo de descrever, uma segunda forma de angústia apresenta vinculação acima de tudo psíquica e está ligada a certos objetos ou determinadas situações. Ela é encontrada nas *fobias*, que são bastante variadas e frequentemente muito singulares. Stanley Hall, o respeitado psicólogo norte-americano, deu-se recentemente ao trabalho de nos apresentar toda essa ampla gama de fobias com suntuosos nomes gre-

25. A ANGÚSTIA

gos. A lista soa como uma enumeração das dez pragas egípcias, mas seu número excede em muito a dezena. Ouçam os senhores a multiplicidade de coisas que podem ser objeto ou conteúdo de uma fobia: escuridão, ar livre, lugares abertos, gatos, aranhas, lagartas, cobras, ratos, tempestades, pontas afiadas, sangue, espaços fechados, multidões, solidão, travessia de pontes, viagens marítimas e ferroviárias, e assim por diante. Em uma primeira tentativa de nos orientarmos nesse torvelinho, o que se apresenta mais à mão é distinguir três grupos. Vários desses objetos ou dessas situações temidas possuem também para nós, pessoas normais, algo de inquietante, alguma relação com o perigo, razão pela qual as fobias não nos parecem incompreensíveis, ainda que bastante exageradas em sua intensidade. Assim, a maioria de nós experimentará um sentimento de repugnância ao deparar com uma cobra. A fobia de cobras, pode-se dizer, é generalizada entre os seres humanos, e Charles Darwin descreveu de maneira muito impressionante como não conseguiu evitar a angústia diante de uma cobra que avançava em sua direção, embora se soubesse protegido por uma espessa lâmina de vidro. Em um segundo grupo, situamos aquelas fobias nas quais uma relação com o perigo está presente, mas um perigo que estamos acostumados a minimizar e a não antever. A esse grupo pertence a maioria das fobias situacionais. Sabemos que, em uma viagem de trem, a chance de sofrermos um acidente — ou seja, a chance de um choque de trens — é maior do que se ficássemos em casa; sabemos também que um navio pode afundar

III TEORIA GERAL DAS NEUROSES

e que, se isso acontecer, poderemos morrer afogados; contudo, não pensamos nesses perigos e viajamos sem nos angustiar, tanto de trem como de navio. Tampouco se pode negar que mergulharíamos no rio, caso a ponte sobre ele desmoronasse no momento em que passamos por ela, mas é tão raro isso acontecer que nem sequer levamos em conta esse perigo. Também a solidão tem seus perigos, razão pela qual a evitamos em certas circunstâncias; mas não se trata de, qualquer que seja a circunstância, não podermos suportá-la por um momento sequer. Algo semelhante vale para as multidões, os espaços fechados, os temporais e assim por diante. O que nos causa estranheza nessas fobias dos neuróticos não é tanto o conteúdo, e sim a intensidade delas. A angústia das fobias é verdadeiramente inapelável! Às vezes, temos a impressão de que os neuróticos não se angustiam diante daquelas mesmas situações que, sob certas circunstâncias, poderiam angustiar também a nós, embora eles as chamem pelos mesmos nomes.

Resta-nos um terceiro grupo de fobias, já inacessível a nosso entendimento. Quando um homem adulto, forte, não consegue atravessar uma rua ou praça de sua tão familiar cidade natal, ou quando uma mulher saudável, bem constituída, mergulha em desvairada angústia porque um gato roçou a barra de seu vestido ou um rato atravessou a sala, como estabelecer aí a ligação com o perigo que evidentemente existe para o fóbico? No caso das fobias de animais pertencentes a esse grupo, já não se trata da intensificação daquelas antipatias comuns a todas as pessoas, uma vez que, como se a demonstrar o

25. A ANGÚSTIA

oposto, existem numerosas pessoas que são incapazes de passar por um gato sem pretender atraí-lo ou acariciá--lo. Também o ratinho, tão temido pelas mulheres, é, ao mesmo tempo, um apelido carinhoso de primeira grandeza; muitas mocinhas que assim se deixam chamar com satisfação por seu namorado gritam horrorizadas à visão do gracioso bichinho de mesmo nome. Para o homem incapaz de atravessar uma rua ou praça, a única explicação que se nos impõe é que ele se comporta como uma criança pequena. Em sua educação, a criança é advertida a evitar tais situações, porque elas são perigosas, e, de fato, o agorafóbico se vê protegido de sua angústia se o acompanhamos até o outro lado da praça.

As duas formas da angústia aqui descritas, a flutuante angústia de expectativa e as angústias ligadas a fobias, são independentes uma da outra. Não se trata de uma ser, digamos, estágio mais elevado da outra; sua ocorrência simultânea constitui exceção e, quando isso acontece, é como se por mera casualidade. Não é forçoso que o estado de angústia mais intenso e mais generalizado se manifeste por meio das fobias; pessoas que tiveram sua vida toda limitada pela agorafobia podem nunca ter apresentado a angústia pessimista de expectativa. Está comprovado que muitas das fobias — como aquelas provocadas por praças ou vias férreas — são adquiridas apenas na idade adulta; outras, como as angústias causadas pela escuridão, por temporais ou por animais, parecem ter estado presentes desde o início. As fobias do primeiro tipo significam doenças graves; as do segundo, mais parecem excentricidades, caprichos.

III TEORIA GERAL DAS NEUROSES

Aquele que apresenta uma fobia desse último tipo, neste é lícito supor que outras semelhantes se manifestarão também. Devo acrescentar que incluímos todas essas fobias na categoria das *histerias de angústia*, ou seja, nós as vemos como afecções bastante aparentadas à conhecida histeria de conversão.

A terceira das formas assumidas pela angústia neurótica nos coloca diante de um mistério; nesse caso, perdemos de vista por completo a conexão entre a angústia e o perigo ameaçador. Na histeria, por exemplo, essa angústia acompanha os sintomas histéricos, ou pode também surgir numa condição qualquer de excitação. São situações em que esperaríamos uma manifestação afetiva, mas em que a manifestação do afeto da angústia constituiria a mais inesperada de todas. Ou essa terceira forma de angústia pode ainda, desvinculada de quaisquer condições e de modo incompreensível tanto para nós como para o doente, manifestar-se em um acesso gratuito, sem que se verifique em parte alguma um perigo ou pretexto que, exagerado, pudesse levar a tanto. Nesses acessos espontâneos descobrimos, então, que o complexo que chamamos de estado de angústia pode sofrer uma fragmentação. O acesso em si pode consistir em um sintoma único e intensamente desenvolvido, ou seja, em uma tremedeira, tontura, uma palpitação ou falta de ar, mas o sentimento geral que nos permite identificar a angústia pode estar ausente ou ter se tornado imperceptível. Não obstante, esses estados que descrevemos como "equivalentes da angústia" devem ser equiparados à angústia em todos os aspectos clínicos e etiológicos.

25. A ANGÚSTIA

Duas questões surgem aqui. Podemos relacionar a angústia neurótica, na qual o perigo não desempenha papel nenhum ou apenas papel muito pequeno, com a angústia realista, que constitui de fato uma reação ao perigo? E como haveremos de compreender a angústia neurótica? Em primeiro lugar, devemos nos ater à expectativa de que onde há angústia, deve haver também aquilo que angustia.

Para a compreensão da angústia neurótica a observação clínica nos fornece várias indicações, cujo significado pretendo agora lhes expor.

a) Não é difícil constatar que a angústia expectante ou ansiedade [*Ängstlichkeit*] geral tem estreita vinculação com determinados processos da vida sexual, com certos empregos da libido, digamos. O caso mais simples e instrutivo desse tipo é aquele que se verifica em pessoas expostas à chamada excitação frustrânea, ou seja, em que a intensa excitação sexual não experimenta descarga suficiente, não é conduzida a desfecho satisfatório. Estamos falando, portanto, de homens ainda durante o noivado ou de mulheres cujos maridos não são potentes o bastante ou que, por cautela, praticam o ato sexual de forma abreviada ou interrompida. Sob tais condições, a excitação libidinal desaparece e, em seu lugar, surge a angústia, tanto sob a forma de angústia expectante como em acessos e equivalentes. A interrupção cautelosa do ato sexual, quando praticada como regime sexual, é causa tão frequente da neurose de angústia em homens — e, em especial, nas mulheres — que se recomenda, na prática médica, que nesses

III TEORIA GERAL DAS NEUROSES

casos a busca etiológica principie por aí. O que então se verifica, em inúmeros casos, é que, uma vez eliminada a má prática sexual, a neurose de angústia desaparece.

Tanto quanto sei, a existência de uma relação entre contenção sexual e estados de angústia já não é contestada nem mesmo por médicos distantes da psicanálise. Mas posso bem imaginar que não se tenha ainda abandonado a tentativa de invertê-la e defender a concepção de que se trata, na verdade, de pessoas que de antemão possuem tendência à angústia e que, por isso, exercitam contenção também em questões sexuais. Contraria decisivamente essa possibilidade o comportamento das mulheres, cuja prática sexual é de natureza mais passiva em essência, isto é, determinada pela atitude do homem. Quanto mais vigorosa a mulher, ou seja, quanto mais disposta à relação sexual e capaz de obter satisfação, tanto mais certamente reagirá ela à impotência do marido ou ao coito interrompido com manifestações de angústia, ao passo que esse mesmo tratamento desempenhará papel bem menor em mulheres apáticas ou menos libidinais.

É claro que a abstinência sexual, agora recomendada com tanta ênfase pelos médicos, só terá a mesma importância para o surgimento de estados de angústia quando a libido, à qual se nega a descarga satisfatória, apresentar força correspondente e não se resolver em sua maior parte pela sublimação. São sempre os fatores quantitativos que decidem se há adoecimento ou não. Mesmo quando não se trata de doença, mas de configuração do caráter, pode-se reconhecer facilmente que o exercício da restrição sexual caminha de mãos dadas com

25. A ANGÚSTIA

certa ansiedade e hesitação, ao passo que a intrepidez e a ousadia implicam indulgência para com a necessidade sexual. Por mais que essas relações sejam alteradas e complicadas por influências culturais diversas, permanece válido para a média das pessoas o vínculo existente entre angústia e restrição sexual.

Estou longe de ter comunicado aos senhores as observações todas que depõem a favor da relação genética* entre libido e angústia sustentada aqui. Entre elas também está, por exemplo, a influência de certas fases da vida no adoecimento por angústia, como a puberdade e o período da menopausa, às quais podemos atribuir considerável aumento na produção da libido. Em vários estados de excitação se pode observar diretamente a mistura de libido e angústia e, por fim, a substituição daquela por essa. São duas as impressões que se adquire de todos esses fatos: em primeiro lugar, a de que se trata de uma acumulação da libido impedida de ter seu emprego normal; em segundo, a de que nisso nos encontramos no terreno dos processos somáticos. Como a angústia nasce da libido não é claro inicialmente; apenas constatamos a falta da libido e observamos a presença da angústia em seu lugar.

b) Uma segunda indicação nós extraímos da análise das psiconeuroses e, em especial, da histeria. Vimos que, nessa afecção, a angústia frequentemente acompanha os sintomas; mas também há a angústia desvinculada, que se manifesta como acesso ou como condição

---

* No contexto, esse adjetivo diz respeito à gênese, não aos genes.

permanente. Os doentes não sabem dizer o que os angustia, e, mediante uma inequívoca elaboração secundária, ligam sua angústia àquelas fobias mais à mão: a de morrer, a de enlouquecer ou a de sofrer um derrame. Quando submetemos à análise a situação da qual se origina a angústia ou os sintomas que ela acompanha, em geral somos capazes de dizer que curso normal de eventos psíquicos deixou de ocorrer e foi substituído pelo fenômeno da angústia. Expressando-o de outra forma: nós construímos o processo inconsciente como ele seria, se não tivesse sofrido repressão, e sim prosseguido sem qualquer impedimento em seu caminho rumo à consciência. Também esse processo terá sido acompanhado por determinado afeto, e descobrimos então, para nossa surpresa, que o afeto que acompanha o curso normal de eventos é, em todos os casos, substituído pela angústia após a repressão, independentemente de sua qualidade. Assim, quando deparamos com um estado histérico de angústia, seu correlato inconsciente pode ser um impulso de caráter semelhante — ou seja, de angústia, vergonha, embaraço —, e também um impulso libidinal positivo ou hostil e agressivo, como raiva e fúria. A angústia é, portanto, a moeda universal corrente, pela qual são ou podem ser trocados todos os impulsos afetivos, quando o conteúdo ideativo a eles ligados foi submetido à repressão.

c) Uma terceira descoberta fazemos com aqueles doentes que realizam ações obsessivas, que, de maneira digna de nota, parecem ser isentos de angústia. Quando tentamos impedi-los de efetuar sua ação obsessiva — de

25. A ANGÚSTIA

se lavar, de realizar seu cerimonial —, ou quando eles próprios ousam tentar abandonar uma de suas obsessões, uma angústia terrível os obriga a obedecer a ela. Entendemos que a angústia estava encoberta pela ação obsessiva, que esta só foi realizada para evitar aquela. Portanto, a angústia, que de outro modo sobreviria, é substituída pela formação do sintoma na neurose obsessiva. Também quando nos voltamos para a histeria encontramos nessa neurose uma relação semelhante: do processo repressivo resulta ou o desenvolvimento puro da angústia, ou angústia acompanhada de formação de sintoma ou, ainda, uma mais completa formação de sintoma sem a presença da angústia. Em sentido abstrato, portanto, não nos pareceria incorreto dizer que os sintomas se formam apenas para escapar ao desenvolvimento, de outro modo inevitável, da angústia. Essa concepção situa a angústia, por assim dizer, no centro de nosso interesse pelos problemas da neurose.

De nossas observações acerca da neurose de angústia havíamos concluído que o desvio da libido de seu emprego normal, que dá origem à angústia, ocorre no terreno dos processos somáticos. As análises da histeria e da neurose obsessiva permitem acrescentar que o mesmo desvio, com idêntico resultado, pode ser também efeito de uma rejeição por parte das instâncias psíquicas. Isso é, pois, tudo que sabemos acerca do surgimento da angústia neurótica; ainda parece bastante impreciso. No momento, porém, não vejo caminho que possa nos levar adiante. A segunda tarefa que propusemos a nós mesmos, que é o estabelecimento de uma li-

III TEORIA GERAL DAS NEUROSES

gação entre a angústia neurótica (que é libido emprega-da de forma anormal) e a angústia realista (que equivale a uma reação ao perigo), parece ainda mais difícil de ser realizada. Gostaríamos de acreditar que são, ambas, coisas bem díspares, e, no entanto, não temos meios de distinguir, nas sensações que provocam, a angústia realista da neurótica.

A ligação procurada estabelece-se por fim quando tomamos como premissa a oposição, já sustentada diversas vezes, entre Eu e libido. Como sabemos, o desenvolvimento da angústia é a reação do Eu ao perigo e o sinal para o início da fuga. É natural, pois, que entendamos que, na angústia neurótica, o Eu empreende semelhante tentativa de fuga diante da demanda de sua libido e que trata esse perigo interior como se fosse exterior. Assim se cumpriria nossa expectativa de que, onde se manifesta a angústia, também há algo que angustia. Mas essa analogia poderia ser levada adiante. Assim como a tentativa de fuga ante o perigo exterior dá lugar ao enfrentamento e a medidas que visam à defesa, também o desenvolvimento da angústia neurótica cede lugar à formação do sintoma, o que produz uma vinculação da angústia.

A dificuldade de entendimento situa-se agora em outro ponto. A angústia que significa uma fuga do Eu de sua libido deve ter se originado dessa mesma libido. Isso é obscuro, e nos adverte a não esquecer que a libido de uma pessoa é, fundamentalmente, parte dela própria, não pode contrapor-se a ela como algo exterior. É a dinâmica topológica do desenvolvimento da angústia,

25. A ANGÚSTIA

ainda obscura para nós, a questão de que energias psíquicas são aí despendidas e de que sistemas psíquicos provêm. Não posso lhes prometer uma resposta também para essa pergunta, mas não podemos deixar de seguir duas outras pistas e de, mais uma vez, nos servir da observação direta e da pesquisa analítica como auxílio para nossa especulação. Vamos nos voltar para a gênese da angústia na criança e para a procedência da angústia neurótica, que está ligada às fobias.

A ansiedade é muito comum em crianças, mas é difícil determinar se se trata de angústia neurótica ou realista. O próprio valor dessa distinção é questionado pelo comportamento das crianças. Por um lado, não nos admiramos quando uma criança se angustia diante de estranhos ou de novas situações e novos objetos, uma reação que explicamos a nós mesmos atribuindo-a com muita facilidade à sua fraqueza e insciência. Então atribuímos à criança uma forte propensão à angústia realista e consideraríamos inteiramente adequado se tal ansiedade fosse uma herança congênita. A criança estaria, assim, apenas repetindo o comportamento do homem primordial e dos primitivos de nossos dias, aqueles que, em razão de sua ignorância e desamparo, temem tudo que é novo e muito do que é familiar, que hoje não nos inspira medo nenhum. Essa explicação atenderia também plenamente a nossa expectativa, caso as fobias infantis fossem ainda, ao menos em parte, as mesmas que podemos atribuir aos primórdios do desenvolvimento humano.

Mas, por outro lado, não podemos ignorar que nem todas as crianças são angustiadas na mesma medida, e

III TEORIA GERAL DAS NEUROSES

que aquelas que mostram particular temor frente a todos os objetos e situações possíveis são precisamente as
que se revelam neuróticas mais tarde. Portanto, a disposição para a neurose é também denunciada por uma
clara tendência à angústia realista; a ansiedade aparece como o elemento primário, e chegamos à conclusão
de que a criança — e, mais tarde, o adolescente — se
angustia ante a intensidade de sua libido porque, justamente, tudo lhe provoca angústia. Com isso, estaria
refutada a hipótese do surgimento da angústia a partir
da libido, e, pesquisando-se as condições para a angústia realista, chegar-se-ia coerentemente à concepção de
que a consciência da própria debilidade e desamparo —
da própria inferioridade, na terminologia de A. Adler
— é a causa última da neurose, se essa consciência puder se prolongar da infância à idade madura.

Isso soa tão simples e sedutor que merece nossa atenção. É certo que implicaria um deslocamento do enigma
do estado neurótico. A continuidade do sentimento de
inferioridade — e, assim, da condição para a angústia e
para a formação do sintoma — parece tão garantida que
o que pede uma explicação é, antes, aquilo que entendemos como saúde, quando uma condição saudável vem
excepcionalmente a se verificar. O que, porém, uma
observação cuidadosa da ansiedade das crianças leva
a perceber? A criança pequena se angustia, acima de
tudo, diante de pessoas estranhas; situações só se tornam importantes na medida em que envolvem pessoas,
e, quanto aos objetos, apenas mais tarde eles são levados em consideração. Mas a criança se angustia diante

25. A ANGÚSTIA

de estranhos não porque lhes atribua más intenções e compare sua própria debilidade à força deles — ou seja, não porque reconheça neles perigos para sua existência, segurança ou ausência de dor. Uma criança tão desconfiada, apavorada com o instinto de agressão que domina o mundo, não passa de uma construção teórica malograda. Na verdade, a criança se assusta diante de uma figura estranha porque espera ver a pessoa conhecida e amada: no fundo, a mãe. É sua decepção e seu anseio que se transformam em angústia, ou seja, em libido que se tornou inutilizável, que nesse momento não pode ser mantida em suspenso e é descarregada como angústia. Dificilmente será casual que nessa situação modelar da angústia infantil se repita a condição para o primeiro estado de angústia, que se verifica no ato do nascimento: a separação da criança de sua mãe.

As primeiras fobias ligadas à situação, nas crianças, são as do escuro e da solidão. A primeira muitas vezes se prolonga por toda a vida; comum a ambas é a ausência daquela que cuida e ama, isto é, a mãe. Certa feita, ouvi uma criança, angustiada com a escuridão, gritar para o quarto ao lado: "Tia, fale comigo, estou com medo". "Mas de que adianta eu falar, se você não pode me ver?" E a criança respondeu: "Quando alguém fala, fica mais claro". O anseio na escuridão se torna angústia ante a escuridão. Longe de a angústia neurótica ser apenas secundária ou um caso especial da angústia realista, o que vemos na criança pequena é, antes, que algo que se comporta como angústia realista partilha com a angústia neurótica o traço essencial do surgimento a partir de

III TEORIA GERAL DAS NEUROSES

libido não empregada. Da verdadeira angústia realista, a criança parece trazer consigo muito pouco. Ante todas as situações que, mais tarde, podem se transformar em condição para fobias — altura, pontes estreitas sobre a água, viagem de trem ou de navio —, ela não demonstra angústia, e tanto menos quanto mais insciente for. Seria muito desejável que ela tivesse herdado mais desses instintos [*Instinkte*] protetores da vida; isso facilitaria muito a tarefa de vigiá-la, que deve impedir que a criança se exponha a um perigo atrás do outro. Na realidade, porém, inicialmente a criança superestima suas forças e age sem medo, porque desconhece os perigos. Vai correr à beira d'água, subir no parapeito da janela, brincar com objetos cortantes e com fogo — em suma, fará tudo aquilo que pode machucá-la e causar preocupação a seus responsáveis. Quando nela desperta por fim a angústia realista, esta é obra unicamente da educação, uma vez que não se pode permitir à criança que faça por si própria as descobertas instrutivas.

Se há, pois, crianças que se adiantam a essa educação para o medo e que encontram elas mesmas perigos de que ninguém lhes advertiu, isso é explicado pelo fato que têm maior necessidade libidinal em sua constituição ou que muito cedo foram mimadas com satisfação libidinal. Não há de surpreender se entre elas encontrarmos também os futuros neuróticos; como sabemos, o que mais facilita o surgimento de uma neurose é a incapacidade de tolerar um considerável represamento da libido por um longo período de tempo. Os senhores notam que assim fazemos justiça também ao fator cons-

25. A ANGÚSTIA

titucional, cujos direitos jamais pretendemos contestar. Apenas nos acautelamos para quando alguém negligencia os demais requisitos em favor desse e introduz o fator constitucional também onde, segundo os resultados somados da observação e da análise, ele não pertence ou deveria estar em último lugar.

Façamos agora um resumo de nossas observações acerca da ansiedade nas crianças. A angústia infantil pouco tem a ver com a angústia realista, mas possui íntimo parentesco com a angústia neurótica dos adultos. Como esta, nasce da libido não empregada e substitui o objeto amoroso faltante por um objeto exterior ou uma situação.

Os senhores gostarão de ouvir que a análise das *fobias* já não tem muita coisa nova a nos ensinar. Nelas se dá o mesmo que na angústia infantil: a libido não empregada é constantemente convertida em uma aparente angústia realista, e um minúsculo perigo exterior é introduzido para representar as demandas da libido. Essa coincidência nada tem de estranho, uma vez que as fobias infantis constituem não apenas o modelo para as ulteriores, que incluímos nas "histerias de angústia", como também seus pré-requisito e prelúdio diretos. Toda fobia histérica remonta a uma angústia infantil e dá continuidade a ela, ainda que seu conteúdo seja diferente e precisemos, portanto, dar-lhe outro nome. A diferença entre essas duas afecções está no mecanismo. No adulto, já não basta para a transformação da libido em angústia que a primeira, sob a forma de anseio, tenha se tornado momentaneamente inutilizável. O

III TEORIA GERAL DAS NEUROSES

adulto aprendeu há muito tempo a manter em suspenso essa libido ou a empregá-la de outra forma. Quando, todavia, a libido está ligada a um impulso psíquico que sofreu repressão, aí tornam a se estabelecer condições semelhantes às da criança, que ainda não possui separação entre consciente e inconsciente, e, por meio da regressão à fobia infantil, abre-se a passagem, por assim dizer, através da qual a transformação da libido em angústia pode se realizar com facilidade.

Como se lembram os senhores, já tratamos bastante da repressão, mas, ao fazê-lo, sempre seguimos apenas o destino da ideia a ser reprimida, evidentemente porque ele era mais fácil de reconhecer e apresentar. Deixamos sempre de lado, porém, o que se passa com o afeto vinculado à ideia reprimida, e só agora descobrimos que o destino imediato desse afeto é ser transformado em angústia, qualquer que seja a qualidade que ele mostre em sua evolução normal. Essa transformação do afeto, contudo, é de longe a parte mais importante do processo repressivo. Não é tão fácil abordá-la, porque não podemos afirmar a existência de afetos inconscientes da mesma forma como a de ideias inconscientes. Uma ideia permanece a mesma, exceto pela diferença de ser consciente e inconsciente; somos capazes de indicar o que corresponde a uma ideia inconsciente. Mas um afeto é um processo de descarga, algo a ser avaliado muito diferentemente de uma ideia; o que lhe corresponde no inconsciente não podemos dizer sem uma reflexão e uma clarificação mais profundas de nossas premissas acerca dos processos psíquicos — coisa

25. A ANGÚSTIA

que não podemos fazer aqui. Mas enfatizemos a impressão que agora adquirimos: a de que o desenvolvimento da angústia está intimamente ligado ao sistema do inconsciente.

Eu disse que a transformação em angústia — ou melhor, a descarga sob a forma de angústia — é o destino imediato da libido sujeita à repressão. Devo acrescentar que não é seu destino único ou definitivo. Nas neuroses atuam processos que buscam vincular esse desenvolvimento da angústia e que, por caminhos diversos, de fato conseguem fazê-lo. Nas fobias, por exemplo, é possível diferenciar claramente duas fases do processo neurótico. A primeira cuida da repressão e da conversão da libido em angústia, que é vinculada a um perigo exterior. A segunda consiste na construção de todas as precauções e garantias para evitar um contato com esse perigo, tratado como exterioridade. A repressão corresponde a uma tentativa de fuga do Eu ante a libido percebida como perigo. A fobia pode ser comparada a um entrincheiramento contra o perigo exterior que agora a libido temida representa. A fraqueza do sistema de defesa da fobia reside, naturalmente, no fato de essa fortaleza, tão reforçada contra o que vem de fora, permanecer vulnerável a um ataque de dentro. A projeção para fora do perigo da libido nunca é bem-sucedida. Por isso, as outras neuroses se valem de outros sistemas de defesa contra a possibilidade do desenvolvimento da angústia. Essa é uma parte muito interessante da psicologia das neuroses, mas infelizmente nos levaria longe demais, e pressupõe um conhecimento especializado mais profun-

III TEORIA GERAL DAS NEUROSES

do. Quero acrescentar apenas mais uma coisa. Já lhes falei do "contrainvestimento" que o Eu emprega na repressão e que tem de sustentar continuamente, a fim de que ela perdure. Cabe a esse contrainvestimento a tarefa de levar adiante as várias formas de defesa contra o desenvolvimento da angústia após a repressão.

Voltemos às fobias. Posso dizer que os senhores compreendem como é insuficiente querer explicar apenas seu conteúdo, sem se interessar por mais nada a não ser como ocorre que esse ou aquele objeto, ou uma situação qualquer, transforme-se em objeto de fobia. O conteúdo de uma fobia tem, para ela, mais ou menos o mesmo significado que a fachada manifesta tem para o sonho. Com as necessárias reservas, pode-se admitir que entre os conteúdos das fobias há alguns que, por herança filogenética, são apropriados para objetos de angústia, como salienta Stanley Hall. E está de acordo com isso o fato de que muitas dessas coisas angustiantes só podem estabelecer sua vinculação com o perigo por uma relação simbólica.

Convencemo-nos, assim, de que o problema da angústia ocupa nas questões da psicologia das neuroses uma posição que poderíamos chamar de central. Obtivemos uma forte impressão de como o desenvolvimento da angústia se acha ligado aos destinos da libido e ao sistema do inconsciente. Um único ponto percebemos como desvinculado, como uma lacuna em nossa concepção: o fato, dificilmente contestável, de que a angústia realista deve ser vista como manifestação dos instintos de autoconservação do Eu.

26. A TEORIA DA LIBIDO
E O NARCISISMO

Senhoras e senhores: Repetidas vezes, e a última delas muito recentemente, tratamos da separação entre instintos do Eu e instintos sexuais. Primeiro a repressão nos mostrou que eles podem se contrapor e que, então, os instintos sexuais são expressamente derrotados e obrigados a buscar satisfação por vias indiretas regressivas, achando, em seu caráter indomável, compensação pela derrota. Depois vimos que desde o começo esses dois instintos têm relação diversa com a necessidade educadora, que não perfazem o mesmo desenvolvimento e não se relacionam igualmente com o princípio da realidade. Por fim, acreditamos ter constatado que os laços que ligam os instintos sexuais ao estado afetivo da angústia são bem mais estreitos do que os que os unem aos instintos do Eu, um resultado que parece incompleto ainda num aspecto importante. É com a intenção de fortalecê-lo, então, que aduzimos o fato, bastante notável, de que a não satisfação da fome e da sede, os dois instintos mais elementares de autoconservação, jamais resulta em sua transformação em angústia, ao passo que a mudança da libido insatisfeita em angústia se acha, como dissemos, entre os fenômenos mais conhecidos e mais frequentemente observados.

Mas nosso justo direito de especificar os instintos sexuais e os instintos do Eu separadamente não pode ser questionado. Afinal, ele decorre da existência da vida sexual como uma atividade especial do indivíduo.

III TEORIA GERAL DAS NEUROSES

Pode-se apenas perguntar que significado atribuímos a essa separação, até onde desejamos vê-la como incisiva. Mas a resposta a essa pergunta será guiada pelo resultado da seguinte averiguação: em que medida os instintos sexuais, em suas manifestações somáticas e psíquicas, se comportam diferentemente dos instintos que lhes contrapomos, e quão significativas são as consequências que resultam dessas diferenças? Naturalmente, falta--nos todo motivo para postular uma diferença essencial — de resto, não propriamente compreensível — entre esses dois grupos de instintos. Os dois se nos apresentam apenas como designações para fontes de energia do indivíduo, e a discussão sobre se, no fundo, são um só — e, nesse caso, quando foi que se separaram — ou se são fundamentalmente diferentes não pode se dar no plano conceitual, mas precisa apoiar-se nos fatos biológicos por trás deles. A esse respeito sabemos muito pouco por enquanto, e, ainda que soubéssemos mais, isso não viria ao caso em nossa tarefa analítica.

Muito pouco proveito nos traria, é evidente, enfatizar a unidade primordial de todos os instintos, como faz Jung, e chamar de "libido" a energia que se manifesta em todos eles. Como não há artifício capaz de eliminar da vida psíquica a função sexual, vemo-nos então obrigados a falar em libido sexual e libido não sexual. O nome "libido" permanece, no entanto, e com todo o direito, como designação própria das forças instintuais da vida sexual, como a temos empregado até agora.

Acho, portanto, que a questão acerca de até onde prosseguir na separação, sem dúvida justificada, entre

26. A TEORIA DA LIBIDO E O NARCISISMO

os instintos sexuais e os de autoconservação não tem maior importância para a psicanálise; que tampouco tem a competência para respondê-la. A biologia, por sua vez, nos fornece indícios diversos de que essa questão tem grande significado. A sexualidade é, afinal, a única função do organismo vivo que ultrapassa o indivíduo e se ocupa de sua ligação com a espécie. É inegável que seu exercício nem sempre traz proveito ao indivíduo, como sucede com as demais funções deste; na verdade, em troca de um prazer extraordinário, ela o sujeita a perigos que lhe ameaçam a vida e, com frequência, trazem-lhe a morte. Além disso, é provável que processos metabólicos muito especiais, diferentes de todos os outros, sejam necessários para manter uma parte da vida individual como predisposição para sua descendência. Por fim, do ponto de vista biológico, o ser individual — que se vê como central e considera sua sexualidade um meio como outro qualquer para sua própria satisfação — é apenas um episódio no interior de uma série de gerações, um efêmero apêndice de um plasma germinativo dotado de virtual imortalidade, como que o detentor temporário de um legado que sobreviverá a ele.

Todavia, a explicação psicanalítica das neuroses não requer considerações tão vastas. Acompanhando separadamente os instintos sexuais e do Eu, encontramos a chave para compreender o grupo das neuroses de transferência. Pudemos fazê-las remontar à situação fundamental em que os instintos sexuais entram em disputa com os de autoconservação ou, em termos biológicos

III TEORIA GERAL DAS NEUROSES

— embora mais imprecisos —, em que a posição do Eu como ser individual conflita com aquela de integrante de toda uma série de gerações. Uma dissensão desse tipo talvez ocorra apenas no ser humano, e por isso, de modo geral, a neurose seria prerrogativa dele em relação aos animais. O desenvolvimento muito intenso da libido e a formação, possibilitada talvez por isso mesmo, de uma vida psíquica ricamente articulada parecem ter criado as condições para o surgimento de tal conflito. É evidente, aliás, que essas mesmas condições ensejaram também o progresso humano para além do que o homem possui em comum com os animais, de tal forma que sua suscetibilidade à neurose constituiria, assim, apenas o outro lado de seus demais talentos. Mas isso são apenas especulações, que nos desviam de nossa tarefa imediata.

Até agora, a possibilidade de diferenciar os instintos do Eu dos instintos sexuais, com base em suas respectivas manifestações, foi o pressuposto de nosso trabalho. Não foi difícil fazê-lo no tocante às neuroses de transferência. Os investimentos de energia que o Eu dedica aos objetos de seus desejos sexuais, nós os chamamos *libido*; a todos os demais, originários dos instintos de autoconservação, demos o nome de *interesse*. Seguindo a pista dos investimentos libidinais, de suas transformações e de seus destinos finais, logramos obter uma primeira compreensão do mecanismo das forças psíquicas. As neuroses de transferência nos forneceram matéria bastante propícia para isso. Mas o Eu — sua composição a partir de organizações diversas, a estrutura e o fun-

26. A TEORIA DA LIBIDO E O NARCISISMO

cionamento dessas organizações — permaneceu-nos oculto, e pudemos supor que somente a análise de outros distúrbios neuróticos nos traria essa compreensão.

Bem cedo começamos a estender as concepções psicanalíticas para essas outras afecções. Já em 1908, Karl Abraham, após uma troca de impressões comigo, lançou a tese de que a característica principal da *dementia praecox* (incluída entre as psicoses) seria *a falta do investimento libidinal dos objetos* (em "As diferenças psicossexuais entre histeria e *dementia praecox*"). Então se levantou a questão do que aconteceria com essa libido dos dementes, afastada dos objetos. Abraham não titubeou em responder: ela reverteria para o Eu, e *essa reversão reflexiva é a fonte da megalomania* na demência precoce. A megalomania pode perfeitamente ser comparada à conhecida superestimação sexual do objeto na vida amorosa. Assim, pela primeira vez, aprendemos a compreender um traço de uma afecção psicótica relacionando-o com a vida amorosa normal.

Digo-lhes de pronto que essas primeiras concepções de Abraham integraram-se à psicanálise e se tornaram a base para nosso posicionamento no tocante às psicoses. Lentamente, fomos nos familiarizando com a concepção de que a libido, que encontramos apegada aos objetos e que é expressão do anseio de neles conquistar satisfação, pode também deixá-los, substituindo-os pelo próprio Eu, uma concepção que gradualmente se desenvolveu de forma cada vez mais coerente. O nome para essa alocação da libido — *narcisismo* —, tomamos emprestado a uma perversão descrita por Paul Näcke,

III TEORIA GERAL DAS NEUROSES

na qual o indivíduo adulto trata o próprio corpo com todas as carícias normalmente dedicadas a um objeto sexual externo.

Logo refletimos que se existe essa fixação da libido no próprio corpo e na própria pessoa, em vez de num objeto, isso não pode constituir exceção, nem um acontecimento insignificante. É provável, antes, que esse narcisismo seja o estado geral e primordial, a partir do qual se desenvolveu mais tarde o amor objetal, sem que o narcisismo precisasse desaparecer. Foi impossível não recordar, da história evolutiva da libido objetal, que inicialmente muitos instintos sexuais se satisfazem no próprio corpo — de forma *autoerótica*, como dizemos —, e que essa capacidade para o autoerotismo é a razão para que a sexualidade se atrase na educação para o princípio da realidade. Assim, o autoerotismo seria a prática sexual do estágio narcisista da alocação da libido.

Em resumo, concebemos a relação da libido do Eu com a libido objetal de uma maneira que posso ilustrar aos senhores mediante uma comparação extraída da zoologia. Pensem nos seres vivos mais simples, aqueles que consistem em um amontoado pequeno e pouco diferenciado de substância protoplasmática. Eles apresentam prolongamentos, chamados pseudópodes, para os quais fazem fluir a substância de seu corpo. Podem, no entanto, recolher esses prolongamentos e se fechar em uma bola. A projeção dos prolongamentos nós comparamos ao envio de libido para os objetos, enquanto a maior parte da libido pode permanecer no Eu, e supomos que, em condições normais, a libido do Eu pode ser

26. A TEORIA DA LIBIDO E O NARCISISMO

transformada, de maneira desimpedida, em libido objetal, e esta, ser novamente acolhida pelo Eu.

Com o auxílio dessas concepções, podemos agora explicar toda uma série de estados psíquicos, ou, dizendo-o de forma mais modesta, podemos descrevê-los na linguagem da teoria da libido — estados que devemos atribuir à vida normal, como a conduta psíquica no enamoramento, no adoecimento orgânico ou no sono. No caso do sono, formulamos a hipótese de que ele se baseia num afastamento do mundo exterior e numa acomodação ao desejo de dormir. Aquilo que se manifesta no sonho como atividade psíquica noturna acreditamos estar a serviço desse desejo de dormir e, além disso, dominado por motivos puramente egoístas. De acordo com a teoria da libido, afirmamos agora que o sono é um estado em que todos os investimentos objetais — tanto os libidinais como os egoístas — são abandonados e chamados de volta ao Eu. Isso não lançaria nova luz sobre o repouso propiciado pelo sono e a natureza do cansaço em geral? A imagem do bem-aventurado isolamento da vida intrauterina, que o adormecido torna a nos lembrar toda noite, completa-se, assim, também em seu lado psíquico. No indivíduo que dorme, restabelece-se o estado primordial da distribuição da libido, o narcisismo pleno, em que libido e interesse do Eu, ainda unidos e indiferenciáveis, habitam o Eu que basta a si mesmo.

Aqui cabem duas observações. Em primeiro lugar, como se diferenciam conceitualmente narcisismo e egoísmo? Creio que o narcisismo é o complemento

III TEORIA GERAL DAS NEUROSES

libidinal do egoísmo. Quando se fala em egoísmo, tem-se em vista apenas o proveito do indivíduo; no narcisismo, porém, leva-se em consideração também sua satisfação libidinal. Como motivos práticos, os dois podem ser examinados separadamente ao longo de alguma distância. É possível ser absolutamente egoísta e, ainda assim, manter fortes investimentos objetais libidinais, desde que a satisfação libidinal com o objeto seja parte das necessidades do Eu. O egoísmo cuidará, então, para que a aspiração pelo objeto não cause nenhum dano ao Eu. É possível ser egoísta e, ao mesmo tempo, fortemente narcisista, isto é, ter uma necessidade objetal muito pequena, seja na satisfação sexual direta, seja naquelas aspirações mais elevadas, que derivam da necessidade sexual, as quais eventualmente contrapomos à "sensualidade", sob o nome de "amor". Em todas essas relações, o egoísmo é o evidente, o constante, e o narcisismo, o elemento variável. O contrário do egoísmo, o *altruísmo*, não coincide conceitualmente com o investimento objetal libidinal, diferencia-se dele pela ausência das aspirações por satisfação sexual. Quando alguém se enamora totalmente, contudo, o altruísmo e o investimento objetal libidinal convergem. Em regra, o objeto sexual atrai para si uma parte do narcisismo do Eu, e isso se faz notar no que chamamos "superestimação sexual" do objeto. Se, além disso, há a transposição altruísta do egoísmo para o objeto sexual, este se torna extremamente poderoso: absorve o Eu, por assim dizer.

Creio que será um descanso, para os senhores, se após as coisas fantásticas, mas no fundo áridas, da ciên-

26. A TEORIA DA LIBIDO E O NARCISISMO

cia, eu lhes apresentar uma representação poética da oposição econômica entre narcisismo e enamoramento. Extraio-a do *Divã ocidental-oriental* de Goethe:*

SULEIKA:
Povo, escravo e vencedor
O tempo inteiro reconhecem:
Para os filhos da Terra, a suprema felicidade
É a personalidade.

Toda vida pode ser vivida,
Quando a pessoa não falta a si mesma;
Tudo se pode perder
Quando se continua sendo o que é.

HATEM:
Bem pode ser! Assim dizem;
Mas eu tenho outro caminho:
Toda a felicidade terrena
Encontro somente em Suleika.

---

* "Divã" no sentido (um dos sentidos) que a palavra tinha entre os muçulmanos: o de coleção de poemas. Eis o original da citação: *Suleika: Volk und Knecht und Überwinder/ Sie gestehn zu jeder Zeit:/ Höchstes Glück der Erdenkinder/ Sei nur die Persönlichkeit.// Jedes Leben sei zu führen,/ Wenn man sich nicht selbst vermißt;/ Alles könne man verlieren,/ Wenn man bliebe, was man ist. Hatem: Kann wohl sein! So wird gemeinet;/ Doch ich bin auf andrer Spur:/ Alles Erdenglück vereinet/ Find' ich in Suleika nur.// Wie sie sich an mich verschwendet,/ Bin ich mir ein wertes Ich;/ Hätte sie sich weggewendet,/ Augenblicks verlör' ich mich./ Nun mit Hatem wär's zu Ende;/ Doch schon hab' ich umgelost:/ Ich verkörpere mich behende/ In den Holden, den sie kost.*

III TEORIA GERAL DAS NEUROSES

Se ela é pródiga comigo,
Tenho valor para mim;
Se de mim ela se esquiva,
De imediato me perdi.

Desse modo, Hatem chegaria ao fim;
Mas logo já me salvo:
Habilmente me transformo
No amado que ela escolhe.

A segunda observação é um complemento à teoria do sonho. Não podemos explicar o surgimento do sonho sem incluir a hipótese de que o inconsciente reprimido adquiriu certa independência em relação ao Eu, de tal forma que não obedece ao desejo de dormir e mantém seus investimentos, mesmo quando todos os investimentos objetais dependentes do Eu são recolhidos em prol do sono. Apenas assim podemos entender como o inconsciente pode se valer da suspensão ou diminuição noturna da censura e como ele se apodera dos resíduos diurnos para, com essa matéria, formar um desejo onírico proibido. Por outro lado, é possível que os resíduos diurnos devam parte de sua resistência ao recolhimento da libido ditado pelo desejo de dormir a um vínculo já existente com esse inconsciente reprimido. Acrescentemos, pois, esse traço dinamicamente importante à nossa concepção da formação do sonho.

O adoecimento orgânico, a estimulação dolorosa, a inflamação de órgãos criam um estado que claramente resulta num desprendimento da libido em relação a seus objetos. A libido recolhida retorna ao Eu como investimento intensificado da porção enferma do corpo. Podemos mesmo ousar afirmar que, em tais condições, a retirada da libido de seus objetos é mais notável do que o afastamento do interesse egoísta em relação ao mundo exterior. Isso parece abrir um caminho para o entendimento da hipocondria, na qual, da mesma maneira, um órgão ocupa a atenção do Eu, sem que esteja doente para a nossa percepção.

Resisto, porém, à tentação de prosseguir nesse caminho ou de discutir outras situações que se tornam compreensíveis ou descritíveis mediante a hipótese de uma migração da libido objetal para o Eu, pois tenho de lidar com duas objeções que, como bem sei, atraem agora seu interesse. Em primeiro lugar, questionarão por que busco diferenciar — no sono, na doença e em situações semelhantes — entre libido e interesse, instintos sexuais e instintos do Eu, quando as observações podem ser satisfeitas com a suposição de uma energia única e uniforme, que, movendo-se livremente, ora investe o objeto, ora o Eu, pondo-se a serviço de um ou de outro desses instintos. E, em segundo lugar, como posso tratar o desprendimento da libido de seu objeto como fonte de um estado patológico, se essa transformação da libido objetal em libido do Eu — ou, de modo mais geral, em energia do Eu — é parte dos processos normais, repetidos diariamente e a cada noite na dinâmica psíquica.

A isso devo responder que sua primeira objeção parece boa. A discussão dos estados do sonho, da enfer-

III TEORIA GERAL DAS NEUROSES

midade e do enamoramento provavelmente não teria nos levado, em si, à distinção entre libido do Eu e libido objetal, ou entre libido e interesse. Mas nisso os senhores negligenciam as investigações de que partimos e sob cuja luz consideramos agora as situações psíquicas em pauta. A diferenciação entre libido e interesse, isto é, entre instintos sexuais e de autoconservação, foi-nos imposta pela percepção do conflito do qual resultam as neuroses de transferência. Desde então, já não podemos abandoná-la. A suposição de que a libido objetal pode se transformar em libido do Eu, ou seja, de que temos de contar com uma libido do Eu, pareceu-nos a única capaz de solucionar o enigma das chamadas neuroses narcísicas — como a demência precoce, por exemplo —, de explicar as semelhanças e diferenças entre essas e a histeria e a obsessão. Agora aplicamos à doença, ao sono e ao enamoramento aquilo que, em outra parte, vimos irrefutavelmente comprovado. Devemos continuar aplicando-o, e ver até onde isso nos leva. A única afirmação que não é resultado direto de nossa experiência analítica é a de que libido permanece libido, seja voltada para objetos ou para o próprio Eu, e jamais se transforma em interesse egoísta e vice-versa. Essa afirmação, no entanto, é equivalente à separação entre instintos sexuais e instintos do Eu, já submetida aqui a consideração crítica, uma diferenciação a que, por motivos heurísticos, pretendemos nos apegar até que eventualmente fracasse.

Também a segunda objeção dos senhores levanta uma questão justificada, mas aponta para uma direção

26. A TEORIA DA LIBIDO E O NARCISISMO

errada. Sem dúvida, o recolhimento da libido objetal para o Eu não é diretamente patogênico; nós podemos ver, afinal, que isso se repete a cada vez que vamos dormir e que se desfaz ao acordarmos. O animalzinho protoplasmático recolhe seus prolongamentos para, na oportunidade seguinte, tornar a projetá-los. Coisa bem diferente acontece, todavia, quando determinado processo, deveras enérgico, obriga à retirada da libido dos objetos. A libido que se tornou narcisista não é capaz de encontrar seu caminho de volta aos objetos, e esse impedimento da mobilidade da libido torna-se, de fato, patogênico. Parece que, além de certa medida, a acumulação de libido narcísica não é tolerada. Podemos também imaginar que o investimento objetal se produz justamente pelo fato de o Eu ter de enviar para fora sua libido, a fim de não adoecer com seu represamento. Se estivesse em nosso plano examinar mais a fundo a *dementia praecox*, eu lhes mostraria que o processo que desprende a libido dos objetos e lhe barra o caminho de volta para eles acha-se ligado ao processo da repressão, podendo ser visto como uma contrapartida dele. Acima de tudo, porém, os senhores se sentiriam em terreno familiar ao descobrir que os pré-requisitos desse processo são quase idênticos — tanto quanto percebemos até agora — aos da repressão. O conflito parece ser o mesmo e se dar entre os mesmos poderes. Se o desenlace é tão diverso daquele da histeria, por exemplo, a razão para isso só pode estar numa diferença da predisposição. Nesses doentes, o ponto fraco no desenvolvimento da libido situa-se em outra fase; a fixação decisiva, que,

III TEORIA GERAL DAS NEUROSES

como os senhores se lembram, permite a irrupção que leva à formação do sintoma, encontra-se em outro lugar, provavelmente no estágio do narcisismo primitivo, para o qual, em seu desfecho, a demência precoce retorna. É bastante digno de nota que tenhamos de supor, para todas as neuroses narcísicas, pontos de fixação da libido que remontam a fases de desenvolvimento muito anteriores às que encontramos na histeria ou na neurose obsessiva. Mas, como já ouviram aqui, os conceitos que obtivemos no estudo das neuroses de transferência devem bastar para nos orientar também nas neuroses narcísicas, tão mais difíceis na prática. São amplos os pontos em comum; trata-se, no fundo, do mesmo campo de fenômenos. Mas os senhores podem também imaginar como é mínima a perspectiva de esclarecimento dessas afecções, pertencentes já ao âmbito da psiquiatria, para todo aquele que enfrenta essa tarefa sem o conhecimento analítico das neuroses de transferência.

O quadro clínico da *dementia praecox* (que é bastante variável) não é determinado exclusivamente por aqueles sintomas que decorrem do apartamento da libido de seus objetos e de sua acumulação no Eu como libido narcísica. Antes, nele ocupam espaço considerável outros fenômenos, que remontam ao empenho da libido em retornar àqueles objetos, fenômenos que correspondem, assim, a uma tentativa de restituição ou cura. Tais sintomas são, inclusive, os que mais chamam a atenção, os mais ruidosos. Eles mostram indubitável semelhança com os da histeria ou, mais raramente, os da neurose obsessiva, embora difiram destes todo o aspecto. Pa-

26. A TEORIA DA LIBIDO E O NARCISISMO

rece que, na *dementia praecox*, a libido, em seu esforço de retornar aos objetos — isto é, às representações dos objetos —, logra de fato apanhar algo deles, mas apenas suas sombras, por assim dizer; refiro-me às representações verbais a eles pertinentes. Não posso aqui dizer mais a esse respeito, mas acho que esse comportamento da libido que se empenha em retornar nos permitiu compreender em que consiste realmente a diferença entre uma ideia consciente e uma inconsciente.

Agora conduzi os senhores ao campo onde devemos esperar os próximos avanços no trabalho analítico. Desde que nos aventuramos a lidar com o conceito de libido do Eu, as neuroses narcísicas se tornaram acessíveis para nós; resultou daí a tarefa de obter uma compreensão dinâmica dessas afecções e, ao mesmo tempo, de completar nosso conhecimento da vida psíquica pelo entendimento do Eu. A psicologia do Eu que buscamos não deve se fundar nos dados de nossas autopercepções, e sim, como no caso da libido, na análise das perturbações e disrupções do Eu. É provável que, uma vez realizado esse trabalho de maior envergadura, passemos a atribuir pouco valor ao nosso conhecimento presente acerca dos destinos da libido, conhecimento que extraímos do estudo das neuroses de transferência. Contudo, ainda não avançamos muito nesse trabalho. A técnica de que nos valemos nas neuroses de transferência pouco pode no tocante às neuroses narcísicas — os senhores logo saberão por quê. Ao empregá-las, sucede-nos sempre de, após um pequeno avanço, nos vermos diante de um muro que nos obriga

III TEORIA GERAL DAS NEUROSES

a parar. Como sabem, também nas neuroses de transferência deparamos com barreiras que opõem semelhante resistência, mas pudemos demoli-las pouco a pouco. Nas neuroses narcísicas, essa resistência é intransponível; podemos, no máximo, lançar um olhar curioso sobre o muro, a fim de espiar o que se passa do outro lado. Nossos métodos técnicos precisam, portanto, ser substituídos por outros; ainda não sabemos se vamos conseguir encontrar tais substitutos. Todavia, tampouco no caso desses doentes nos falta material. Eles se manifestam profusamente, ainda que não respondam a nossas perguntas, e por enquanto temos de interpretar essas manifestações com o auxílio da compreensão que adquirimos nos sintomas das neuroses de transferência. A coincidência é grande o bastante para nos assegurar um ganho inicial. Até onde essa técnica poderá nos levar é ainda uma questão em aberto.

Outras dificuldades contribuem para deter nosso progresso. As afecções narcísicas e as psicoses a elas relacionadas só podem ser decifradas por observadores treinados no estudo analítico das neuroses de transferência. Mas nossos psiquiatras não estudam psicanálise, e nós, psicanalistas, conhecemos poucos casos psiquiátricos. É necessário que primeiramente se desenvolva uma geração de psiquiatras que tenha passado pela escola da psicanálise como ciência preparatória. Isso começa a acontecer hoje em dia nos Estados Unidos, onde muitos psiquiatras em posição de comando apresentam as doutrinas psicanalíticas a seus estudantes, e onde proprietários de instituições e diretores de manicômios se empenham em observar seus doentes nos termos dessas teorias. Também nós, contudo, logramos algumas vezes lançar um olhar sobre esse muro narcísico, e quero relatar aos senhores o que acreditamos ter vislumbrado.

A forma de doença conhecida como paranoia, insanidade crônica e sistemática, ocupa uma posição oscilante nas tentativas de categorização da psiquiatria atual. Já não resta dúvida acerca de seu parentesco próximo com a *dementia praecox*. Certa vez, sugeri agrupar a paranoia e a *dementia praecox* sob a designação comum de *parafrenia*. De acordo com seu conteúdo, as formas assumidas pela paranoia são descritas como megalomania, delírio de perseguição, delírio de amor (erotomania), de ciúmes etc. Não esperaremos tentativas de explicação por parte da psiquiatria. Como exemplo — embora antigo e incompleto —, menciono a seguinte tentativa de, por meio de uma racionalização intelectual, derivar um sintoma de outro. O doente, que, por inclinação primária, se crê perseguido, deve concluir dessa perseguição ser ele uma personalidade muito importante e, por essa razão, desenvolveria uma megalomania. Em nossa concepção analítica, a megalomania é consequência direta da magnificação do Eu pelo recolhimento dos investimentos libidinais objetais, um narcisismo secundário que é um retorno daquele original, da primeira infância. Nos casos de delírio de perseguição, fizemos observações que nos levaram a seguir determinada pista. Em primeiro lugar, chamou-nos a atenção que, na maioria dos casos, o perseguidor fosse do mesmo sexo do perseguido. De início, esse fato ainda admitia uma expli-

III TEORIA GERAL DAS NEUROSES

cação inofensiva, mas, em alguns casos bem estudados, verificou-se claramente que a pessoa mais amada do mesmo sexo em tempos de normalidade transformava--se, após o adoecimento, no perseguidor. Outro desen-volvimento se faz possível quando a pessoa amada, em consonância com afinidades conhecidas, é substituída por outra, como, por exemplo, o pai pelo professor ou superior hierárquico. Dessas experiências cada vez mais numerosas, concluímos que a *paranoia persecutoria* [em latim] é a forma pela qual o indivíduo se defende de um impulso homossexual que se tornou demasiado inten-so. A metamorfose da afeição em ódio — que, como se sabe, pode se transformar em séria ameaça de vida para o objeto amado e odiado — corresponde, então, à transformação de impulsos libidinais em angústia, que é resultado regular do processo de repressão. Ouçam, por exemplo, o caso mais recente dessa natureza que observei. Um jovem médico precisou ser expulso de sua cidade natal, por ter ameaçado de morte o filho de um professor universitário local que, até então, fora seu me-lhor amigo. Ele atribuiu, a esse amigo de antes, inten-ções verdadeiramente infernais e um poder demoníaco. Era o culpado de todos os infortúnios que haviam se abatido sobre a família do doente nos últimos anos, de cada adversidade familiar e social. Mas, não bastasse isso, o mau amigo e seu pai, o professor, tinham sido também os causadores da guerra e chamado os russos para o país. Era, pois, mil vezes merecedor da morte, e nosso doente estava convencido de que, com a morte do malfeitor, toda a desgraça teria fim. Contudo, sua velha

26. A TEORIA DA LIBIDO E O NARCISISMO

afeição por ele era tão intensa que lhe paralisou a mão, quando certa feita surgiu a oportunidade de liquidar o inimigo com um tiro à queima-roupa. Nos breves colóquios que tive com o doente, revelou-se que a relação de amizade entre os dois remontava aos primeiros anos do ginásio. Pelo menos uma vez essa relação havia ultrapassado as fronteiras da amizade; uma noite que haviam passado juntos havia se tornado ocasião para uma relação sexual completa. Nosso paciente jamais tivera com mulheres um relacionamento sentimental que correspondesse a sua idade e a sua atraente personalidade. Uma vez, fora noivo de uma moça bela e distinta, mas esta rompeu o noivado, porque não encontrara afeição no noivo. Anos mais tarde, sua enfermidade irrompeu exatamente no instante em que, pela primeira vez, ele conseguiu satisfazer plenamente uma mulher. Quando, então, agradecida e devotada, essa mulher o abraçou, ele sentiu de súbito uma dor misteriosa, como um talho afiado a circundar-lhe o crânio. Mais tarde, interpretou essa sensação como se houvessem realizado nele a incisão por intermédio da qual o cérebro é exposto em uma autópsia, e, como seu amigo se especializara em anatomia patológica, descobriu pouco a pouco que somente este último poderia ter lhe enviado a mulher, para tentá-lo. A partir daí, seus olhos se abriram também para as outras perseguições de que seria vítima por iniciativa do ex-amigo.

E quanto aos casos em que o perseguidor não é do mesmo sexo do perseguido e que, portanto, aparentemente contradizem nossa explicação de serem uma de-

III TEORIA GERAL DAS NEUROSES

fesa contra a libido homossexual? Algum tempo atrás, tive oportunidade de examinar um caso assim e logrei extrair uma confirmação da aparente contradição. A jovem moça, que se acreditava perseguida por um homem ao qual permitira dois encontros afetuosos, havia, antes, nutrido uma ideia delirante em relação a uma mulher que podemos conceber como uma substituta de sua mãe. Somente após o segundo encontro ela deu o passo adiante de desprender essa ideia delirante da mulher e transferi-la para o homem. A condição de o perseguidor ser do mesmo sexo era mantida também nesse caso, originalmente. Em sua queixa ao advogado e ao médico, a paciente não mencionara esse estágio anterior de seu delírio, o que originou a aparência de uma contradição de nosso entendimento da paranoia.

A escolha objetal homossexual se acha, em sua origem, mais próxima do narcisismo do que a heterossexual. Quando se trata, então, de rejeitar um forte e indesejável impulso homossexual, o caminho de volta para o narcisismo é bastante facilitado. Até o momento, tive muito pouca oportunidade de lhes falar dos fundamentos da vida amorosa, até onde pudemos conhecê--los, e agora não posso reparar essa omissão. Vou apenas salientar que a escolha objetal, o progresso no desenvolvimento da libido que se dá após o estágio narcisista, pode suceder de duas maneiras diferentes. Ela pode ser de *tipo narcisista*, em que o Eu é substituído pelo que lhe é o mais semelhante possível, ou, ainda, se dar por *apoio*, caso em que a escolha objetal da libido pode recair sobre pessoas que se tornaram valiosas para

26. A TEORIA DA LIBIDO E O NARCISISMO

a satisfação de outras necessidades vitais. Uma forte fixação da libido no tipo narcisista de escolha objetal é algo que incluímos também na predisposição para a homossexualidade manifesta.

Os senhores se lembram de que, em nosso primeiro encontro deste semestre, eu lhes relatei um caso de delírio ciumento observado numa mulher. Agora, quando nos aproximamos do final, os senhores por certo gostariam de ouvir como explicamos psicanaliticamente uma ideia delirante. Contudo, tenho menos a dizer a esse respeito do que seria de esperar. O fato de a ideia delirante ser inatacável, por argumentos lógicos ou pelas experiências reais, explica-se, tal como a obsessão, através da relação com o inconsciente, que é representado e refreado pela ideia delirante ou ideia obsessiva. A diferença entre as duas se baseia na topologia e na dinâmica diversas das duas afecções.

Como na paranoia, também na melancolia — da qual, de resto, descrevem-se formas clínicas muito diferentes — encontramos um ponto que nos possibilita vislumbrar a estrutura interna da afecção. Vimos que as autoacusações com que os melancólicos se torturam da maneira mais impiedosa dirigem-se, na verdade, a outra pessoa, ao objeto sexual que perderam ou que se desvalorizou por culpa dele próprio. Disso pudemos concluir que, de fato, o melancólico retirou sua libido do objeto, mas este, mediante um processo que cabe chamar de "identificação narcisista", foi estabelecido em seu próprio Eu, foi como que projetado para o Eu. Aqui posso lhes oferecer apenas uma imagem ilustrativa, não

III TEORIA GERAL DAS NEUROSES

uma descrição topológico-dinâmica ordenada. Esse Eu passa, então, a ser tratado como o objeto abandonado e sofre todas as agressões e manifestações do desejo de vingança que tinham por alvo o objeto. Mesmo a tendência ao suicídio do melancólico torna-se mais compreensível quando consideramos que a amargura do doente atinge de um só golpe tanto o próprio Eu como o objeto amado-odiado. Na melancolia, assim como em outras afecções narcisistas, evidencia-se de forma patente um traço da vida sentimental que, desde Bleuler, acostumamo-nos a designar como *ambivalência*. Chamamos assim o direcionamento para a mesma pessoa de sentimentos opostos, ternos e hostis. No curso de nossas palestras, infelizmente não pude relatar-lhes mais acerca dessa ambivalência de sentimentos.

Além da identificação narcisista, há outra, histérica, que conhecemos há muito mais tempo. Eu gostaria que fosse possível esclarecer-lhes as diferenças entre as duas mediante algumas claras especificações. Sobre as formas periódicas e cíclicas da melancolia, posso lhes dizer algo que os senhores decerto gostarão de ouvir. Em condições propícias — e já logrei fazê-lo duas vezes —, o tratamento analítico levado a cabo durante os intervalos livres [da doença] permite que evitemos seu retorno na mesma disposição de espírito ou na disposição contrária. Descobrimos, assim, que também na melancolia e na mania tem-se um modo especial de resolver um conflito cujas premissas coincidem inteiramente com as das demais neuroses. Os senhores podem imaginar o quanto a psicanálise ainda tem a aprender nesse campo.

26. A TEORIA DA LIBIDO E O NARCISISMO

Também lhes disse que, por meio da análise das afecções narcísicas, esperamos adquirir certo conhecimento acerca da composição de nosso Eu e de sua construção em instâncias. Em um ponto já começamos a fazer isso. A partir da análise do delírio de observação, chegamos à conclusão de que realmente existe no Eu uma instância que observa, critica e compara sem cessar, e que, desse modo, se contrapõe à outra parte do Eu. Acreditamos, assim, que o doente nos revela uma verdade ainda não suficientemente apreciada, quando se queixa de que cada um de seus passos é vigiado e observado, de que seus pensamentos são expostos e criticados. O único erro que comete aí é o de situar esse poder incômodo como algo exterior, alheio. Ele sente, no seu Eu, a vigência de uma instância que mede seu Eu atual e cada uma de suas atividades conforme um *Eu ideal*, que criou ao longo de seu desenvolvimento. Acreditamos também que essa criação se deu com o propósito de restabelecer aquela autossatisfação outrora vinculada ao narcisismo infantil primário, a qual, desde então, sofreu tantas perturbações e ofensas. Conhecemos essa instância auto-observadora como o censor do Eu, a consciência; trata-se da mesma instância que, à noite, exerce a censura onírica, da qual partem as repressões contra os desejos não confiáveis. Ao se decompor, no delírio de observação, ela nos revela ser originária da influência exercida por pais, educadores e pelo meio social, da identificação com algumas dessas pessoas modelares.

Esses seriam, pois, alguns dos resultados que nos forneceu, até o momento, a aplicação da psicanálise às

III TEORIA GERAL DAS NEUROSES

afecções narcísicas. Certamente são ainda muito poucos, e carecem, por enquanto, daquela agudeza que só se pode adquirir mediante uma familiaridade mais segura com um novo campo. Devemos todos esses resultados à exploração do conceito de libido do Eu ou libido narcísica, com a ajuda do qual estendemos às neuroses narcísicas as concepções que se mostraram eficazes no trato das neuroses de transferência. Mas os senhores perguntarão agora: "Será que conseguiremos subordinar todas as perturbações próprias das afecções narcísicas e das psicoses à teoria da libido? Será possível reconhecer por toda parte o fator libidinal da vida psíquica como o culpado pelo adoecimento, sem que precisemos jamais responsabilizar por isso alguma modificação na função do instinto de autoconservação?". Bem, senhoras e senhores, essa decisão não me parece urgente e, acima de tudo, ela tampouco me parece amadurecida. Podemos tranquilamente confiá-la ao avanço do trabalho científico. Eu não me espantaria se o poder de produzir efeitos patogênicos se mostrasse de fato prerrogativa dos instintos libidinais, de tal forma que a teoria da libido poderia festejar amplo triunfo, desde as neuroses atuais mais simples até a mais grave alienação psicótica do indivíduo. Afinal, conhecemos como traço característico da libido sua relutância em submeter-se à realidade do mundo, à *Ananke*. Mas considero bastante provável que os instintos do Eu sejam arrebatados secundariamente pelos estímulos patogênicos da libido e levados a uma perturbação funcional. E, ainda que viéssemos a descobrir que nas psicoses graves os pró-

26. A TEORIA DA LIBIDO E O NARCISISMO

prios instintos do Eu são desencaminhados primordialmente, eu não conseguiria ver nisso um fracasso na direção de nossa pesquisa. O futuro dará a resposta — ao menos aos senhores.

Permitam, porém, que eu retorne ainda por um momento à angústia, a fim de iluminar uma última obscuridade que lá deixamos. Dissemos que não harmonizava com a relação entre angústia e libido — de resto, tão bem conhecida — o fato de a angústia realista ante um perigo ser a manifestação dos instintos de autoconservação, algo que, no entanto, dificilmente se contesta. Como seria, porém, se o afeto da angústia não fosse responsabilidade dos instintos egoístas do Eu, mas da libido do Eu? Afinal, o estado de angústia é sempre inadequado, e sua inadequação torna-se patente quando ele atinge um alto grau. Nesse caso, ele perturba a ação — seja ela a fuga ou a defesa —, ação que é, ela sim, adequada e a serviço da autoconservação. Se, portanto, atribuímos a parte afetiva da angústia realista à libido do Eu, e a ação ao instinto de conservação do Eu, solucionamos a dificuldade teórica. Os senhores não hão de acreditar seriamente que um indivíduo foge *porque* sente angústia. Não, ele sente a angústia *e* se põe em fuga pelo mesmo motivo, que vem da percepção do perigo. Pessoas que sobreviveram a grandes perigos relatam não ter se angustiado: agiram simplesmente — apontando sua espingarda para a fera, por exemplo; e isto sim, foi o mais adequado.

III TEORIA GERAL DAS NEUROSES

27. A TRANSFERÊNCIA

Senhoras e senhores: Como nos aproximamos agora do final de nossas discussões, isso despertará nos senhores certa expectativa, que não será lograda. Devem pensar, com razão, que não os conduzi pelos meandros da matéria psicanalítica para, no fim, abandoná-los sem haver dito uma única palavra acerca da terapia sobre a qual se baseia a própria possibilidade de praticar psicanálise. E tampouco posso privá-los desse tema, pois nele poderão observar e tomar conhecimento de um fato novo, sem o qual o entendimento das enfermidades por nós examinadas restaria sensivelmente incompleto.

Sei que os senhores não esperam instrução na técnica pela qual praticamos a análise com fins terapêuticos. Querem apenas saber, da forma mais geral possível, de que forma a terapia psicanalítica produz efeito e o que, em linhas gerais, ela consegue fazer. E têm o direito incontestável de sabê-lo. Mas não desejo comunicá-lo aos senhores; insisto em que o descubram por si mesmos.

Pensem bem! Agora os senhores conhecem tudo de essencial sobre as condições que levam ao adoecimento, assim como todos os fatores atuantes na pessoa adoecida. Onde se encontra, nisso, um espaço para a atuação psicanalítica? Em primeiro lugar, há a predisposição hereditária; dela não chegamos a falar muito, pois já é enfatizada com veemência em outras áreas e nada temos de novo a dizer quanto a isso. Não creiam, porém, que a subestimamos; precisamente como terapeutas, sentimos com suficiente clareza o seu poder. Não obstante, não

570

27. A TRANSFERÊNCIA

podemos modificá-la em nada; para nós, ela permanece algo dado, e algo que impõe limites a nosso esforço. Depois, há a influência das primeiras vivências da infância, à qual costumamos dar primazia na análise; elas pertencem ao passado e não podemos torná-las "não acontecidas". Em seguida, há tudo aquilo que sintetizamos sob o nome de "frustração real": os infortúnios da vida, que incluem a privação de amor, a pobreza, a dissensão familiar, a má escolha do cônjuge, as condições sociais desfavoráveis e o rigor das demandas morais que pesam sobre o indivíduo. Aí haveria, sem dúvida, ensejos bastantes para uma terapia eficaz, mas haveria de ser uma terapia como a que o imperador José praticou, segundo as lendas populares de Viena: a benfazeja intervenção de um homem poderoso, ante cuja vontade os indivíduos se dobram e as dificuldades desaparecem. Mas quem somos nós para poder adotar essa benevolência como instrumento de nossa terapia? Sendo nós mesmos pobres e socialmente impotentes, obrigados a extrair nosso sustento da prática médica, não temos condição sequer de voltar nossos esforços para os despossuídos, como fazem outros médicos, que se valem de outros métodos terapêuticos. Nossa terapia é demorada e laboriosa demais para isso. Talvez, porém, os senhores se agarrem a um dos fatores mencionados e acreditem ter encontrado nele o ponto de abordagem para que exerçamos nossa influência. Se a restrição moral exigida pela sociedade participa da privação imposta ao doente, então o tratamento pode dar-lhe a coragem ou mesmo a instrução direta para que ele supere essas barreiras, para que busque satisfação e

III TEORIA GERAL DAS NEUROSES

cura, renunciando à realização de um ideal que a sociedade tanto estima, mas frequentemente não observa. O doente se cura, então, na medida em que "vive plenamente" sua sexualidade. É verdade que, desse modo, é lançada sobre o tratamento analítico uma sombra: de que não serve à moralidade geral. O que proporciona ao indivíduo, ele o subtraiu à coletividade.

Mas, senhoras e senhores, quem lhes terá dado uma informação tão equivocada? Ninguém disse que a recomendação para que se viva plenamente a sexualidade poderia ter algum papel na terapia analítica. Em primeiro lugar, porque, como já dissemos, os doentes abrigam um obstinado conflito entre o impulso libidinal e a repressão sexual, entre as tendências sensual e ascética. Auxiliar uma dessas tendências a derrotar a tendência adversária não anula o conflito. Vemos, de fato, que no neurótico predomina a ascese. A consequência disso é justamente que a aspiração sexual reprimida se desafoga nos sintomas. Se, ao contrário, proporcionássemos a vitória à sensualidade, a repressão sexual posta de lado seria substituída por sintomas. Nenhuma dessas duas decisões é capaz de pôr fim ao conflito interior; uma das partes permaneceria sempre insatisfeita. São poucos os casos em que esse conflito é tão débil que um fator como a tomada de partido do médico logra ser decisiva, e tais casos, na verdade, não necessitam de tratamento analítico. As pessoas nas quais o médico pode exercer tal influência teriam o mesmo caminho sem o auxílio dele. Os senhores bem sabem que, quando um jovem abstinente se decide por uma relação sexual ilegítima, ou quando

27. A TRANSFERÊNCIA

uma mulher insatisfeita procura compensação com outro homem, nenhum deles esperou a permissão do médico — e menos ainda a do analista — para fazê-lo.

Nisso, ignora-se costumeiramente a questão essencial: o conflito patogênico dos neuróticos não deve ser confundido com uma luta normal entre impulsos psíquicos situados no mesmo terreno psicológico. É um antagonismo entre poderes, em que um deles alcançou o estágio do pré-consciente e do consciente, e o outro foi retido no estágio do inconsciente. Por isso o conflito não pode ser resolvido; como no famoso exemplo do urso polar e da baleia, os antagonistas nunca se veem frente a frente. Uma decisão verdadeira só pode ocorrer quando estiverem ambos no mesmo terreno. Creio que possibilitar isso é a única tarefa da terapia.

Além disso, posso lhes assegurar que estão mal informados, se supõem que conselhos e orientação nos assuntos da vida são parte integrante da influência da análise. Pelo contrário, sempre que possível, nós evitamos esse papel de mentor; o que mais almejamos é que o doente tome suas decisões de maneira autônoma. Com essa mesma intenção, também solicitamos que ele adie todas as decisões cruciais — escolha da profissão, empreendimentos econômicos, casamento ou separação — enquanto durar o tratamento, deixando para pô-las em prática após o encerramento deste. Admitam que isso é muito diferente do que os senhores imaginavam. Somente com pessoas muito jovens ou desamparadas e inconstantes não logramos impor a desejada restrição. Nesse caso, precisamos combinar a atividade do médico com

III TEORIA GERAL DAS NEUROSES

a do educador; temos, então, plena consciência de nossa responsabilidade e agimos com a necessária cautela.

Os senhores não devem concluir, do afã com que me defendo da objeção de que no tratamento analítico o neurótico é orientado a "gozar a vida", que atuamos sobre ele em prol da moralidade social. Disso nos encontramos, no mínimo, igualmente distantes. Não somos reformadores, e sim meros observadores, mas não podemos deixar de observar com olhos críticos, e achamos impossível tomar o partido da moral sexual convencional ou ter em alta conta o modo como a sociedade busca ordenar os problemas da vida sexual. Podemos mostrar à sociedade que o que ela chama de moralidade não vale o sacrifício que custa, e que seus procedimentos não se baseiam na honestidade nem demonstram inteligência. Não poupamos nossos pacientes de ouvir essa crítica; nós os acostumamos a ponderar sem preconceitos tantos os assuntos sexuais como quaisquer outros, e se, depois de terminarem o tratamento e se tornarem independentes, eles decidem por conta própria adotar alguma posição intermediária entre o gozo da vida e a ascese incondicional, não sentimos nossa consciência pesar por nenhum desses desenlaces. Dizemos a nós mesmos que todo aquele que foi bem-sucedido na educação para a verdade estará sempre a salvo do perigo da imoralidade, ainda que seu padrão de moralidade se desvie de algum modo daquele vigente na sociedade. De resto, tomamos o cuidado de não superestimar a importância da abstinência na determinação das neuroses. Apenas em uma minoria de casos é possível pôr fim à situação

27. A TRANSFERÊNCIA

patogênica da frustração, e ao consequente represamento da libido, mediante a espécie de prática sexual que se pode encontrar sem muito esforço.

Portanto, os senhores não podem explicar o efeito terapêutico da psicanálise com a permissão que ela daria para gozar sexualmente a vida. Devem olhar ao redor, em busca de outro motivo. Creio que, enquanto rechaçava sua suposição, uma observação minha os terá conduzido à pista certa. Aquilo de que nos valemos deve ser a substituição do inconsciente pelo consciente, a tradução do inconsciente para o consciente. E assim é de fato. Ao fazer o inconsciente prosseguir para o consciente, anulamos as repressões, eliminamos as condições para a formação de sintomas e transformamos o conflito patogênico em um conflito normal, que de algum modo deve encontrar solução. Essa, e nenhuma outra, é a alteração psíquica que provocamos no doente; seu alcance delimita a ajuda que podemos prestar. Onde não há repressão ou um processo psíquico análogo para ser desfeito, nossa terapia nada tem a oferecer.

Podemos exprimir o objetivo de nossos esforços mediante fórmulas diversas: tornar consciente o inconsciente, anular as repressões, preencher as lacunas da amnésia — todas dizem a mesma coisa. Mas talvez os senhores não se deem por satisfeitos com essa declaração. Terão imaginado a cura de uma pessoa neurótica como algo diferente, como sua transformação em outra pessoa, depois de ela haver se submetido ao trabalho árduo de um tratamento psicanalítico, e o resultado seria o paciente passar a ter menos material inconsciente, e mais material

III TEORIA GERAL DAS NEUROSES

consciente, do que antes. Bem, provavelmente os senhores subestimam o significado de tal mudança interior. O indivíduo neurótico que foi curado é, de fato, outra pessoa, mas, no fundo, permaneceu o mesmo, naturalmente; isto é, tornou-se o que, na melhor das hipóteses e nas condições mais favoráveis, poderia ter se tornado. Mas isso já é muito. O significado de tal diferença no plano psíquico decerto lhes parecerá crível, tão logo os senhores tomem ciência de tudo que é necessário e de quanto esforço custa operar tal modificação, ainda que insignificante em aparência, na vida psíquica do paciente.

Faço agora uma pequena digressão e lhes pergunto se os senhores conhecem o que é chamado de terapia causal. Esse é, com efeito, o nome que se dá a um procedimento que não visa atacar os sintomas de uma doença, e sim eliminar suas causas. Nossa terapia psicanalítica seria ou não uma terapia causal? A resposta não é simples, mas ela permite, talvez, que nos convençamos da futilidade desse questionamento. Na medida em que a terapia analítica não tem como tarefa imediata a eliminação dos sintomas, ela age como uma terapia causal. De outro ponto de vista, porém, os senhores podem dizer que ela não o é. E isso porque, em busca do encadeamento causal, ultrapassamos há muito tempo as repressões, tendo chegado às predisposições instintuais, a suas intensidades relativas na constituição e aos desvios no curso de seu desenvolvimento. Supondo que nos fosse possível intervir quimicamente nesse mecanismo e aumentar ou diminuir a quantidade de libido existente em dado momento, ou intensificar um instinto

27. A TRANSFERÊNCIA

à custa de outro, aí, sim, teríamos uma terapia verdadeiramente causal, para a qual nossa análise teria realizado o indispensável trabalho preliminar de reconhecimento. No momento, porém, como sabem os senhores, não se pode falar em exercer tal influência sobre os processos da libido; com a nossa terapia psíquica atacamos outro ponto do conjunto, não exatamente nas raízes que nos são visíveis dos fenômenos, mas bem longe dos sintomas, num ponto que circunstâncias muito curiosas nos tornaram acessível.

O que precisamos fazer, portanto, para substituir o inconsciente pelo consciente no indivíduo que tratamos? Houve um tempo em que pensávamos que era muito simples: bastava descobrir esse inconsciente e informá-lo ao paciente. Hoje, sabemos que essa era uma visão míope e equivocada. Nosso saber acerca do conteúdo inconsciente não equivale ao saber do paciente; se apenas o comunicamos, o paciente não o tem *no lugar do* seu conteúdo inconsciente, e sim *ao lado* deste, e muito pouco terá mudado. Precisamos, antes, imaginar *topologicamente* esse conteúdo inconsciente, procurá-lo, na memória do paciente, ali onde ele se formou através de uma repressão. Essa deve ser eliminada, então a substituição do conteúdo inconsciente pelo consciente pode ocorrer sem percalços. Mas como suspender tal repressão? Nossa tarefa adentra aí uma segunda fase. Em primeiro lugar, busca-se a repressão; depois, elimina-se a resistência que a sustenta.

Como se faz para remover a resistência? Da mesma forma: descobrindo-a e expondo-a ao paciente. Afinal,

III TEORIA GERAL DAS NEUROSES

a resistência provém de uma repressão, daquela mesma que buscamos solucionar ou de outra, anterior. Ela é produzida pelo contrainvestimento que surge para reprimir o impulso ofensivo. Fazemos, pois, o mesmo que já queríamos fazer desde o princípio: interpretamos, descobrimos e comunicamos. Mas agora o fazemos no lugar certo. O contrainvestimento, ou a resistência, não pertence ao âmbito do inconsciente, e sim ao do Eu, que é nosso colaborador, e isso mesmo que o contrainvestimento não seja consciente. Sabemos que estamos lidando aqui com o duplo sentido da palavra "inconsciente" — de um lado, como fenômeno; de outro, como sistema. Isso parece difícil e obscuro, mas trata-se apenas de repetição do que já dissemos, não é mesmo? Há muito estamos preparados para isso. — Esperamos que essa resistência seja abandonada, que o contrainvestimento seja recolhido, quando, por meio de nossa interpretação, permitimos que o Eu tome conhecimento dela. Mas com que forças motrizes trabalhamos em um caso como esse? Em primeiro lugar, com o anseio do paciente de se curar, que o levou a se submeter ao trabalho conjunto conosco; em segundo, com o auxílio de sua inteligência, à qual damos suporte com nossa interpretação. Não há dúvida de que a inteligência do paciente terá maior facilidade para reconhecer a resistência e encontrar a tradução correspondente para o que foi reprimido, se lhe tivermos dado as ideias antecipatórias* apropriadas. Se eu lhes disser: "Olhem para o céu, vejam aquele balão

---

* Ou "expectativas": *Erwartungsvorstellungen*.

27. A TRANSFERÊNCIA

lá em cima", os senhores o encontrarão com muito mais facilidade do que se eu apenas lhes solicitar que olhem para cima, a ver se descobrem algo. Também o estudante, quando olha pela primeira vez no microscópio, é instruído pelo professor sobre o que deve ver; do contrário, nada vê, embora alguma coisa esteja lá e seja visível.

E agora vamos ao fato.* Em bom número de formas de adoecimento neurótico — em histerias, estados de angústia, neuroses obsessivas — nossa premissa se mostra correta. Por meio dessa busca da repressão, da exposição das resistências e da indicação do que foi reprimido conseguimos solucionar o problema, isto é, superar as resistências, anular a repressão e transformar em consciente o conteúdo inconsciente. Ao fazê-lo, obtemos a mais clara noção de como, para a superação de cada resistência, uma intensa luta é travada na psique do paciente, uma luta psíquica normal, no mesmo plano psicológico, entre os motivos que procuram manter o contrainvestimento e aqueles que estão dispostos a dele abrir mão. Os primeiros são os motivos antigos, que outrora impuseram a repressão; entre os últimos, encontram-se os novos, que, assim esperamos, vão resolver o conflito no sentido que desejamos. Conseguimos, pois, reavivar o velho conflito que levou à repressão, submeter a revisão o processo decidido no passado. Como novo material apresentamos, em primeiro lugar, a advertência de que a decisão anterior conduziu ao adoecimento, e a promessa de que uma nova abrirá o caminho rumo à cura; em se-

---

* Isto é, o "fato novo" que anunciou no início da conferência.

III TEORIA GERAL DAS NEUROSES

gundo lugar, a enorme modificação de todas as circunstâncias desde o momento daquela primeira rejeição. Na época, o Eu era débil, infantil e talvez tivesse razão em proscrever como perigosa a demanda da libido. Hoje ele está fortalecido e experiente, além de contar com a ajuda do médico a seu lado. Assim, podemos ter a esperança de conduzir o conflito reavivado a um desfecho melhor que a repressão, e, como já foi dito, o sucesso nos casos de histeria e das neuroses obsessivas e de angústia nos dá razão, em princípio.

Mas há outras formas de enfermidade, ante as quais, não obstante condições idênticas, nosso procedimento terapêutico jamais obtém sucesso. Nelas, foi também um conflito original entre o Eu e a libido que levou à repressão — ainda que, do ponto de vista topológico, sejam outras as suas características —, e também é possível descobrir os pontos em que ocorreram as repressões na vida do doente. Nós utilizamos o mesmo procedimento, estamos prontos a fazer as mesmas promessas, prestamos ao enfermo o mesmo auxílio, comunicando-lhe ideias antecipatórias e, mais uma vez, a distância temporal entre o presente e as repressões de outrora favorece um outro desfecho para o conflito. Ainda assim, não logramos anular a resistência e remover a repressão. De modo geral, tais pacientes — paranoicos, melancólicos, pessoas acometidas de *dementia praecox* — permanecem incólumes, imunes à terapia psicanalítica. Por que motivo isso acontece? Não se trata de falta de inteligência; naturalmente, certa capacidade intelectual é necessária a nossos pacientes, mas esta com certeza não falta, por

27. A TRANSFERÊNCIA

exemplo, aos sagazes portadores de paranoia combinatória. Tampouco notamos a ausência das demais forças motrizes. Os melancólicos, por exemplo, possuem em grande medida a consciência (faltante aos paranoicos) de que estão doentes e por isso tanto sofrem, mas isso não os torna mais acessíveis. Vemo-nos, pois, diante de um fato que não compreendemos e que, por isso mesmo, nos faz questionar se realmente entendemos todas as condições para o eventual sucesso com as outras neuroses.

Se prosseguimos nos ocupando de nossos histéricos e neuróticos obsessivos, logo deparamos com outro fato para o qual não estávamos, de forma alguma, preparados. Após algum tempo, notamos que esses doentes se comportam de uma maneira muito especial para conosco. Acreditávamos haver explicado todas as forças motrizes em ação no tratamento, pensávamos ter racionalizado por completo a situação entre nós e o paciente, de modo a enxergá-la tão claramente como uma operação aritmética simples, mas então parece infiltrar-se em nossa conta algo que não havíamos considerado. Esse elemento novo e inesperado é, também ele, multiforme. Inicialmente vou descrevê-lo em sua manifestação mais frequente e simples de compreender.

Notamos, então, que o paciente, que nada mais deve buscar senão uma saída para os conflitos que fazem sofrer, desenvolve particular interesse pela pessoa do médico. Tudo que se relaciona a essa pessoa lhe parece mais importante do que seus próprios assuntos, aparentemente desviando sua atenção da própria enfermidade. Assim sendo, o trato com o paciente se torna, por algum

III TEORIA GERAL DAS NEUROSES

tempo, bastante agradável; ele se revela especialmente solícito, busca mostrar-se agradecido sempre que pode, exibe sutilezas e méritos de seu ser que, talvez, jamais teríamos encontrado nele. O médico forma, então, uma opinião bastante favorável de seu paciente e louva o acaso que lhe permitiu prestar assistência a personalidade tão valiosa. Se tem oportunidade de conversar com parentes dele, ouve com prazer que a simpatia é mútua. Em casa, o paciente não se cansa de elogiar o médico e de louvar sempre novas qualidades dele. "É apaixonado pelo senhor, em quem confia cegamente. Tudo que o senhor diz é como uma revelação para ele", relatam os parentes. Vez por outra, um par de olhos mais perspicazes se destaca desse coro e diz: "Já está ficando chato como ele não fala em outra coisa que não seja o senhor e menciona apenas o seu nome".

Cabe esperar que o médico seja modesto o bastante para remeter essa avaliação que o paciente faz de sua personalidade às esperanças que ele lhe dá e à expansão do horizonte intelectual que lhe propicia, com as revelações surpreendentes e libertadoras que a terapia enseja. Em tais condições, a própria análise faz progressos estupendos; o paciente compreende o que lhe é indicado e se aprofunda nas tarefas que lhe são propostas pelo tratamento; é farto o material que lhe flui das lembranças e associações, e ele surpreende o médico com a segurança e a propriedade de suas próprias interpretações, de tal forma que esse último pode apenas constatar com satisfação a boa vontade com que o doente acolhe as novidades psicológicas que, no mundo lá fora, costumam

27. A TRANSFERÊNCIA

provocar a mais implacável oposição dos saudáveis. A essa bela harmonia durante o trabalho analítico também corresponde uma melhora objetiva, amplamente reconhecida, do estado da enfermidade.

Mas um tempo tão bom não pode durar para sempre. Um dia chegam as nuvens. Surgem dificuldades no tratamento, e o paciente afirma que não lhe ocorrem mais associações. Temos a nítida impressão de que o trabalho terapêutico não lhe interessa mais e de que, sem preocupação nenhuma, ele abandona a instrução que lhe foi dada de dizer tudo que lhe passa pela mente, sem ceder a nenhum obstáculo crítico. Ele se comporta como se não estivesse em tratamento, como se não tivesse feito um trato com o médico; claramente, ele foi tomado por algo que deseja guardar para si. Essa é uma situação perigosa para tratamento. Estamos, sem dúvida, diante de uma poderosa resistência. O que aconteceu?

Quando podemos ver clara a situação, percebemos que a causa da perturbação é o fato de o paciente haver transferido para o médico intensos sentimentos afetuosos, que não se justificam nem pela conduta do médico nem pela relação no tratamento. De que forma essa afeição se manifesta e que objetivos almeja, isso depende, naturalmente, das circunstâncias pessoais dos dois envolvidos. Tratando-se de uma moça e de um homem ainda jovem, a impressão que teremos é a de um enamoramento normal; julgaremos compreensível que uma moça se apaixone por um homem jovem com o qual passa muito tempo sozinha e discute intimidades, e que lhe aparece na posição vantajosa de alguém su-

III TEORIA GERAL DAS NEUROSES

perior a ajudá-la, e provavelmente esqueceremos que, numa moça neurótica, seria de esperar uma perturbação da capacidade de amar. Quanto mais as circunstâncias pessoais do médico e do paciente se distanciarem do caso suposto, tanto mais estranharemos encontrar sempre a mesma relação emocional entre os dois. Ainda se pode conceber que uma jovem mulher, infeliz no casamento, seja aparentemente tomada de séria paixão pelo médico ainda solteiro, que ela se disponha a buscar a separação para ficar com ele ou, havendo algum impedimento social, que não chegue a manifestar escrúpulo em iniciar com o médico uma relação amorosa secreta. Afinal, coisas semelhantes acontecem também fora da psicanálise. Mas, nessas condições, ouvimos com espanto manifestações de mulheres e moças, que exprimem da seguinte maneira seu posicionamento em relação à questão terapêutica: sempre souberam, afirmam elas, que só poderiam se curar pelo amor e, desde o início do tratamento, esperavam que tal relacionamento enfim lhes presenteasse com aquilo de que a vida, até então, lhes havia privado; apenas essa esperança as teria feito se empenhar tanto no tratamento e superar todas as dificuldades de comunicação — ao que, de nossa parte, acrescentamos: e compreender com tanta facilidade aquilo em que, de resto, é difícil de acreditar. Mas uma confissão dessas nos surpreende, deita por terra todas as nossas avaliações. Será possível que tenhamos deixado de fora de nosso cálculo o fator mais importante?

E, de fato, quanto maior for a nossa experiência, tanto menos poderemos nos opor a essa correção, que

27. A TRANSFERÊNCIA

envergonha o nosso rigor científico. Nas primeiras vezes podíamos acreditar que o tratamento analítico havia deparado com uma perturbação motivada por um acontecimento casual, isto é, estranho à sua intenção e não provocado por ela. Mas, quando essa vinculação afetuosa do paciente com o médico se repete regularmente a cada novo caso; quando reaparece sem cessar, mesmo sob condições as mais desfavoráveis e em situações verdadeiramente grotescas, como numa senhora mais velha ou em relação a um homem de barbas brancas, ou seja, mesmo quando, segundo nosso juízo, nada existe de sedutor— então temos que abandonar a ideia de um acaso perturbador e reconhecer que se trata de um fenômeno intimamente ligado à natureza da própria doença.

A esse fato novo, que reconhecemos a contragosto, demos o nome de *transferência*. Referimo-nos a uma transferência de sentimentos para a pessoa do médico, pois não acreditamos que a situação terapêutica possa justificar o desenvolvimento de tais sentimentos. Supomos, isto sim, que toda essa disposição para o sentimento provém de outra parte, que ela já estava pronta no doente e, por ocasião do tratamento analítico, é transferida para a pessoa do médico. A transferência pode surgir como turbulenta exigência amorosa ou sob formas mais moderadas. Na relação de uma moça com o homem de idade pode brotar na primeira, em vez do desejo de ser amada, o de ser aceita como a filha preferida; o anseio libidinal pode ser atenuado, transformado em sugestão de amizade indissolúvel, porém ideal e não sensual. Algumas mulheres logram sublimar a transfe-

III TEORIA GERAL DAS NEUROSES

rência e modelá-la até que ela se torne viável de alguma maneira; outras necessitam externá-la em sua forma crua, original e, geralmente, impossível. No fundo, porém, o fenômeno é sempre o mesmo e não deixa dúvida sobre a fonte comum que lhe deu origem.

Antes de nos perguntarmos onde haveremos de acomodar o fato novo representado pela transferência, vamos completar sua descrição. Como sucede com os pacientes masculinos? Com eles, poderíamos esperar que não houvesse a importuna interferência da diferença de sexo e da atração sexual. A resposta, contudo, é que não se dá com os homens coisa muito diferente do que ocorre com as mulheres: há o mesmo vínculo com o médico, a mesma superestimação de suas qualidades, idêntica absorção nos interesses dele, o mesmo ciúme em relação aos que lhe são próximos na vida. Entre um homem e outro, as formas sublimadas da transferência são mais frequentes e a demanda sexual direta é mais rara, na mesma medida em que a homossexualidade manifesta passa a segundo plano diante dos outros empregos desse componente instintual. Também nos pacientes masculinos, o médico observa a ocorrência, mais frequente do que nas mulheres, de uma forma de transferência que, à primeira vista, parece contradizer a descrição que até agora fizemos: a transferência hostil ou *negativa*.

Em primeiro lugar, deixemos claro que a transferência surge no paciente desde o início do tratamento e que, por algum tempo, representa a mola propulsora do trabalho. Enquanto atua em favor da análise empreendida em conjunto, nós não a percebemos nem necessitamos

27. A TRANSFERÊNCIA

nos preocupar com ela. Se, todavia, a transferência se transforma em resistência, somos obrigados a atentar para ela, e vemos que em duas condições diferentes e opostas sua relação com o tratamento se modificou. A primeira quando, na qualidade de terna inclinação, a transferência se torna tão forte, indica tão claramente sua procedência do âmbito da necessidade sexual, que só pode provocar uma resistência interna contra si; a segunda, quando consiste de impulsos hostis, em vez de afetuosos. Em regra, os sentimentos hostis aparecem depois dos afetuosos e por trás deles; em sua presença simultânea, espelham bem a ambivalência de sentimentos que rege a maioria de nossos relacionamentos íntimos com outras pessoas. Os sentimentos hostis constituem um vínculo emocional, tanto quanto os afetuosos, assim como a atitude desafiadora indica a mesma dependência que a obediência, mas com o sinal trocado. Não pode haver dúvida de que os sentimentos hostis para com o médico merecem o nome de "transferência", pois certamente a situação da terapia não oferece motivo bastante para seu surgimento; a concepção necessária da transferência negativa nos garante que não nos equivocamos em nosso juízo da transferência positiva ou afetuosa.

De onde vem a transferência, que dificuldades nos impõe, como a superamos e que proveito dela tiramos finalmente, isso deve ser tratado minuciosamente numa instrução técnica sobre a análise, e hoje será apenas mencionado. É coisa fora de questão ceder às demandas do paciente decorrentes da transferência; e seria um contrassenso rejeitá-las de maneira inamistosa ou,

III TEORIA GERAL DAS NEUROSES

pior ainda, indignada. Nós superamos a transferência demonstrando ao doente que seus sentimentos não têm origem na situação presente nem se aplicam à pessoa do médico, mas repetem algo que já lhe ocorreu no passado. Desse modo, nós o obrigamos a transformar sua repetição em lembrança. A transferência, que, afetuosa ou hostil, parecia significar a mais forte ameaça ao tratamento, torna-se então seu melhor instrumento, aquele com o qual podem se abrir os mais cerrados compartimentos da vida psíquica.

Mas eu gostaria de lhes dizer algumas palavras, a fim de libertá-los da estranheza ante o surgimento desse fenômeno inesperado. Não nos esqueçamos de que a enfermidade do paciente que acolhemos em análise não é algo encerrado, rígido, mas que continua crescendo; seu desenvolvimento segue adiante, como o de um ser vivo. O início do tratamento não põe fim a esse desenvolvimento, mas, tendo a terapia se apoderado do paciente, disso resulta que toda nova produção da doença se concentra em um único ponto, isto é, na relação com o médico. A transferência torna-se comparável àquela camada de células denominada câmbio, situada entre a madeira e a casca de uma árvore, da qual provêm a formação de novos tecidos e o espessamento do tronco. Quando a transferência atinge essa importância, o trabalho com as lembranças do doente recua consideravelmente. Não é incorreto dizer, então, que já não lidamos com a enfermidade anterior do paciente, e sim com uma neurose recém-criada e transformada, que substitui aquela. Acompanhamos desde o princípio essa

27. A TRANSFERÊNCIA

nova edição da velha afecção; vimo-la surgir e crescer e nela nos orientamos bem, pois, na condição de objeto, estamos no seu centro. Todos os sintomas do doente abandonaram seu significado original e adquiriram um novo sentido, que guarda relação com a transferência; ou restaram apenas os sintomas capazes dessa reelaboração. O domínio sobre essa nova neurose, artificial, coincide com a resolução da enfermidade trazida para o tratamento, com a solução de nossa tarefa terapêutica. A pessoa que, em sua relação com o médico, se tornou normal e liberta do efeito dos impulsos instintuais reprimidos, assim permanece também em sua vida própria, quando o médico tiver saído de cena.

Essa significação extraordinária, verdadeiramente central na terapia, a transferência tem nas histerias, histerias de angústia e neuroses obsessivas, que são corretamente denominadas *neuroses de transferência*. Quem tiver adquirido, no trabalho analítico, uma impressão cabal do fato da transferência, já não poderá duvidar de que tipo são os impulsos reprimidos que obtêm expressão nos sintomas dessas neuroses, e tampouco exigirá prova mais contundente de sua natureza libidinal. Podemos dizer que nossa convicção do significado desses sintomas como satisfações libidinais substitutas somente se firmou em definitivo após a inclusão da transferência.

Agora temos amplos motivos para corrigir nossa anterior concepção dinâmica do processo de cura e alinhá-la à nova percepção. Para atravessar e vencer o conflito normal com as resistências que lhe desvendamos na análise, o doente necessita de um impulso po-

III TEORIA GERAL DAS NEUROSES

deroso, que influencie a decisão no sentido que desejamos, aquele que conduz à cura. De outro modo, pode ocorrer que ele se decida pela repetição do desfecho anterior e deixe novamente cair na repressão aquilo que foi elevado até à consciência. Determinante nessa luta não é sua percepção intelectual — que não tem força nem liberdade suficientes para isso —, mas sua relação com o médico, apenas ela. Enquanto sua transferência apresentar sinal positivo, ela reveste o médico de autoridade, convertendo-se em crença nas declarações e concepções deste. Sem essa transferência, ou se ela for negativa, ele nem sequer dará ouvidos ao médico e seus argumentos. Nisso, a crença repete sua própria gênese; é um derivado do amor e não necessitou de argumentos no início. Somente depois o paciente lhes dá algum espaço, de modo a submetê-los a exame, se forem apresentados por uma pessoa que lhe é cara. Argumentos desprovidos de tal sustentação não tiveram peso, e jamais o têm para a maioria das pessoas. Em geral, o ser humano só é acessível pelo lado intelectual na medida em que é capaz de investir de libido o objeto, e temos boas razões para identificar e temer na extensão de seu narcisismo uma barreira à possibilidade de influenciá-lo, mesmo pela melhor técnica psicanalítica.

Claro que a capacidade de dirigir a pessoas os investimentos objetais libidinais deve ser atribuída a todo ser humano normal. A inclinação dos chamados neuróticos à transferência é apenas uma intensificação extraordinária dessa característica geral. Seria muito singular que uma característica humana tão disseminada e importan-

27. A TRANSFERÊNCIA

te jamais tivesse sido apontada e avaliada. E isso de fato aconteceu. Com certeira perspicácia, Bernheim fundamentou a teoria dos fenômenos hipnóticos na tese de que todas as pessoas são, de alguma maneira, sugestionáveis (*suggestible*). Sua sugestionabilidade nada mais é que a inclinação para a transferência — concebida com certa estreiteza, pois não inclui a transferência negativa. Mas Bernheim não conseguiu dizer o que é, de fato, a sugestão e como ela acontece. Para ele, era um fato básico cuja origem não podia demonstrar. Ele não percebeu, na *suggestibilité*, a dependência da sexualidade, da atividade libidinal. E devemos nos dar conta de que abandonamos a hipnose em nossa técnica apenas para redescobrir a sugestão sob a forma da transferência.

Mas aqui me detenho e passo a palavra aos senhores; pois noto que há uma objeção que cresce tão rapidamente que, se fosse impedida de se expressar, não os deixaria continuar me ouvindo: "Pois bem, o senhor finalmente admitiu que trabalha com o auxílio da sugestão, como o hipnotizador. Era o que vínhamos pensando há um bom tempo. Mas, então, por que o longo rodeio pelas lembranças do passado, o descobrimento do inconsciente, a interpretação e tradução retrospectiva das deformações, o enorme dispêndio em matéria de esforço, tempo e dinheiro, se a única coisa eficaz é a sugestão? Por que o senhor não utiliza a sugestão diretamente contra sintomas, como fazem os outros, os honestos hipnotizadores? E, além disso, caso pretenda se desculpar pelo rodeio, invocando as numerosas descobertas psicológicas significativas que teriam se ocultado

III TEORIA GERAL DAS NEUROSES

com sugestão direta: quem garante a certeza dessas descobertas? Não serão produto também da sugestão, da sugestão não intencional? O senhor não poderia, também nesse campo, impor ao paciente aquilo que deseja e que lhe parece correto?".

A objeção que os senhores me fazem é interessantíssima e tem de ser respondida. Hoje, porém, já não posso fazê-lo, falta-nos o tempo para isso. Fica para a próxima vez. Os senhores verão que lhes darei satisfações. Hoje devo terminar o que comecei. Prometi que, mediante o fato da transferência, eu os faria compreender por que nossos esforços terapêuticos não têm sucesso com as neuroses narcísicas.

Posso fazê-lo em poucas palavras, e os senhores verão com que facilidade o enigma se resolve e como tudo se encaixa muito bem. A observação mostra que aqueles que sofrem de neuroses narcísicas não possuem capacidade de transferência, ou possuem apenas resíduos insuficientes dela. Rejeitam o médico, mas não de maneira hostil, e sim indiferente. Por isso não podem ser influenciados por ele. O que o médico diz os deixa frios, não lhes causa nenhuma impressão; por isso não pode se produzir neles o mecanismo de cura que fazemos funcionar nos outros: a renovação do conflito patogênico e a superação da resistência devida à repressão. Eles permanecem como são. Com frequência, já fizeram por conta própria tentativas de se restabelecer, que tiveram resultados patológicos. Nisso não podemos nada mudar.

Com base em nossas impressões clínicas desses pacientes, afirmamos anteriormente que neles o inves-

28. A TERAPIA ANALÍTICA

timento objetal deve ter sido abandonado, e a libido objetal, transformada em libido do Eu. Por essa característica nós os distinguimos do primeiro grupo de neuróticos (os que sofrem de histeria, neurose de angústia e neurose obsessiva). Tal suposição é agora confirmada por seu comportamento ante a tentativa terapêutica. Eles não demonstram transferência, e por esse motivo são refratários a nossos esforços, não podem ser curados por nós.

28. A TERAPIA ANALÍTICA

Senhoras e senhores: Todos sabem sobre o que falaremos hoje. Os senhores me perguntaram por que, na terapia psicanalítica, não nos servimos da sugestão direta, se admitimos que a influência que exercemos repousa essencialmente na transferência, isto é, na sugestão, e a isso relacionaram a dúvida de que, dada essa predominância da sugestão, ainda possamos garantir a objetividade de nossas descobertas psicológicas. Eu prometi que lhes daria uma resposta detalhada.

A sugestão direta é aquela dirigida contra a manifestação dos sintomas, a luta entre a sua autoridade e os motivos da doença. Ao fazer uso dela, os senhores não se ocupam dos motivos, apenas requerem que o paciente suprima as manifestações desses motivos em forma de sintomas. Nesse caso não faz diferença, em princípio, se os senhores põem ou não o paciente em estado hipnótico.

Bernheim, mais uma vez com a perspicácia que o caracteriza, afirmou que a sugestão é o essencial nos fenômenos hipnóticos, e a hipnose propriamente dita, um resultado da sugestão, um estado sugerido; e preferiu praticar a sugestão com o paciente no estado de vigília, a qual é capaz de realizar o mesmo que a sugestão na hipnose.

O que preferem os senhores ouvir primeiro sobre essa questão: o que diz a experiência, ou reflexões teóricas?

Comecemos pela primeira. Fui discípulo de Bernheim, que visitei em Nancy, em 1889, e cujo livro sobre a sugestão traduzi para o alemão. Pratiquei durante anos o tratamento hipnótico — de início, valendo-me da sugestão proibidora e, mais tarde, combinando-o com o método de Breuer de interrogar o paciente. Então, posso falar dos resultados das terapias hipnótica e sugestiva com base em boa experiência própria. Se, conforme uma velha máxima dos médicos, a terapia ideal deve ser rápida, confiável e não desagradável ao paciente, o método de Bernheim atendia a duas dessas condições. Ele podia ser executado com maior rapidez — com rapidez incomparavelmente maior — do que o analítico e não implicava esforço nem fadiga para o paciente. Para o médico, ele se tornava monótono com o tempo — em cada caso, o mesmo procedimento e o mesmo cerimonial: proibir a existência dos mais diversos sintomas sem apreender coisa alguma de seu sentido e sua significação. Era trabalho servente, não uma atividade científica, e lembrava magia, encantamento e prestidigitação, mas, ante o interesse do doente, isso não contava. A terceira condição não estava presente: confiável, esse procedimento não

28. A TERAPIA ANALÍTICA

era de forma alguma. Em alguns ele podia ser aplicado, em outros, não; em certos pacientes conseguia-se muita coisa, em outros, muito pouco, e nunca se sabia por quê. Pior do que esse caráter caprichoso do procedimento era a pouca duração dos resultados. Após algum tempo, quando se voltava a ter notícia do paciente, a velha enfermidade retornara ou fora substituída por outra. Podia-se hipnotizá-lo de novo. Por trás de tudo, no entanto, havia a advertência, expressa por pesquisadores experientes, de que não se privasse o doente de sua autonomia, pela repetição frequente da hipnose, acostumando-o a essa terapia como se fosse um narcótico. Admitimos que às vezes as coisas se davam conforme o desejado; depois de alguns esforços, obtínhamos sucesso pleno e duradouro. Mas as condições para esse desfecho favorável permaneciam desconhecidas. Certa vez, ocorreu-me de um estado grave, que eu havia eliminado por completo mediante breve tratamento hipnótico, retornar sem nenhuma modificação, depois de a enferma se zangar comigo sem que eu lhe tivesse feito nada; após a reconciliação, logrei novamente, e de maneira ainda mais radical, fazê-lo desaparecer, mas ele voltou a aparecer depois que se afastou de mim pela segunda vez. Em outra ocasião, aconteceu-me de uma paciente, a quem várias vezes eu ajudara a superar estados neuróticos com a hipnose, de súbito lançar-me os braços em torno do pescoço durante o tratamento de um acesso particularmente tenaz. Querendo ou não, esse tipo de coisa nos fazia pensar na questão da natureza e da origem de nossa autoridade sugestiva.

III TEORIA GERAL DAS NEUROSES

É quanto tenho a dizer sobre a experiência. Ela nos mostra que, ao renunciar à sugestão direta, não estamos abrindo mão de algo insubstituível. Acrescentemos aqui algumas ponderações. A prática da terapia hipnótica demanda pouquíssimo trabalho, tanto do paciente como do médico. Essa terapia está em total consonância com certa avaliação das neuroses que a maioria dos médicos ainda sustenta. O médico diz ao paciente neurótico: "O senhor não tem nada, isso é apenas dos nervos. Posso pôr fim a suas queixas em poucos minutos, com algumas palavras". Mas contraria a nossa concepção da energia que sejamos capazes de mover uma grande carga com um emprego mínimo de força, quando a abordamos diretamente e sem a ajuda de equipamentos apropriados. Até onde podemos comparar essas duas situações, a experiência ensina que tal artifício não funciona com as neuroses. Sei, contudo, que esse argumento não é inatacável; também existem as "ações desencadeadoras".

À luz do conhecimento obtido com a psicanálise, podemos descrever da seguinte forma a diferença entre as sugestões hipnótica e psicanalítica: a terapia hipnótica busca ocultar e dissimular algo na vida psíquica; a analítica procura liberar e remover algo. Aquela age como um cosmético; esta, como uma cirurgia. Aquela utiliza a sugestão para proibir os sintomas; ela intensifica as repressões, mas deixa inalterados os processos que levaram à formação dos sintomas. A terapia analítica ataca mais próximo das raízes, onde estão os conflitos de que se originaram os sintomas, e se serve da sugestão para modificar o desfecho desses conflitos. A terapia

28. A TERAPIA ANALÍTICA

hipnótica deixa os pacientes inativos e inalterados e, por isso mesmo, incapazes de resistir a novas ocasiões para o adoecimento. O tratamento analítico requer trabalho árduo do médico e do paciente, um trabalho dedicado à anulação das resistências internas. Mediante a superação dessas resistências, a vida psíquica do doente é modificada de forma duradoura, alçada a um estágio superior de desenvolvimento, e fica protegida contra novas possibilidades de adoecimento. Esse trabalho de superação é o feito essencial do tratamento analítico; o doente precisa realizá-lo, o que o médico lhe possibilita com o auxílio da sugestão, que aí atua em sentido *educativo*. Por isso já se disse, com razão, que o tratamento psicanalítico é uma espécie de *pós-educação*.

Espero ter deixado claro aos senhores de que modo o nosso uso terapêutico da sugestão se diferencia daquele que é o único possível na terapia hipnótica. Também o caráter caprichoso, que chamou nossa atenção na terapia hipnótica, os senhores compreendem agora, depois de havermos remontado a sugestão à transferência, enquanto a terapia analítica permanece, no interior de seus limites, previsível. Na aplicação da hipnose, dependemos de como se apresenta a capacidade de transferência do enfermo, sem que possamos exercer qualquer influência sobre ela. A transferência do paciente a ser hipnotizado pode ser negativa ou, como na maioria dos casos, ambivalente; ele pode ter adotado posturas especiais para se proteger dela; nada disso sabemos. Na psicanálise, agimos sobre a própria transferência, resolvemos o que se opõe a ela, ajustamos o instrumento com que desejamos influir. Assim se torna possível, para nós, tirar proveito bem diverso do poder da sugestão; ele está em nossas mãos. O doente não sugere a si próprio o que bem entender; somos nós que dirigimos sua sugestão, até onde ele for acessível à influência desta.

Os senhores dirão que pouco importa se chamamos a força impulsora de nossa análise de transferência ou de sugestão; de todo modo, há o perigo de que a influência exercida sobre o paciente ponha em dúvida a certeza objetiva de nossas descobertas. O que é bom para a terapia é prejudicial à pesquisa. Essa é a objeção mais frequente que se faz à psicanálise, e temos de admitir que, embora equivocada, não podemos descartá-la como irrefletida. Fosse ela justificada, a psicanálise nada mais seria que um tipo de tratamento por sugestão muito bem disfarçado e particularmente efetivo, e não deveríamos levar muito a sério suas afirmações sobre o que influencia nossa vida, sobre a dinâmica psíquica e o inconsciente. É o que pensam os adversários da psicanálise; sobretudo o que diz respeito à significação das vivências sexuais, quando não as vivências em si, nós teríamos "incutido" nos pacientes, após essas noções terem se desenvolvido em nossa própria fantasia degenerada. Tais acusações são refutadas mais facilmente invocando a experiência do que com o auxílio da teoria. Quem conduziu psicanálises já teve inúmeras oportunidades de se convencer de que é impossível sugestionar o paciente dessa forma. Naturalmente, não é difícil torná-lo adepto de determinada teoria e, assim, fazê-lo participar de um possível erro do médico. Nisso ele se comporta como qualquer outra

28. A TERAPIA ANALÍTICA

pessoa, como um discípulo, mas desse modo influenciamos apenas sua inteligência, não sua doença. A solução de seus conflitos e a superação de suas resistências só têm êxito quando lhe transmitimos ideias antecipatórias que correspondem à sua realidade interior. As suposições incorretas do médico acabam excluídas no curso da análise, precisam ser retiradas e ser substituídas por outras, mais corretas. Mediante uma técnica cuidadosa, buscamos impedir a ocorrência de sucessos provisórios devidos à sugestão; mas não há problema se ocorrerem, pois não nos contentamos com o primeiro sucesso. Não damos por terminada a análise sem que tenhamos esclarecido todos os pontos obscuros do caso, preenchido as lacunas da memória e encontrado as ocasiões para as repressões. Vemos os sucessos precoces mais como obstáculos do que como avanços do trabalho analítico; eles são anulados ao resolvermos continuamente a transferência em que se baseiam. No fundo, é esse último traço que separa o tratamento analítico do puramente sugestivo e livra os resultados analíticos da suspeita de serem êxitos da sugestão. Em todos os outros tratamentos por sugestão, a transferência é cuidadosamente poupada, permanecendo intacta; no analítico, ela própria é objeto do tratamento e decomposta em cada uma de suas manifestações. Para a conclusão de um tratamento analítico, é necessário que a própria transferência seja demolida; se, então, o êxito sobrevém ou se mantém, não se baseia na sugestão, mas na superação das resistências internas efetuada com sua ajuda, na modificação interior produzida no paciente.

Por certo, age contra o surgimento de sugestões isoladas o fato de, durante a terapia, termos de combater incessantemente resistências capazes de se transformar em transferências negativas (hostis). E não podemos deixar de ressaltar que grande número de resultados da análise, dos quais se poderia suspeitar serem produtos da sugestão, são indiscutivelmente confirmados a partir de outra fonte. Nesse caso, nossos fiadores são os dementes e paranoicos, que estão, naturalmente, muito acima da suspeita de influência por sugestão. O que esses doentes nos relatam de traduções de símbolos e de fantasias, que neles penetraram até a consciência, coincide fielmente com os resultados de nossas investigações do inconsciente dos neuróticos de transferência, reforçando, assim, a correção objetiva de nossas interpretações tantas vezes contestadas. Creio que os senhores não se equivocarão, se depositarem confiança nesses pontos da análise.

Agora vamos complementar nossa exposição do mecanismo da cura, apresentando-o com as fórmulas da teoria da libido. O neurótico é incapaz de fruição e realização; da primeira, porque sua libido não se acha voltada para um objeto real; da segunda, porque precisa despender grande parte da sua energia disponível para manter a libido na repressão e para se defender de seu ataque. Ele se tornaria saudável, caso tivesse fim o conflito entre seu Eu e sua libido e seu Eu voltasse a dispor de sua libido. A tarefa terapêutica consiste, portanto, em libertar a libido de suas ligações presentes, afastadas do Eu, e colocá-la novamente a serviço desse Eu. Mas onde está a libido do neurótico? Não é difícil encontrá-

28. A TERAPIA ANALÍTICA

-la: está ligada aos sintomas, que lhe oferecem a única satisfação substituta possível no momento. É preciso, então, assenhorear-se dos sintomas, resolvê-los — justamente o que o doente requer de nós. Para a resolução dos sintomas, teremos de voltar até o seu surgimento, renovar o conflito que lhes deu origem e, com o auxílio das forças motrizes que não estavam disponíveis na época, guiá-lo para outro desfecho. Somente em parte essa revisão do processo repressivo pode ser feita nos traços mnêmicos dos eventos que conduziram à repressão. A porção decisiva do trabalho é realizada criando, na relação com o médico — na "transferência" —, novas edições daqueles velhos conflitos, em que o paciente gostaria de se comportar como fez no passado, enquanto nós, mediante o emprego de todas as forças psíquicas disponíveis, o obrigamos a tomar uma outra decisão. A transferência se torna, pois, o campo de batalha em que devem se encontrar todas as forças que lutam entre si.

Toda a libido, assim como toda oposição a ela, é reunida nessa relação com o médico; é inevitável, nisso, que os sintomas sejam despojados de libido. No lugar da doença do paciente, surge aquela produzida artificialmente, isto é, a doença da transferência; em lugar dos diversos objetos libidinais irreais, um só objeto, novamente fantasioso, que é a pessoa do médico. Mas, com o auxílio da sugestão médica, a nova luta por esse objeto é elevada ao mais alto nível psíquico, transcorre como conflito psíquico normal. Como se evita uma nova repressão, o estranhamento entre Eu e libido tem fim, a unidade psíquica da pessoa é restabelecida. Quando a

III TEORIA GERAL DAS NEUROSES

libido é desprendida do objeto temporário que é a pessoa do médico, não pode retornar a seus objetos anteriores, permanecendo, assim, à disposição do Eu. As forças que combatemos durante esse trabalho terapêutico são, por um lado, a aversão do Eu a certas orientações da libido — que se manifesta como tendência à repressão — e, por outro lado, a tenacidade ou viscosidade da libido, que não quer abandonar os objetos uma vez investidos.

O trabalho terapêutico se decompõe em duas fases, portanto. Na primeira, toda a libido é obrigada a passar dos sintomas para a transferência e é lá concentrada; na segunda, trava-se a luta pelo novo objeto, e a libido é dele libertada. A modificação decisiva para o bom desenlace é a exclusão da repressão nesse conflito renovado, de maneira que a libido não pode, mais uma vez, subtrair-se ao Eu mediante a fuga para o inconsciente. Isso é possibilitado pela modificação do Eu, realizada sob a influência da sugestão médica. Graças ao trabalho de interpretação, que transforma o que é inconsciente em consciente, o Eu é ampliado à custa desse inconsciente; por meio da instrução, ele se torna conciliador em relação à libido, e inclinado a conceder-lhe alguma satisfação; seu medo ante as exigências da libido é reduzido mediante a possibilidade de ele dar conta de uma parte da libido através da sublimação. Quanto mais os processos durante o tratamento corresponderem a essa descrição ideal, maior será o sucesso da terapia analítica. Ele encontra seus limites na falta de mobilidade da libido, que pode relutar em abandonar seus objetos, e na rigidez do narcisismo, que não permite que a transfe-

28. A TERAPIA ANALÍTICA

rência objetal ultrapasse determinada fronteira. Talvez lancemos mais alguma luz sobre a dinâmica do processo de cura, com a observação de que capturamos toda a libido subtraída à dominação do Eu ao atrair parte dela para nós mediante a transferência.

Não é descabido lembrar que não podemos, a partir das distribuições da libido produzidas durante e por intermédio do tratamento, tirar uma conclusão direta sobre sua alocação durante a doença. Supondo que conseguíssemos resolver satisfatoriamente um caso mediante o estabelecimento e a resolução de uma forte transferência paterna para o médico, seria errado concluir que anteriormente o doente sofreu de semelhante ligação inconsciente de sua libido com o pai. A transferência paterna é apenas o campo de batalha em que nos apoderamos da libido; a libido do paciente foi dirigida para lá a partir de outras posições. Esse campo de batalha não coincide necessariamente com uma das fortalezas importantes do inimigo. A defesa da capital inimiga não tem de acontecer precisamente ante os portões da cidade. Apenas depois de resolvida a transferência é que se pode reconstruir em pensamentos a distribuição da libido que prevalecia durante a enfermidade.

Podemos, do ponto de vista da teoria da libido, dizer ainda algumas palavras sobre o sonho. Os sonhos dos neuróticos, assim como seus atos falhos e suas associações livres, ajudam-nos a perceber o sentido dos sintomas e descobrir a colocação da libido. Sob a forma de realização de desejo, eles nos mostram quais desejos sucumbiram à repressão e a quais objetos se prendeu

III TEORIA GERAL DAS NEUROSES

a libido subtraída ao Eu. Por isso, a interpretação dos sonhos tem um relevante papel no tratamento psicanalítico e é, em vários casos, por longos períodos, o mais importante instrumento de trabalho. Já sabemos que o sono, em si, provoca certo relaxamento das repressões. Essa diminuição da pressão que pesa sobre ele possibilita que o impulso reprimido logre expressar-se muito mais claramente no sonho do que lhe permite o sintoma ao longo do dia. O estudo dos sonhos torna-se, assim, o mais cômodo acesso ao conhecimento do inconsciente reprimido, de que faz parte a libido subtraída do Eu.

Mas em nenhum ponto essencial os sonhos dos neuróticos diferem daqueles das pessoas normais; talvez sejam indistinguíveis destes. Seria um contrassenso explicar os sonhos dos neuróticos de uma forma que não se aplicasse também aos sonhos das pessoas normais. Portanto, devemos dizer que a diferença entre saúde e neurose vale apenas para o dia; não se estende à vida onírica. Somos obrigados a transpor para o indivíduo saudável algumas hipóteses que, no tocante ao neurótico, resultam do nexo entre seus sonhos e seus sintomas. Não podemos discutir que também o indivíduo saudável possui, em sua vida psíquica, aquilo que torna possível a formação tanto dos sonhos como dos sintomas, e temos de concluir que também ele fez uso de repressões, que arcou igualmente com certo dispêndio para mantê-las, que seu sistema do inconsciente oculta impulsos reprimidos e ainda investidos de energia, e que *uma parte de sua libido não se encontra mais à disposição do Eu*. O saudável é, virtualmente, um neurótico, mas

28. A TERAPIA ANALÍTICA

o sonho parece ser o único sintoma que ele é capaz de formar. É verdade que, se submetemos a exame mais apurado sua vida em estado de vigília, descobrimos — o que parece contradizer a impressão anterior — que essa vida supostamente saudável está impregnada de um sem-número de formações de sintoma, pequenas e de pouca relevância prática.

Portanto, a diferença entre a saúde nervosa e a neurose limita-se ao plano prático e é determinada pelo resultado, isto é, se restou à pessoa capacidade suficiente para a fruição e a realização. Provavelmente, essa diferença remete à proporção relativa dos dois montantes de energia — o que permaneceu livre e o ligado à repressão —, sendo de natureza quantitativa, não qualitativa. Não preciso lembrá-los de que essa percepção é que fundamenta teoricamente a nossa convicção de que, em princípio, as neuroses podem ser curadas.

Isso é o que podemos inferir, quanto à caracterização da saúde, a partir do fato de serem idênticos os sonhos dos saudáveis e os dos neuróticos. No tocante ao próprio sonho, há também a conclusão de que não podemos desprendê-lo de suas relações com os sintomas neuróticos; que não devemos crer que sua natureza se esgotaria na fórmula que o define como uma tradução dos pensamentos numa forma arcaica de expressão; e que temos de supor que ele nos mostra alocações da libido e investimentos objetais realmente presentes.

Logo chegaremos ao final. Talvez estejam decepcionados com o fato de, num capítulo sobre a terapia analítica, eu só ter lhes falado de coisas teóricas, e não

III TEORIA GERAL DAS NEUROSES

sobre as condições para empreender o tratamento e os resultados que ele obtém. Mas não abordarei esses dois temas. O primeiro, porque não é minha intenção lhes dar instruções práticas sobre o exercício da psicanálise; o segundo, porque motivos vários me impedem de fazê--lo. No início de nossas conferências [desse ano; cf. final do cap. 16], enfatizei que, sob condições favoráveis, alcançamos êxitos que nada ficam a dever aos melhores no âmbito da medicina interna, e talvez possa acrescentar que nenhum outro procedimento teria logrado obtê--los. Se eu dissesse mais, daria margem à suspeita de que desejo abafar com a propaganda as altas vozes dos detratores. Contra a psicanálise, "colegas" médicos já fizeram repetidas vezes, também em congressos públicos, a ameaça de publicar uma coletânea dos fracassos e danos psicanalíticos, a fim de abrir os olhos dos pacientes para a inutilidade desse método de tratamento. Mas, à parte o caráter odioso e denunciatório de tal medida, uma coletânea desse tipo não seria apropriada nem mesmo para possibilitar um julgamento correto da eficácia terapêutica da análise. A terapia analítica ainda é jovem, como os senhores sabem; um longo tempo foi necessário para que se pudesse estabelecer sua técnica, o que só podia ser feito durante o trabalho e com a experiência crescente. Em razão das dificuldades de ensiná-la, o médico iniciante na psicanálise depende, em maior medida do que algum outro especialista, de sua própria capacidade para se desenvolver, e os resultados obtidos em seus primeiros anos jamais permitirão formular um julgamento sobre a eficácia da terapia analítica.

28. A TERAPIA ANALÍTICA

Muitas tentativas de tratamento fracassaram na época inicial da psicanálise, pois foram feitas em casos que não se prestavam para o método e que hoje excluímos, com base em nosso registro de indicações. Mas só pudemos chegar a essas indicações através das tentativas. De início, não sabíamos que, em suas formas mais pronunciadas, a paranoia e a *dementia praecox* são inacessíveis, e tínhamos o direito de experimentar o método em todo tipo de afecção. A maioria dos fracassos daqueles primeiros anos, todavia, não ocorreu devido à culpa do médico ou à escolha inapropriada do objeto, e sim por condições externas desfavoráveis. Tratamos aqui apenas das resistências internas, as do paciente, que são inevitáveis e superáveis. As resistências externas, que são impostas à análise pela situação do doente, por seu ambiente, têm reduzido interesse teórico, mas enorme importância prática. O tratamento psicanalítico pode ser comparado a uma intervenção cirúrgica e, como esta, deve ser realizado com os preparativos mais favoráveis para o sucesso. Os senhores sabem que precauções o cirurgião costuma tomar: sala apropriada, boa luz, assistentes, exclusão dos parentes etc. Perguntem a si mesmos quantas cirurgias chegariam a bom termo, se fossem realizadas na presença de todos os membros da família, rodeando a mesa operatória e soltando gritos a cada incisão. Nos tratamentos psicanalíticos, a intromissão dos parentes constitui verdadeiro perigo, com o qual não sabemos lidar. Estamos preparados para as resistências internas do paciente, que reconhecemos como inevitáveis, mas como nos defendermos das resistências externas? Não há esclarecimento que convença a família do paciente, não logramos induzi-la a manter-se longe do tratamento, e não podemos jamais nos aliar a eles, pois então corremos o risco de perder a confiança do doente, que — com razão, diga-se de passagem — exige que seu homem de confiança tome o seu partido. Quem conhece as dissensões que frequentemente atingem uma família não pode, como analista, surpreender-se com a percepção de que os mais próximos do doente por vezes não revelam tanto interesse em que se cure quanto em que permaneça como está. Quando, como é frequente, a neurose está relacionada a conflitos entre membros da família, o familiar saudável não precisa pensar muito para decidir entre seu próprio interesse e o restabelecimento do doente. Não surpreende, afinal, quando um marido não vê com bons olhos um tratamento em que — como pode ele supor com razão — será revelada toda a sua lista de pecados; e tampouco nos surpreendemos com isso, mas não devemos nos recriminar quando nosso esforço permanece infrutífero e é interrompido precocemente, porque a resistência do marido vem se juntar à da mulher doente. Sucedeu que pretendemos realizar algo que, na situação existente, era inexequível.

Em vez de um grande número de casos, quero relatar aos senhores apenas um, em que a discrição médica me fez desempenhar um papel sofredor. Há muito anos, aceitei submeter a tratamento analítico uma jovem moça que, fazia muito tempo, não saía para a rua nem conseguia ficar sozinha em casa porque sofria de angústia.

28. A TERAPIA ANALÍTICA

Lentamente, ela acabou por confessar que sua imaginação havia sido tomada pela observação casual de uma troca de carinhos entre sua mãe e um abastado amigo da família. De maneira inábil, porém — ou talvez refinada —, a enferma deu à mãe uma indicação do que era abordado nas sessões de análise, pois mudou seu comportamento em relação a ela, insistindo em que apenas a mãe, e nenhuma outra pessoa, a protegesse da angústia de ficar sozinha e, angustiada, bloqueava-lhe o caminho até a porta quando ela queria sair de casa. No passado, também a mãe fora bastante neurótica, mas havia encontrado a cura para seu problema numa instituição hidroterápica, anos atrás. Mas acrescentemos que nessa instituição ela havia conhecido o homem com o qual iniciou um relacionamento que a satisfazia plenamente. Surpresa com as tempestuosas exigências da filha, a mãe compreendeu *subitamente* o significado daquela angústia. A filha adoecera para fazer dela uma prisioneira e privá-la da liberdade de movimentos necessária ao relacionamento com o amado. De forma rápida e resoluta, a mãe pôs fim ao tratamento que lhe era prejudicial. A moça foi enviada a uma instituição para doentes nervosos e, durante anos, apresentada como "pobre vítima da psicanálise". Por todo esse período, fui perseguido pela má fama que trouxe o infeliz desfecho desse tratamento. Guardei silêncio, porque me julgava atado pelo dever da discrição médica. Muito tempo depois, por meio de um colega que visitara a instituição e lá vira a moça agorafóbica, soube que a relação da mãe com o abastado amigo da casa era conhecida de todos e provavel-

III TEORIA GERAL DAS NEUROSES

mente gozava da aprovação do marido e pai. Assim, o tratamento fora sacrificado a este "segredo".

Nos anos anteriores à guerra, quando a afluência de pacientes estrangeiros me tornou independente da simpatia ou antipatia de minha própria cidade, eu seguia a regra de não tratar pacientes que não fossem *sui juris*, ou seja, que não fossem independentes nas questões essenciais da vida. Não é algo que todo psicanalista pode se permitir. Talvez os senhores concluam, de minha advertência sobre os parentes, que se deveria apartar os doentes de suas famílias para submetê-los a psicanálise, limitando essa terapia, portanto, aos internos das instituições para doentes dos nervos. Mas nisso eu não poderia concordar com os senhores; é muito mais vantajoso que os doentes, durante o tratamento — caso não estejam numa fase de grave esgotamento —, sejam mantidos nas mesmas circunstâncias em que terão de enfrentar as tarefas que lhes cabem. Os parentes, todavia, não devem anular essa vantagem com seu comportamento, nem, de forma alguma, adotar uma postura hostil ante os esforços médicos. Mas como influir nesses fatores inacessíveis para nós? Os senhores perceberão, naturalmente, como as perspectivas de um tratamento são determinadas pelo meio social e pela condição cultural de uma família.

Isso nos oferece uma perspectiva sombria da eficácia da psicanálise como terapia, não é mesmo? Ainda que possamos explicar a maioria de nossos fracassos com base em tais fatores perturbadores externos. Por isso, amigos da psicanálise nos aconselharam a contrapor à

28. A TERAPIA ANALÍTICA

coleção de insucessos uma estatística dos êxitos, por nós preparada. Mas não concordei com a sugestão. Lembrei que uma estatística não tem valor quando os itens nela reunidos não são suficientemente homogêneos, e os casos de neurose tratados não eram, de fato, equivalentes em variados aspectos. Além disso, o período que podia ser abarcado era demasiado breve para se avaliar a durabilidade da cura, e muitos casos não podiam ser relatados. Eram de pessoas que haviam mantido em segredo tanto a doença como o tratamento, e cuja recuperação devia igualmente permanecer em segredo. O impedimento mais decisivo, no entanto, foi a percepção de que, em questões de terapia, as pessoas se comportam de maneira bastante irracional, de modo que não há perspectiva de obter algo com elas por meios racionais. Uma novidade terapêutica é ou recebida com entusiasmo inebriante — por exemplo, quando Koch apresentou ao público sua primeira tuberculina para a tuberculose — ou tratada com a mais profunda desconfiança, como foi a vacina de Jenner, que, embora verdadeiramente benéfica, ainda hoje tem adversários irredutíveis. Era evidente que havia um preconceito contra a psicanálise. Quando curávamos um caso difícil, podíamos escutar: "Isso não prova nada. O paciente teria se recuperado por si durante esse tempo". E quando um doente, já tendo passado por quatro ciclos de depressão e mania, veio se tratar comigo durante um intervalo após a melancolia e, três semanas depois, iniciou-se uma nova fase maníaca, todos os seus familiares — além de uma grande autoridade médica chamada para dar um pare-

III TEORIA GERAL DAS NEUROSES

cer — mostraram-se convencidos de que o novo ataque só podia ser consequência da tentativa de análise. Contra preconceitos não há o que fazer; nesse momento os senhores podem ver isso mais uma vez, nos preconceitos que um grupo de nações em guerra desenvolveu contra o outro. O mais sensato é esperar, deixando que o tempo os desgaste. Um dia, as mesmas pessoas pensarão diferentemente sobre as mesmas coisas; por que não pensaram assim antes, eis um profundo mistério.

É possível que o preconceito contra a terapia analítica já esteja diminuindo. A difusão constante das teorias psicanalíticas e o aumento do número de médicos que usa o tratamento analítico em vários países parecem garanti-lo. Quando eu era um jovem médico, presenciei uma semelhante tempestade de indignação dos médicos contra o tratamento por sugestão hipnótica, que atualmente os "sóbrios" opõem à psicanálise. Como agente terapêutico, todavia, a hipnose não cumpriu a promessa inicial; nós, psicanalistas, podemos nos declarar seus legítimos herdeiros, e não esquecemos o estímulo e o esclarecimento teórico que devemos a ela. Os danos atribuídos à psicanálise limitam-se, no essencial, a manifestações passageiras de conflito intensificado, quando a análise é conduzida com imperícia ou quando é interrompida no meio. Os senhores foram aqui informados sobre o que fazemos com os pacientes e podem julgar por conta própria se o nosso trabalho pode levar a danos permanentes. O mau uso da análise é possível de variadas formas; a transferência, em especial, é um instrumento perigoso nas mãos de um médico não cons-

28. A TERAPIA ANALÍTICA

ciencioso. Mas nenhum instrumento ou procedimento médico está a salvo do mau uso; quando um bisturi não corta, também não pode servir para curar.

Cheguei ao fim, senhoras e senhores. É mais do que uma frase convencional, se reconheço que estou plenamente cônscio dos muitos defeitos destas conferências. Lamento, acima de tudo, haver muitas vezes prometido retomar um assunto apenas esboçado e, depois, o contexto não haver permitido que eu cumprisse a promessa. Propus-me informar os senhores sobre uma matéria inacabada, ainda em desenvolvimento, e o meu próprio resumo se mostrou incompleto. Em várias passagens, tinha pronto o material para tirar uma conclusão, e acabei não o fazendo. Mas não podia querer transformá-los em especialistas; quis apenas oferecer-lhes esclarecimento e estímulo.

ÍNDICE REMISSIVO

AS INDICAÇÕES *NA* E *NT* DESIGNAM
AS NOTAS DO AUTOR E DO TRADUTOR,
RESPECTIVAMENTE.

ÍNDICE REMISSIVO

Abel, K., 241, 310
Abraham, 435, 549
abstinência, 514, 532, 574
Acádia, 217
Adler, 321, 504, 538
adoecimento orgânico, 388, 551, 554
adolescente, 538
Adriano, imperador, 114
adulto(s), 117, 170-1, 179, 183, 277-8, 280-2, 317, 419, 422, 425, 433, 442, 444, 446, 469, 480-2, 490-2, 528, 541-2, 550
afeto(s), afetivo(s), afetiva(s), 22, 28, 31, 33, 90, 120-1, 146, 273, 289-91, 322, 326, 338, 367-8, 390, 446, 519, 522-5, 530, 534, 542, 545, 569
África, 178
Afrodite, 145NT
agitação, 36-7, 61, 333
agorafobia, 353, 361, 529
agressão, agressivo, 534, 539
Albert, príncipe, 149
Alemanha, 219
alemão, 32, 42, 104, 160, 242
Alexandre, o Grande, 23, 113, 319
alucinatória(s), 138, 172, 174-5, 183, 288
amamentação, 473, 485
ambiguidade(s), 212, 310, 312-3, 478, 523
ambivalência, 566, 587
América, 343

amnésia, 269-70, 274, 377-80, 415, 433, 575
amor, amoroso(s), amorosa(s), 34, 50, 132, 145, 184, 186-8, 238NA, 256, 258-9, 267, 275--9, 282, 284-5, 326, 332, 334, 336-8, 380, 384, 405, 408, 438, 444, 457, 469, 498, 500, 514, 541, 549-50, 552, 561, 564, 571, 584-5, 590
amuletos, 222
analogia(s), 68, 89, 141, 150, 183, 241, 311, 323, 329, 339, 366-7, 382, 451, 500, 514, 536
Ananke, 472, 568
Andreas-Salomé, 418
Angst, 523-4
angústia, 15, 121, 256, 289, 291--4, 296, 299, 356, 362, 364, 385, 398, 483, 516-7, 519--26, 528-39, 541-5, 562, 569, 579, 589, 593, 608; *ver também* medo
animal, animais, 174, 206, 210, 216, 223, 232, 251-2, 281, 380, 471, 480, 491, 494, 510, 521-2, 525, 528-9, 548
Anna M., 237NA
Anna O., 366NT
ansiedade, 531, 533, 537-8, 541
Antarctic (Nordenskjöld), 177
Antiguidade, 78, 220-2, 445
antropologia, 223
Antropophyteia (Krauß), 219
ânus, anal, anais, 404, 419, 423, 434-7, 457

ÍNDICE REMISSIVO

aparelho psíquico, 455, 474, 498; *ver também* psique; vida psíquica

apotropaea, 222

Aristandro, 319

Aristóteles, 116

Arriano, 24

arte, artístico, 51, 229, 363, 419, 435, 439, 498, 501

Artemidoro de Daldis, 114, 319

assírio-babilônicas, inscrições, 314

associação livre *ver* livre associação

Atena, 145NT

ato(s) falho(s), 31, 35, 37-40, 45--7, 49, 51-4, 58-60, 62, 65--75, 78-82, 85-90, 93-4, 96--7, 100-2, 104, 107-8, 111-2, 116, 118, 134-5, 138-40, 143, 151, 173, 176, 183, 260, 318, 325, 344, 360, 502, 603

audição, 32, 90

Aussee, 169

Áustria, 355

autoconservação, 467, 472, 509, 521, 544-5, 547-8, 556, 568-9

autoerotismo, autoerótica, 318, 417, 422, 437, 486, 491, 550; *ver também* masturbação

Back, G., 178

bebê(s), 139, 217, 272, 417, 422--3, 525

Behandeling van Zenuwzieken door Psycho-Analyse, De (Meijer), 14

beijo, 318, 402, 427, 430

Bela Helena, A (Offenbach), 145

beleza, 75, 121, 175

benefício da doença, 507-10

Bernheim, 138, 148, 370, 591, 594

bexiga, 127, 418

Binz, 114

biologia, 26, 547

bissexual, 212, 321

Bleuler, 146, 566

boca, 210, 403, 416, 435, 471

Böcklin, 232

Bölsche, 471

Borch-Jacobsen, 366NT

Breuer, 110NA, 343, 360, 365, 367, 372-4, 388, 391, 594

Brill, 70NA, 74NA

Bruegel, 404

brutalidade, 197

"Canção de Páris" (Offenbach), 145

Cântico dos Cânticos, 218

Carlos, rei, 266

casamento, 70, 73, 77, 150, 165, 237, 272, 298, 305, 332, 339, 350, 365, 367, 446, 470, 507, 573, 584

"Caso Schreber" (Freud), 225NT

castração, 211, 223, 258, 359, 490, 493

cegonha, 217, 275, 422

células nervosas, 452

censura, 183, 187-91, 193, 198-

ÍNDICE REMISSIVO

-200, 228-9, 233-5, 240, 268, 271, 280, 285, 287, 289, 291-7, 316, 395, 454, 478, 485, 554, 567

censura do sonho, 183, 188-91, 228-9, 233-5, 240, 287, 289, 293-4, 316; *ver também* interpretação dos sonhos; trabalho do sonho; sonho(s)

centauros, 232

cérebro, 189, 563

cerimonial obsessivo, 346, 352-9, 361, 378, 397-400, 535, 594

César e Cleópatra (Shaw), 71

chinesa, língua e escrita, 311

chiste(s), 56-7, 158, 214, 217, 232-3, 235, 318-9

ciência, 16, 26, 29, 34, 46, 67, 79, 111, 114-5, 134, 136, 207, 314, 326, 380, 398, 403, 414, 439, 445, 515, 552, 560, 576

ciências humanas, 227

"Cinco lições de psicanálise" (Freud), 110NT

ciúme, 219, 267, 332, 335, 337, 339, 387, 432, 561, 586

claustrofobia, 361

clitóris, 209, 356, 422

cobras, 527

coito, 263, 423, 491, 532

coletividade, 572

Colombo, 343

complexo da castração, 280, 421; *ver também* castração

complexo de Édipo, 279-80, 438-41, 443, 446-8, 450, 482

condensação, 54, 231-3, 240, 254, 257, 270, 318, 395, 477, 487, 518

conflito(s), 50, 81-2, 96, 276, 280, 327, 442, 464-6, 468, 470, 476-8, 484-5, 496-7, 499, 503, 506, 508, 510, 548, 556-7, 566, 572-3, 575, 579-81, 589, 592, 596, 599-602, 608, 612

cônjuge, 50, 166, 193, 274, 332, 571

consciência, consciente, 16, 28-9, 151, 199, 252, 255, 285, 299, 331, 338, 370-1, 373, 383, 390-5, 409, 441, 447, 456, 477-9, 534, 538, 567, 573-5, 581, 590, 600

conscientes, atos e processos, 28, 151, 268, 272, 371-4, 379, 393, 408, 488, 496, 499

conteúdo inconsciente, 156, 159, 577, 579

conteúdo latente, 230, 322

conteúdo manifesto, 151, 160, 163, 176, 181, 192, 230, 239, 264, 305, 322, 363

contos de fada, 214-5, 225, 253

contrainvestimento, 478, 544, 578-9

Contribuição à história do movimento psicanalítico (Freud), 110NA

Copérnico, 380

coquetismo, 443

ÍNDICE REMISSIVO

Corinto, 219

corpo humano, 205, 210, 214, 341

criança(s), 33, 104, 112, 117, 155, 157, 167-71, 174, 183, 212, 215, 217-9, 262, 269-70, 272, 274-6, 279, 281-5, 304, 353, 357, 366, 401, 405, 412-7, 419-24, 427, 430, 432-5, 438, 441-4, 446-9, 461, 468-9, 472, 479, 482-5, 491-3, 529, 537-42; *ver também* infância, infantil, infantis

crime(s), 34, 66, 197, 235, 345, 439, 440, 446

crueldade, 197, 434

culpa, 16, 101, 137, 258, 264, 294, 441, 488, 565, 607

cultura, cultural, culturais, 29-30, 198, 353, 403, 459, 533, 610

cuneiforme, escrita, 311, 314

cura, 475, 505, 558, 572, 575, 580, 589, 592, 600, 603, 609, 611

Dachstein, 169

Darwin, 103, 380, 527

Dattner, 72NA

dedo(s), 54, 83, 115, 170, 357, 435, 490

defecação, 418

delírio(s), delirante(s), 33, 111, 113, 335-40, 342-3, 505, 561, 564-5, 567

dementia praecox, 360, 518, 549, 557-8, 561, 580, 607

dente(s), 127, 211, 223, 251, 253-6, 382

depressão, 611

desejo(s), 22, 27, 59, 76, 85, 89, 96, 99, 104-5, 132, 171-7, 179-81, 183, 192-5, 197-200, 209, 212, 230, 232, 248, 253-6, 258-9, 262-3, 267, 271-4, 276, 278-80, 282-3, 285-300, 303-7, 322, 337, 339, 351, 359, 363, 386, 395, 397-400, 403, 405, 410, 421, 440, 443, 446-9, 459, 464, 478, 489, 493, 495, 499, 503, 514, 548, 551, 554, 566-7, 570, 585, 603, 606

deslocamento, 189, 234, 235, 270, 294, 315, 319, 338, 346, 395, 477, 487, 496, 518, 538

desprazer, desprazerosos, 101-3, 289, 292-3, 295, 473-4, 476, 498, 508, 523-4

Deus, deuses, 141-2, 157-8, 185, 404, 440, 445

Diderot, 449

dinheiro, 69, 104, 164-6, 188, 195, 237NA, 254, 297, 382, 418, 507, 591

Diodoro, 24

distração, 36-7, 58-9, 61, 76

Divã ocidental-oriental (Goethe), 553

dobretes, 239

doença(s), doente(s), 19, 21-2, 26, 29, 107, 110-3, 225, 228, 248, 255, 327, 331, 334, 342-6, 348, 353, 361-7, 371-7,

ÍNDICE REMISSIVO

379, 381-4, 386-90, 397, 410, 438, 457, 461-2, 475-6, 483, 487-9, 500, 503, 505-12, 514, 517, 520, 526, 529-30, 532, 534, 555-7, 560-3, 566-7, 571-3, 575-6, 580-2, 585, 588-9, 593-5, 597-601, 603, 607-11

Donzela de Orléans, A (Schiller), 40

dor, 36, 121, 255, 334, 382, 405, 513, 518, 539, 563

Du Prel, 178

educação, 192, 195, 281, 405, 413, 418, 470, 472-3, 477, 486, 529, 540, 550, 574, 597

egípcio antigo, 241-2, 311

Egito, 220

egoísmo, 192, 197, 259, 274, 284, 305, 551

ejaculação, 259

emoções, emocional, emocionais, 22-3, 81, 255-6, 442, 447, 584, 587

enamoramento, 551, 553, 556, 583

energia psíquica, 306, 473, 476

Epístolas do Ponto (Ovídio), 290NT

ereção, 208, 356, 430

erótico(s), erótica(s), 132, 174, 340, 359, 365, 368, 387, 397, 437, 442, 495

Escherntal, 169

escolha de objeto, 408, 432, 441

escrita, 40, 58-9, 79, 90, 92-4,

98, 233, 236, 238, 241, 310--1, 314, 333

escritor(es), 24, 26, 47, 49, 52, 132, 158-9, 311

esposa, 73, 219, 237, 279, 292, 296, 333, 340, 351, 439-40, 449

esquecimento, 32, 36, 70-2, 75--7, 79, 90, 96-7, 99-103, 148, 150, 270-1, 377, 379, 433

Estados Unidos, 110NA, 560

estética(s), 191-3

Estudos sobre a histeria (Freud), 366NT

ética(s), 191-3, 198, 440, 507

Eu, 25, 192-3, 199, 285, 381, 387, 391, 396, 465-8, 470, 474-5, 477-9, 493, 496, 502--8, 512, 536, 543-52, 554-9, 561, 564-5, 567-9, 578, 580, 593, 600, 602-4

Europa, 20, 197

excitação, excitações, 127, 171, 209, 213, 356, 409, 411, 415--8, 427, 473-4, 493, 498, 514, 518, 520, 530, 531, 533

excremento(s), 281, 418-9, 423, 429, 525

fala, 22-3, 40, 54, 57, 59, 62, 85, 91, 94, 113, 127, 134, 184, 218, 241, 256, 269, 310, 318, 330, 383, 539, 552, 582

falta de ar, 213, 530

família(s), 159-60, 254, 333-5, 429, 439, 445, 493, 562, 607-10

ÍNDICE REMISSIVO

fantasia(s), 15, 94, 131-2, 177-8, 186-7, 225, 232, 307, 338, 346, 351, 358-9, 401, 406, 410, 417, 478, 487-9, 491--500, 505, 518, 598, 600
faraó, 220
Farina, G. M., 122
Fechner, 119
feminino(s), feminina(s), 43, 144-5, 210-3, 215-6, 220, 222, 258-9, 261, 321, 339, 356-7, 359, 422, 434, 470, 490, 491, 515
Ferenczi, 467
fetichista(s), 405, 463
fezes, 418
filha(s), 44-8, 212, 272, 276-7, 279, 340, 353, 359, 442-3, 448, 468-70, 585, 609
filho(s), 44, 104, 159, 184, 192--3, 205-6, 212-3, 215, 237NA, 250, 254, 258, 261-2, 272, 276-9, 297, 317, 332, 358, 397, 442-4, 448, 469, 553, 562
filosofia, filósofo(s), 26, 61, 115, 131, 204
física, 26
fixação, fixações, 364, 366, 368, 452-3, 455, 457, 460-1, 463, 467-8, 477-80, 483, 488, 495-6, 550, 557-8, 565
Flaubert, 404
Fliegende Blätter, 36, 510
Fließ, W., 425
fobia(s), 526-30, 534, 537, 539-44
folclore, 214, 223, 227

fome, 177, 179, 237, 259, 415, 545
Fontane, 494
França, 56, 159
Franklin, 178
Freuds Neurosenlehre (Hitschmann), 14
Furcht, 523

gato(s), 527-9
genital, genitais, 127, 206-7, 210, 212-3, 218, 220-2, 227, 258, 261-2, 281-2, 356, 402, 404-5, 409, 412, 417, 419-21, 425, 427-8, 430, 432-6, 456, 459, 463, 468, 471; *ver também* organização genital
glândulas sexuais, 451
Goethe, 51, 449, 553
Grundzüge der Psychoanalyse (Kaplan), 14
guerra, 20, 49, 56, 95, 100, 197--8, 366, 438, 505, 562, 610, 612
Guido, são, 115

Hall, S., 526, 544
Hallstatt, 169
Hamlet (Shakespeare), 218NT, 446
hebraico, 17
Helena, 145NT
Hera, 145NT
hereditariedade, 336, 340, 479
Heródoto, 219
heróis, 217
Hesnard, 14

ÍNDICE REMISSIVO

hieroglífica, escrita, 310-1
Hildebrandt, 123
Hincks, 314
hipnose, hipnótico(s), hipnótica, 138-40, 194, 388-9, 591, 593-7, 612
hipocondria, 516, 518, 555
hipocrisia, 197
histeria, histérico(s), histérica(s), 15, 23, 321, 343-5, 348, 360, 362, 365, 367, 373, 378-80, 385, 398, 400, 402, 409, 430, 456-7, 479, 483, 498, 502, 505, 513, 517-8, 524, 530, 533-5, 541, 549, 556-8, 566, 580-1, 593
História (Heródoto), 219NT
Hitschmann, 14
Hoffmann, dr., 490
homem, homens, 73, 93-4, 132, 138, 144, 165-6, 192, 197-8, 206-9, 212, 216, 218, 220, 226-7, 241, 250, 253, 258-9, 265, 271-2, 281, 292, 297, 317-8, 321, 334-5, 340, 349, 351, 357-9, 365, 380, 384, 386, 403, 408-9, 421, 438-41, 445, 449, 463, 468, 470, 494, 499, 507, 511, 521, 523, 528-9, 531-2, 537, 548, 564, 571, 573, 583, 585-6, 608-9
Homero, 51
homofonia, 235
homossexualidade, homossexual, homossexuais, 403-4, 408-9, 419, 562, 564-5, 586
Hórus, 435

Ics, sistema, 454
Id, 16
Idade Média, 114
Ilíada (Homero), 51NT
Iluminismo, 114
ilusão, 64
imagens mnemônicas, 244
Imago, 226NT, 227
impotência, 351, 386, 397, 440, 484, 532
impulso(s), 17, 22, 29-30, 103, 199, 275, 277, 280, 282, 284-5, 287-8, 304-5, 320-1, 345-6, 369, 371, 374, 391, 393, 396, 408-12, 415, 433-4, 436-7, 440-1, 446, 449, 457-9, 468-70, 478, 495, 524, 534, 542, 562, 564, 572-3, 578, 587, 589, 604
incesto, incestuoso(s), incestuosa, 192, 281, 283-4, 445-50, 454, 456
inconsciente, o, 14, 29, 152-3, 155, 176, 204, 271, 273, 284-6, 296, 306, 318, 338, 344, 364, 370-2, 374, 376, 380, 383, 391-5, 409, 441-2, 455-6, 477-8, 486, 496, 502-4, 515, 542-4, 554, 565, 573, 575, 577-8, 591, 598, 600, 602, 604
inconscientes, atos e processos, 28-9, 161, 166, 194, 196, 199-200, 224, 247, 255, 286, 305, 307, 341, 343, 370-4, 379, 393, 395, 441, 470, 495-6, 500, 518, 542

ÍNDICE REMISSIVO

infância, infantil, infantis, 103, 121, 123, 132, 168, 170-2, 175-6, 179, 181, 183, 209, 217, 230, 255-6, 258, 268-71, 276, 278-88, 293, 304, 307, 345, 352, 359, 366, 378, 401, 412, 414, 417, 419-4, 428-9, 431-4, 437, 443-9, 467, 470, 473, 479-85, 487-90, 492, 537-9, 541-2, 561, 567, 571, 580; *ver também* criança(s)

inglês, 53, 158, 242, 463

inibição, inibições, inibidos, 263, 364, 450-1, 484, 499

instinto(s), instintual, instin-tuais, 16, 29-30, 179, 213, 304, 320-1, 323, 407, 413, 415, 417, 420, 428-9, 434-8, 447, 449, 452, 456, 460, 462, 465-6, 470, 472-4, 479, 481, 486, 493, 495, 497-8, 509, 521, 539-40, 544-8, 550, 555-6, 568-9, 576, 586, 589

inteligência, 510, 574, 578, 580, 599

interpretação dos sonhos, 14, 114, 160, 194, 196, 198-9, 201, 203, 247, 261, 274, 286, 299, 309, 314, 319, 382, 604; *ver também* censura do sonho; trabalho do sonho; sonho(s)

Interpretação dos sonhos, A (Freud), 230, 307NT

intestino, 128, 418, 423

investimento(s), 449-50, 477-8, 482, 496-7, 548-9, 551-2, 554--5, 557, 561, 590, 593, 605

irmã(s), 75, 77, 192, 195, 265, 276, 422, 444-6

irmão(s), 102, 158, 161, 173, 192--3, 195, 205-6, 265, 274-7, 282-3, 422, 443-4

Janet, 343-4

Jenner, 611

Jones, 74NA, 75

judeu(s), 16, 217-8, 250

Jung, 69NA, 146, 360, 496, 546

Kaplan, 14

Karl M., 237NA

Klementine K., 237NA

Koch, 611

"König Karls Meerfahrt" (Uhland), 266

Krauß, F. S., 219

lactente(s), 415-20, 429, 431-2, 437

lapso(s), 31-2, 36, 38, 40-3, 45--9, 51-65, 68, 79, 82-7, 90--6, 134, 138, 141, 199, 232, 318

latência, 200, 433-4, 437, 441

latim, 242, 524, 562

leite, 485

leitura, 32, 40, 51, 58, 90, 94, 96, 314

lembrança(s), 98, 101, 103, 112, 121, 138, 149-50, 153, 188, 249, 252, 255, 266, 269-71,

ÍNDICE REMISSIVO

273, 337, 350, 352, 355, 357, 369, 378-9, 383, 391-2, 400, 412, 444, 484, 486, 488-91, 518, 582, 588, 591

Levy, L., 219

libido, libidinal, libidinais, 192, 318, 415, 424, 434-6, 447-50, 453-68, 470-1, 475-83, 485--8, 495-7, 499, 502-3, 512-3, 515-6, 518, 531-6, 538-46, 548-52, 554-9, 561-2, 564-5, 568-9, 572, 575-7, 580, 585, 589-91, 593, 600-5

Lichtenberg, 51, 95

Liebesleben in der Natur, Das (Bölsche), 471NT

Lindner, 416-7

linguagem, 215, 220, 226, 228--9, 268, 312, 523, 551

línguas, 215, 221, 224, 241-3, 247, 310, 313

linguística, 223, 227, 239NT

livre associação, 143, 147, 151, 153-4, 176, 190, 202, 603

Löwenfeld, 327

Luís XIV, 136NT

Macbeth (Shakespeare), 128

mãe, 73, 192, 195, 215-7, 250, 257, 271-2, 274, 276-7, 279, 337, 340, 353, 358-60, 378, 398, 415-6, 423, 438-41, 443, 445-6, 448-9, 461, 490, 525, 539, 564, 609

Maeder, 74NA, 77, 320

mamíferos, 216, 451, 525

mania, 381, 410, 566, 611

mãos, 120, 214, 265

marido(s), 46, 68, 70, 77, 83, 130, 163-7, 195, 219, 237-8, 260, 272, 292, 296-7, 304, 332-3, 336, 338-40, 350-1, 358, 365, 367, 369, 397, 408, 507, 531-2, 608, 610

masculino(s), masculina(s), 207-13, 220-2, 257, 261, 321, 359, 421, 423, 434, 451, 492, 515, 586

masoquistas, 405

masturbação, masturbatório, masturbatória, 211, 223, 256-7, 263, 401-2, 410, 417, 420-1, 432, 469, 492, 511

Maury, 115, 122, 125

Mayer, 41-2, 55, 57

mecônio, 525

Médecin malgré lui, Le (Molière), 375NT

medicina, 19-21, 26-7, 51, 170, 251, 320, 341-2, 516, 520, 606

médico(s), 14, 22-3, 26, 70, 93, 99, 111, 113-4, 123, 184-5, 193, 271, 321-2, 325, 327, 329-31, 333, 349, 374-5, 382, 386-7, 389, 438, 440, 475, 490, 506-8, 512, 515-6, 519, 525, 532, 562, 564, 571-3, 580-90, 592, 594, 596-9, 601-3, 606-7, 610, 612-3

medo, 256, 257, 260, 265, 267, 295, 311, 356, 358, 410, 521, 523, 525, 537, 539-40, 602; *ver também* angústia

ÍNDICE REMISSIVO

medulla oblongata, 520
Meijer, 14
melancolia, 565-6, 611
Melissa, lenda de, 219
memória, 32, 58, 89-90, 101-2, 113, 121, 138, 186, 269, 273, 331, 377-9, 433, 444, 577, 599
menina(s), 169, 177, 258, 265, 276, 421-2, 443-4, 469, 492
menino(s), 169, 256, 258, 421, 441-3, 445, 490
Mercador de Veneza, O (Shakespeare), 49
Meringer, 41-2, 45, 55, 57, 65
meta(s), 30, 89, 144, 376, 386, 404-5, 407, 410, 414, 420, 425, 427-9, 433, 435, 438, 452-3, 459-60, 493, 497
mitologia, 145, 220, 223, 227, 232, 445, 515
Moisés, 17, 25, 217
Molière, 375
Mônaco, 149, 152
Monte Carlo, 149
moralidade, moral, morais, 16, 28, 440-1, 445, 470, 571-2, 574
morte, 175, 178, 192, 195, 205, 235, 252, 254-5, 265-6, 272-3, 276-7, 320, 443, 446, 547, 562
mulher(es), 68, 77-8, 104, 126, 130, 132, 144-5, 184-6, 192, 206, 209-10, 212, 218-21, 223, 227, 250, 258-60, 264, 267, 272, 292, 296-7, 304, 333-5, 351-2, 357-9, 366, 386, 397, 403, 405, 408, 422, 446, 463, 468, 470, 498, 500, 507, 526, 528-9, 531-2, 563-5, 573, 584-6, 608
mundo exterior, 117, 139, 177, 192, 417-8, 486, 521, 551, 555
música, 115, 124, 170

Näcke, 549
narcisismo, narcísico, narcísica(s), 504, 545, 549-53, 556-61, 564, 567-8, 590, 592, 602
nascimento, ato do, 118, 205-6, 216-7, 423, 444, 524-5, 539
natureza, 26, 222, 267, 283
natureza humana, 30, 192, 197-8, 274, 285
Nestroy, 426NT, 468
neurastenia, 516-7
neurose(s), neurótico(s), neurótica(s), 14, 19-20, 101, 110, 228, 247-50, 266, 291, 296, 300, 303, 307, 323, 325, 329, 343-7, 352-3, 360-3, 365-8, 369, 371-2, 374, 377-81, 385-9, 394, 396, 398-400, 407-10, 413, 421-2, 424, 430, 434, 436, 438, 441, 446-8, 450, 453-4, 456-8, 460-70, 472, 475-7, 479-85, 487, 489-93, 495-521, 526, 528, 530-2, 535-41, 543-4, 547-9, 556, 558-60, 566, 568, 572-6, 579-81, 584, 588-90, 592-3, 595-6, 600, 603-5, 608-9, 611

ÍNDICE REMISSIVO

Neveu de Rameau, Le (Diderot), 449
Nimrod, 25
nojo, 281, 362, 404, 418
nomes, 32, 36, 44, 56, 70, 79, 90, 95, 100-2, 143-4, 148-50, 265, 347, 518, 526
Nordenskjöld, 177
Novo Testamento, 218

Oberländer, 510
obsessão, obsessões, obsessivo(s), obsessiva(s), 112, 267, 338, 344-53, 355, 356, 361-3, 368-71, 377-80, 384-6, 389, 397-8, 400, 408, 410, 456-7, 498, 504-5, 534-5, 556, 558, 565, 579-81, 589, 593
ódio, 111, 192, 273, 276, 443, 446, 562
Offenbach, 145
Oppert, 314
oral, 38, 435-7
organismo, 26, 525, 547
organização genital, 435, 456
orgasmo, 415, 427, 430
Oriente, 220
Ovídio, 290NT

paciente(s), 22-3, 105, 110, 158-60, 217, 221, 317, 321-2, 326, 329-31, 334, 336-8, 346, 350, 352, 354-7, 359-61, 364, 365, 367, 369-70, 373-5, 378, 384-6, 388-90, 397, 399, 408, 435, 489, 511-2,

563-4, 574-88, 590, 592-9, 601, 603, 606-8, 610-2
pai, 48, 50, 102, 159, 192, 215, 253-6, 261-2, 272, 274, 277-80, 317, 327, 332, 358--9, 365-6, 368, 386, 423, 439-41, 443, 445-6, 448-9, 461, 490, 562, 603, 610
pais, 193, 205, 215, 275-9, 282--3, 298, 304, 353, 355, 358, 378, 397, 443, 448, 490, 493, 567
paixão, paixões, 213, 337, 339--40, 368, 449, 514, 584
palavra-estímulo, 146-7
palpitação, 530
paranoia, 89, 408, 505, 518, 561, 564-5, 581, 607
Páris, 145NT
Patients de Freud, Les (Borch--Jacobsen), 366NT
Pcs, sistema, 454
peito *ver* seios
pênis, 257, 262, 421
pensamento(s), 22, 26, 67, 69, 84, 94-6, 105, 115, 119-20, 141, 143, 145-6, 150-1, 153--5, 159-62, 164-7, 171-2, 177, 188-200, 202, 205, 207, 224, 228, 230, 232-6, 238-40, 243-8, 250, 254-5, 257-8, 262-3, 265, 268, 284-6, 288, 290, 297, 299--306, 308-10, 312-3, 315, 318, 320, 322, 337, 345-6, 376, 383-5, 488, 525, 567, 603, 605

ÍNDICE REMISSIVO

pensamento(s) onírico(s), 151, 160-2, 164-6, 171-2, 188-200, 202, 205, 230, 234, 236, 238-40, 244-8, 250, 255, 262-3, 268, 286, 290, 297, 301-2, 304-6, 308-10, 320

perda de objetos, 33, 79, 105

Periandro, lenda de, 219

perigo, 30, 38, 294, 300, 374, 387, 453, 481, 505, 521-4, 527-8, 530-1, 536, 540-1, 543-4, 569, 574, 598, 607

personalidade, 16, 23, 25, 249, 320, 464-6, 553, 561, 582

perversão, perversões, perverso(s), perversa(s), 281-3, 403-5, 407-13, 419-20, 424-30, 433, 449-50, 457, 467, 471, 477, 549

pés, 124, 355, 358, 463

Pfister, 14, 315

phallus impudicus, 222

piano, 115, 120, 130, 170, 211

"Piccolomini" (Schiller), 48

plantas, 213, 354, 356, 431

Platão, 197

Plutarco, 24, 319

Poincaré, 56

polissemia, 235

polução, 179

povos primitivos, 340, 445

prazer, prazerosas, 57, 192, 206, 211, 277, 282, 291, 298, 304, 319, 345, 402-3, 405, 416-20, 427, 429-32, 436-7, 459, 473-4, 491, 493-5, 498-501, 523, 547, 582; *ver também* princípio do prazer

pré-consciente, 318, 393-5, 454, 456, 478, 573

princípio do prazer, 473-4, 477, 486, 506; *ver também* prazer, prazerosas

projeção, 339, 543, 550; *ver também* transferência

provérbio(s), 174-5, 214, 225, 312-3

psicanálise, 14, 16, 19-31, 33, 35, 59-60, 63-4, 70, 74, 80-1, 118, 134, 136, 146, 176, 197-8, 204, 207, 209, 226-8, 246, 259-60, 315, 323, 325-6, 336, 340-1, 343-4, 348, 372, 380, 385, 389, 398-9, 417, 419, 424, 432-4, 438-9, 449, 462, 465-6, 473, 500, 502, 504, 513, 515, 520, 524, 532, 547, 549-60, 566-7, 570, 575, 584, 596-8, 606-7, 609-10, 612

psicanalista(s), 24, 184, 209, 221, 319, 329, 360-1, 381, 396, 524, 560, 610, 612

psicologia, 26, 28, 80, 89, 100, 112, 122, 131, 142, 146, 227, 247, 284, 288, 315, 317, 371, 395, 441, 493, 524, 543-4, 559

Psicopatologia da vida cotidiana (Freud), 74

psicoses, 348, 549, 560, 568

psique, 17, 27, 89, 111, 119-21, 126, 240, 285, 336, 371, 381, 395, 513-4, 579; *ver também* aparelho psíquico; vida psíquica

psiquiatra(s), 27, 41, 48, 112, 334-6, 341, 343, 401, 560

psiquiatria, 21, 23, 27, 111, 227, 325, 336, 340, 343, 347-8, 371, 558, 561

Psychoanalyse des névroses et des psychoses, La (Régis & Hesnard), 14

Psychoanalytische Methode, Die (Pfister), 14

puberdade, 132, 223, 256, 281, 365, 413-4, 420, 423, 434, 445, 447, 463, 484, 491, 533

punição, 71, 237NA, 238NA, 295, 299

química, 21, 26, 64, 515

racional, racionais, 161, 253, 285, 306, 353-4, 521, 611

raiva, 272, 534

Rank, 49, 179, 217, 228, 249, 280, 448

rato(s), 527-8

Rawlinson, 314

Régis, 14

regressão, regressivo, regressiva(s), 244, 246, 250, 268, 285-7, 302, 450, 453-7, 476--8, 482, 484-6, 542, 545

Reitler, 76NA

religião, religioso, religiosa, 35, 67, 123, 227, 229, 250, 253, 255, 441, 515

renúncia(s), 277, 345, 357, 389

repressão, repressões, reprimido(s), reprimida(s), 87--8, 187, 282, 293, 306, 317, 381, 391-6, 398, 400, 433, 438, 454-7, 467, 477-9, 484, 496, 499, 502-3, 508, 534, 542-5, 554, 557, 562, 567, 572, 575-80, 589-90, 592, 596, 599-605

resíduos diurnos, 286, 306-7, 321, 395, 554

resistência(s), 29, 63-4, 86, 91, 113, 154-6, 159, 190, 204, 229, 280, 284, 288, 326, 337-8, 371, 380-3, 385-91, 394, 396, 412, 421, 438, 453, 456, 463, 465, 485, 497, 502, 504, 508, 554, 560, 577-80, 583, 587, 589, 592, 597, 599-600, 607-8

Riviera, 149

Roma, 71, 75

Roux, 480

Royal Asian Society, 314

Sachs, 228, 278

sadismo, sádico(s), sádica, 405, 410, 423, 434-6, 457

sangue, 37, 423, 524, 527

Sargão da Acádia, rei, 217

satisfação, satisfações, 29-30, 132, 174, 177, 179, 183, 187, 193, 259, 281, 305, 318, 339, 397-401, 406-8, 410-2, 415--7, 419, 422, 426-7, 432, 441, 453, 458-60, 464-5, 469, 474, 476-9, 485-7, 491, 494-8,

ÍNDICE REMISSIVO

506, 511, 513, 518, 529, 532, 540, 545, 547, 549, 552, 565, 571, 582, 589, 592, 601-2

saúde, 55, 57, 60, 65, 99, 506, 538, 604-5

Scherner, 127, 204, 206, 214

Schiller, 40, 48

Schreck, 523

Schubert, G. H. von, 221

Schwind, 180, *182*

Secrets d'Anna O. (Borch-Jacobsen), 366nt

sede, 177, 179

seios, 210, 213, 215, 265, 416-7, 423, 437, 485-6

sensualidade, sensual, 552, 572, 585

sentimento(s), 16-7, 101, 118-9, 186, 196, 199, 251, 255, 273, 276, 278, 284, 383, 386, 414, 429, 441, 443-4, 469, 521, 527, 530, 538, 566, 583, 585, 587-8

ser humano, 100, 115, 135, 137, 198, 216, 284, 301, 404, 421, 445, 466, 471, 473, 475, 494, 506, 510, 548, 590

sexualidade, sexual, sexuais, 29-30, 177, 179, 192, 195, 197, 206-14, 218-20, 222-3, 225-7, 229, 256, 258-63, 271, 277-8, 280-3, 285, 298, 304, 321, 339-40, 352, 356-60, 397-417, 419-38, 442-5, 447-8, 451-2, 454, 456, 458-63, 465-75, 479-81, 483-6, 490-4, 497, 503-4, 510-5,

518, 531-3, 545-50, 552, 555-6, 563, 565, 572, 574-5, 586-7, 591, 598

Shakespeare, 49, 128

Shaw, 71, 276

Silberer, 320, 403

simbolismo, símbolo(s), 200, 202-22, 225-9, 239, 243, 250, 258, 260-1, 265, 267-8, 297, 308-9, 350, 356-7, 359, 600

"Simbologia sexual da Bíblia e do Talmud, A" (Levy), 219

sintoma(s), 21-3, 27, 101, 110, 228, 247, 303, 321, 323, 334, 342-4, 346-9, 352, 356, 359-63, 365-6, 368, 371-82, 386, 388, 390-1, 394-402, 407-10, 412, 415, 424, 431, 450, 457-8, 464-5, 475-6, 478-9, 485-9, 495-6, 498, 500, 502, 504-6, 508-13, 515, 517-8, 520, 530, 533-6, 538, 558, 560-1, 572, 575-7, 589, 591, 593-4, 596, 601-5

"Sobre o sentido antitético das palavras primitivas" (Freud), 241nt

sociedade humana, 283, 413

Sófocles, 439-40

sofrimento(s), 278, 334, 353, 475, 485, 506, 508

sonambulismo, 138

Sonho do prisioneiro (Schwind), 180, *182*

sonho(s), 14, 110-6, 118-35, 137, 139-43, 147-8, 150-63, 165-

ÍNDICE REMISSIVO

-81, 183-97, 199-209, 211, 213-22, 225, 227-40, 243-74, 276, 278, 283-311, 313, 316--23, 325, 344, 350-1, 360, 363-4, 366, 372, 383, 395, 396-7, 415, 439, 449-50, 478, 482, 487, 495, 499, 502, 504--5, 544, 551, 554-5, 603-5; *ver também* censura do sonho; interpretação dos sonhos; trabalho do sonho

sono, 115-9, 121-3, 125-6, 129, 131, 138-9, 169-75, 178-80, 183, 192-4, 199, 286, 288, 293-4, 322, 352-3, 356, 361, 395, 478, 551, 554-6, 604

sons, 43-4, 54, 61, 226, 310, 312

Sperber, 226

Stärcke, 74NA

Stekel, 321

Struwwelpeter (Hoffmann), 490

sublimação, 459-60, 497, 499, 532, 602

sugar, ação de, 416

sugestão, 40, 591-4, 596-602, 612

Suíça, 315

suicídio, 566

Super-eu, 16

superstição, 79, 114

Talbot, F., 314

Tannhäuser (Wagner), 426

técnica psicanalítica, 95, 176, 299, 590

Tentação de Santo Antônio, A (Bruegel), 404

ternura, 73, 272, 277-9, 337, 340, 432, 441, 443, 446

Terra, 196, 220, 266, 380, 494, 553

Tiro, cidade de, 113-4, 319

tontura, 530

topofobia, 361

Totem e tabu (Freud), 340NA, 441

toxinas, 514-5

trabalho analítico, 356, 371, 389, 559, 583, 589, 599

trabalho do sonho, 128, 161, 183, 190, 225, 229-32, 234, 236-8, 240-6, 248, 250, 254, 256, 268, 285, 287-8, 290, 301-2, 308, 310, 312, 319--20, 322; *ver também* censura do sonho; interpretação dos sonhos; sonho(s)

transferência, 281, 386, 398, 408, 447, 454, 456, 465-6, 502, 510, 513, 517, 547-8, 556, 558-60, 568, 570, 585-90, 592-3, 597-8, 600-3, 612; *ver também* projeção

trauma, traumático(s), traumática(s), 364, 366-8, 375, 461, 480, 482, 505

tremedeira, 530

tuberculose, 611

"Über den Einfluss sexueller Momente auf Entstehung und Entwicklung der Sprache" (Sperber), 226NT

Uhland, 266

ÍNDICE REMISSIVO

umbigo, 423
urina, 435

vagina, 263, 404, 419, 421
vestígios diurnos *ver* resíduos
    diurnos
vida humana, 17, 191
vida psíquica, 23, 26, 28, 80, 89,
    94, 103, 114, 116, 118-9, 137,
    142, 147, 169, 196, 198, 200,
    228, 246-7, 273, 279-80,
    284-5, 295-6, 323, 337, 341,
    346-7, 371, 379-80, 395, 417,
    455, 464, 466, 493, 509, 515,
    520, 546, 548, 559, 568, 576,
    588, 596, 604; *ver também*
    psique
vida sexual, 30, 197, 206-7, 219,
    256, 281, 283, 285, 298, 304,
    352, 357, 360, 397, 401, 403,
    407, 411-2, 414-5, 417, 419-
    -20, 424-5, 427, 429, 432-6,
    511-2, 531, 545-6, 574; *ver*
    também sexualidade, sexual,
    sexuais
vigília, 115-9, 121, 174, 193, 197,
    224, 228, 234-5, 251, 278,
    286, 306, 353, 594, 605
Vold, 115, 122, 209, 322
Von Brücke, 451
Von Hug-Hellmuth, dra., 184NT

Wagner, 426
Wallace, 380
Wallenstein (Schiller), 48-9
Witzige und satirische Einfälle
    (Lichtenberg), 51

Zola, 348
zonas erógenas, 416-8, 427,
    435, 437, 514

SIGMUND FREUD, OBRAS COMPLETAS EM 20 VOLUMES

COORDENAÇÃO DE PAULO CÉSAR DE SOUZA

1. TEXTOS PRÉ-PSICANALÍTICOS (1886-1899)
2. ESTUDOS SOBRE A HISTERIA (1893-1895)
3. PRIMEIROS ESCRITOS PSICANALÍTICOS (1893-1899)
4. A INTERPRETAÇÃO DOS SONHOS (1900)
5. PSICOPATOLOGIA DA VIDA COTIDIANA E SOBRE OS SONHOS (1901)
6. TRÊS ENSAIOS SOBRE A TEORIA DA SEXUALIDADE, ANÁLISE FRAGMENTÁRIA DE UMA HISTERIA ("O CASO DORA") E OUTROS TEXTOS (1901-1905)
7. O CHISTE E SUA RELAÇÃO COM O INCONSCIENTE (1905)
8. O DELÍRIO E OS SONHOS NA GRADIVA, ANÁLISE DA FOBIA DE UM GAROTO DE CINCO ANOS ("O PEQUENO HANS") E OUTROS TEXTOS (1906-1909)
9. OBSERVAÇÕES SOBRE UM CASO DE NEUROSE OBSESSIVA ("O HOMEM DOS RATOS"), UMA RECORDAÇÃO DE INFÂNCIA DE LEONARDO DA VINCI E OUTROS TEXTOS (1909-1910)
10. OBSERVAÇÕES PSICANALÍTICAS SOBRE UM CASO DE PARANOIA RELATADO EM AUTOBIOGRAFIA ("O CASO SCHREBER"), ARTIGOS SOBRE TÉCNICA E OUTROS TEXTOS (1911-1913)
11. TOTEM E TABU, HISTÓRIA DO MOVIMENTO PSICANALÍTICO E OUTROS TEXTOS (1913-1914)
12. INTRODUÇÃO AO NARCISISMO, ENSAIOS DE METAPSICOLOGIA E OUTROS TEXTOS (1914-1916)
13. CONFERÊNCIAS INTRODUTÓRIAS À PSICANÁLISE (1916-1917)
14. HISTÓRIA DE UMA NEUROSE INFANTIL ("O HOMEM DOS LOBOS"), ALÉM DO PRINCÍPIO DO PRAZER E OUTROS TEXTOS (1917-1920)
15. PSICOLOGIA DAS MASSAS E ANÁLISE DO EU E OUTROS TEXTOS (1920-1923)
16. O EU E O ID, "AUTOBIOGRAFIA" E OUTROS TEXTOS (1923-1925)
17. INIBIÇÃO, SINTOMA E ANGÚSTIA, O FUTURO DE UMA ILUSÃO E OUTROS TEXTOS (1926-1929)
18. O MAL-ESTAR NA CIVILIZAÇÃO, NOVAS CONFERÊNCIAS INTRODUTÓRIAS E OUTROS TEXTOS (1930-1936)
19. MOISÉS E O MONOTEÍSMO, COMPÊNDIO DE PSICANÁLISE E OUTROS TEXTOS (1937-1939)
20. ÍNDICES E BIBLIOGRAFIA

PARA MAIS INFORMAÇÕES SOBRE OS VOLUMES PUBLICADOS, ACESSE:
www.companhiadasletras.com.br

ESTA OBRA FOI COMPOSTA
EM FOURNIER E CONDUIT
POR CLAUDIA WARRAK
E IMPRESSA EM OFSETE PELA
GEOGRÁFICA SOBRE PAPEL
PÓLEN DA SUZANO S.A.
PARA A EDITORA SCHWARCZ
EM JULHO DE 2024

A marca FSC® é a garantia de que a madeira utilizada na fabricação do papel deste livro provém de florestas que foram gerenciadas de maneira ambientalmente correta, socialmente justa e economicamente viável, além de outras fontes de origem controlada.

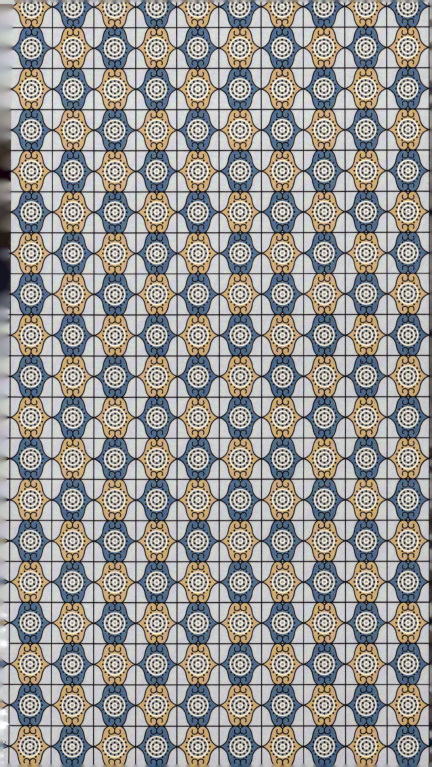

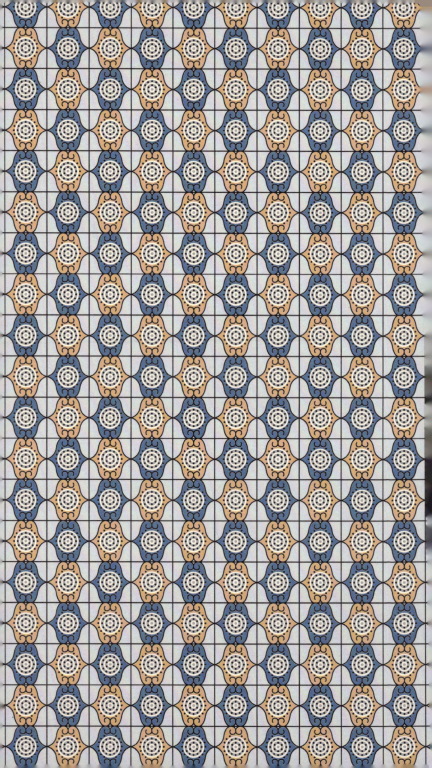